LISTENING
CLEAR

중학영어듣기
모의고사 20회

1

▌핵심만 골라 담은 중학 영어듣기능력평가 완벽 대비서 LISTENING CLEAR

- **더 완벽하게!** 최신 중학 영어듣기능력평가 출제 유형 100% 반영

- **더 풍부하게!** 유형별 문제 해결 전략 및 풍부한 기출 표현 수록

- **더 편리하게!** 1.0배속, 1.2배속, 받아쓰기용 QR코드로 학습 편의성 강화

- **더 정확하게!** 잘 안 들리는 영어 발음 현상과 영국식 발음 반복 훈련

학습자의 마음을 읽는 **동아영어콘텐츠연구팀**

동아영어콘텐츠연구팀은 동아출판의 영어 개발 연구원, 현장 선생님, 그리고 전문 원고 집필자들이
공동연구를 통해 최적의 콘텐츠를 개발하는 연구조직입니다.

원고 개발에 참여하신 분들

고미라 강윤희 이정은 이지현 김영선 전혜래나
유경연 박석완 배윤경 윤소영 김지형 강남숙

LISTENING CLEAR
중학영어듣기
모의고사 20회

1

STRUCTURES 구성과 특징

〈전국 16개 시 · 도 교육청 영어듣기능력평가〉에 출제된 유형별 기출문제를 학습하며 기본기를 다집니다.

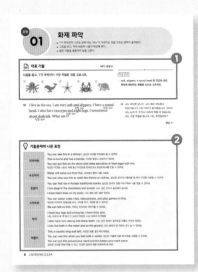

📄 **대표 기출 |** [해결 전략] ❶

유형별 대표 기출문제를 풀어 보며 유형에 대한 감을 익힐 수 있어요.
해결 전략에는 어느 부분을 집중해서 들어야 하는지, 무엇을 주의해야 하는지 설명되어 있어요.
문제 푸는 요령을 터득할 수 있으니 꼭 짚어 보세요.

💡 **기출문제에 나온 표현** ❷

실제 시험에 출제되었던 필수 어휘와 필수 표현을 한눈에 볼 수 있어요.
매 시험마다 반복적으로 출제되는 표현이 많으므로 암기해 두는 것이 좋아요.

STEP 2 모의고사로 실전 감각 기르기

실제 시험과 유사한 소재와 유형, 출제 경향을 완벽히 반영한 모의고사 20회를 풀며 실전 감각을 기릅니다.

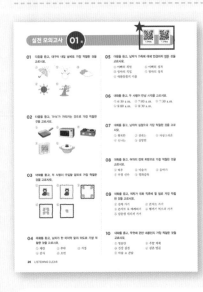
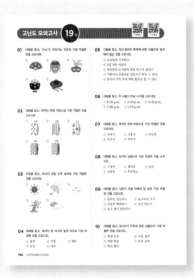

실전 모의고사

실제 시험보다 약간 어려운 난이도로 구성되어
있어서 실전에 효과적으로 대비할 수 있어요.

고난도 모의고사

실전 모의고사보다 어려운 문제를 통해 실력을
더욱 향상시킬 수 있어요.

★ 1.0배속 / 1.2배속 녹음 파일: 각자 수준에 맞는 속도를 선택하여 문제를 풀어 보세요.

1.0배속   1.2배속

STEP 3　받아쓰기로 실력 높이기

모의고사 문제를 다시 듣고 받아쓰면서 듣기 실력을 향상시킵니다.

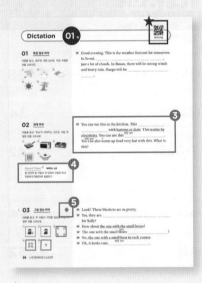

정답 단서 / 함정 ❸

정답 단서와 함정이 표시되어 있어서 문제를 더욱 잘 이해할 수 있고, 반복되는 출제 패턴을 파악할 수 있어요.

Sound Clear ☆ ❹

듣기 어려운 발음과 주의해야 하는 발음 현상을 학습할 수 있어요.

❋ 영국식 발음 ❺

매회 다섯 문항이 영국식 발음으로 녹음되어 있어서 영국식 발음에 익숙해질 수 있어요.

★ 받아쓰기용 녹음 파일: 문장마다 받아쓰기 시간이 확보되어 있어서 편리하게 학습할 수 있어요.

받아쓰기용

STEP 4　필수 어휘·표현 정리하기

모의고사에 나온 필수 어휘와 표현을 점검하며 학습한 내용을 마무리합니다.

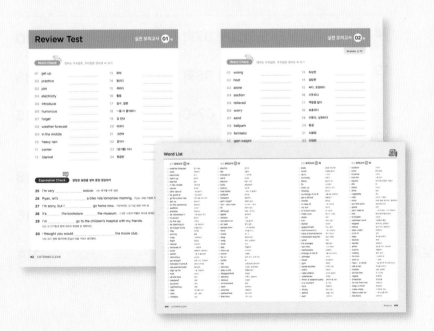

Review Test

모의고사에 나온 단어, 숙어, 관용 표현 문제를 풀며 복습할 수 있어요.

Word List

부록으로 제공된 어휘 목록을 암기장으로 활용해 보세요.

CONTENTS 차례

PART 3 고난도 모의고사 19-20회

PART

1

유형 분석 &
주요 표현

유형 **01**

화제 파악

- 'I'가 무엇인지 고르는 문제 또는 'this'가 가리키는 것을 고르는 문제가 출제된다.
- 그림을 보고, 어떤 내용이 나올지 예상해 본다.
- 들은 내용을 종합하여 답을 고른다.

📄 **대표 기출**　　　　　　　🔊 MP3 유형 01

다음을 듣고, 'I'가 무엇인지 가장 적절한 것을 고르시오.

① 　② 　③ 　④ 　⑤

해결 전략

- soft, slippery, a round head 등 언급된 모든 특징에 해당하는 동물을 답으로 고르세요.

W　I live in the sea. I am very soft and slippery. I have a round head. I also have two eyes and eight legs. I sometimes shoot dark ink. What am I?

정답 단서 / 정답 단서 / 정답 단서 / 정답 단서

여　나는 바다에 삽니다. 나는 매우 부드럽고 미끈거립니다. 나는 머리가 동그랗습니다. 그리고 나는 눈이 두 개 있고 다리가 여덟 개 있습니다. 나는 가끔 먹물을 쏩니다. 나는 무엇일까요?

정답 ①

💡 **기출문제에 나온 표현**

프라이팬	You can see this in a kitchen. 당신은 이것을 부엌에서 볼 수 있어요. This is round and has a handle. 이것은 둥글고 손잡이가 있어요. You can put this on the stove and make pancakes or fried eggs with this. 당신은 이것을 스토브 위에 놓고 이것으로 팬케이크나 달걀프라이를 만들 수 있어요.
수도꼭지	Water will come out from this. 이것에서 물이 나올 거예요. You can also use this to wash the dishes or clothes. 당신은 설거지나 빨래를 할 때도 이것을 사용할 수 있어요.
호랑이	You can find me in Korean traditional stories. 당신은 한국의 전통 이야기에서 나를 찾을 수 있어요. I live deep in the mountains and woods. 나는 깊은 산속과 숲속에서 살아요. I have black lines on my body. 나는 몸에 검은 줄이 있어요.
스마트폰	You can watch video clips, take pictures, and play games on this. 당신은 이것으로 동영상을 보고, 사진을 찍고, 게임을 할 수 있어요. We can talk on this. 우리는 이것으로 이야기할 수 있어요.
악어	I have four legs and a long tail. I have thick skin. 나는 다리가 네 개 있고 긴 꼬리가 있어요. 나는 피부가 두꺼워요. I also have very strong and sharp teeth. 나는 아주 강하고 날카로운 이빨도 가지고 있어요. I can live both in the water and on the ground. 나는 물속과 땅 위에서 모두 살 수 있어요.
머플러	This is usually long and soft. 이것은 보통 길고 부드러워요. You can use this when you feel cold in winter. 당신은 겨울에 추울 때 이것을 사용할 수 있어요. You can put this around your neck and this keeps your neck warm. 당신은 이것을 목에 두를 수 있고, 이것은 당신의 목을 따뜻하게 해 줘요.

유형 02 그림 정보 파악

- 그림을 보고, 각 그림의 특징과 차이점을 미리 파악한다.
- 그림을 묘사하는 모양, 위치, 특징 등을 나타내는 표현에 특히 주의를 기울여 듣는다.
- 대화 속 인물이 최종적으로 선택하는 것을 답으로 고른다.

📄 대표 기출

🔊 MP3 유형 02

대화를 듣고, 여자가 구입할 마스크로 가장 적절한 것을 고르시오.

①   ②   ③   ④   ⑤

해결 전략

- 대화를 듣기 전에 각 마스크의 특징을 나타내는 표현을 생각해 두세요.
- 중간에 제외되는 선택지를 지워 나가면서 여자가 최종적으로 선택하는 것을 주의 깊게 듣고 답을 고르세요.

M Hello. How may I help you?
W I'd like to buy a mask for my friend.
M How about this one with dots?
W Well, I like that one with a heart better. _함정_ _정답 단서_
M Okay. Here's the mask.
W Great! I'll take it.

남 안녕하세요. 무엇을 도와드릴까요?
여 제 친구에게 줄 마스크를 사고 싶어요.
남 점무늬가 있는 이것은 어떠세요?
여 음, 저는 하트가 있는 저것이 더 좋아요.
남 알겠습니다. 여기 그 마스크요.
여 아주 좋네요! 그것으로 할게요.

정답 ④

💡 기출문제에 나온 표현

모양	round 둥근　　　circle 동그라미, 원　　　square 사각형　　　heart-shaped 하트 모양의 The ones with ribbons are good. 리본이 달린 것이 좋아요. Your sister will like the socks with trees and stars. 당신의 여동생은 나무와 별이 있는 양말을 좋아할 거예요. I like that one with a heart better. 저는 하트가 있는 게 더 좋아요.
무늬	striped 줄무늬의　　　dotted 점무늬의　　　checked 체크무늬의　　　flower pattern 꽃무늬 How about this one with dots? 점들이 있는 이것은 어떠세요? Oh, you drew beautiful flowers on the box. 아, 너는 상자 위에 아름다운 꽃들을 그렸구나. The slippers with flower pattern are good. 꽃무늬 슬리퍼가 좋아요.
위치	on ~ 위에　　　in ~ 안에　　　under ~ 아래에　　　around ~ 주위에 on top of ~ 위에　　　in the middle 가운데에　　on the right(left) 오른쪽(왼쪽)에 How about putting this big ribbon on the box? 이 큰 리본을 상자 위에 붙이는 게 어때? How about these slippers with bears on them? 곰이 그려진 이 슬리퍼는 어때요? I like the T-shirt with the star in the middle. 저는 가운데에 별이 있는 티셔츠가 마음에 들어요.

유형 03 특정 정보 파악

- 날씨를 묻는 문제는 여러 시간대, 요일, 지역의 날씨가 한꺼번에 나오므로 필요한 정보에 집중한다.
- 장래 희망을 묻는 문제는 화자의 취미나 관심사를 통해 유추한다.
- 이용할 교통수단을 묻는 문제는 뒷부분에서 선택이 바뀌는 경우가 있으므로 주의한다.

📄 대표 기출
🔊 MP3 유형 03

다음을 듣고, 토요일 오후의 날씨로 가장 적절한 것을 고르시오.

①   ②   ③   ④   ⑤

W Good evening. This is the weather report for this weekend. It'll be cloudy and windy from tonight to Saturday morning. On Saturday afternoon, it'll be rainy. However, we will see clear skies on Sunday.

(한정) cloudy and windy
(정답 단서) rainy
(한정) clear skies

해결 전략

- 토요일 오전, 토요일 오후, 일요일의 날씨가 연이어 언급되므로 중간에 언급되는 토요일 오후의 날씨를 놓치지 않도록 주의하세요.

여 안녕하세요. 이번 주말 일기 예보입니다. 오늘 밤부터 토요일 아침까지는 흐리고 바람이 불겠습니다. 토요일 오후에는 비가 오겠습니다. 하지만, 일요일에는 맑은 하늘을 볼 수 있겠습니다.

정답 ①

💡 기출문제에 나온 표현

날씨·시간대·요일			
sunny 화창한	warm 따뜻한	hot 더운	cool 시원한
cold 추운	cloudy 흐린	windy 바람이 많이 부는	rainy 비 오는
snowy 눈 오는	foggy 안개 낀	shower 소나기	
morning 아침	afternoon 오후	evening 저녁	tonight 오늘밤
weekly 주간의	weekend 주말	all day (long) 하루 종일	
on Monday(Tuesday/Wednesday/Thursday/Friday/Saturday/Sunday) 월요일(화요일/수요일/목요일/금요일/토요일/일요일)에			

장래 희망			
writer 작가	singer 가수	painter 화가	doctor 의사
cook 요리사	scientist 과학자	artist 예술가	pilot 파일럿
reporter 기자	athlete 운동선수	hairdresser 미용사	police officer 경찰관
firefighter 소방관	cartoonist 만화가	musician 음악가	photographer 사진작가

교통수단			
by bus(bike/subway/trarn/taxi) 버스(자전거/지하철/기차/택시)로			
station 역	bus stop 버스 정류장	ride one's bicycle 자전거를 타다	
drive 운전하다	on foot 걸어서	walk home 걸어서 집에 가다	
get on 타다	get off 내리다		

유형 04 의도 파악

- 지시문을 읽고, 마지막 말을 하는 사람이 누구인지 확인한다.
- 마지막 말의 의도를 파악하는 문제이므로 특히 마지막 말을 집중해서 들어야 한다.
- 의도를 나타내는 다양한 상황별 표현을 미리 익혀 둔다.

📄 대표 기출　　　　　🔊 MP3 유형 04

대화를 듣고, 여자가 한 마지막 말의 의도로 가장 적절한 것을 고르시오.

① 위로　　② 승낙　　③ 거절　　④ 축하　　⑤ 사과

해결 전략

- 마지막 말을 하는 사람이 여자이므로 여자가 하는 말을 주의 깊게 들으세요.
- That's a good idea.는 상대방의 제안을 승낙할 때 쓰는 표현이에요.

M	Jimin, look at these roses here.
W	Wow! They're really beautiful.
M	There are so many kinds of flowers in this park.
W	I like those yellow tulips.
M	Me, too. Let's take some photos there.
W	Sure. That's a good idea.

정답 단서

남 지민아, 여기 이 장미들을 봐.
여 우와! 정말 아름답다.
남 이 공원에는 아주 많은 종류의 꽃들이 있어.
여 나는 저 노란 튤립들이 좋아.
남 나도 그래. 저기서 사진을 좀 찍자.
여 그래. 그거 좋은 생각이야.

정답 ②

💡 기출문제에 나온 표현

승낙	No problem. 문제없어.
	Sure. That's a good idea. 좋아. 그거 좋은 생각이야.
거절	I'd love to, but I can't. 그러고 싶지만 안 돼요.
제안	Why don't we invite him to our school festival? 그를 우리 학교 축제에 초대하는 게 어때?
	How about going camping? 캠핑을 가는 게 어때?
위로	That's too bad. 그것 참 안됐구나.
요청	Can you turn off the TV? TV를 좀 꺼 줄래?
축하	Congratulations! 축하합니다!
사과	I'm so sorry. 정말 미안합니다.
감사	Thank you so much. / I really appreciate it. 정말 고맙습니다.
	Thanks for trying to cheer me up. 저를 격려하려고 애써 주셔서 감사합니다.
허락	You may go now. 당신은 이제 가도 됩니다.
	Sure. Go ahead. 물론이지. 어서 해.
칭찬	You did a good job! 잘했어!
충고	You'd better get some rest. 너는 좀 쉬는 게 좋겠어.
	You should wash your hands first. 너는 손을 먼저 씻어야 해.

언급하지 않은 것·일치하지 않는 것 찾기

■ 선택지 순서대로 내용이 언급되는 경우가 많다.
■ 선택지와 비교해 가면서 화자가 언급한 내용 또는 일치하는 내용을 하나씩 지워 나간다.
■ 끝까지 들은 후에 남아 있는 선택지를 답으로 고른다.

📄 **대표 기출** 🔊 MP3 유형 05

다음을 듣고, 여자가 친구에 대해 언급하지 <u>않은</u> 것을 고르시오.

① 학교 ② 외모 ③ 취미 ④ 생일 ⑤ 성격

W Hi, everyone. I'd like to introduce my best friend, Sumi, to you. She goes to Brown Middle School. She has long curly hair. *정답 단서* Her hobby is making things with paper. She is *정답 단서* *정답 단서* kind, so many people like her.
정답 단서

(해결 전략)

· 친구의 학교, 외모, 취미, 성격이 언급될 때마다 선택지를 하나씩 지우세요.
· 마지막에 남아 있는 하나의 선택지를 답으로 고르세요.

여 안녕하세요, 여러분. 저의 가장 친한 친구 수미를 여러분께 소개합니다. 그녀는 Brown 중학교에 다닙니다. 그녀는 긴 곱슬머리입니다. 그녀의 취미는 종이로 무언가를 만드는 것입니다. 그녀는 친절해서 많은 사람들이 그녀를 좋아합니다.

정답 ④

💡 **기출문제에 나온 표현**

직업	She teaches music at Daehan Middle School. 그녀는 대한중학교에서 음악을 가르칩니다.
외모	She has short black hair and wears glasses. 그녀는 머리가 짧고 검으며 안경을 씁니다.
고향	My hometown is Sydney, Australia. 저의 고향은 호주 시드니입니다.
취미	My hobby is taking pictures. 저의 취미는 사진 찍기입니다.
시간·날짜	The basketball game will be on May 4. 농구 경기는 5월 4일에 있을 것입니다.
	It'll start at 10 in the morning. 그것은 오전 10시에 시작할 것입니다.
장소	The game will be at Daehan Stadium. 그 경기는 대한 경기장에서 있을 것입니다.
기타	I'm introducing *Jump Shoes*! They're only 400g. Jump Shoes를 소개합니다! 무게가 겨우 400g입니다.
	The shoes come in blue and pink. 그 신발은 파란색과 분홍색으로 나옵니다.

숫자 정보 파악

- '~할(한) 시각'이나 '지불할 금액'을 고르는 두 가지 형태로 출제된다.
- 시각을 묻는 문제는 시각 정보가 여러 번 등장하므로 필요한 정보의 시각을 주의 깊게 듣는다.
- 금액을 묻는 문제는 물건의 가격이나 개수, 할인, 쿠폰 등의 정보를 종합하여 총액을 계산한다.

📑 대표 기출

🔊 MP3 유형 06

대화를 듣고, 남자가 극장에 도착한 시각을 고르시오.

① 6:30 p.m.   ② 7:00 p.m.   ③ 7:30 p.m.
④ 8:00 p.m.   ⑤ 8:30 p.m.

(해결 전략)

- 뮤지컬이 시작한 시각을 정답으로 혼동하지 않도록 주의하세요.
- 남자가 극장에 도착한 시각은 마지막에 나오므로 끝까지 집중해서 들으세요.

W   John, how was the musical yesterday?

M   It was good, but I couldn't see the beginning.

W   Why not?

M   It started at 7 in the evening, but I was late.   *함정*

W   Really? When did you get there?

M   I got to the theater at 7:30 p.m. So I missed the first part.   *정답 단서*

여   John, 어제 뮤지컬 어땠어?
남   좋았는데 앞부분을 못 봤어.
여   왜?
남   뮤지컬은 저녁 7시에 시작했는데, 내가 늦었어.
여   정말? 너는 거기에 언제 도착했는데?
남   저녁 7시 30분에 극장에 도착했어. 그래서 첫 부분을 놓쳤어.

정답 ③

💡 기출문제에 나온 표현

시각	half 30분 half an hour 30분 late 늦은 early 일찍 at noon 정오에 at midnight 자정에 on time 제시간에, 시간을 어기지 않고 It's 7 o'clock. 7시 정각입니다. It's 5:30. 5시 30분입니다. It's half past eleven. 11시 30분입니다. Let's meet in front of the stadium at 6. 6시에 경기장 앞에서 만나자. Why don't we meet at 2? 2시에 만나는 게 어때? How about meeting at 12:30? 12시 30분에 만나는 게 어때? Sign up starts at 4 o'clock this afternoon. 등록은 오늘 오후 4시에 시작합니다.
금액	total 합계 cost (비용이) 들다 change 거스름돈 bill 지폐, 계산서 discount 할인 for free 무료로 pay 지불하다 on sale 할인 중인 I'll take it. 그것을 살게요. Here's a $20 bill. 여기 20달러 지폐입니다. It is $5 each. 한 개에 5달러입니다. The total is $50. 총 50달러입니다. It's 30% off. 그것은 30퍼센트 할인입니다.

심정 추론

- 지시문을 읽고, 누구의 심정을 묻는 문제인지 확인한다.
- 화자의 어조와 감탄사 등에 주목하면서 전체적인 상황과 분위기를 통해 화자의 심정을 추론한다.
- 선택지가 영어로 출제되는 경우도 있으므로 심정을 나타내는 영어 단어를 미리 익혀 둔다.

📄 대표 기출

◁ MP3 유형 07

대화를 듣고, 여자의 심정으로 가장 적절한 것을 고르시오.

① 지루한   ② 신나는   ③ 부끄러운
④ 걱정스러운   ⑤ 자랑스러운

해결 전략

- 여자의 심정을 묻는 문제이므로 여자의 말을 주의 깊게 들으세요.
- 여자의 말 Are you all right?, poor you 등을 통해 남자를 걱정하고 있음을 파악할 수 있어요.

W   Ted. You're late.

M   I'm sorry, Ms. Johnson. I woke up late.

W   You don't look well. Are you all right?
              정답 단서

M   I couldn't sleep well because I had a fever.

W   Oh, poor you. Did you go see a doctor?
      정답 단서

여   Ted. 너 늦었구나.

남   죄송해요, Johnson 선생님. 제가 늦게 일어났어요.

여   안색이 안 좋구나. 괜찮니?

남   열이 나서 잠을 잘 못 잤어요.

여   아, 안됐구나. 병원에 가 봤니?

정답 ④

💡 기출문제에 나온 표현

긍정적 심정	happy 행복한 relaxed 여유 있는	glad 기쁜 satisfied 만족하는	excited 신난 thankful 감사하는	proud 자랑스러운 confident 자신 있는
	Wow, I can't wait! 와, 정말 기다려져요!			
	I'm really looking forward to it. 나는 정말로 그것이 기대돼.			
	I can't believe I have a dog now. 저에게 이제 개가 생기다니 믿을 수가 없어요.			
	I can't wait for the class field trip tomorrow! 나는 내일 학급 현장 학습이 정말 기다려져요!			
부정적 심정	sad 슬픈 bored 지루해하는	angry 화가 난 worried 걱정하는	upset 속상한 scared 무서워하는	nervous 긴장한, 초조해하는 disappointed 실망한
	I'm worried about the test tomorrow. 나는 내일 시험이 걱정돼.			
	I couldn't find my dog anywhere. What shall I do? 어디에서도 우리 개를 찾을 수가 없었어. 어떡하지?			
	I want to play baseball, but I can't. I feel so bad about it. 나는 야구를 하고 싶지만 할 수가 없어. 나는 그것이 아주 속상해.			

할 일·한 일 파악

- 누가 언제 할 일 또는 한 일을 묻는 문제인지 확인한다.
- 할 일을 파악하는 문제는 미래를 나타내는 동사에 유의하며 듣는다.
- 한 일을 파악하는 문제는 과거를 나타내는 동사에 유의하며 듣는다.

📄 대표 기출   🔊 MP3 유형 08

대화를 듣고, 여자가 대화 직후에 할 일로 가장 적절한 것을 고르시오.

① 모자 환불하기   ② 할인 쿠폰 찾기
③ 친구와 야구하기   ④ 야구 경기 관람하기
⑤ 야구 모자 사러 가기

W Hey, Jihun. Your cap looks great on you. Where did you
   buy it?
M Thanks, Suji. I bought it at the department store.
   There's a big sale on caps.
W Oh, I want a baseball cap like that.
   정답 단서
M Then you should hurry up. The sale ends today.
W Really? I'll go there now.
   정답 단서

(해결 전략)

- 여자가 할 일이므로 여자의 말을 주의 깊게 들으세요.
- 대화 직후에 할 일은 주로 마지막 부분에 나오므로 끝까지 듣고 나서 답을 고르세요.

여 야, 지훈아. 모자가 너랑 아주 잘 어울린다. 그거 어디에서 샀니?
남 고마워, 수지야. 백화점에서 샀어. 모자 할인을 많이 해.
여 아, 나도 그런 야구 모자 사고 싶은데.
남 그럼 서둘러야 해. 할인이 오늘 끝나거든.
여 정말? 지금 거기로 가야겠다.

정답 ⑤

💡 기출문제에 나온 표현

행동	take a walk 산책하다	ride a bike 자전거를 타다
	take a picture 사진을 찍다	visit a museum 박물관을 방문하다
	go shopping 쇼핑하러 가다	go to the movies 영화를 보러 가다
	call a friend 친구에게 전화하다	go to the concert 콘서트에 가다
	see a doctor 병원에 가다	book the ticket 표를 예매하다
	clean up the room 방을 청소하다	wash the dishes(clothes) 설거지(빨래)하다

할 일	I will wash it later. 그것을 나중에 씻을게요.
	I'll buy some food for the rabbits now. 나는 지금 토끼들한테 줄 먹이를 좀 살 거야.
	I will call her to congratulate her right now. 지금 당장 그녀에게 전화해서 축하해 줄게요.
	I'll go back to the restaurant right now. 지금 바로 식당으로 돌아갈게요.
	I will find it on the Internet. 그것을 인터넷으로 찾을게요.
	I plan to draw some posters on Sunday. 나는 일요일에 포스터를 그릴 계획이야.
	We will try some traditional Korean food. 우리는 한국의 전통 음식을 먹어 볼 거야.

한 일	I learned to play table tennis at a sports center. 나는 스포츠 센터에서 탁구 치는 것을 배웠어.
	I sent a letter to my friend in Thailand. 나는 태국에 있는 내 친구한테 편지를 보냈어.
	I practiced with my band for a concert. 나는 콘서트를 위해 밴드와 연습했어.
	I went to the family farm with my parents. 나는 부모님과 함께 가족 농장에 갔어.

주제 파악

- 선택지를 읽고, 어떤 내용이 나올지 예상해 본다.
- 앞부분에 주제를 나타내는 말이 명확히 언급되는 경우가 많으므로 처음부터 집중해서 듣는다.

📄 대표 기출

◁ MP3 유형 09

대화를 듣고, 무엇에 관한 내용인지 가장 적절한 것을 고르시오.

① TV 시청　　② 병원 진료　　③ 봉사 활동
④ 컴퓨터 수리　　⑤ 진로 캠프 신청

해결 전략

- 남자의 첫 번째 말을 통해 주제를 파악할 수 있어요.

W　Nick, what are you doing?
M　I'm looking on the Internet for volunteer work to do. 정답 단서
W　What kind of work do you want to do?
M　I want to play the violin for people.
W　Hmm... Oh, look! You can play it for the patients at Nara Hospital. 한정
M　Excellent!

여　Nick, 뭐 하고 있니?
남　인터넷으로 자원봉사 활동을 살펴보고 있어.
여　넌 어떤 종류의 봉사를 하고 싶어?
남　난 사람들을 위해 바이올린을 연주하고 싶어.
여　음… 오, 봐! 넌 나라 병원의 환자들을 위해 바이올린을 연주할 수 있어.
남　아주 좋아!

정답 ③

💡 기출문제에 나온 표현

미래 집 그리기	A Jamie, what are you doing? Jamie, 뭐하고 있니? B I'm drawing my future house, Mom. 엄마, 저는 제 미래의 집을 그리고 있어요.
수업 공개	A My school is inviting parents to visit on Friday. 우리 학교는 금요일에 부모님을 초대할 거예요. B Oh, there's an open class. 아, 공개 수업이 있구나.
박물관 방문	A James, you look excited. What's new? James, 너 신나 보여. 새로운 일 있니? B Today, my class will visit the Bike Museum. 오늘 우리 반은 자전거 박물관을 방문할 거야.
선생님 결혼	A I have something to tell you. 너에게 할 말이 있어. B What is that? 그게 뭔데? A Our homeroom teacher is going to get married this Saturday. 우리 담임 선생님께서 이번 주 토요일에 결혼하실 거야.

유형 **10** **이유 파악**

- '~한 이유'나 '~할 수 없는 이유'를 고르는 두 가지 형태로 출제된다.
- 직접적으로 이유를 묻는 경우가 많으므로 그에 대한 대답을 집중해서 듣는다.

📄 **대표 기출**　　　　　　　　　🔊 MP3 유형 10

대화를 듣고, 남자가 여자를 도와줄 수 <u>없는</u> 이유로 가장 적절한 것을 고르시오.

① 집에 가야 하기 때문에　　　② 시험을 봐야 하기 때문에
③ 청소를 해야 하기 때문에　　④ 우체국에 가야 하기 때문에
⑤ 동아리 모임이 있기 때문에

W　Chris, can you do me a favor?

M　What is it, Amy?

W　Could you help me with my math homework at lunch time?

M　I'd love to, but I can't. I have a club meeting in the art room then.
　　　정답 단서

W　Oh, I see.

M　Why don't you ask Betty?

W　Okay, I will. Thanks.

해결 전략

- 남자가 I'd love to, but I can't. 이후에 하는 말을 주의 깊게 들으세요.

여　Chris, 부탁 하나 들어줄래?
남　뭔데, Amy?
여　점심시간에 내 수학 숙제 좀 도와줄래?
남　그러고 싶지만 안 돼. 그때 미술실에서 동아리 모임이 있어.
여　아, 그렇구나.
남　Betty에게 물어보는 건 어때?
여　그래, 그럴게. 고마워.

정답 ⑤

💡 **기출문제에 나온 표현**

기차역에 간 이유	A I went to the train station early this morning. 나는 오늘 아침 일찍 기차역에 갔었어.
	B Why did you go there? 그곳에 왜 간 거야?
	A I went there to see my dad. 아빠를 보기 위해 그곳에 갔었어.
여자를 찾아온 이유	A Excuse me, Ms. Baker. Do you have a minute? 실례합니다, Baker 선생님. 잠깐 시간 있으세요?
	B Sure. What is it? 물론이지. 무엇 때문이니?
	A I'd like to join the school singing contest. 저는 학교 노래 경연 대회에 참가하고 싶어요.
도와줄 수 없는 이유	A Could you help me with my math homework at lunch time? 점심시간에 내 수학 숙제 좀 도와줄 수 있니?
	B I'd love to, but I can't. I have a club meeting in the art room then. 그러고 싶지만 안 돼. 그때 미술실에서 동아리 모임이 있어.
자전거를 탈 수 없는 이유	A Excuse me. You can't ride your bike in the park today. 실례합니다. 오늘은 공원에서 자전거를 타실 수 없어요.
	B Really? Why not? 정말이요? 왜 안 돼요?
	A We are having a *kimchi* festival here. 이곳에서 김치 축제가 열리거든요.

유형 11 장소 추론

- 장소를 짐작할 수 있는 특정 어휘나 표현을 통해 장소를 추론한다.
- 장소를 나타내는 표현이 직접 언급되지 않은 경우에는 전체적인 상황을 통해 추론한다.
- 특정 장소에서 나눌 수 있는 대화에서 자주 쓰이는 표현을 미리 익혀 둔다.

📄 대표 기출
🔊 MP3 유형 11

대화를 듣고, 두 사람이 대화하는 장소로 가장 적절한 곳을 고르시오.

① 서점　　　② 약국　　　③ 은행
④ 소방서　　⑤ 경찰서

W　Can I help you?

M　Yes. I'm looking for a present for my son.

W　How about this? It's a book about history.
　　　　　　　　　　　정답 단서

M　Hmm... He actually likes science more.

W　Then your son will enjoy this book, *Amazing Science*.
　　　　　　　　　　정답 단서

M　It looks interesting. I'll buy it.

해결 전략

- 여자의 두 번째 말에 나오는 a book을 통해 책과 관련된 장소임을 짐작할 수 있어요.

여　도와드릴까요?
남　네. 아들에게 줄 선물을 찾고 있어요.
여　이건 어떠세요? 역사에 관한 책입니다.
남　음… 아들은 사실 과학을 더 좋아합니다.
여　그러면 아드님은 〈Amazing Science〉라는 이 책을 좋아할 거예요.
남　재미있어 보이네요. 그것을 살게요.

정답 ①

💡 기출문제에 나온 표현

영화관	When does the next movie start? 다음 영화가 언제 시작하나요? All the tickets for that movie are sold out. 그 영화표는 모두 매진입니다.
도서관	I'd like to check out this book. 이 책을 대출하고 싶어요. When do I have to return this book? 언제 이 책을 반납해야 하나요?
호텔	I'd like a double room for two nights. 이틀 동안 지낼 2인실을 원해요. Can you give me a wake-up call at 7? 7시에 모닝콜을 해 주시겠어요?
동물 병원	Doctor, my dog can't walk well. 선생님, 저희 개가 잘 못 걸어요. I need to take an X-ray of it. 엑스레이를 찍어 봐야겠어요.
가구점	I'm looking for a dinner table for four people. 4인용 식탁을 찾고 있어요. These are all four-person dinner tables. 이것들이 모두 4인용 식탁입니다.
교실	Please open the windows and let's begin the class. 창문을 열고 수업을 시작합시다. Move your desks into groups of four. Let's start our history project. 책상을 4인 1모둠으로 만드세요. 역사 프로젝트를 시작합시다.

위치 찾기

- 지도에서 건물의 위치를 찾거나 집 안에서 물건의 위치를 찾는 두 가지 형태로 출제된다.
- 지도가 나오는 문제는 거리의 이름과 각 건물의 위치를 확인하고, 길을 따라가면서 위치를 찾는다.
- 방향이나 위치를 나타내는 표현을 미리 익혀 둔다.

대표 기출

◁》 MP3 유형 12

대화를 듣고, Dream Bank의 위치로 가장 알맞은 것을 고르시오.

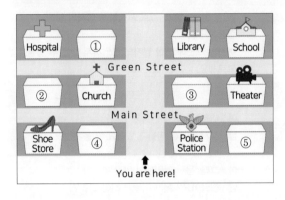

해결 전략

- 대화를 들으면서 출발점을 시작으로 길을 따라 가세요.
- 마지막에 건물의 위치를 알려주는 결정적인 힌트가 나오므로 끝까지 집중해서 들으세요.

M Excuse me. Is there a bank nearby?

W Yes, Dream Bank isn't far from here.

M Great! How can I get there?

W Go straight one block and turn left at Main Street.
      정답 단서

M Turn left at Main Street?

W Yes, it'll be on your right. It's next to the church.
      정답 단서

M Thanks.

남 실례합니다. 근처에 은행이 있나요?

여 네, Dream Bank가 여기서 멀지 않아요.

남 잘됐네요! 그곳에 어떻게 갈 수 있나요?

여 한 블록 직진하다가 Main Street에서 왼쪽으로 도세요.

남 Main Street에서 왼쪽으로 돌아요?

여 네, 은행은 오른쪽에 있을 거예요. 교회 옆에 있어요.

남 감사합니다.

정답 ②

기출문제에 나온 표현

길 안내하기	go straight one block 한 블록 직진하다 on your left(right) 당신의 왼쪽(오른쪽)에		turn left(right) at ~에서 왼쪽(오른쪽)으로 돌다	
위치	on ~ 위에	under ~ 아래에	in ~ 안에	next to ~ 옆에
	across from ~의 맞은편에		between A and B A와 B 사이에	
건물	library 도서관	bookstore 서점	flower shop 꽃 가게	subway station 지하철역
	museum 박물관	shoe store 신발 가게	hair shop 미용실	bus terminal 버스 터미널
가구	table 탁자	chair 의자	bed 침대	bookshelf 책꽂이

제안한 것, 요청·부탁한 일 파악

- 지시문을 읽고, 누가 누구에게 하는 제안·요청·부탁인지 확인한다.
- 주로 대화의 마지막 부분에 제안·요청·부탁하는 말이 나오므로 뒷부분을 주의 깊게 듣는다.
- 제안·요청·부탁하는 표현을 미리 익혀 둔다.

대표 기출

〽 MP3 유형 13

대화를 듣고, 여자가 남자에게 제안한 것으로 가장 적절한 것을 고르시오.

① 물 추가하기　　② 감자 삶기　　③ 양파 볶기

④ 치즈 뿌리기　　⑤ 토마토 썰기

해결 전략

- Why don't you ~?로 시작하는 여자의 말에 집중하세요.
- 여자의 제안에 대한 남자의 응답까지 들은 후 답을 고르세요.

W　Taeho, what are you making?

M　I'm making potato soup. Do you want to try, Mom?

W　Sure. Um... It's good but a little salty.

M　Really? What should I do?

W　Why don't you add some more water?

M　Okay. I'll try that.

여　태호야, 너 뭐 만들고 있니?

남　감자 수프를 만들고 있어요. 맛을 한번 보시겠어요, 엄마?

여　그래. 음… 맛있는데 약간 짜구나.

남　정말이요? 제가 어떻게 해야 하죠?

여　물을 좀 더 추가하는 게 어떠니?

남　알겠어요. 그렇게 해 볼게요.

정답 ①

기출문제에 나온 표현

제안	Let's have pizza for dinner. 저녁으로 피자 먹자.
	Let's make them together after school. 방과 후에 함께 그것들을 만들자.
	Why don't you find it on the Internet? 그것을 인터넷으로 찾아보는 게 어때?
	Why don't you join our club? 우리 동아리에 가입하는 게 어때?
	Why don't we have some hotdogs? 핫도그를 좀 먹을까?
	Then why don't you buy a handwriting book? 그럼 손글씨 책을 구입하는 게 어때?
	How about finding discount coupons online? 인터넷으로 할인 쿠폰을 찾아보는 게 어때?
요청·부탁	Can you come again after school? 방과 후에 다시 올 수 있니?
	Could you check my English letter? 제 영어 편지를 확인해 주시겠습니까?
	Would you please wash my school uniform shirt? 제 교복 셔츠를 세탁해 주시겠습니까?
	Can you lend them to me? 나에게 그것들을 빌려줄 수 있니?
	Can you find it for me? 저를 위해 그것을 찾아 주시겠어요?
	Can you buy some flowers for her? 그녀에게 꽃을 좀 사 줄 수 있니?
	Then can you bring one or two books? 그럼 책을 한두 권 가져와 주시겠어요?

유형

14 직업·관계 추론

- 직업을 묻는 문제는 누구의 직업을 묻는 문제인지 확인하고, 언급된 단서를 종합하여 직업을 추론한다.
- 관계를 묻는 문제는 주로 대화의 앞부분에 결정적인 단서가 나오는 경우가 많다.

📄 대표 기출

◁》 MP3 유형 14

대화를 듣고, 여자의 직업으로 가장 적절한 것을 고르시오.

① 경찰관   ② 동물 사육사   ③ 뮤지컬 배우
④ 테니스 선수   ⑤ 라디오 진행자

(해결 전략)

- 여자의 직업을 묻는 문제이므로 여자의 말에 나오는 힌트들을 종합해 보세요.
- 라디오 프로그램 진행자인 남자의 직업과 혼동하지 않도록 주의하세요.

(*Radio music intro*)

M   You're listening to *Afternoon Talk*. Let's welcome today's
    guest, Judy Miller.   함정

W   Hello. I'm happy to be here.

M   Judy, could you tell us about your job?

W   I take care of animals. I give them food and clean their
    cages.   정답 단서

M   Where do you work?

W   I work at the national zoo.
        정답 단서

(*라디오 음악 소개*)

남   여러분은 〈Afternoon Talk〉를 듣고 계십니다. 오늘의 초대 손님 Judy Miller를 환영합시다.

여   안녕하세요. 이 자리에 나오게 되어 기쁩니다.

남   Judy, 당신의 직업에 대해 우리에게 말해 주시겠어요?

여   저는 동물들을 돌봅니다. 저는 그들에게 음식을 주고 그들의 우리를 청소합니다.

남   어디서 일하시나요?

여   저는 국립 동물원에서 일합니다.

정답 ②

💡 기출문제에 나온 표현

교통경찰	You were driving too fast. 너무 과속 운전하셨습니다.
	It's a school zone here. So you need to slow down. 이곳은 스쿨 존입니다. 따라서 속도를 늦추셔야 합니다.
	Can I see your driver's license? 운전면허증 좀 볼 수 있을까요?
식당 점원	How did you like your steak? 스테이크 (맛이) 어떠셨어요?
	Would you like some dessert? 후식을 드시겠어요?
도서관 사서	Let me check the book list. 책 목록을 확인해 보겠습니다.
	Do you have your ID card? 신분증을 가지고 계신가요?
	Please remember to bring it back by April 17. 그것을 4월 17일까지 돌려주셔야 하는 것을 기억하세요.
열차 매표원	The next train for New York leaves in 20 minutes. 뉴욕행 다음 열차는 20분 후에 출발합니다.
	One ticket will be $30. 표 한 장은 30달러입니다.
사진사 – 손님 (관계)	A Hi. I'm here to pick up my passport pictures. My name is Kim Bora. 안녕하세요. 제 여권 사진을 가지러 왔습니다. 제 이름은 김보라입니다.
	B Kim Bora... Let me see. Oh! Here you are. 김보라… 어디 봅시다. 아! 여기 있습니다.
	A Thank you. You took such nice photos. 고맙습니다. 사진을 정말 잘 찍으셨네요.

어색한 대화 찾기

■ 자연스러운 대화를 하나씩 지워 나가다가 끝까지 듣고 나서 답을 고른다.
■ 의문문으로 시작하면 그에 호응하는 응답을 하는지 확인한다.
■ 평서문으로 시작하면 상황에 알맞은 응답을 하는지 확인한다.

📄 대표 기출

🔊 MP3 유형 15

대화를 듣고, 두 사람의 대화가 <u>어색한</u> 것을 고르시오.

①   ②   ③   ④   ⑤

---

① **W**   What time do you usually get up?
    정답 단서
   M   It was last Saturday.
         정답 단서
② **W**   How much is this hat?
   M   It's $15.
③ **W**   What's your favorite sport?
   M   I like soccer most.
④ **W**   How about joining our club?
   M   That's a good idea.
⑤ **W**   What's wrong? You don't look so good.
   M   I have a headache.

(해결 전략)

· 일어나는 시각을 묻는 말에 과거의 시점을 답하는 것은 어색해요.
· 나머지 대화는 자연스러운지 끝까지 확인하세요.

---

① **여**   너는 보통 몇 시에 일어나니?
   남   지난 토요일이었어.
② **여**   이 모자는 얼마예요?
   남   15달러입니다.
③ **여**   네가 가장 좋아하는 운동은 뭐니?
   남   나는 축구를 가장 좋아해.
④ **여**   우리 동아리에 가입하는 게 어때?
   남   그거 좋은 생각이야.
⑤ **여**   무슨 일 있어? 안 좋아 보여.
   남   두통이 있어.

정답 ①

💡 기출문제에 나온 표현

의문문	**A** How can I get to the bus stop? 버스 정류장까지 어떻게 가나요? **B** Turn left at the corner. 모퉁이에서 왼쪽으로 도세요. **A** What's your hobby? 너의 취미는 무엇이니? **B** My hobby is swimming. 나의 취미는 수영이야. **A** Can I have some cookies? 쿠키 좀 먹어도 될까요? **B** Sure. Help yourself. 물론이지요. 마음껏 드세요. **A** Aren't you hungry? 배고프지 않니? **B** Not at all. I'm full. 전혀. 나는 배불러.
평서문	**A** Thank you for helping me. 저를 도와주셔서 고맙습니다. **B** It was my pleasure! 제가 좋아서 한 거예요! **A** I don't feel well. 몸이 안 좋아. **B** What's wrong? 무슨 일이야?

16 마지막 말에 이어질 응답 찾기

- 지시문을 읽고, 마지막 말을 하는 사람이 누구인지 확인한다.
- 각 선택지 문장에서 핵심이 되는 단어를 미리 파악해 둔다.
- 마지막 말에 이어질 응답을 찾는 문제이므로 마지막 말을 놓치지 않도록 주의한다.

📄 대표 기출

🔊 MP3 유형 16

대화를 듣고, 남자의 마지막 말에 이어질 여자의 응답으로 가장 적절한 것을 고르시오.

Woman: _____

① I'm 14 years old.
② I'll go there by train.
③ I'm doing my homework.
④ I had some delicious food.
⑤ I'll join the swimming camp.

W	Hi, Suho. What will you do this summer vacation?
M	I'm going to travel with my family.
W	That's wonderful! Where will you go?
M	We'll visit Ulleungdo.
W	Oh, I went there last year.
M	Really? What did you do in Ulleungdo?
W	_____

(해결 전략)

- 대화의 흐름을 따라가다가 뒷부분으로 갈수록 남자가 하는 말을 더욱 집중해서 들으세요.
- 남자의 마지막 말이 과거에 한 일을 묻는 말이므로 과거 시제로 답하는 문장을 답으로 고르세요.

여	안녕, 수호야. 너는 이번 여름 방학에 뭐 할 거니?
남	가족과 함께 여행할 거야.
여	멋지다! 어디로 갈 건데?
남	우리는 울릉도를 방문할 거야.
여	아, 난 작년에 거기 갔었어.
남	정말? 울릉도에서 무엇을 했니?
여	난 맛있는 해산물을 먹었어.

정답 ④

💡 기출문제에 나온 표현

동의하기	A Why don't we join the photo club? 우리 사진 동아리에 가입하는 게 어때?
	B That's a good idea. 그거 좋은 생각이야.
거절하기	A Do you want to come with me? 나랑 같이 갈래?
	B I'd love to, but I can't. 그러고 싶지만 안 돼.
감사 표현하기	A I'm sure you'll get the first prize. 난 네가 일등상을 탈 거라고 확신해.
	B Thank you very much for saying so. 그렇게 말해 줘서 정말 고마워.
위로하기	A I broke my leg when I was playing soccer this morning. 난 오늘 아침에 축구를 하다가 다리가 부러졌어.
	B Oh, I'm sorry to hear that. 아, 안됐구나.
충고하기	A I have a sore throat, and my head hurts a lot, too. 저는 목이 아프고, 머리도 많이 아파요.
	B You'd better see a doctor. 병원에 가 보는 게 좋겠다.
주문하기	A Would you like cheese on your burger? 햄버거에 치즈를 얹어 드릴까요?
	B Yes. I'd like some cheese. 네. 치즈를 좀 얹어 주세요.

PART

2

실전
모의고사
01-18회

1.0배속

1.2배속

01 다음을 듣고, 대구의 내일 날씨로 가장 적절한 것을 고르시오.

02 다음을 듣고, 'this'가 가리키는 것으로 가장 적절한 것을 고르시오.

03 대화를 듣고, 두 사람이 구입할 담요로 가장 적절한 것을 고르시오.

04 대화를 듣고, 남자가 한 마지막 말의 의도로 가장 적절한 것을 고르시오.

① 제안 ② 부탁 ③ 거절
④ 감사 ⑤ 조언

05 다음을 듣고, 남자가 가족에 대해 언급하지 <u>않은</u> 것을 고르시오.

① 아빠의 직업 ② 아빠의 성격
③ 엄마의 직업 ④ 엄마의 성격
⑤ 애완동물의 이름

06 대화를 듣고, 두 사람이 만날 시각을 고르시오.

① 6:30 a.m. ② 7:00 a.m. ③ 7:30 a.m.
④ 8:00 a.m. ⑤ 8:30 a.m.

07 대화를 듣고, 남자의 심정으로 가장 적절한 것을 고르시오.

① 행복한 ② 설레는 ③ 자랑스러운
④ 신나는 ⑤ 실망한

08 대화를 듣고, 여자의 장래 희망으로 가장 적절한 것을 고르시오.

① 배우 ② 미술가 ③ 음악가
④ 수영 선수 ⑤ 영화감독

09 대화를 듣고, 여자가 대화 직후에 할 일로 가장 적절한 것을 고르시오.

① 집에 가기 ② 콘서트 가기
③ 콘서트 표 예매하기 ④ 햄버거 먹으러 가기
⑤ 남동생 데리러 가기

10 대화를 듣고, 무엇에 관한 내용인지 가장 적절한 것을 고르시오.

① 병문안 ② 주말 계획
③ 건강 검진 ④ 삼촌 방문
⑤ 마술 쇼 관람

11 대화를 듣고, 여자가 이용할 교통수단으로 가장 적절한 것을 고르시오.

① 택시　　② 버스　　③ 기차
④ 비행기　　⑤ 자전거

12 대화를 듣고, 여자가 약속을 미룬 이유로 가장 적절한 것을 고르시오.

① 숙제를 해야 해서
② 갑자기 몸이 아파서
③ 집안일을 해야 해서
④ 친구 병문안을 가야 해서
⑤ 치과 진료를 받아야 해서

13 대화를 듣고, 두 사람의 대화가 <u>어색한</u> 것을 고르시오.

①　　②　　③　　④　　⑤

14 대화를 듣고, Green Park의 위치로 가장 알맞은 것을 고르시오.

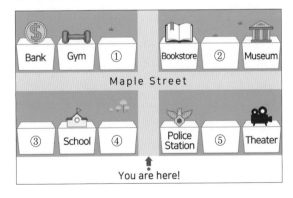

15 대화를 듣고, 여자가 남자에게 요청한 일로 가장 적절한 것을 고르시오.

① 쿠키 만들기　　② 우유 사 오기
③ 달걀 사 오기　　④ 케이크 만들기
⑤ 오렌지 주스 사 오기

16 대화를 듣고, 여자가 남자에게 제안한 것으로 가장 적절한 것을 고르시오.

① 숙제하기　　② TV 보기
③ 집에서 쉬기　　④ 퍼레이드 보기
⑤ 함께 놀이공원 가기

17 대화를 듣고, 남자가 한 일로 가장 적절한 것을 고르시오.

① 과학 서적 읽기　　② 별 관찰하기
③ 과학 캠프 신청하기　　④ 캠핑 계획 세우기
⑤ 퀴즈 쇼 시청하기

18 대화를 듣고, 남자의 직업으로 가장 적절한 것을 고르시오.

① 의사　　② 교사
③ 스마트폰 판매원　　④ 개인 트레이너
⑤ 컴퓨터 프로그래머

[19-20] 대화를 듣고, 여자의 마지막 말에 이어질 남자의 응답으로 가장 적절한 것을 고르시오.

19 Man: _____

① For 5 days.
② It's 10 meters long.
③ I'm going to stay at a hotel.
④ I'm planning to visit many places.
⑤ It will take about 2 hours to get there.

20 Man: _____

① I can't believe it.
② I'm glad you like it.
③ You did a good job!
④ The soccer game was exciting.
⑤ It's very kind of you to say that.

받아쓰기용

01 특정 정보 파악

다음을 듣고, 대구의 내일 날씨로 가장 적절한 것을 고르시오.

① ② ③

④ ⑤

W Good evening. This is the weather forecast for tomorrow. In Seoul, _____ _____ _____ _____ _____, just a lot of clouds. In Busan, there will be strong winds and heavy rain. Daegu will be _____ _____ _____ _____.

02 화제 파악

다음을 듣고, 'this'가 가리키는 것으로 가장 적절한 것을 고르시오.

Sound Clear ☆ **warm up**

앞 단어의 끝 자음과 뒤 단어의 모음이 만나 연음되어 [워멉]으로 발음된다.

W You can see this in the kitchen. This _____ _____ _____ _____ with buttons or dials. This works by electricity. You can use this 정답 단서 _____ _____ _____. 정답 단서 You can also warm up food very fast with this. What is this?

03 그림 정보 파악 ✦

대화를 듣고, 두 사람이 구입할 담요로 가장 적절한 것을 고르시오.

M Look! These blankets are so pretty.

W Yes, they are. _____ _____ _____ _____ _____ for Sally?

M How about the one with the small bears?

W The one with the small bears 한정 _____ _____ _____?

M No, the one with a small bear in each corner.

W Oh, it looks cute. 정답 단서 _____ _____ _____.

04 의도 파악

대화를 듣고, 남자가 한 마지막 말의 의도로 가장 적절한 것을 고르시오.

① 제안   ② 부탁   ③ 거절
④ 감사   ⑤ 조언

(*Cellphone rings.*)

W Hi, Mike.

M Oh, hi, Jenny. _____ _____?

W I have two tickets to an action movie this Saturday. _____ _____ _____ _____ go with me?

M Sure, I'd love to. What time is the movie?

W It _____ _____ 2 p.m.

M Oh, I'm sorry, but I can't. I have a violin lesson at 3 p.m.

정답 단서

---

05 언급하지 않은 것 찾기 �֍

다음을 듣고, 남자가 가족에 대해 언급하지 않은 것을 고르시오.

① 아빠의 직업   ② 아빠의 성격
③ 엄마의 직업   ④ 엄마의 성격
⑤ 애완동물의 이름

Sound Clear ☆ **quiet**

[콰이엇]으로 발음된다. [콰잇]으로 발음되는 quite(꽤, 상당히)과 구분하여 알아 둔다.

M Let me introduce my family. My dad is _____ _____ _____ _____. He is very kind and humorous. My mom is a nurse. She _____ _____ _____ sick people. I'm very good at soccer. Oh, _____ _____ _____ another important member, Puko. Puko is my pet cat. He's very quiet.
☆

---

06 숫자 정보 파악

대화를 듣고, 두 사람이 만날 시각을 고르시오.

① 6:30 a.m.   ② 7:00 a.m.
③ 7:30 a.m.   ④ 8:00 a.m.
⑤ 8:30 a.m.

W Ryan, let's go for a bike ride tomorrow morning.

M Sounds great. What time _____ _____ _____?

W When do you usually get up on the weekends?

M I _____ _____ _____ _____ 7 o'clock.
함정

W Then can we meet at 7:30?
함정

M Oh, that's too early. _____ _____ _____ after I get up?

W Okay. See you then.

07 심정 추론

대화를 듣고, 남자의 심정으로 가장 적절한 것을 고르시오.

① 행복한　　② 설레는　　③ 자랑스러운
④ 신나는　　⑤ 실망한

W You _____ _____ _____. What's wrong?
M I had an audition for the school musical yesterday.
W _____ _____ _____ _____?
M Well, I practiced a lot, but I didn't get a role.
W Cheer up! You will _____ _____ _____ again.

08 특정 정보 파악

대화를 듣고, 여자의 장래 희망으로 가장 적절한 것을 고르시오.

① 배우　　② 미술가　　③ 음악가
④ 수영 선수　　⑤ 영화감독

Sound Clear ☆ **want to**
동일한 발음의 자음이 연이어 나오면 앞 자음 소리가 탈락하여 [원투]로 발음된다.

W Jason, which club do you want☆ to join?
M I _____ _____ _____ the swimming club. How about you?
W _____ _____ _____ the music club.
M Oh, I thought you _____ _____ _____ _____ the movie club.
W I do love movies, but I want to be a musician _____ 정답 단서 _____ _____ _____.
M Sounds great.

09 할 일 파악 ❇

대화를 듣고, 여자가 대화 직후에 할 일로 가장 적절한 것을 고르시오.

① 집에 가기
② 콘서트 가기
③ 콘서트 표 예매하기
④ 햄버거 먹으러 가기
⑤ 남동생 데리러 가기

M Wow! The concert was really great.
W Yeah. It was so exciting.
M _____ _____ _____ _____ by the way?
W Let's see. It's 5:20 p.m.
M It's almost dinnertime. Do you _____ _____ _____ a hamburger?
W I'm sorry, but I _____ _____ _____ _____ now. Tonight is my dad's birthday dinner.

10 주제 파악

대화를 듣고, 무엇에 관한 내용인지 가장 적절한 것을 고르시오.

① 병문안　　　② 주말 계획
③ 건강 검진　　④ 삼촌 방문
⑤ 마술 쇼 관람

M What are you going to do _____ _____?
W I'm going to see my uncle in Gimpo. How about you?
M _____ _____ 함정 _____ go to the children's hospital with my friends. 함정
W Is someone sick?
M No. We're going to _____ _____ _____ _____ for the children there.
W That's nice!

11 특정 정보 파악 ✳

대화를 듣고, 여자가 이용할 교통수단으로 가장 적절한 것을 고르시오.

① 택시　　② 버스　　③ 기차
④ 비행기　　⑤ 자전거

M Are you _____ _____ _____ here?

W Yes. I love all the foods and activities. I'll miss this place a lot.

M You can always _____ _____.

W Thank you.

M What time is your flight tomorrow?

W The flight was canceled _____ _____ _____ _____ _____. So I booked a train ticket.

12 이유 파악

대화를 듣고, 여자가 약속을 미룬 이유로 가장 적절한 것을 고르시오.

① 숙제를 해야 해서
② 갑자기 몸이 아파서
③ 집안일을 해야 해서
④ 친구 병문안을 가야 해서
⑤ 치과 진료를 받아야 해서

Sound Clear ☆ **meet you**

[t]가 뒤의 반모음 [j]를 만나 동화되어 [미츄]로 발음된다.

(*Cellphone rings.*)

M Hello, Jessica!

W Hi, Jake! _____ _____ _____ _____ now?

M Yes. I was _____ _____ _____. Why?

W I'm sorry, but I can't meet you today.

M Is everything okay?

W I have to _____ _____ _____ in the hospital. Can we meet tomorrow?

M Sure. Should we meet _____ _____ _____ _____ tomorrow?

W Sounds good.

13 어색한 대화 찾기

대화를 듣고, 두 사람의 대화가 <u>어색한</u> 것을 고르시오.

①　②　③　④　⑤

① **M** _____ _____ _____ _____, coffee or tea?

　W I like coffee more.

② **M** How do you go to school?

　W _____ _____ _____ ten minutes.

③ **M** What does your father do?

　W He drives a bus.

④ **M** _____ _____ do you like best?

　W My favorite season is winter.

⑤ **M** _____ _____ _____ your library card, please?

　W Yes. Here it is.

14 위치 찾기 🇬🇧

대화를 듣고, Green Park의 위치로 가장 알맞은 것을 고르시오.

Bank | Gym | ① | Bookstore | ② | Museum
Maple Street
③ | School | ④ | Police Station | ⑤ | Theater
You are here!

<u>Sound Clear</u> ☆ **directions**

미국식은 주로 [디렉션스]로, 영국식은 주로 [다이렉션스]로 발음된다.

W Excuse me. _____ _____ _____ Green Park.
M You're almost there.
W Really? Can you give me directions, please?
M Sure. _____ _____ _____ _____ Maple Street and turn right.
W Turn right at Maple Street?
M Yes. It'll be _____ _____ _____. It's between the bookstore and the museum.
W Thank you.

15 요청한 일 파악

대화를 듣고, 여자가 남자에게 요청한 일로 가장 적절한 것을 고르시오.

① 쿠키 만들기 ② 우유 사 오기
③ 달걀 사 오기 ④ 케이크 만들기
⑤ 오렌지 주스 사 오기

M Mom, what are you doing?
W _____ _____ chocolate cookies.
M Wow! I love cookies. _____ _____ _____ I can do to help?
W Yes. Can you get me some eggs?
M Of course. I'll _____ _____ _____ and orange juice, too.

16 제안한 것 파악

대화를 듣고, 여자가 남자에게 제안한 것으로 가장 적절한 것을 고르시오.

① 숙제하기 ② TV 보기
③ 집에서 쉬기 ④ 퍼레이드 보기
⑤ 함께 놀이공원 가기

W What _____ _____ _____ _____ do tomorrow?
M I'm going to stay home. What about you?
W I'm going to _____ _____ _____ _____ _____ with Sandy.
M Sounds good. You can watch the parade there.
W Why don't you _____ _____ _____?
M Sure, I'd love to.

17   한 일 파악

대화를 듣고, 남자가 한 일로 가장 적절한 것을 고르시오.

① 과학 서적 읽기
② 별 관찰하기
③ 과학 캠프 신청하기
④ 캠핑 계획 세우기
⑤ 퀴즈 쇼 시청하기

W   How was your ＿＿＿＿ ＿＿＿＿?
M   It was really fun.
W   ＿＿＿＿ ＿＿＿＿ ＿＿＿＿ ＿＿＿＿ there?
M   We had a science quiz show and watched the stars at night.
W   Sounds interesting.
M   Yes. I'm going to ＿＿＿＿ ＿＿＿＿ ＿＿＿＿ the next camp.

18   직업 추론

대화를 듣고, 남자의 직업으로 가장 적절한 것을 고르시오.

① 의사   ② 교사
③ 스마트폰 판매원   ④ 개인 트레이너
⑤ 컴퓨터 프로그래머

Sound Clear ☆ **text neck**
자음 세 개가 연속으로 나오면 중간 자음의 발음이 약화되어 [텍스넥]으로 발음된다.

W   My neck hurts.
M   Let me check. Can you ＿＿＿＿ ＿＿＿＿ ＿＿＿＿?
W   Okay. My neck hurts when I do that.
M   Umm, do you ＿＿＿＿ ＿＿＿＿ ＿＿＿＿ a lot?
W   Yes. I use it almost all the time.
M   ＿＿＿＿ ＿＿＿＿ ＿＿＿＿ ＿＿＿＿ text neck. Let me take an X-ray.

19   마지막 말에 이어질 응답 찾기

대화를 듣고, 여자의 마지막 말에 이어질 남자의 응답으로 가장 적절한 것을 고르시오.

Man: ＿＿＿＿＿＿＿＿＿＿＿＿＿＿＿

① For 5 days.
② It's 10 meters long.
③ I'm going to stay at a hotel.
④ I'm planning to visit many places.
⑤ It will take about 2 hours to get there.

W   Can I ＿＿＿＿ ＿＿＿＿ ＿＿＿＿, please?
M   Here it is.
W   What's ＿＿＿＿ ＿＿＿＿ ＿＿＿＿ your visit?
M   I came here for sightseeing.
W   ＿＿＿＿ ＿＿＿＿ are you going to stay?
M   For 5 days.

20   마지막 말에 이어질 응답 찾기

대화를 듣고, 여자의 마지막 말에 이어질 남자의 응답으로 가장 적절한 것을 고르시오.

Man: ＿＿＿＿＿＿＿＿＿＿＿＿＿＿＿

① I can't believe it.
② I'm glad you like it.
③ You did a good job!
④ The soccer game was exciting.
⑤ It's very kind of you to say that.

W   How was the soccer game?
M   My team lost ＿＿＿＿ ＿＿＿＿ ＿＿＿＿.
W   Oh, I'm sorry to hear that.
M   It's all my fault. I ＿＿＿＿ ＿＿＿＿ ＿＿＿＿ many times.
W   It's okay. ＿＿＿＿ ＿＿＿＿ ＿＿＿＿.
M   It's very kind of you to say that.

1.0배속

1.2배속

01 다음을 듣고, 'this'가 가리키는 것으로 가장 적절한 것을 고르시오.

① ② ③

④ ⑤

02 대화를 듣고, 남자가 설명하는 여자를 고르시오.

① ② ③

④ ⑤

03 다음을 듣고, 내일 오후의 날씨로 가장 적절한 것을 고르시오.

① ② ③

④ ⑤

04 대화를 듣고, 남자가 마지막에 느꼈을 심정으로 가장 적절한 것을 고르시오.

① sad　　② relieved　　③ excited
④ bored　　⑤ proud

05 다음을 듣고, 남자에 대한 내용으로 일치하지 <u>않는</u> 것을 고르시오.

① 이름은 James Brown이다.
② 나이는 열세 살이다.
③ 캐나다 토론토 출신이다.
④ 특기는 케이 팝을 부르는 것이다.
⑤ 한국어를 매일 공부하고 있다.

06 대화를 듣고, 두 사람이 이용할 교통수단으로 가장 적절한 것을 고르시오.

① 버스　　　② 택시　　　③ 지하철
④ 자전거　　⑤ 비행기

07 대화를 듣고, 어제 남자가 집에 도착한 시각을 고르시오.

① 7:00 p.m.　② 8:40 p.m.　③ 9:30 p.m.
④ 10:20 p.m.　⑤ 10:50 p.m.

08 대화를 듣고, 남자가 여자에게 제안한 것으로 가장 적절한 것을 고르시오.

① 식사 거르지 않기　　② 단것 덜 먹기
③ 규칙적으로 운동하기　④ 과일 많이 먹기
⑤ 스트레스 받지 않기

09 대화를 듣고, 두 사람이 대화하는 장소로 가장 적절한 곳을 고르시오.

① 서점　　　② 영화관　　　③ 우체국
④ 박물관　　⑤ 도서관

10 대화를 듣고, 두 사람이 대화 직후에 할 일로 가장 적절한 것을 고르시오.

① 새 구경하기　　　② 새 모이 사기
③ 공원 산책하기　　④ 식당 가기
⑤ 영화 보기

11 대화를 듣고, 남자가 속상해하는 이유로 가장 적절한 것을 고르시오.

① 스마트폰이 낡아서
② 스마트폰을 잃어버려서
③ 스마트폰 화면에 금이 가서
④ 스마트폰을 집에 두고 와서
⑤ 스마트폰 케이스를 망가뜨려서

12 대화를 듣고, 여자의 직업으로 가장 적절한 것을 고르시오.

① 치과 의사　　　② 식당 종업원
③ 여행 가이드　　④ 시계 수리공
⑤ 이삿짐센터 직원

13 대화를 듣고, 여자가 남자에게 부탁한 일로 가장 적절한 것을 고르시오.

① 식당 추천해 주기　② 스파게티 만들어 주기
③ 음식 주문해 주기　④ 식당 예약해 주기
⑤ 사무실에 데려다주기

14 대화를 듣고, 남자가 찾고 있는 열쇠의 위치로 가장 적절한 것을 고르시오.

15 대화를 듣고, 여자가 한 마지막 말의 의도로 가장 적절한 것을 고르시오.

① 충고　　② 사과　　③ 거절
④ 승낙　　⑤ 위로

16 대화를 듣고, 두 사람의 대화가 <u>어색한</u> 것을 고르시오.

①　　②　　③　　④　　⑤

17 대화를 듣고, 남자의 장래 희망으로 가장 적절한 것을 고르시오.

① 가수　　　② 배우　　　③ 음악가
④ 무용수　　⑤ 영화감독

18 다음을 듣고, 무엇에 관한 내용인지 가장 적절한 것을 고르시오.

① 돈을 아껴 쓰자.　　② 자전거를 타자.
③ 환경을 보호하자.　④ 건강 관리를 하자.
⑤ 지하철을 이용하자.

[19-20] 대화를 듣고, 남자의 마지막 말에 이어질 여자의 응답으로 가장 적절한 것을 고르시오.

19 Woman: _____

① Okay. See you then.
② I think you're right.
③ Wait a moment, please.
④ He's on another line right now.
⑤ I'm sorry, but you have the wrong number.

20 Woman: _____

① I'm sure you can do it.
② I don't want to play chess.
③ I'd like to join the chess club.
④ I'm very good at playing chess.
⑤ I usually read books in my free time.

01 화제 파악

다음을 듣고, 'this'가 가리키는 것으로 가장 적절한 것을 고르시오.

① ② ③

④ ⑤

Sound Clear ☆ **use**
동사(사용하다)는 [유즈]로, 명사(사용)는 [유스]로 발음된다.

W People use this _____ _____ _____ _____. Some people use electric fans _____ _____ this. This sends the heat inside the house to the air outside. This is _____ _____ _____ _____ an electric fan. What is this?

02 그림 정보 파악

대화를 듣고, 남자가 설명하는 여자를 고르시오.

① ② ③

④ ⑤

W Hi, Andy! Are you shopping alone?
M No, I came here with my mom. _____ _____ _____ in the fruit section.
W What does _____ _____ _____ _____?
M She is tall and has long, curly hair.
W Let me see. There are two women _____ _____, _____ _____ over there.
M She is wearing a blouse and a skirt.
W Oh, I see.

03 특정 정보 파악

다음을 듣고, 내일 오후의 날씨로 가장 적절한 것을 고르시오.

① ② ③

④ ⑤

M Good morning. I'm David from the weather center. Today, _____ _____ _____. The rain will stop tonight. Tomorrow, it will _____ _____ _____ _____ in the morning, so _____ _____ _____ a warm coat when you go out. In the afternoon, it will snow a lot.

04 심정 추론 ✤

대화를 듣고, 남자가 마지막에 느꼈을 심정으로 가장 적절한 것을 고르시오.

① sad ② relieved ③ excited
④ bored ⑤ proud

Sound Clear ☆ **passport**
미국식은 a를 [애]로 발음하여 [패스포트]로, 영국식은 [아]로 발음하여 [파스포트]로 발음된다.

(*Cellphone rings.*)
W Honey, what's the matter?
M I left my passport _____ _____.
W What? What time is your flight?
M I _____ _____ _____ _____.
W Okay. Where did you put your passport?
M I think I _____ _____ _____ the table in the living room.
W Oh, I found it. I'll leave right now. _____ _____.
M Whew! Thanks a lot.

05 일치하지 않는 것 찾기

다음을 듣고, 남자에 대한 내용으로 일치하지 않는 것을 고르시오.

① 이름은 James Brown이다.
② 나이는 열세 살이다.
③ 캐나다 토론토 출신이다.
④ 특기는 케이 팝을 부르는 것이다.
⑤ 한국어를 매일 공부하고 있다.

M Hi, everyone. My name is James Brown. I'm _____ _____ _____. I'm from Toronto, Canada. My hobby is _____ _____ K-pop. I'm learning Korean from my Korean friend. _____ _____ _____ _____ speaking Korean now, but I'm studying it every day.

06 특정 정보 파악

대화를 듣고, 두 사람이 이용할 교통수단으로 가장 적절한 것을 고르시오.

① 버스 ② 택시 ③ 지하철
④ 자전거 ⑤ 비행기

W Hi, Kevin. I'm sorry I'm late. I got on _____ _____ _____.
M That's all right. So how do we get to the ballpark?
W It's _____ _____ _____ _____. Why don't we walk?
M I don't want to walk because it's so cold.
W Then let's take the bus. The bus stop is right here.
M Okay. Oh, 정답 단서 _____ _____ _____ _____.

07 숫자 정보 파악

대화를 듣고, 어제 남자가 집에 도착한 시각을 고르시오.

① 7:00 p.m. ② 8:40 p.m.
③ 9:30 p.m. ④ 10:20 p.m.
⑤ 10:50 p.m.

W Tim, _____ _____ _____ _____ yesterday?
M It was fantastic. But I'm so tired because I got home late.
W What time was the concert?
M _____ _____ _____ 7:00 and ended at 9:30. 함정
W That doesn't sound so bad. 함정
M But I took the bus, so it _____ _____ _____ _____ _____ to get home.

08   제안한 것 파악

대화를 듣고, 남자가 여자에게 제안한 것으로
가장 적절한 것을 고르시오.

① 식사 거르지 않기
② 단것 덜 먹기
③ 규칙적으로 운동하기
④ 과일 많이 먹기
⑤ 스트레스 받지 않기

W Oh, no! I think _____ _____ _____.

M Really? You look fine. What makes you think so?

W My jeans don't fit well anymore. _____ _____ _____ because I don't eat that much.

M Although I agree, I think _____ _____ _____ _____ _____.

W I do love chocolate and candies.

M Try to cut down on those.

W Okay. I'll try. 정답 단서

09   장소 추론

대화를 듣고, 두 사람이 대화하는 장소로 가장
적절한 곳을 고르시오.

① 서점   ② 영화관   ③ 우체국
④ 박물관   ⑤ 도서관

Sound Clear ☆ How about
앞 단어의 끝 모음과 뒤 단어의 첫 모음이 만
나 연음되어 [하워바웃]으로 발음된다.

W May I help you?

M Yes. Can you _____ _____ _____ _____ about great scientists?

W Sure. How about this book?

M Oh, it's about Einstein. I _____ _____ _____ _____ him.

W Good. It's on sale for $10.

M Wow, what a great price. _____ _____ _____.

10   할 일 파악

대화를 듣고, 두 사람이 대화 직후에 할 일로
가장 적절한 것을 고르시오.

① 새 구경하기
② 새 모이 사기
③ 공원 산책하기
④ 식당 가기
⑤ 영화 보기

M Lisa, _____ _____ _____ _____. There's a bird park near here.

W Where?

M It's _____ _____ _____ _____ _____. Let's go and see the birds.

W Great. I want to _____ _____ _____, too.

M Then let's get some food for the birds first.

W Yes, let's. 정답 단서

11 이유 파악 ✳

대화를 듣고, 남자가 속상해하는 이유로 가장 적절한 것을 고르시오.

① 스마트폰이 낡아서
② 스마트폰을 잃어버려서
③ 스마트폰 화면에 금이 가서
④ 스마트폰을 집에 두고 와서
⑤ 스마트폰 케이스를 망가뜨려서

W _____ _____ _____, Henry?
M Look at my new smartphone.
W Oh, your phone screen has a crack. Did you drop it?
M Yes. I _____ _____ on the way here. I'm so upset!
정답 단서
W I think you should get a phone case. It will _____ _____ _____.
M Okay. I'll get one.

12 직업 추론

대화를 듣고, 여자의 직업으로 가장 적절한 것을 고르시오.

① 치과 의사   ② 식당 종업원
③ 여행 가이드   ④ 시계 수리공
⑤ 이삿짐센터 직원

M Excuse me. Can I _____ _____ _____ _____?
W Sure.
M And I'd like to have _____ _____ _____ _____ _____ wrapped, please.
W Okay. Did you _____ _____ _____?
M Yes, I did.
W Great. _____ _____ _____, please. Would you like to pay first?
M Yes, I would.

13 부탁한 일 파악

대화를 듣고, 여자가 남자에게 부탁한 일로 가장 적절한 것을 고르시오.

① 식당 추천해 주기
② 스파게티 만들어 주기
③ 음식 주문해 주기
④ 식당 예약해 주기
⑤ 사무실에 데려다주기

Sound Clear ☆ **get it**
[t]가 모음 사이에서 약화되고 뒤 단어의 모음과 연음되어 [게릿]으로 발음된다.

M How about spaghetti for dinner?
W Great. _____ _____ _____ _____ good restaurants?
M There's a nice place _____ _____. You can see it right there.
W Oh, no! I left my phone in the office.
M _____ _____ _____ get it. ☆
W Then can you order for me? _____ _____ tomato spaghetti.
정답 단서

14 위치 찾기 ✻

대화를 듣고, 남자가 찾고 있는 열쇠의 위치로 가장 적절한 것을 고르시오.

M Mom, I can't find the key to my locker.
W I always _____ _____ _____ _____ the key in your pencil case.
M I think I put it in the pencil case, but _____ _____ _____ now.
W Did you check your backpack?
M Sure. (*Pause*) Oh, _____ _____ _____. It's in my jacket.

15 의도 파악

대화를 듣고, 여자가 한 마지막 말의 의도로 가장 적절한 것을 고르시오.

① 충고 ② 사과 ③ 거절
④ 승낙 ⑤ 위로

W Aiden, _____ _____ _____ _____?
M I'm shopping online. How do you like these shoes?
W They look good. But I don't think it's a good idea _____ _____ _____ _____.
M Why not? The price is so good.
W Shoe sizes can be different, so I think _____ _____ _____ _____ the shoes first.

16 어색한 대화 찾기

대화를 듣고, 두 사람의 대화가 어색한 것을 고르시오.

① ② ③ ④ ⑤

Sound Clear ☆ **think of**
앞 단어의 끝 자음과 뒤 단어의 모음이 만나 연음되어 [씽커브]로 발음된다.

① M _____ _____ _____ _____?
  W Great. I'm happy with my new school.
② M _____ _____ _____ this bottle for me?
  W Sure. No problem.
③ M _____ _____ _____ some pizza?
  W Yes, please. I like potato pizza.
④ M Which is faster, light or sound?
  W Light is _____ _____ _____.
⑤ M What do you think of this book?
  W _____ _____ _____, too.

17 특정 정보 파악

대화를 듣고, 남자의 장래 희망으로 가장 적절한 것을 고르시오.

① 가수 ② 배우 ③ 음악가
④ 무용수 ⑤ 영화감독

M Emma, I failed the audition again.
W Oh, my! _____ _____?
M I was so nervous that I couldn't play my role well.
W _____ _____ _____. You can achieve your dream.
M Thank you. I _____ _____ _____ _____ an actor and play various roles.

18 주제 파악

다음을 듣고, 무엇에 관한 내용인지 가장 적절한 것을 고르시오.

① 돈을 아껴 쓰자.
② 자전거를 타자.
③ 환경을 보호하자.
④ 건강 관리를 하자.
⑤ 지하철을 이용하자.

W Are you tired of taking the bus or subway? _____ _____ _____ _____ crowds? Then how about riding a bicycle? _____ _____ _____ _____ is good for the environment and you can _____ _____ _____ _____ _____. Also, you will be healthier because you'll be always exercising when you go somewhere.

19 마지막 말에 이어질 응답 찾기

대화를 듣고, 남자의 마지막 말에 이어질 여자의 응답으로 가장 적절한 것을 고르시오.

Woman: _____

① Okay. See you then.
② I think you're right.
③ Wait a moment, please.
④ He's on another line right now.
⑤ I'm sorry, but you have the wrong number.

(*Telephone rings.*)
W Hello. Dr. Kim's office.
M Hello. _____ _____ _____ _____ Brian? This is his friend Sam.
W I'm sorry. _____ _____ _____ named Brian here.
M Isn't this 355-2788?
W I'm sorry, but you have the wrong number.

20 마지막 말에 이어질 응답 찾기

대화를 듣고, 남자의 마지막 말에 이어질 여자의 응답으로 가장 적절한 것을 고르시오.

Woman: _____

① I'm sure you can do it.
② I don't want to play chess.
③ I'd like to join the chess club.
④ I'm very good at playing chess.
⑤ I usually read books in my free time.

W Daniel, what do you usually do _____ _____ _____ _____?
M I usually play games with my dad.
W _____ _____ _____ _____ do you like?
M I like board games. I usually play chess. How about you?
W I usually read books in my free time.

Review Test

Word Check 영어는 우리말로, 우리말은 영어로 써 보기

01 get up _____

02 practice _____

03 join _____

04 electricity _____

05 introduce _____

06 humorous _____

07 forget _____

08 weather forecast _____

09 in the middle _____

10 heavy rain _____

11 corner _____

12 blanket _____

13 목적 _____

14 돌리다 _____

15 자라다 _____

16 활동 _____

17 실수, 잘못 _____

18 ~을 더 좋아하다 _____

19 길 안내 _____

20 아프다 _____

21 그런데 _____

22 음악가 _____

23 (경기를) 지다 _____

24 항공편 _____

Expression Check 알맞은 표현을 넣어 문장 완성하기

25 I'm very _____ _____ soccer. 나는 축구를 아주 잘해.

26 Ryan, let's _____ _____ a bike ride tomorrow morning. Ryan, 내일 아침에 자전거 타러 가자.

27 I'm sorry, but I _____ _____ go home now. 미안하지만, 난 지금 집에 가야 해.

28 It's _____ the bookstore _____ the museum. 그것은 서점과 박물관 사이에 있어요.

29 I'm _____ _____ go to the children's hospital with my friends.
나는 내 친구들과 함께 어린이 병원에 갈 계획이야.

30 I thought you would _____ _____ _____ the movie club.
나는 네가 영화 동아리에 관심이 있을 거라고 생각했어.

Answers p.10

Word Check
영어는 우리말로, 우리말은 영어로 써 보기

01	wrong	13	속상한
02	heat	14	실망한
03	alone	15	싸다, 포장하다
04	section	16	서두르다
05	relieved	17	역할을 맡다
06	worry	18	보호하다
07	send	19	이루다, 성취하다
08	ballpark	20	환경
09	fantastic	21	사물함
10	gain weight	22	다양한
11	fit	23	군중, 사람들
12	feed	24	여가 시간

Expression Check
알맞은 표현을 넣어 문장 완성하기

25 My hobby is _____ _____ K-pop. 저의 취미는 케이 팝을 듣는 거예요.

26 It's _____ _____ the movie theater. 그것은 영화관 맞은편에 있어.

27 Try to _____ _____ _____ those. 그런 것들을 줄이도록 해 봐.

28 I think you should _____ _____ the shoes first. 난 네가 신발을 우선 신어 봐야 한다고 생각해.

29 I'm sorry, but you _____ _____ _____ _____. 죄송하지만, 전화를 잘못 거셨습니다.

30 _____ _____ wear a warm coat when you go out.
외출하실 때 따뜻한 외투를 입으시는 것이 좋겠습니다.

1.0배속

1.2배속

01 다음을 듣고, 'this'가 가리키는 것으로 가장 적절한 것을 고르시오.

02 대화를 듣고, 여자가 갖고 싶어 하는 집으로 가장 적절한 것을 고르시오.

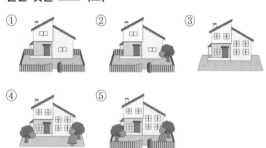

03 대화를 듣고, 오늘 오후의 날씨로 가장 적절한 것을 고르시오.

04 대화를 듣고, 남자가 옷 가게에 간 이유로 가장 적절한 것을 고르시오.
① 단추를 구하기 위해서
② 셔츠를 구입하기 위해서
③ 환불을 요청하기 위해서
④ 셔츠를 교환하기 위해서
⑤ 영수증을 재발행하기 위해서

05 다음을 듣고, 남자가 화재 시 행동 요령으로 언급하지 않은 것을 고르시오.
① "불이야!"라고 외친다.
② 건물 밖으로 나간다.
③ 계단을 이용해 대피한다.
④ 창문을 열지 않는다.
⑤ 젖은 수건으로 입을 막는다.

06 대화를 듣고, 여자가 한 마지막 말의 의도로 가장 적절한 것을 고르시오.
① 격려   ② 칭찬   ③ 요청
④ 사과   ⑤ 동의

07 대화를 듣고, 두 사람이 만나기로 한 요일을 고르시오.
① 화요일   ② 수요일   ③ 목요일
④ 금요일   ⑤ 토요일

08 대화를 듣고, 남자의 심정으로 가장 적절한 것을 고르시오.
① nervous   ② excited   ③ afraid
④ worried   ⑤ bored

09 대화를 듣고, 여자가 대화 직후에 할 일로 가장 적절한 것을 고르시오.
① 병원 가기   ② 약 먹기
③ 보건실 가기   ④ 엄마와 통화하기
⑤ 담임 선생님 만나기

10 대화를 듣고, 두 사람이 대화하는 장소로 가장 적절한 곳을 고르시오.
① 문구점   ② 옷 가게
③ 장난감 가게   ④ 분실물 보관소
⑤ 공원 안내소

11 대화를 듣고, 남자가 지불할 금액을 고르시오.

① $6   ② $7   ③ $8

④ $9   ⑤ $10

12 다음을 듣고, 무엇에 관한 내용인지 가장 적절한 것을 고르시오.

① 비누 만들기
② 쓰레기 줍기
③ 물건 재사용하기
④ 분리수거하기
⑤ 교통 법규 지키기

13 대화를 듣고, 여자가 남자에게 제안한 것으로 가장 적절한 것을 고르시오.

① 오래 달리기
② 배드민턴 치기
③ 체육관에 등록하기
④ 건강한 습관 만들기
⑤ 하루 세 번 양치하기

14 대화를 듣고, Happy Pizza의 위치로 가장 알맞은 것을 고르시오.

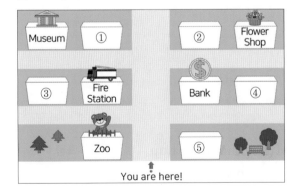

15 대화를 듣고, 여자가 잃어버린 물건을 고르시오.

① 필통   ② 빨간 펜
③ 영어 교과서   ④ 사회 교과서
⑤ 사물함 열쇠

16 대화를 듣고, 남자가 지난 주말에 한 일로 가장 적절한 것을 고르시오.

① 놀이 기구 타기
② TV 방송국 견학하기
③ 라디오 방송 청취하기
④ 삼촌 댁 방문하기
⑤ 라디오 방송국 방문하기

17 대화를 듣고, 여자가 남자에게 요청한 일로 가장 적절한 것을 고르시오.

① 생일상 차리기   ② 케이크 사 오기
③ 꽃 가져오기   ④ 생일 카드 쓰기
⑤ 깜짝파티 계획하기

18 대화를 듣고, 여자의 직업으로 가장 적절한 것을 고르시오.

① 호텔 직원   ② 비행기 승무원
③ 공항 직원   ④ 여행사 직원
⑤ 식당 지배인

[19-20] 대화를 듣고, 남자의 마지막 말에 이어질 여자의 응답으로 가장 적절한 것을 고르시오.

19 Woman: _____

① I feel thirsty.
② I love curry, too.
③ I'll have fried rice.
④ I'm sure you will like it.
⑤ Let's go out for lunch now.

20 Woman: _____

① I'm sorry to hear that.
② They're too expensive.
③ I quit shopping yesterday.
④ Why didn't you tell me before?
⑤ Sorry, Dad. I won't the next time.

받아쓰기용

01 화제 파악

다음을 듣고, 'this'가 가리키는 것으로 가장 적절한 것을 고르시오.

① ② ③
④ ⑤

W This is a sport. This is usually _____ _____ _____ _____. Each team has five players. You can _____ _____ _____ to pass or throw the ball. You can score up to three points _____ _____ _____ _____ _____ into the other team's net. What is this?

02 그림 정보 파악

대화를 듣고, 여자가 갖고 싶어 하는 집으로 가장 적절한 것을 고르시오.

① ② ③
④ ⑤

Sound Clear ☆ **like it**
앞 단어의 끝 자음과 뒤 단어의 모음이 만나 연음되어 [라이킷]으로 발음된다.

W Wow, _____ _____ _____ _____.
M I'm glad you like it.
W I hope to have my own house someday.
M _____ _____ _____ your dream house.
W I'd like a house with many windows and some trees.
   정답 단서
M Many windows and some trees? And _____ _____?
W I'd like a fence, too.
   정답 단서

03 특정 정보 파악

대화를 듣고, 오늘 오후의 날씨로 가장 적절한 것을 고르시오.

① ② ③
④ ⑤

M Mom, I'm going to the bike shop _____ _____ _____ _____ now.
W In this weather? _____ _____. It's raining.
   함정
M I know. But I _____ _____ _____ _____ before the bike riding festival this Saturday.
W Wait! Let me check the weather. Oh, _____ _____ _____ in the afternoon.
M Is that so? Then I'll go in the afternoon.

04 이유 파악

대화를 듣고, 남자가 옷 가게에 간 이유로 가장 적절한 것을 고르시오.

① 단추를 구하기 위해서
② 셔츠를 구입하기 위해서
③ 환불을 요청하기 위해서
④ 셔츠를 교환하기 위해서
⑤ 영수증을 재발행하기 위해서

W May I help you?

M Yes. I _____ _____ _____ here yesterday, but there is a button missing.

W Oh, I'm really sorry. Do you want to _____ _____ _____ a new one?

M Not really. Can I get a refund?

W Sure. Do you _____ _____ _____ ? *정답 단서*

M Yes. Here it is.

05 언급하지 않은 것 찾기 ✷

다음을 듣고, 남자가 화재 시 행동 요령으로 언급하지 않은 것을 고르시오.

① "불이야!"라고 외친다.
② 건물 밖으로 나간다.
③ 계단을 이용해 대피한다.
④ 창문을 열지 않는다.
⑤ 젖은 수건으로 입을 막는다.

M What should we do in case of fire? First, cry out, "Fire!" _____ _____ _____ _____ and then call 119. After that, _____ _____ _____ the building. Make sure you use the stairs. Don't _____ _____ _____. One more thing: cover your mouth with a wet towel if you can.

06 의도 파악

대화를 듣고, 여자가 한 마지막 말의 의도로 가장 적절한 것을 고르시오.

① 격려   ② 칭찬   ③ 요청
④ 사과   ⑤ 동의

W Now, it's your turn. _____ _____ _____ ?

M Yes, I'm ready.

W _____ _____ _____ about winning. Just enjoy yourself.

M But I'm too nervous. Can I sing well _____ _____ _____ so many people?

W Don't worry. You'll _____ _____ _____ _____ .

07 특정 정보 파악

대화를 듣고, 두 사람이 만나기로 한 요일을 고르시오.

① 화요일   ② 수요일   ③ 목요일
④ 금요일   ⑤ 토요일

Sound Clear ☆ **appointment**
자음 세 개가 연속으로 나오면 중간 자음의 발음이 약화되어 [어포인먼트]로 발음된다.

W Kevin, can you _____ _____ _____ _____ this Wednesday afternoon? *한정*

M Sorry, but I have a dental appointment on that day. ☆

W I have to buy a camera, so _____ _____ _____ .

M Hmm... I will be free this Friday.

W Sounds good. _____ _____ _____ _____ with you? *정답 단서*

M How about 4 o'clock?

W That's perfect. I'll see you then.

08 심정 추론

대화를 듣고, 남자의 심정으로 가장 적절한 것을 고르시오.

① nervous   ② excited   ③ afraid
④ worried   ⑤ bored

Sound Clear ☆ **great time**

동일한 발음의 자음이 연이어 나오면 앞 자음 소리가 탈락하여 [그레이타임]으로 발음된다.

W   Hurray! The school picnic is _____ _____.
M   That's right! We are going to Fantasy Land.
W   What do you want to do there?
M   _____ _____ _____ _____ riding the roller coaster!
W   Me, too. It will be scary but fun.
M   _____ _____ _____. We'll have a great time.

09 할 일 파악 ✳

대화를 듣고, 여자가 대화 직후에 할 일로 가장 적절한 것을 고르시오.

① 병원 가기   ② 약 먹기
③ 보건실 가기   ④ 엄마와 통화하기
⑤ 담임 선생님 만나기

M   Rachel, you don't look well. What's wrong?
W   I _____ _____ _____.
M   Oh, that's too bad. Did you _____ _____ _____ _____?
W   Yes, but I still don't feel well.
M   Then you _____ _____ _____ _____.
W   Okay, I will. But I have to see my homeroom teacher first.

10 장소 추론

대화를 듣고, 두 사람이 대화하는 장소로 가장 적절한 곳을 고르시오.

① 문구점   ② 옷 가게
③ 장난감 가게   ④ 분실물 보관소
⑤ 공원 안내소

M   _____ _____ _____ _____ you?
W   I lost my toy bear.
M   What does it look like?
W   It is brown and _____ _____ _____ _____ its neck.
M   Where did you lose it?
W   I think I _____ _____ _____ _____ near the restaurant.
M   Wait a minute. I'll go and check.

11 숫자 정보 파악

대화를 듣고, 남자가 지불할 금액을 고르시오.

① $6 ② $7 ③ $8
④ $9 ⑤ $10

Sound Clear ☆ **watermelon**

[t]가 모음 사이에서 약화되어 [워러멜런]으로 발음된다.

W Can I _______ _______ _______?
M Yes. I'd like to have an egg sandwich and a watermelon juice.
W _______ _______ _______ $10.
M Can I use this 10%-off coupon?
W Of course.
M Okay. _______ _______ _______.

12 주제 파악

다음을 듣고, 무엇에 관한 내용인지 가장 적절한 것을 고르시오.

① 비누 만들기
② 쓰레기 줍기
③ 물건 재사용하기
④ 분리수거하기
⑤ 교통 법규 지키기

M We can make new things with _______ _______ _______ _______. For example, we can make soap with used oil. Old pants can _______ _______ _______ _______. We can change old shirts into shopping bags, too. Garbage is important because _______ _______ _______ _______.

13 제안한 것 파악

대화를 듣고, 여자가 남자에게 제안한 것으로 가장 적절한 것을 고르시오.

① 오래 달리기
② 배드민턴 치기
③ 체육관에 등록하기
④ 건강한 습관 만들기
⑤ 하루 세 번 양치하기

M Cindy, _______ _______ _______ _______. What's your secret?
W Nothing special. I just exercise three times a week.
M _______ _______ _______ _______ do you do?
W I play badminton at the gym. It's a lot of fun.
M Oh, you run a lot when playing badminton, don't you?
W Yes, but it's not that hard. _______ _______ _______ _______ _______?

14 위치 찾기

대화를 듣고, Happy Pizza의 위치로 가장 알맞은 것을 고르시오.

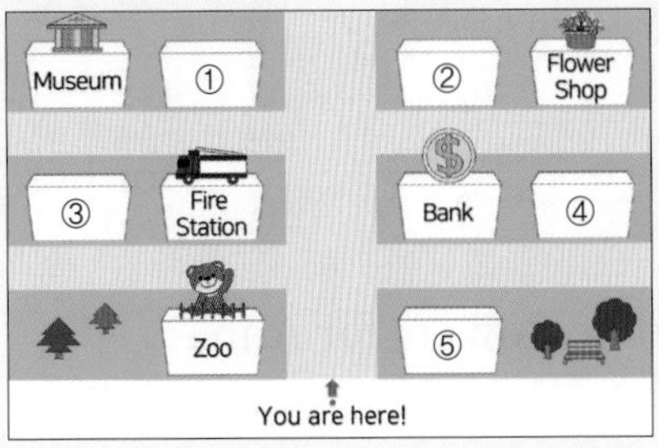

M Excuse me. Can you _______ _______ _______ _______ to Happy Pizza?
W Sure. _______ _______ _______ _______ and turn left.
M Go one block and then turn left?
W No, go two blocks. Then, _______ _______. It's across from the museum.
M Oh, I see. _______ _______ _______.
W You're welcome.

15 특정 정보 파악

대화를 듣고, 여자가 잃어버린 물건을 고르시오.

① 필통
② 빨간 펜
③ 영어 교과서
④ 사회 교과서
⑤ 사물함 열쇠

M Mia, _____ _____ _____ _____ _____?
W I need a red pen for social studies class, but I _____ _____ _____.
M Maybe you didn't bring it from home.
W No, I used it in English class today.
M Why don't you _____ _____ _____ _____?
W I did, but it wasn't there.
M I _____ _____ _____ _____ here. You can use it for now.
W Oh, thank you.

16 한 일 파악

대화를 듣고, 남자가 지난 주말에 한 일로 가장 적절한 것을 고르시오.

① 놀이 기구 타기
② TV 방송국 견학하기
③ 라디오 방송 청취하기
④ 삼촌 댁 방문하기
⑤ 라디오 방송국 방문하기

Sound Clear ☆ **did you**
[d]가 뒤의 반모음 [j]를 만나 동화되어 [디쥬]로 발음된다.

M Kate, what did you do last weekend?
W I went to Forever Land with my friends.
M Great. _____ _____ _____ _____ there?
W Yes. I rode a bumper car. How was your weekend?
M I _____ _____ _____ at the Dream Radio Station.
W Wow, did you see any entertainers there?
M Yes. _____ _____ _____ K-pop stars.

17 요청한 일 파악

대화를 듣고, 여자가 남자에게 요청한 일로 가장 적절한 것을 고르시오.

① 생일상 차리기
② 케이크 사 오기
③ 꽃 가져오기
④ 생일 카드 쓰기
⑤ 깜짝파티 계획하기

M Hi, Jina. _____ _____ _____ _____ a cake?
W Hi, Mike. It's Anna's birthday today.
M Oh, is it? I _____ _____ _____.
W We're going to _____ _____ _____ for her.
M Can I come?
W Sure. Why don't you bring some flowers for Anna?
M That'll be nice.

18 직업 추론 ✤

대화를 듣고, 여자의 직업으로 가장 적절한 것을 고르시오.

① 호텔 직원　　② 비행기 승무원
③ 공항 직원　　④ 여행사 직원
⑤ 식당 지배인

Sound Clear ☆ water

미국식은 모음 사이의 [t]를 약화하여 [워러]로, 영국식은 [t]를 정확히 발음하여 [워터]로 발음된다.

W Excuse me. Would you like some more water?☆
M Yes, please. And I'm ＿＿＿＿ ＿＿＿＿ ＿＿＿＿.
W I'll get you an extra blanket in a moment.
M Thank you. By the way, when will we ＿＿＿＿ ＿＿＿＿ ＿＿＿＿ ＿＿＿＿? 〔정답 단서〕
W We will land ＿＿＿＿ ＿＿＿＿ ＿＿＿＿ ＿＿＿＿.
M I see. Thank you. 〔정답 단서〕

19 마지막 말에 이어질 응답 찾기

대화를 듣고, 남자의 마지막 말에 이어질 여자의 응답으로 가장 적절한 것을 고르시오.

Woman: ＿＿＿＿＿＿＿＿＿＿＿＿

① I feel thirsty.
② I love curry, too.
③ I'll have fried rice.
④ I'm sure you will like it.
⑤ Let's go out for lunch now.

M Oh, I'm hungry. Let's have lunch.
W What do you ＿＿＿＿ ＿＿＿＿ ＿＿＿＿ ＿＿＿＿ ＿＿＿＿?
M I'd like to have curry. Why don't you try it, too?
W Well, ＿＿＿＿ ＿＿＿＿.
M Then ＿＿＿＿ ＿＿＿＿ ＿＿＿＿ ＿＿＿＿ to have?
W I'll have fried rice.

20 마지막 말에 이어질 응답 찾기

대화를 듣고, 남자의 마지막 말에 이어질 여자의 응답으로 가장 적절한 것을 고르시오.

Woman: ＿＿＿＿＿＿＿＿＿＿＿＿

① I'm sorry to hear that.
② They're too expensive.
③ I quit shopping yesterday.
④ Why didn't you tell me before?
⑤ Sorry, Dad. I won't the next time.

W Dad, can you ＿＿＿＿ ＿＿＿＿ ＿＿＿＿ ＿＿＿＿?
M What? I gave you $16 last week.
W I spent all the money ＿＿＿＿ ＿＿＿＿ ＿＿＿＿ ＿＿＿＿.
M How many caps did you buy?
W ＿＿＿＿ ＿＿＿＿, and they were $8 each.
M Joan, you ＿＿＿＿ ＿＿＿＿ ＿＿＿＿ your money like that.
W Sorry, Dad. I won't the next time.

01 다음을 듣고, 주말의 날씨로 가장 적절한 것을 고르시오.

①
②
③
④
⑤

02 대화를 듣고, 여자가 구입할 꽃병으로 가장 적절한 것을 고르시오.

①
②
③
④
⑤

03 다음을 듣고, 'this'가 가리키는 것으로 가장 적절한 것을 고르시오.

①
②
③
④
⑤

04 대화를 듣고, 남자가 한 마지막 말의 의도로 가장 적절한 것을 고르시오.
① 허락　　② 충고　　③ 거절
④ 칭찬　　⑤ 제안

05 대화를 듣고, 남자의 심정으로 가장 적절한 것을 고르시오.
① 기쁨　　② 부러움　　③ 초조함
④ 지루함　　⑤ 걱정스러움

06 대화를 듣고, 여자가 추수 감사절에 할 일로 가장 적절한 것을 고르시오.
① 쇼핑하기　　　　② 터키 여행하기
③ 조부모님 방문하기　　④ 가족과 외식하기
⑤ 칠면조 요리하기

07 대화를 듣고, 두 사람이 만날 시각을 고르시오.
① 1:00 p.m.　② 1:30 p.m.　③ 2:00 p.m.
④ 2:30 p.m.　⑤ 3:00 p.m.

08 대화를 듣고, 두 사람이 자원봉사 활동을 할 요일을 고르시오.
① 수요일　　② 목요일　　③ 금요일
④ 토요일　　⑤ 일요일

09 다음을 듣고, 여자가 스트레스 해소 방법으로 언급하지 않은 것을 고르시오.
① 음악 듣기　　② 영화 보기
③ 운동하기　　④ 책 읽기
⑤ 목욕하기

10 대화를 듣고, 여자가 학교 축제에서 할 일로 가장 적절한 것을 고르시오.
① 춤추기　　　② 드럼 연주하기
③ 노래하기　　④ 기타 연주하기
⑤ 마술하기

11 대화를 듣고, 여자가 기분이 좋지 않은 이유로 가장 적절한 것을 고르시오.

① 숙제를 끝내지 못해서
② 시험 성적이 좋지 않아서
③ 선생님께 꾸중을 들어서
④ 숙제가 너무 어려워서
⑤ 숙제를 가져오지 않아 점수가 깎여서

12 대화를 듣고, 두 사람의 관계로 가장 적절한 것을 고르시오.

① 작가 – 독자
② 운동선수 – 팬
③ 택배 기사 – 고객
④ 여행사 직원 – 고객
⑤ 택시 기사 – 손님

13 대화를 듣고, 남자가 가려고 하는 장소를 고르시오.

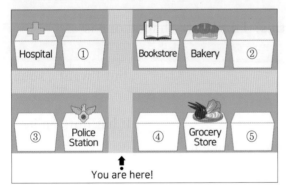

14 대화를 듣고, 남자가 만들 음식을 고르시오.

① 버섯 피자
② 샐러드
③ 크림파스타
④ 치킨샌드위치
⑤ 치즈케이크

15 대화를 듣고, 두 사람이 Daniel에게 줄 선물을 고르시오.

① 자전거
② 블록 세트
③ 모형 비행기
④ 테디 베어
⑤ 장난감 자동차

16 대화를 듣고, 두 사람의 대화가 어색한 것을 고르시오.

①　　②　　③　　④　　⑤

17 대화를 듣고, 남자가 여자에게 제안한 것으로 가장 적절한 것을 고르시오.

① 팝송 많이 듣기
② 여행 많이 하기
③ 영어 단어 외우기
④ 미국인과 대화하기
⑤ 미국 드라마 보기

18 대화를 듣고, 무엇에 관한 내용인지 가장 적절한 것을 고르시오.

① 등산하기
② 미아 찾기
③ 캠핑 준비하기
④ 새 관찰하기
⑤ 한파 대비하기

[19-20] 대화를 듣고, 남자의 마지막 말에 이어질 여자의 응답으로 가장 적절한 것을 고르시오.

19 Woman: _____

① Thank you so much.
② Please watch your step.
③ I'm sorry I can't help you.
④ No. I don't need your bag.
⑤ Don't worry. You can do it.

20 Woman: _____

① Okay. I'll be there then.
② Sorry, but I have to go now.
③ Right. The party was really fun.
④ No. You have to bring a present.
⑤ Not at all. I'll prepare everything.

01 특정 정보 파악

다음을 듣고, 주말의 날씨로 가장 적절한 것을 고르시오.

① ② ③

④ ⑤

W Good evening. This is the weekly weather report. _____ _____ _____ _____ outdoor activities for tomorrow, you're lucky. It's going to be sunny tomorrow. But _____ _____ _____ _____ for the rest of the week. However, it will clear up _____ _____ 정답 단서 _____.

02 그림 정보 파악

대화를 듣고, 여자가 구입할 꽃병으로 가장 적절한 것을 고르시오.

① ② ③

④ ⑤

Sound Clear ☆ **take it**
앞 단어의 끝 자음과 뒤 단어의 모음이 만나 연음되어 [테이킷]으로 발음된다.

M May I help you?
W Yes. I'm _____ _____ _____ _____ for my living room.
M How about this? This heart-shaped one is _____ 한정 _____.
W Hmm... _____ _____ _____, but I want a square one. 정답 단서
M Here is _____ _____ _____. It has dots on it. 정답 단서
W Oh, that's good. I'll take it. ☆

03 화제 파악

다음을 듣고, 'this'가 가리키는 것으로 가장 적절한 것을 고르시오.

① ② ③

④ ⑤

M You can see this _____ _____ _____. Put the food into this and then _____ _____ _____. Then, this cuts the food into small pieces. You can also _____ _____ _____ by putting fruits and vegetables into this. What is this?

04 의도 파악

대화를 듣고, 남자가 한 마지막 말의 의도로 가장 적절한 것을 고르시오.

① 허락 ② 충고 ③ 거절
④ 칭찬 ⑤ 제안

M Amy, what are you watching?
W I'm ______ ______ ______ ______.
M Is this your favorite program?
W No. ______ ______ ______ ______ in twenty minutes.
M Really? What's that?
W It's *The Chef's Table*.
M ______ ______ ______ ______. Why don't we watch it together? (정답 단서)

05 심정 추론

대화를 듣고, 남자의 심정으로 가장 적절한 것을 고르시오.

① 기쁨 ② 부러움 ③ 초조함
④ 지루함 ⑤ 걱정스러움

M Yuna, ______ ______ ______ that I entered the school art contest?
W Of course. Any good news?
M I ______ ______ ______ in my grade.
W Oh, did you? Congratulations!
M Thank you. ______ ______ ______ to tell my parents.
W You should ______ ______ ______ ______.

06 할 일 파악

대화를 듣고, 여자가 추수 감사절에 할 일로 가장 적절한 것을 고르시오.

① 쇼핑하기
② 터키 여행하기
③ 조부모님 방문하기
④ 가족과 외식하기
⑤ 칠면조 요리하기

M Julie, what are you going to do on Thanksgiving?
W I'm going to ______ ______ ______. My grandmother will cook a turkey for us.
M That's nice. Do you ______ ______ ______ ______?
W I'm going to go shopping. ______ ______ ______ ______ on the day after Thanksgiving.
M That sounds good.

07 숫자 정보 파악

대화를 듣고, 두 사람이 만날 시각을 고르시오.

① 1:00 p.m. ② 1:30 p.m.
③ 2:00 p.m. ④ 2:30 p.m.
⑤ 3:00 p.m.

Sound Clear☆ hour
h가 묵음이라서 [아워]로 발음된다.

W What time shall we meet tomorrow?
M How about 3 o'clock? (함정) ______ ______ ______ at 5:30.
W That's too late. It takes an ☆hour to get to the airport.
M Then how about 2:30? (함정)
W Let's ______ ______ ______ for the airport limousine bus. (*Pause*) There's a bus at 2:30.
M We need to meet ______ ______ ______ then. How about 2 o'clock? (정답 단서)
W Okay. ______ ______ ______.

08 특정 정보 파악

대화를 듣고, 두 사람이 자원봉사 활동을 할 요일을 고르시오.

① 수요일 ② 목요일 ③ 금요일
④ 토요일 ⑤ 일요일

Sound Clear ☆ **meet at**

[t]가 모음 사이에서 약화되고 뒤 단어의 모음과 연음되어 [미렛]으로 발음된다.

M Hey, Sarah. I _____ _____ _____.
W What is it, Brian?
M I can _____ _____ _____ with you this Friday.
W Oh, I'm glad to hear that. _____ _____ _____ your family trip?
M We moved it to Saturday.
W I see. Then let's meet at 3 _____ _____.

09 언급하지 않은 것 찾기 ✤

다음을 듣고, 여자가 스트레스 해소 방법으로 언급하지 <u>않은</u> 것을 고르시오.

① 음악 듣기 ② 영화 보기
③ 운동하기 ④ 책 읽기
⑤ 목욕하기

W I have many different ways _____ _____ _____ _____. Sometimes I listen to music or go to the movies. But the best way is by exercising or _____ _____ _____ _____. I exercise when I have a lot of worries. I take a warm bath when I _____ _____ _____ after a hard day.

10 할 일 파악

대화를 듣고, 여자가 학교 축제에서 할 일로 가장 적절한 것을 고르시오.

① 춤추기 ② 드럼 연주하기
③ 노래하기 ④ 기타 연주하기
⑤ 마술하기

W What are you going to do _____ _____ _____ _____?
M I'm going to do a B-boy dance. How about you?
W Well, I _____ _____ _____.
M You're good at playing the guitar and the drums. Why don't you play either one?
W Okay. I'll _____ _____ _____.

11 이유 파악

대화를 듣고, 여자가 기분이 좋지 <u>않은</u> 이유로 가장 적절한 것을 고르시오.

① 숙제를 끝내지 못해서
② 시험 성적이 좋지 않아서
③ 선생님께 꾸중을 들어서
④ 숙제가 너무 어려워서
⑤ 숙제를 가져오지 않아 점수가 깎여서

M You look unhappy. Didn't you _____ _____ _____?
W I did, but I left it at home.
M Oh, my! _____ _____ _____ the teacher about it?
W Yes. She told me to bring it tomorrow.
M Then _____ _____ _____?
W I lost two points because I didn't submit it today.
M Oh, _____ _____ _____ _____ _____.

12 관계 추론

대화를 듣고, 두 사람의 관계로 가장 적절한 것을 고르시오.

① 작가 – 독자
② 운동선수 – 팬
③ 택배 기사 – 고객
④ 여행사 직원 – 고객
⑤ 택시 기사 – 손님

W Good morning, sir. _____ _____ _____ _____ for you?

M _____ _____ _____ _____ _____ some Italian cities during the holidays.

W Okay. We have some tour packages for Italy.
정답 단서

M _____ _____ _____. Oh! I like this.

W Good, sir. When would you like to go?

M _____ _____ _____ _____ _____.

13 위치 찾기

대화를 듣고, 남자가 가려고 하는 장소를 고르시오.

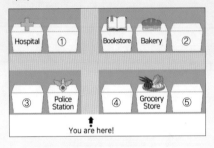

M Excuse me. _____ _____ _____ _____ _____ near here?

W Yes, there is. It's not far from here.

M _____ _____ _____ there?

W Yes. Go one block and turn right.

M Go one block and turn right?

W Yes. Then, _____ _____ _____ _____ _____.
It's right next to the bakery.

M I see. Thank you.

14 특정 정보 파악

대화를 듣고, 남자가 만들 음식을 고르시오.

① 버섯 피자   ② 샐러드
③ 크림파스타   ④ 치킨샌드위치
⑤ 치즈케이크

M Today, I'll _____ _____ _____ _____ for you.

W Wow! What are you going to make for me?

M _____ _____ _____ _____ _____, mushroom 한정
pizza or cream pasta?

W I like both of them. But _____ _____ _____
_____ cream pasta today.

M Okay. I'll make cream pasta.
정답 단서

W Thank you.

15 특정 정보 파악 ✳

대화를 듣고, 두 사람이 Daniel에게 줄 선물을
고르시오.

① 자전거   ② 블록 세트
③ 모형 비행기   ④ 테디 베어
⑤ 장난감 자동차

W What would be _____ _____ _____ _____ for
      Daniel?

M _____ _____ _____ _____ or block set?

W He already has a lot of toy cars and block sets.
                                           한정

M Then do you have _____ _____ _____ _____ ?

W Yes. How about a bike?

M Oh, that's a good idea. Let's _____ _____ _____
      정답 단서
      _____ .

16 어색한 대화 찾기

대화를 듣고, 두 사람의 대화가 어색한 것을 고
르시오.

①   ②   ③   ④   ⑤

Sound Clear ✩ **twenty**
[t]가 [n]에 동화되어 [트웨니]로 발음된다.

① M How are you doing?
   W I'm _____ _____ _____ _____ .
② M How long does it take to get there?
                 ☆
   W About twenty minutes.
③ M Would you like some pie?
   W No, thank you. _____ _____ .
④ M I got an A on my English test.
   W Good job! I'm _____ _____ _____ you.
⑤ M Shall I call a taxi?
   W No. The traffic is _____ _____ _____ _____ .

17 제안한 것 파악

대화를 듣고, 남자가 여자에게 제안한 것으로
가장 적절한 것을 고르시오.

① 팝송 많이 듣기   ② 여행 많이 하기
③ 영어 단어 외우기   ④ 미국인과 대화하기
⑤ 미국 드라마 보기

W I want to speak English well, but I don't know _____
      _____ _____ .

M Do you watch American dramas?

W Sometimes. Why?

M Watching American dramas _____ _____ _____ .
            정답 단서

W How?

M _____ _____ _____ _____ what the
      characters say. _____ _____ _____ .

W Okay. I'll do that.

18 주제 파악

대화를 듣고, 무엇에 관한 내용인지 가장 적절한 것을 고르시오.

① 등산하기　　② 미아 찾기
③ 캠핑 준비하기　④ 새 관찰하기
⑤ 한파 대비하기

Sound Clear ☆ **What else**

앞 단어의 끝 자음과 뒤 단어의 모음이 만나 연음되어 [와렐스]로 발음된다.

W _____ _____ _____ _____ bird watching? 정답 단서

M Sure. I tried it when I was a child.

W Actually, I'm doing it _____ _____ _____ _____ this Saturday.

M You should bring warm clothes and _____ _____ _____.

W Okay. What else should I keep in mind?

M You shouldn't _____ _____ _____ when you watch the birds.

W I see. Thank you.

19 마지막 말에 이어질 응답 찾기

대화를 듣고, 남자의 마지막 말에 이어질 여자의 응답으로 가장 적절한 것을 고르시오.

Woman: _____

① Thank you so much.
② Please watch your step.
③ I'm sorry I can't help you.
④ No. I don't need your bag.
⑤ Don't worry. You can do it.

M Luna, what's the matter? You _____ _____ _____ your leg.

W I fell down the stairs and _____ _____ _____ yesterday.

M Oh, my! Are you okay?

W No, I'm not.

M _____ _____ _____ _____ _____ ?

W Thank you so much.

20 마지막 말에 이어질 응답 찾기

대화를 듣고, 남자의 마지막 말에 이어질 여자의 응답으로 가장 적절한 것을 고르시오.

Woman: _____

① Okay. I'll be there then.
② Sorry, but I have to go now.
③ Right. The party was really fun.
④ No. You have to bring a present.
⑤ Not at all. I'll prepare everything.

W Can you _____ _____ _____ _____ for dinner this Friday? We will have a barbecue party.

M That's great. What time on Friday?

W _____ _____ _____ _____ at six?

M Sure. _____ _____ _____ _____ _____ bring something?

W Not at all. I'll prepare everything.

Review Test

Word Check

영어는 우리말로, 우리말은 영어로 써 보기

01	appointment		13	쓰레기	
02	score		14	운동하다; 운동	
03	own		15	재사용하다	
04	fix		16	박물관	
05	missing		17	비결	
06	stairs		18	차례, 순번	
07	receipt		19	여분의	
08	nervous		20	타다	
09	dental		21	라디오 방송국	
10	scary		22	착륙하다	
11	cry out		23	건강한	
12	thirsty		24	(돈을) 쓰다	

Expression Check

알맞은 표현을 넣어 문장 완성하기

25 _____ _____ you use the stairs. 반드시 계단을 이용하세요.

26 What does it _____ _____? 그것은 어떻게 생겼나요?

27 It'll _____ _____ in the afternoon. 오후에는 날이 갤 것이다.

28 I'm _____ _____ _____ riding the roller coaster! 나는 롤러코스터 타는 것이 기대돼!

29 What should we do _____ _____ _____ fire?
불이 났을 때 우리는 어떻게 해야 할까요?

30 Old pants can _____ _____ fashionable shorts.
낡은 바지는 유행하는 반바지로 바뀔 수 있다.

Answers p.20

Word Check 영어는 우리말로, 우리말은 영어로 써 보기

01	outdoor		13	자원봉사 활동
02	repeat		14	덜어 주다, 완화하다
03	grandparents		15	휴식을 취하다
04	dot		16	(둘 중) 어느 하나(의)
05	delicious		17	제출하다
06	square		18	여행하다
07	fall down		19	특별한
08	press		20	교통(량)
09	text		21	심한, 끔찍한
10	flight		22	채소
11	timetable		23	인기 있는
12	character		24	준비하다

Expression Check 알맞은 표현을 넣어 문장 완성하기

25 I'm _____ _____ a vase for my living room. 저는 거실에 놓을 꽃병을 찾고 있어요.

26 I _____ _____ _____ tell my parents. 나는 어서 부모님께 말씀드리고 싶어.

27 I _____ _____ _____ in my grade. 내가 우리 학년에서 1등을 했어.

28 It's not _____ _____ here. 그것은 여기서 멀지 않아요.

29 Are you _____ _____ taking the bus or subway?
당신은 버스나 지하철을 타는 것에 싫증이 났나요?

30 I _____ _____ the stairs and broke my leg yesterday.
나는 어제 계단에서 넘어져서 다리가 부러졌어.

1.0배속

1.2배속

01 다음을 듣고, 'this'가 가리키는 것으로 가장 적절한 것을 고르시오.

①   ②   ③

④   ⑤

02 대화를 듣고, 여자가 마음에 들어 하는 티셔츠로 가장 적절한 것을 고르시오.

①   ②   ③

④   ⑤

03 다음을 듣고, 오늘 오후의 날씨로 가장 적절한 것을 고르시오.

①   ②   ③

④   ⑤

04 대화를 듣고, 남자가 한 마지막 말의 의도로 가장 적절한 것을 고르시오.

① 격려   ② 추천   ③ 조언
④ 부탁   ⑤ 감사

05 다음을 듣고, 남자가 자신에 대해 언급하지 <u>않은</u> 것을 고르시오.

① 이름   ② 출신지   ③ 외모
④ 좋아하는 것   ⑤ 소속 동아리

06 대화를 듣고, 두 사람이 볼 영화가 시작하는 시각을 고르시오.

① 2:20 p.m.   ② 2:40 p.m.   ③ 3:00 p.m.
④ 3:20 p.m.   ⑤ 3:40 p.m.

07 대화를 듣고, 여자가 잠을 자지 <u>못한</u> 이유로 가장 적절한 것을 고르시오.

① 게임을 하느라
② 학교 숙제를 하느라
③ 축구 경기를 시청하느라
④ TV 소리가 시끄러워서
⑤ 이웃 사람들이 시끄러워서

08 대화를 듣고, 여자가 마지막에 느꼈을 심정으로 가장 적절한 것을 고르시오.

① sad   ② angry   ③ proud
④ happy   ⑤ embarrassed

09 대화를 듣고, 여자의 장래 희망으로 가장 적절한 것을 고르시오.

① 작가   ② 수의사   ③ 동물 조련사
④ 번역가   ⑤ 외국어 강사

10 대화를 듣고, 무엇에 관한 내용인지 가장 적절한 것을 고르시오.

① 방학 계획   ② 독서 습관   ③ 병원 진료
④ 생일 파티   ⑤ 자원봉사 활동

11 대화를 듣고, 두 사람이 대화하는 장소로 가장 적절한 곳을 고르시오.

① 과일 가게　② 꽃 가게　③ 제과점
④ 옷 가게　⑤ 문구점

12 대화를 듣고, 여자가 신을 신발을 고르시오.

① 샌들　② 운동화　③ 하이힐
④ 장화　⑤ 롱부츠

13 대화를 듣고, 남자가 지난 일요일에 한 일을 고르시오.

① 쿠키 굽기
② 공원으로 소풍 가기
③ 장미꽃 한 다발 사기
④ 쇼핑몰에서 신발 사기
⑤ 강아지 산책시키기

14 대화를 듣고, 남자가 가려고 하는 장소를 고르시오.

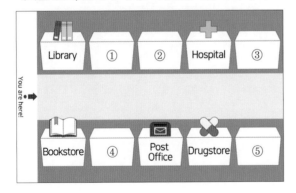

15 대화를 듣고, 여자가 남자에게 제안한 것으로 가장 적절한 것을 고르시오.

① 춤추기　② 노래하기
③ 연기하기　④ 인터뷰하기
⑤ 경연 대회 나가기

16 대화를 듣고, 여자의 직업으로 가장 적절한 것을 고르시오.

① 간호사　② 호텔 직원
③ 매표소 직원　④ 여행 가이드
⑤ 부동산 중개인

17 대화를 듣고, 여자가 지불한 금액을 고르시오.

① $60　② $80　③ $100
④ $120　⑤ $140

18 대화를 듣고, 남자가 가장 기대하고 있는 나라를 고르시오.

① 프랑스　② 스페인　③ 포르투갈
④ 터키　⑤ 영국

[19-20] 대화를 듣고, 여자의 마지막 말에 이어질 남자의 응답으로 가장 적절한 것을 고르시오.

19 Man: _____

① Of course. Here you are.
② I'd love to, but I'm hungry.
③ Wow! They really taste good!
④ Yes, please. I'd like apple juice.
⑤ No, thanks. I want orange juice.

20 Man: _____

① I don't understand it.
② I'm sure you can make it.
③ You need to get some rest.
④ That's a good idea. Thank you.
⑤ You can try again the next time.

01 화제 파악

다음을 듣고, 'this'가 가리키는 것으로 가장 적절한 것을 고르시오.

①   ②   ③

④   ⑤

Sound Clear ☆ **kind of**

앞 단어의 끝 자음과 뒤 단어의 모음이 만나 연음되어 [카인더브]로 발음된다.

M This is a kind of chair. This has _____ _____ _____ on its sides. People can make this _____ _____ _____ by controlling the wheels with both hands. People use this _____ _____ _____ their legs or can't walk. What is this?

02 그림 정보 파악

대화를 듣고, 여자가 마음에 들어 하는 티셔츠로 가장 적절한 것을 고르시오.

①   ②   ③

④   ⑤

M Cathy, what do you _____ _____ _____ _____?
W I want a T-shirt, Dad.
M Okay. What's _____ _____ _____?
W I like round-neck T-shirts.
M Then how about the round-neck T-shirt _____ _____ _____ _____ _____ _____?
W No. I like this T-shirt with the star on it.

03 특정 정보 파악

다음을 듣고, 오늘 오후의 날씨로 가장 적절한 것을 고르시오.

①   ②   ③

④  ⑤

W Good morning. This is the weather report for today. This morning, we started the day _____ _____ _____ _____ and a lot of clouds in the sky. However, the weather _____ _____ _____ in the afternoon. It will be perfect weather _____ _____ _____.

04 의도 파악

대화를 듣고, 남자가 한 마지막 말의 의도로 가장 적절한 것을 고르시오.

① 격려 　② 추천 　③ 조언
④ 부탁 　⑤ 감사

M What _____ _____ _____ _____ in your free time?

W I enjoy playing badminton. I play it with my dad on Sundays.

M _____ _____ _____ _____ playing badminton?

W Yes. I am a member of a badminton club.

M Wow! Can you teach me _____ _____ _____ 정답 단서 _____ this Saturday?

05 언급하지 않은 것 찾기 �

다음을 듣고, 남자가 자신에 대해 언급하지 <u>않</u>은 것을 고르시오.

① 이름 　② 출신지 　③ 외모
④ 좋아하는 것 ⑤ 소속 동아리

M Hello. Nice to meet you. My name is Nick. I _____ _____ New Zealand. I _____ _____ _____ _____ and watching movies. My best friend is Jiho, and he's _____ _____ _____, too. We are both in the movie club at school.

06 숫자 정보 파악

대화를 듣고, 두 사람이 볼 영화가 시작하는 시각을 고르시오.

① 2:20 p.m. ② 2:40 p.m.
③ 3:00 p.m. ④ 3:20 p.m.
⑤ 3:40 p.m.

Sound Clear ☆ sci-fi

science fiction의 줄임 말이다. c가 묵음이라서 [싸이파이]로 발음된다.

W Peter, _____ _____ _____ _____ this movie. How about you?

M I do, too. I love sci-fi movies.

W That's good. It's 2:20 now.

M Then we have 40 minutes 함정 _____ _____ _____ _____.

W Shall we get _____ _____ _____ _____ _____?

M Yes. Let's go to the snack bar.

07 이유 파악

대화를 듣고, 여자가 잠을 자지 <u>못한</u> 이유로 가장 적절한 것을 고르시오.

① 게임을 하느라
② 학교 숙제를 하느라
③ 축구 경기를 시청하느라
④ TV 소리가 시끄러워서
⑤ 이웃 사람들이 시끄러워서

M Hi, Emma! _____ _____ _____ _____.

W I didn't sleep well last night.

M Were you sick?

W No. It was so noisy that _____ _____ _____.

M Was it because of your neighbors?

W No. My brother was _____ _____ _____ _____ on TV until late at night.

08 심정 추론

대화를 듣고, 여자가 마지막에 느꼈을 심정으로 가장 적절한 것을 고르시오.

① sad ② angry ③ proud
④ happy ⑤ embarrassed

W Hi, Billy! Long time, no see!
M Excuse me? _____ _____ _____ _____ me?
W It's me, Kelly's sister.
M I'm sorry _____ _____ _____ _____ named Kelly. And my name isn't Billy.
W Oh, really? I thought _____ _____ _____ _____. I'm sorry.
M That's all right.

09 특정 정보 파악 ❋

대화를 듣고, 여자의 장래 희망으로 가장 적절한 것을 고르시오.

① 작가 ② 수의사 ③ 동물 조련사
④ 번역가 ⑤ 외국어 강사

Sound Clear ☆ translator
[t]와 [r]이 연달아 나와 [츄렌슬레이터]로 발음된다.

W Mark, what do you want to be _____ _____ _____?
M I want to be an animal trainer. How about you?
W I _____ _____ _____ a translator. (함정) (☆ 정답 단서)
M Wow, great.
W I want to _____ _____ _____ foreign languages.
M I'm sure you'll be a great translator.

10 주제 파악

대화를 듣고, 무엇에 관한 내용인지 가장 적절한 것을 고르시오.

① 방학 계획 ② 독서 습관
③ 병원 진료 ④ 생일 파티
⑤ 자원봉사 활동

M Lisa, do you _____ _____ _____ _____ for this Saturday?
W Yes. I will _____ _____ _____ _____.
M That's great. Do you do volunteer work every weekend?
W No, _____ _____ _____.
M So what do you usually do when you volunteer?
W I read books to children _____ _____ _____ _____.

11 장소 추론

대화를 듣고, 두 사람이 대화하는 장소로 가장 적절한 곳을 고르시오.

① 과일 가게 ② 꽃 가게 ③ 제과점
④ 옷 가게 ⑤ 문구점

W Good afternoon. May I help you?
M Yes, please. I _____ _____ _____ my sister for her birthday.
W This way, please. _____ _____ _____ _____ _____ this fruitcake?
M Wow, I like the roses on it. _____ _____ _____? (정답 단서) (함정)
W It is 20,000 won.
M Okay. _____ _____ _____.

12 특정 정보 파악 �саcross

대화를 듣고, 여자가 신을 신발을 고르시오.

① 샌들　② 운동화　③ 하이힐
④ 장화　⑤ 롱부츠

M Tiffany, come on. We're going to be late.

W _____ _____ _____ which shoes to wear.

M We're going to do a lot of walking. _____ _____ _____ high heels.

W Well, what are you wearing?

M _____ _____ _____ _____. Why don't you wear your sandals?

W Okay. I'll wear my sandals.
　　　　　정답 단서

13 한 일 파악

대화를 듣고, 남자가 지난 일요일에 한 일을 고르시오.

① 쿠키 굽기
② 공원으로 소풍 가기
③ 장미꽃 한 다발 사기
④ 쇼핑몰에서 신발 사기
⑤ 강아지 산책시키기

M What did you do last Sunday?

W I baked cookies and _____ _____ _____ _____ at the park.
　　　　　한정

M Sounds interesting! _____ _____?

W On my way home, I bought a bunch of roses. How about you?
　　　　　한정

M I went to the mall. I _____ _____ _____ _____ there.

14 위치 찾기

대화를 듣고, 남자가 가려고 하는 장소를 고르시오.

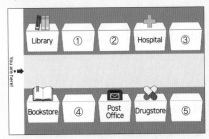

Sound Clear ☆ **this street**

동일한 발음의 자음이 연이어 나오면 앞 자음 소리가 탈락하여 [디스트릿]으로 발음된다.

M Excuse me. Is there a stationery store near here?

W Yes, there is. _____ _____ _____ this street.
　　　　　　　　　　　　　　　　　　　　　　☆

M Go straight down this street? That's it?

W Yes. It's _____ _____ _____ _____ of the street. It's right next to the drugstore.

M _____ _____ the drugstore? That's easy. Thank you.
　　　　　정답 단서

W No problem.

15 제안한 것 파악

대화를 듣고, 여자가 남자에게 제안한 것으로 가장 적절한 것을 고르시오.

① 춤추기　　　② 노래하기
③ 연기하기　　④ 인터뷰하기
⑤ 경연 대회 나가기

W Hi, Jimin. You are a good dancer.

M Thank you. _____ _____, my dream is to be a K-pop star.

W Really? You are also _____ _____ _____ _____. You will be a famous K-pop star someday.

M _____ _____ _____ _____ _____?

W Of course. Why don't you enter a K-pop contest? You can do it!
정답 단서

16 직업 추론

대화를 듣고, 여자의 직업으로 가장 적절한 것을 고르시오.

① 간호사　　　② 호텔 직원
③ 매표소 직원　④ 여행 가이드
⑤ 부동산 중개인

W How can I help you, sir?

M Can you _____ _____ _____ _____ _____ tomorrow morning?

W Okay. What time would you like us to call you?

M At 7 o'clock. I need to _____ _____ _____ at 9 o'clock.

W Okay. What's your room number, please?

M _____ _____ _____ _____ 1302.

17 숫자 정보 파악　✽

대화를 듣고, 여자가 지불한 금액을 고르시오.

① $60　　② $80　　③ $100
④ $120　⑤ $140

Sound Clear ☆ **new**
미국식은 [누]로, 영국식은 [뉴]로 발음된다.

M Mom, _____ _____ _____ _____?

W I just came back from the department store. It is _____ _____ _____ _____.

M Wow! What did you buy?

W I _____ _____ _____ for you.

M Thanks, Mom. I needed a new backpack. How much was it?

W The regular price was $120. But _____ _____ _____ for 50% off.
한정
정답 단서

18 특정 정보 파악

대화를 듣고, 남자가 가장 기대하고 있는 나라를 고르시오.

① 프랑스   ② 스페인   ③ 포르투갈
④ 터키   ⑤ 영국

Sound Clear ☆ **I've been to**
축약된 've는 거의 발음되지 않아 [아이빈투]로 들린다.

M   I'm traveling to Europe with my family _____ _____.

W   Really? _____ _____ are you planning to visit?

M   We'll _____ _____ France, Spain, and Portugal.

W   ☆ I've been to France and Spain. You will love Spain.

M   I am _____ _____ _____ Spain, but I'm the most excited about visiting Portugal.

정답 단서

19 마지막 말에 이어질 응답 찾기

대화를 듣고, 여자의 마지막 말에 이어질 남자의 응답으로 가장 적절한 것을 고르시오.

Man: _____

① Of course. Here you are.
② I'd love to, but I'm hungry.
③ Wow! They really taste good!
④ Yes, please. I'd like apple juice.
⑤ No, thanks. I want orange juice.

W   May I take your order?

M   _____ _____ _____ _____, please.

W   We have beef, chicken, and pork. _____ _____ _____ _____ would you like?

M   Well, my favorite meat is beef. I want a beef taco.

W   Okay. _____ _____ _____ _____ _____? We have apple juice and orange juice.

M   Yes, please. I'd like apple juice.

20 마지막 말에 이어질 응답 찾기

대화를 듣고, 여자의 마지막 말에 이어질 남자의 응답으로 가장 적절한 것을 고르시오.

Man: _____

① I don't understand it.
② I'm sure you can make it.
③ You need to get some rest.
④ That's a good idea. Thank you.
⑤ You can try again the next time.

W   What's the matter, Sam?

M   _____ _____ _____.

W   Why? Are you nervous because of the dance contest?

M   Yes. I practiced a lot, but I'm still nervous. _____ _____ _____ _____?

W   I think you should practice in front of your family. It _____ _____ _____ _____.

M   That's a good idea. Thank you.

01 다음을 듣고, 'I'가 무엇인지 가장 적절한 것을 고르시오.

 ① ② ③

 ④ ⑤

02 대화를 듣고, 남자가 동생에게 줄 곰 인형으로 가장 적절한 것을 고르시오.

 ① ② ③

 ④   ⑤

03 다음을 듣고, 토요일 오후의 날씨로 가장 적절한 것을 고르시오.

 ① ② ③

 ④ ⑤

04 대화를 듣고, 남자가 한 마지막 말의 의도로 가장 적절한 것을 고르시오.
① 부탁　　② 감사　　③ 거절
④ 허락　　⑤ 위로

05 다음을 듣고, 여자의 여행에 대한 내용으로 일치하지 않는 것을 고르시오.
① 동해안을 여행했다.
② 해안 경치가 멋있었다.
③ 사진을 많이 찍었다.
④ 많은 종류의 해산물을 먹었다.
⑤ 여행 내내 비가 왔다.

06 대화를 듣고, 남자의 장래 희망으로 가장 적절한 것을 고르시오.
① 화가　　　　　　② 패션 디자이너
③ 건축가　　　　　④ 여행 가이드
⑤ 다큐멘터리 감독

07 대화를 듣고, 여자가 어제 영화관에 도착한 시각을 고르시오.
① 4:40 p.m.　② 4:50 p.m.　③ 5:00 p.m.
④ 5:10 p.m.　⑤ 5:20 p.m.

08 대화를 듣고, 여자가 팔을 다친 이유로 가장 적절한 것을 고르시오.
① 교통사고를 당해서
② 화분이 떨어져서
③ 바닥에 미끄러져 넘어져서
④ 계단에서 발을 헛디뎌서
⑤ 자전거를 타다가 넘어져서

09 대화를 듣고, 남자가 이용할 교통수단으로 가장 적절한 것을 고르시오.
① 기차　　② 버스　　③ 택시
④ 자가용　⑤ 비행기

10 대화를 듣고, 무엇에 관한 내용인지 가장 적절한 것을 고르시오.

① 운동   ② 취미   ③ 다이어트
④ 쇼핑   ⑤ 과제

11 대화를 듣고, 여자가 지불할 금액으로 가장 적절한 것을 고르시오.

① $40   ② $60   ③ $80
④ $100   ⑤ $200

12 대화를 듣고, 여자의 직업으로 가장 적절한 것을 고르시오.

① 은행원   ② 경비원   ③ 가구점 직원
④ 호텔 직원   ⑤ 부동산 중개인

13 대화를 듣고, 남자가 대화 직후에 할 일로 가장 적절한 것을 고르시오.

① 피자 만들기   ② 샌드위치 사러 가기
③ 전화번호 검색하기   ④ 피자 먹으러 나가기
⑤ 앱으로 피자 주문하기

14 대화를 듣고, 남자가 가려고 하는 장소를 고르시오.

15 대화를 듣고, 여자의 심정으로 가장 적절한 것을 고르시오.

① nervous   ② worried   ③ proud
④ pleased   ⑤ thankful

16 대화를 듣고, 여자가 남자에게 제안한 것으로 가장 적절한 것을 고르시오.

① 분리수거하기   ② 옷 기증하기
③ 종이 재활용하기   ④ 자원봉사 하기
⑤ 큰 옷 줄여 입기

17 대화를 듣고, 남자가 여자에게 요청한 일로 가장 적절한 것을 고르시오.

① 사촌 소개해 주기   ② 해산물 요리해 주기
③ 동영상 찍어 주기   ④ 동영상 보내 주기
⑤ 함께 일출 보러 가기

18 대화를 듣고, 두 사람이 대화하는 장소로 가장 적절한 곳을 고르시오.

① 옷 가게   ② 문구점   ③ 버스 터미널
④ 미용실   ⑤ 옷 수선집

[19-20] 대화를 듣고, 남자의 마지막 말에 이어질 여자의 응답으로 가장 적절한 것을 고르시오.

19 Woman: _____

① I'm very proud of you.
② I have to buy a new camera.
③ I did. But I lost it yesterday.
④ I won't forget your kindness.
⑤ Can you lend me your laptop computer?

20 Woman: _____

① You're very welcome.
② Don't worry about it.
③ It looks good on you.
④ I'm sorry to hear that.
⑤ It's on the second floor.

Dictation 06회

QR 받아쓰기용

01 화제 파악

다음을 듣고, 'I'가 무엇인지 가장 적절한 것을 고르시오.

 ① ② ③
 ④ ⑤

M I live in Africa. I _____ _____ _____ _____. I am _____ _____ _____ in the world. I have big eyes and _____ _____ _____ _____ _____. I have long legs and a very long neck. What am I?

02 그림 정보 파악

대화를 듣고, 남자가 동생에게 줄 곰 인형으로 가장 적절한 것을 고르시오.

 ① ② ③
 ④ ⑤

Sound Clear ☆ **love it**
앞 단어의 끝 자음과 뒤 단어의 모음이 만나 연음되어 [러빗]으로 발음된다.

W Henry, what is that?
M It's a teddy bear. It's _____ _____ _____ for my brother.
W It's so cute. It is wearing a T-shirt and jeans.
정답 단서
M My brother _____ _____ _____ _____ a lot, so I chose it.
W Wow! I'm sure your brother will love it. ☆
M Do you really think so? _____ _____ _____.

03 특정 정보 파악 ✳

다음을 듣고, 토요일 오후의 날씨로 가장 적절한 것을 고르시오.

 ① ② ③
 ④ ⑤

M Good evening. This is the weather report for this weekend. It'll be very cold and cloudy from tonight
한정
_____ _____ _____. On Saturday afternoon, we will _____ _____ _____ _____ _____. However, the temperature will _____ _____ _____ _____, and we will see clear skies on Sunday.
한정

04 의도 파악

대화를 듣고, 남자가 한 마지막 말의 의도로 가장 적절한 것을 고르시오.

① 부탁 ② 감사 ③ 거절
④ 허락 ⑤ 위로

Sound Clear ☆ **try**

[t]와 [r]이 연달아 나와 [츄라이]로 발음된다.

M My uncle bought me a new tablet PC.
W That's great. Can I see it now?
M _____ _____ _____. (*Pause*) Here it is.
W Wow, it looks cool. And _____ _____ _____.
M _____ _____ _____ watching video clips.
W Oh, can I try watching a video clip?
M Sure. _____ _____.

05 일치하지 않는 것 찾기

다음을 듣고, 여자의 여행에 대한 내용으로 일치하지 않는 것을 고르시오.

① 동해안을 여행했다.
② 해안 경치가 멋있었다.
③ 사진을 많이 찍었다.
④ 많은 종류의 해산물을 먹었다.
⑤ 여행 내내 비가 왔다.

W _____ _____ _____ _____ _____ about my trip to the east coast. _____ _____ _____ _____ my trip was the wonderful view along the coast. I took a lot of pictures and _____ _____ _____ _____ _____. Thankfully, the weather was really nice the whole time.

06 특정 정보 파악

대화를 듣고, 남자의 장래 희망으로 가장 적절한 것을 고르시오.

① 화가 ② 패션 디자이너
③ 건축가 ④ 여행 가이드
⑤ 다큐멘터리 감독

W Taehyun, what are you watching?
M I'm _____ _____ _____ about Antoni Gaudi.
W Wow, that building is unique.
M Isn't it great? I would like to _____ _____ _____ _____ _____.
W I thought you _____ _____ _____ a painter.
M No. I want to design wonderful buildings.

07 숫자 정보 파악

대화를 듣고, 여자가 어제 영화관에 도착한 시각을 고르시오.

① 4:40 p.m. ② 4:50 p.m.
③ 5:00 p.m. ④ 5:10 p.m.
⑤ 5:20 p.m.

M Susan, how was the movie yesterday?
W It was good. But I _____ _____ _____.
M What do you mean?
W _____ _____ _____ _____ 5 o'clock, but I arrived a little late.
M _____ _____ _____ _____ get there?
W I was 10 minutes late for the movie.
M I'm sorry about that.

08 이유 파악

대화를 듣고, 여자가 팔을 다친 이유로 가장 적절한 것을 고르시오.

① 교통사고를 당해서
② 화분이 떨어져서
③ 바닥에 미끄러져 넘어져서
④ 계단에서 발을 헛디뎌서
⑤ 자전거를 타다가 넘어져서

M Sandra, what happened to your arm?
W Well, I _____ _____ _____.
M An accident? What accident?
W I hurt my arm _____ _____ _____ _____ my mom at home.
M How?
W I slipped on the floor while I was _____ _____ _____.
M Oh, that's too bad. I hope you _____ _____ _____.

09 특정 정보 파악

대화를 듣고, 남자가 이용할 교통수단으로 가장 적절한 것을 고르시오.

① 기차   ② 버스   ③ 택시
④ 자가용   ⑤ 비행기

W How are you going to Busan on *chuseok*?
M I'm going to _____ _____ _____.
W Why don't you take the train instead? _____ _____ _____ _____ on *chuseok*.
M I know, but I couldn't _____ _____ _____ _____.
W Oh, I see. That's too bad.

10 주제 파악

대화를 듣고, 무엇에 관한 내용인지 가장 적절한 것을 고르시오.

① 운동   ② 취미   ③ 다이어트
④ 쇼핑   ⑤ 과제

W You look different. Have you _____ _____?
M Yes. I've stopped eating fatty foods, and I _____ _____ _____ _____ now.
W Good for you.
M I also _____ _____ _____ _____ _____ every morning.
W You look quite healthier.
M My goal is _____ _____ _____ _____.
W I'm sure you can do it.

11 숫자 정보 파악

대화를 듣고, 여자가 지불할 금액으로 가장 적절한 것을 고르시오.

① $40   ② $60   ③ $80
④ $100   ⑤ $200

Sound Clear ☆ coupon
'쿠폰'은 실제로 [쿠판]으로 발음된다.

W Do you have this jacket _____ _____ _____ 4?
M Of course. Here is a size 4.
W Thanks. I like it. _____ _____ _____ _____ _____?
M It's $100.
W Okay. _____ _____ _____ this discount coupon?
M Yes. You can get a 20% discount.
W That's nice. _____ _____ _____.

12 직업 추론

대화를 듣고, 여자의 직업으로 가장 적절한 것을 고르시오.

① 은행원　　② 경비원　　③ 가구점 직원
④ 호텔 직원　　⑤ 부동산 중개인

W Good afternoon. May I help you?

M Yes. Do you have a single room?

W Let me check. (*Pause*) We ＿＿＿＿ ＿＿＿＿ ＿＿＿＿ ＿＿＿＿ ＿＿＿＿ left.

M Good.

W How long would you like to stay?

M For two nights. I'll ＿＿＿＿ ＿＿＿＿ ＿＿＿＿ ＿＿＿＿.

W Okay. Please ＿＿＿＿ ＿＿＿＿ ＿＿＿＿.

13 할 일 파악

대화를 듣고, 남자가 대화 직후에 할 일로 가장 적절한 것을 고르시오.

① 피자 만들기
② 샌드위치 사러 가기
③ 전화번호 검색하기
④ 피자 먹으러 나가기
⑤ 앱으로 피자 주문하기

Sound Clear ☆ **little**

미국식은 모음 사이의 [t]를 약하게 발음하여 [리를]로, 영국식은 [t]를 정확히 발음하여 [리틀]로 발음된다.

W How about ＿＿＿＿ ＿＿＿＿ ＿＿＿＿ ＿＿＿＿?

M I want to eat pizza today.

W Then ＿＿＿＿ ＿＿＿＿ ＿＿＿＿ ＿＿＿＿ and have pizza?

M No. I'm a little busy right now. ＿＿＿＿ ＿＿＿＿ ＿＿＿＿ ＿＿＿＿.

W That's a good idea. Do you know ＿＿＿＿ ＿＿＿＿ ＿＿＿＿?

M No. But I can order pizza by using an app. I'll do it now.
정답 단서

14 위치 찾기

대화를 듣고, 남자가 가려고 하는 장소를 고르시오.

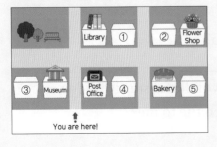

W I got my hair cut at the new hair salon. How do I look?

M You look cool. I have to ＿＿＿＿ ＿＿＿＿ ＿＿＿＿ ＿＿＿＿, too. Where is it?

W Go one block down this street and ＿＿＿＿ ＿＿＿＿ ＿＿＿＿ ＿＿＿＿ ＿＿＿＿.

M Oh, is it near the post office?

W ＿＿＿＿ ＿＿＿＿ ＿＿＿＿ ＿＿＿＿ from the post office.

M Is the hair salon next to the bakery?
정답 단서

W That's right.

15 심정 추론

대화를 듣고, 여자의 심정으로 가장 적절한 것을 고르시오.

① nervous ② worried ③ proud
④ pleased ⑤ thankful

Sound Clear ☆ **get up**

[t]가 모음 사이에서 약화되고 뒤 단어의 모음과 연음되어 [게럽]으로 발음된다.

W _____ _____ _____ _____ _____ this morning. What happened?

M I was too tired to get up on time.

W Were you? How do you feel now?

M I _____ _____ _____ and still feel tired.

W I'm sorry to hear that. _____ _____ _____ _____ _____ the nurse's office?

M Okay, I will. Thank you.

16 제안한 것 파악 ✳

대화를 듣고, 여자가 남자에게 제안한 것으로 가장 적절한 것을 고르시오.

① 분리수거하기
② 옷 기증하기
③ 종이 재활용하기
④ 자원봉사 하기
⑤ 큰 옷 줄여 입기

W What are the clothes in this paper bag?

M I'm _____ _____ _____.

W Really? I think they're still good.

M Yeah, but they're all too small for me, so I _____ _____ _____.

W Then _____ _____ _____ _____ to the donation center?

M Oh, that's a good idea.

17 요청한 일 파악

대화를 듣고, 남자가 여자에게 요청한 일로 가장 적절한 것을 고르시오.

① 사촌 소개해 주기
② 해산물 요리해 주기
③ 동영상 찍어 주기
④ 동영상 보내 주기
⑤ 함께 일출 보러 가기

M Miso, did you _____ _____ _____ _____?

W Yes. I visited my cousin in Gangneung and _____ _____ _____.

M Great. What else did you do?

W On January 1, I _____ _____ _____ _____ _____ _____. I took a wonderful sunrise video.

M Wow, can you send the video file to me?

W Of course.

18 장소 추론

대화를 듣고, 두 사람이 대화하는 장소로 가장 적절한 곳을 고르시오.

① 옷 가게   ② 문구점
③ 버스 터미널   ④ 미용실
⑤ 옷 수선집

W Hello. How can I help you?
M _____ _____ _____ _____ _____ for me. Can you make them shorter?
W Sure, I can. I need to check the length. 정답 단서
M Okay. _____ _____ _____ _____ _____ to fix them?
W It will take about two hours. 정답 단서
M Okay. I'll _____ _____ _____ _____ _____.

19 마지막 말에 이어질 응답 찾기

대화를 듣고, 남자의 마지막 말에 이어질 여자의 응답으로 가장 적절한 것을 고르시오.

Woman: _____

① I'm very proud of you.
② I have to buy a new camera.
③ I did. But I lost it yesterday.
④ I won't forget your kindness.
⑤ Can you lend me your laptop computer?

Sound Clear ☆ **didn't you**
[t]가 뒤의 반모음 [j]를 만나 동화되어 [디든츄]로 발음된다. [t]가 약화되어 [디든유]로 발음되기도 한다.

W Hey, Daniel.
M Oh, hi, Mina. _____ _____ _____ _____ here?
W I'm shopping for a new laptop computer.
M You _____ _____ _____ _____, didn't you?
W I did. But I lost it yesterday.

20 마지막 말에 이어질 응답 찾기

대화를 듣고, 남자의 마지막 말에 이어질 여자의 응답으로 가장 적절한 것을 고르시오.

Woman: _____

① You're very welcome.
② Don't worry about it.
③ It looks good on you.
④ I'm sorry to hear that.
⑤ It's on the second floor.

M Wow, _____ _____ _____ _____ _____ nice T-shirts.
W Which T-shirt do you like, Minho?
M I like _____ _____ _____ _____ _____.
W Oh, I like that one, too.
M I want to _____ _____ _____. Where is the fitting room?
W It's on the second floor.

Review Test

Word Check 영어는 우리말로, 우리말은 영어로 써 보기

01 control _____

02 neighobor _____

03 however _____

04 perfect _____

05 free time _____

06 comic book _____

07 stationery store _____

08 fall asleep _____

09 drugstore _____

10 embarrassed _____

11 translator _____

12 twice _____

13 결심하다 _____

14 운동화 _____

15 백화점 _____

16 사실은 _____

17 언젠가 _____

18 출전하다, 참가하다 _____

19 정상가 _____

20 참석하다 _____

21 아주 좋아하는 _____

22 모닝콜 _____

23 공상 과학 영화 _____

24 도움이 되는 _____

Expression Check 알맞은 표현을 넣어 문장 완성하기

25 I _____ _____ _____ _____ at the park. 나는 공원에 소풍을 갔어.

26 _____ _____ _____ France and Spain. 나는 프랑스와 스페인에 가 봤어.

27 You should practice _____ _____ _____ your family. 가족들 앞에서 연습해 봐.

28 I want to _____ Korean books _____ foreign languages.
나는 한국 책을 외국어로 번역하고 싶어.

29 _____ _____ _____ _____, I bought a bunch of roses.
집으로 오는 길에, 나는 장미 한 다발을 샀어.

30 It was _____ noisy _____ I _____ fall asleep.
그것이 너무 시끄러워서 나는 잠을 잘 수가 없었어.

Answers p.28

Word Check   영어는 우리말로, 우리말은 영어로 써 보기

01	spot	_____	13	1월	_____
02	temperature	_____	14	완성하다	_____
03	length	_____	15	서식, 양식	_____
04	view	_____	16	배달하다	_____
05	thankfully	_____	17	맛있는	_____
06	unique	_____	18	버리다	_____
07	sunrise	_____	19	기부	_____
08	traffic	_____	20	제시간에	_____
09	jeans	_____	21	사고를 당하다	_____
10	accident	_____	22	오늘 밤	_____
11	slip	_____	23	줄무늬	_____
12	fatty	_____	24	빌려주다	_____

Expression Check   알맞은 표현을 넣어 문장 완성하기

25 Have you _____ _____? 너 살 뺐니?

26 It _____ _____ _____ you. 그것은 너에게 잘 어울려.

27 I'll come back _____ _____ _____. 두 시간 후에 돌아올게요.

28 I was _____ tired _____ get up on time. 나는 너무 피곤해서 제시간에 못 일어났어.

29 I _____ _____ _____ and still feel tired. 나는 열이 나고 여전히 피곤해.

30 I _____ my _____ _____ at the new hair salon.
나는 새로 생긴 미용실에서 머리를 잘랐어.

01 다음을 듣고, 뉴욕의 날씨로 가장 적절한 것을 고르시오.

①
②
③
④
⑤

02 대화를 듣고, 남자가 만든 케이크로 가장 적절한 것을 고르시오.

①
②
③
④
⑤

03 다음을 듣고, 'this'가 가리키는 것으로 가장 적절한 것을 고르시오.

①
②
③
④
⑤

04 다음을 듣고, 남자가 친구에 대해 언급하지 <u>않은</u> 것을 고르시오.

① 이름　　② 특기　　③ 나이
④ 장래 희망　　⑤ 좋아하는 음식

05 대화를 듣고, 두 사람이 이용할 교통수단으로 가장 적절한 것을 고르시오.

① 버스　　② 택시　　③ 자가용
④ 지하철　　⑤ 자전거

06 대화를 듣고, 두 사람이 대화하는 장소로 가장 적절한 곳을 고르시오.

① 식당　　② 양로원　　③ 박물관
④ 요리 학원　　⑤ 식료품 가게

07 대화를 듣고, 여자의 심정으로 가장 적절한 것을 고르시오.

① pleased　　② confused　　③ excited
④ bored　　⑤ satisfied

08 대화를 듣고, 여자가 한 마지막 말의 의도로 가장 적절한 것을 고르시오.

① 비난　　② 제안　　③ 칭찬
④ 감사　　⑤ 부탁

09 대화를 듣고, 여자가 대화 직후에 할 일로 가장 적절한 것을 고르시오.

① 택배를 반송한다.
② 택배비를 지불한다.
③ 인수증에 서명한다.
④ 신분증을 보여 준다.
⑤ 프린터 작동법을 확인한다.

10 다음을 듣고, 무엇에 관한 내용인지 가장 적절한 것을 고르시오.

① 물 절약　　② 에너지 절약
③ 양치의 중요성　　④ 자원 재활용
⑤ 수질 오염의 심각성

11 대화를 듣고, 여자가 탁자를 옮기려는 이유로 가장 적절한 것을 고르시오.

① 수리를 맡기기 위해서
② 이사를 하기 위해서
③ 새 탁자를 사기 위해서
④ 언니에게 주기 위해서
⑤ 방의 공간을 확보하기 위해서

12 대화를 듣고, 여자가 지불할 금액을 고르시오.

① $2   ② $3   ③ $5   ④ $6   ⑤ $9

13 대화를 듣고, 남자의 직업으로 가장 적절한 것을 고르시오.

① 연예인   ② 엔지니어
③ 미용사   ④ 패션 디자이너
⑤ 여행 가이드

14 대화를 듣고, 여자가 찾고 있는 손목시계의 위치로 가장 적절한 것을 고르시오.

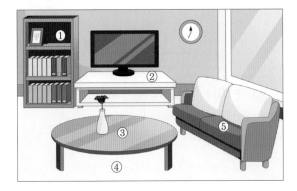

15 대화를 듣고, 남자가 여자에게 제안한 것으로 가장 적절한 것을 고르시오.

① 뉴스 제보하기   ② 기부금 내기
③ 헌 옷 기증하기   ④ 자원봉사하러 가기
⑤ 위로 편지 보내기

16 대화를 듣고, 남자가 가입할 동아리를 고르시오.

① 연극 동아리   ② 춤 동아리
③ 영화 동아리   ④ 봉사 동아리
⑤ 밴드 동아리

17 대화를 듣고, 두 사람의 대화가 어색한 것을 고르시오.

①   ②   ③   ④   ⑤

18 대화를 듣고, 여자가 남자에게 부탁한 일로 가장 적절한 것을 고르시오.

① 여행 짐 싸기   ② 개 먹이 주기
③ 개 산책시키기   ④ 개 목욕시키기
⑤ 여행 계획 세우기

[19-20] 대화를 듣고, 남자의 마지막 말에 이어질 여자의 응답으로 가장 적절한 것을 고르시오.

19 Woman: _____

① That letter was so touching.
② Yes. She sent me a video letter.
③ Why not? She loves cheesecake.
④ Great. I'll get the video camera.
⑤ No problem. I enjoy watching movies.

20 Woman: _____

① Can you show me another?
② Okay. I'll wash them for you.
③ I like pizza better than *bibimbap*.
④ Thank you. I'll cut them afterward.
⑤ Why don't you wash the vegetables first?

01 특정 정보 파악

다음을 듣고, 뉴욕의 날씨로 가장 적절한 것을 고르시오.

① ② ③

④ ⑤

W This is the weather forecast for today. In Los Angeles, it _____ _____ _____ all day. _____ _____ your umbrellas. Miami will be sunny, so it will be _____ _____ _____ for beach activities. There will be very much snow in New York. _____ _____ _____. 정답 단서

02 그림 정보 파악

대화를 듣고, 남자가 만든 케이크로 가장 적절한 것을 고르시오.

① ② ③

④ ⑤

Sound Clear ☆ **made it**
앞 단어의 끝 자음과 뒤 단어의 모음이 만나
연음되어 [메이딧]으로 발음된다.

M Cindy, look at this cake. I made it ☆ _____ _____ _____ _____.
W Wow! The baseball on the cake _____ _____.
M Thanks. It's for my dad.
W What does the "B.D.E." _____ _____ _____ mean?
M Oh, it means "Best Dad Ever."
W Very nice. I'm sure your dad _____ _____ _____ _____ _____.

03 화제 파악

다음을 듣고, 'this'가 가리키는 것으로 가장 적절한 것을 고르시오.

① ② ③

④ ⑤

W You need this _____ _____ _____. If you want to _____ _____ _____ and see clearly under the water, you can wear this. You wear this _____ _____ _____. What is this? 정답 단서

04 언급하지 않은 것 찾기

다음을 듣고, 남자가 친구에 대해 언급하지 <u>않</u>은 것을 고르시오.

① 이름 ② 특기 ③ 나이
④ 장래 희망 ⑤ 좋아하는 음식

M Hello, everyone. _____ _____ _____ _____ Mark. He is from France. He's 14 years old. He is _____ _____ _____. He likes playing basketball. He wants to be _____ _____ _____ when he grows up. _____ _____ _____ is spaghetti.

05 특정 정보 파악

대화를 듣고, 두 사람이 이용할 교통수단으로 가장 적절한 것을 고르시오.

① 버스   ② 택시   ③ 자가용
④ 지하철   ⑤ 자전거

W Jake, we _____ _____ _____ now.
M Okay. Where is the musical theater?
W It's _____ _____ _____ _____.
M How can we go there?
W We can _____ _____ _____ or a bus.
M There will be a lot of traffic at this time. Let's take the subway.　정답 단서
W Okay. _____ _____.

06 장소 추론   ✳

대화를 듣고, 두 사람이 대화하는 장소로 가장 적절한 곳을 고르시오.

① 식당   ② 양로원
③ 박물관   ④ 요리 학원
⑤ 식료품 가게

M Hi, Julia. What can I do for you?
W Good afternoon, Mr. Roberts. Give me _____ _____ _____ _____, please.
M Okay. _____ _____?
W I also need 40 eggs. How much are they?　정답 단서
M They're $12 _____ _____. Why do you need so many eggs?
W My family _____ _____ _____ _____ for the people in a nursing home.　한정

07 심정 추론

대화를 듣고, 여자의 심정으로 가장 적절한 것을 고르시오.

① pleased   ② confused
③ excited   ④ bored
⑤ satisfied

W Hi. I'm Silvia Brown. I _____ _____ _____.
M Okay. Let me check. (*Typing sound*) Silvia Brown? I'm sorry, but you're not _____ _____ _____.
W What? I made a reservation _____ _____ _____.
M _____ _____ _____ a booking confirmation email?
W No, I didn't.
M We send every customer a confirmation email after a reservation is made.
W But I didn't receive one. _____ _____ _____ _____?

08 의도 파악

대화를 듣고, 여자가 한 마지막 말의 의도로 가장 적절한 것을 고르시오.

① 비난　　② 제안　　③ 칭찬
④ 감사　　⑤ 부탁

M Here are some cookies. _____ _____ _____ .

W How cool! You _____ _____ _____ _____ .

M Thanks. Why don't you try one?

W Can I? (*Pause*) Oh, _____ _____ _____ .

M I'm glad you like it. Actually, I'm going to take them to the soup kitchen.

W Oh, _____ _____ _____ !

09 할 일 파악

대화를 듣고, 여자가 대화 직후에 할 일로 가장 적절한 것을 고르시오.

① 택배를 반송한다.
② 택배비를 지불한다.
③ 인수증에 서명한다.
④ 신분증을 보여 준다.
⑤ 프린터 작동법을 확인한다.

M Hello. I _____ _____ _____ for Sujin Lee. Does she live here?

W Oh, it must be the printer _____ _____ _____ _____ .

M Are you Sujin Lee?

W Yes, _____ _____ .

M All right. _____ _____ _____ _____ , please?

W Okay.

10 주제 파악　✽

다음을 듣고, 무엇에 관한 내용인지 가장 적절한 것을 고르시오.

① 물 절약　　　　② 에너지 절약
③ 양치의 중요성　④ 자원 재활용
⑤ 수질 오염의 심각성

W Think about _____ _____ _____ _____ . It's scary, isn't it? We use too much water. Sometimes _____ _____ _____ _____ the water while we brush our teeth or take a shower. There are so many people _____ _____ _____ in the world. _____ _____ save water for those people and the Earth?
　　　정답 단서

11 이유 파악

대화를 듣고, 여자가 탁자를 옮기려는 이유로 가장 적절한 것을 고르시오.

① 수리를 맡기기 위해서
② 이사를 하기 위해서
③ 새 탁자를 사기 위해서
④ 언니에게 주려고
⑤ 방의 공간을 확보하기 위해서

W I have to _____ _____ _____ . Can you help me?

M Sure. Where to?

W _____ _____ _____ .

M Are you going to get a new table?

W No. I just need more space in the room.
　　　　　　　　함정
　　　　　　　정답 단서

M Your room is _____ _____ , isn't it?

W That's true, but I have to _____ _____ _____ _____ _____ during vacation.

12 숫자 정보 파악

대화를 듣고, 여자가 지불할 금액을 고르시오.

① $2 ② $3 ③ $5 ④ $6 ⑤ $9

W This hairpin is _____ _____. How much is it?
M One dollar each, but if you buy two, you _____ _____ _____ _____.
W That's good. I'll take two hairpins.
M Okay. That'll be $2 for three hairpins.
W Oh, _____ _____ _____ _____, too. How much is it?
M It was $6, but now _____ _____ _____.
W Good. I'll take that one, too.

13 직업 추론

대화를 듣고, 남자의 직업으로 가장 적절한 것을 고르시오.

① 연예인   ② 엔지니어
③ 미용사   ④ 패션 디자이너
⑤ 여행 가이드

Sound Clear ☆ **help you**
[p]가 뒤의 반모음 [j]를 만나 연음되어 [헬
퓨]로 발음된다.

W Hello. My friend recommended this place.
M You're _____ _____ _____ _____. How may I help you today?
W I _____ _____ _____.
M Do you have any style in mind?
W No, but can you _____ _____ _____ first?
M Sure. James will shampoo your hair over there.

14 위치 찾기

대화를 듣고, 여자가 찾고 있는 손목시계의 위치로 가장 적절한 것을 고르시오.

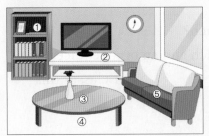

M Susie, _____ _____ _____? We're late. Hurry up!
W Did you see my watch?
M Your watch? _____ _____ _____ _____ _____?
W I thought I put it on the table, but it's not there.
M _____ _____ _____ the TV?
W No, it isn't. Oh, it's under the table. I guess it _____ _____ _____ _____.

15 제안한 것 파악

대화를 듣고, 남자가 여자에게 제안한 것으로 가장 적절한 것을 고르시오.

① 뉴스 제보하기
② 기부금 내기
③ 헌 옷 기증하기
④ 자원봉사하러 가기
⑤ 위로 편지 보내기

M Megan, did you hear about _____ _____ _____ in Indonesia?

W Yes. I _____ _____ _____. So many people died or _____ _____ _____.

M That's very sad. How can we help them?

W We can't _____ _____ _____ _____. What can we do?

M Let's donate some money. 정답 단서

W That's a great idea.

16 특정 정보 파악

대화를 듣고, 남자가 가입할 동아리를 고르시오.

① 연극 동아리   ② 춤 동아리
③ 영화 동아리   ④ 봉사 동아리
⑤ 밴드 동아리

W Which club did you join, Mark?

M I haven't decided yet. _____ _____ _____ joining the drama club. 함정

W Oh, are you interested in acting?

M Yes. But I want to be _____ _____ _____.

W Great! Then why don't we _____ _____ _____ _____ together?

M That sounds great.

17 어색한 대화 찾기

대화를 듣고, 두 사람의 대화가 <u>어색한</u> 것을 고르시오.

①   ②   ③   ④   ⑤

Sound Clear ☆ **film**
'필름'이라고 발음하지 않고 [피엄]에 가깝게 발음된다.

① **W** What's _____ _____ _____ _____?
   M Yes. I like it very much.
② **W** What are you going to do tomorrow?
   M I'm _____ _____ _____ _____.
③ **W** Did you watch the documentary film?
   M Of course. _____ _____ _____ _____.
④ **W** What do you want for lunch?
   M I'll have a chicken sandwich and an orange juice.
⑤ **W** _____ _____ _____ _____ your classes this year?
   M They're very fun.

18 부탁한 일 파악

대화를 듣고, 여자가 남자에게 부탁한 일로 가장 적절한 것을 고르시오.

① 여행 짐 싸기　　② 개 먹이 주기
③ 개 산책시키기　　④ 개 목욕시키기
⑤ 여행 계획 세우기

W Kevin, I'm ___ ___ ___ ___ to Japan for a week.
M Great. Did you finish packing?
W Yes. ___ ___ ___ ___ ___ ___?
M Of course. What is it?
W Can you feed my dog while I'm away?
M Sure. I'll also walk him ___ ___ ___.
W Thanks a lot.

19 마지막 말에 이어질 응답 찾기

대화를 듣고, 남자의 마지막 말에 이어질 여자의 응답으로 가장 적절한 것을 고르시오.

Woman: ___

① That letter was so touching.
② Yes. She sent me a video letter.
③ Why not? She loves cheesecake.
④ Great. I'll get the video camera.
⑤ No problem. I enjoy watching movies.

W This Friday is Mom's birthday, right?
M Yes, it is. We should ___ ___ ___ ___.
W Sure. Why don't we ___ ___ ___ ___ ___?
M Sounds great. How about making a video letter?
W Great. I'll get the video camera.

20 마지막 말에 이어질 응답 찾기

대화를 듣고, 남자의 마지막 말에 이어질 여자의 응답으로 가장 적절한 것을 고르시오.

Woman: ___

① Can you show me another?
② Okay. I'll wash them for you.
③ I like pizza better than *bibimbap*.
④ Thank you. I'll cut them afterward.
⑤ Why don't you wash the vegetables first?

W How about *bibimbap* for dinner?
M That's a good idea. Do we ___ ___ ___?
W Let me ___ ___ ___. (*Pause*) We have enough vegetables.
M ___ ___ ___ to me so I can wash them.
W Thank you. I'll cut them afterward.

01 다음을 듣고, 'this'가 가리키는 것으로 가장 적절한 것을 고르시오.

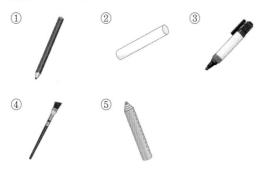

02 대화를 듣고, 남자가 구입할 셔츠로 가장 적절한 것을 고르시오.

03 다음을 듣고, 수요일의 날씨로 가장 적절한 것을 고르시오.

04 대화를 듣고, 남자가 한 마지막 말의 의도로 가장 적절한 것을 고르시오.

① 격려　　② 조언　　③ 추천
④ 허락　　⑤ 거절

05 다음을 듣고, 남자가 언급하지 <u>않은</u> 것을 고르시오.

① 이름과 사는 곳　　② 취미와 특기
③ 자신의 장래 희망　　④ 부모님의 직업
⑤ 여동생의 장래 희망

06 대화를 듣고, 남자가 여자에게 부탁한 일로 가장 적절한 것을 고르시오.

① 함께 쇼핑하기　　② 사진 찍어 주기
③ 옷 만들어 주기　　④ 함께 결혼식 가기
⑤ 축가 불러 주기

07 대화를 듣고, 두 사람이 대화하는 장소로 가장 적절한 곳을 고르시오.

① 공항　　② 백화점　　③ 박물관
④ 우체국　　⑤ 놀이공원

08 다음을 듣고, 여자의 심정으로 가장 적절한 것을 고르시오.

① 기쁨　　② 화남　　③ 슬픔
④ 부끄러움　　⑤ 만족스러움

09 대화를 듣고, 남자가 거스름돈으로 받을 금액을 고르시오.

① $3　　② $4　　③ $5
④ $6　　⑤ $7

10 대화를 듣고, 두 사람의 관계로 가장 적절한 것을 고르시오.

① 은행원 – 고객　　② 코치 – 운동선수
③ 치과 의사 – 환자　　④ 식당 종업원 – 손님
⑤ 여행사 직원 – 고객

11 대화를 듣고, 남자가 Cathy에게 고백할 때 선택할 방법을 고르시오.

① 직접 말하기   ② 전화 통화하기
③ 편지 쓰기   ④ 이메일 보내기
⑤ 문자 메시지 보내기

12 대화를 듣고, 여자가 프런트에 전화한 이유로 가장 적절한 것을 고르시오.

① 욕실에 물이 안 내려가서
② 객실의 청소 상태가 좋지 않아서
③ 큰 수건을 요청하기 위해서
④ 냉방 장치가 작동하지 않아서
⑤ 욕실에 온수가 나오지 않아서

13 대화를 듣고, 두 사람이 이번 주말에 할 일로 가장 적절한 것을 고르시오.

① 암벽 등반하기   ② 양로원 방문하기
③ 소방서 견학하기   ④ 캠페인 참가하기
⑤ 숲에서 캠핑하기

14 대화를 듣고, 남자가 가려고 하는 장소를 고르시오.

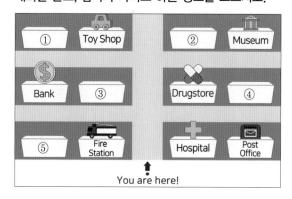

15 다음을 듣고, 무엇에 관한 안내 방송인지 가장 적절한 것을 고르시오.

① 퀴즈 쇼   ② 일기 예보   ③ 교통 정보
④ 복권 추첨   ⑤ 도로 공사

16 대화를 듣고, 두 사람의 대화가 <u>어색한</u> 것을 고르시오.

①   ②   ③   ④   ⑤

17 대화를 듣고, 여자가 Sally를 만나기로 한 시각을 고르시오.

① 2:30 p.m.   ② 2:50 p.m.   ③ 3:00 p.m.
④ 3:10 p.m.   ⑤ 3:20 p.m.

18 대화를 듣고, 남자가 파티에 가져오기로 한 음식을 고르시오.

① 피자   ② 과일   ③ 샐러드
④ 스파게티   ⑤ 케이크

[19-20] 대화를 듣고, 여자의 마지막 말에 이어질 남자의 응답으로 가장 적절한 것을 고르시오.

19 Man: _____

① I don't know what to do.
② No way! I don't agree with you.
③ Really? I don't understand you.
④ Oh, I'm sorry. I didn't know that.
⑤ I'd like to exchange it for a new ticket.

20 Man: _____

① I like studying English online.
② It's very kind of you to say that.
③ I enjoy playing computer games.
④ Because I'm very interested in China.
⑤ Cheer up. You'll do better the next time.

01 화제 파악

다음을 듣고, 'this'가 가리키는 것으로 가장 적절한 것을 고르시오.

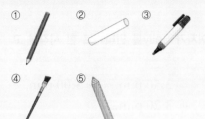

W You can see this in the classroom. You can _____ _____ _____ _____ on the blackboard with this. This is _____ _____ _____. This comes in different colors. If you drop this on the floor, it will _____ 한정 _____ _____. What is this?

02 그림 정보 파악

대화를 듣고, 남자가 구입할 셔츠로 가장 적절한 것을 고르시오.

① ② ③

④ ⑤

W May I help you?
M Yes. I'm _____ _____ _____ _____.
W How about this shirt?
   ☆
M Hmm... I _____ _____ _____ _____ _____.
W Then how about this striped one?
M That's good.
   정답 단서
W This shirt is _____ _____ _____.
M Okay. I'll take it.

Sound Clear ☆ **this shirt**
앞 단어의 끝소리와 뒤 단어의 첫소리가 유사하여 [디셜트]로 발음된다.

03 특정 정보 파악

다음을 듣고, 수요일의 날씨로 가장 적절한 것을 고르시오.

M Hello. I'm Eric Jordan. This is the weather report for this week. It will be sunny _____ _____ _____ _____. But on Wednesday, it will _____ _____ _____. The rain will stop on Thursday, but it _____ _____ _____ _____. On Friday, it will be cloudy.

04 의도 파악

대화를 듣고, 남자가 한 마지막 말의 의도로 가장 적절한 것을 고르시오.

① 격려　　② 조언　　③ 추천
④ 허락　　⑤ 거절

W Hi, Jimmy. Is that a new camera?
M Yes. I _____ _____ _____ _____.
W I'd like to buy one, too. Do you like it?
M Yes. _____ _____ _____, and the quality is good.
W Really? Can I try taking a picture?
M _____ _____. Go ahead.

05 언급하지 않은 것 찾기 ✳

다음을 듣고, 남자가 언급하지 <u>않은</u> 것을 고르시오.

① 이름과 사는 곳　　② 취미와 특기
③ 자신의 장래 희망　　④ 부모님의 직업
⑤ 여동생의 장래 희망

M Hi. I'm Dylan. I live in London. I like _____ _____ _____, and I'm good at playing the piano. My father is a chef. He _____ _____ _____ _____. My mother is a writer. She writes children's books. I have a sister. She likes painting. She _____ _____ _____ _____ _____.

06 부탁한 일 파악

대화를 듣고, 남자가 여자에게 부탁한 일로 가장 적절한 것을 고르시오.

① 함께 쇼핑하기
② 사진 찍어 주기
③ 옷 만들어 주기
④ 함께 결혼식 가기
⑤ 축가 불러 주기

M Kate, _____ _____ _____ _____?
W Sure. What can I do for you?
M I need to buy new clothes ☆ _____ _____ _____.
W Do you want me to go shopping with you?
M Yes. You have _____ _____ 정답 단서 _____ _____.
W Okay. Just a moment, please.

Sound Clear ☆ **clothes**
[ð]가 [z] 앞에서 거의 발음되지 않고 동화되어 [클로우즈]로 발음된다.

07 장소 추론

대화를 듣고, 두 사람이 대화하는 장소로 가장 적절한 곳을 고르시오.

① 공항　　② 백화점　　③ 박물관
④ 우체국　　⑤ 놀이공원

M Wow, there are so many people here already.
W _____ _____ _____ _____ today's Saturday.
M We should hurry up and get in line.
W Which ride _____ _____ _____ _____?
M How about the roller coaster?
W Okay. Let's go over there and 정답 단서 _____ _____ _____.

08 심정 추론

다음을 듣고, 여자의 심정으로 가장 적절한 것을 고르시오.

① 기쁨　　② 화남　　③ 슬픔
④ 부끄러움　　⑤ 만족스러움

W I _____ _____ _____ _____ to have lunch with my friend. We were very hungry. We ordered some food and _____ _____ _____. Thirty minutes later, the food finally arrived. However, it was not _____ _____ _____!

09 숫자 정보 파악

대화를 듣고, 남자가 거스름돈으로 받을 금액을 고르시오.

① $3　　② $4　　③ $5
④ $6　　⑤ $7

W Hi. _____ _____ _____ _____?
M Yes. I'd like to buy a cap. How much is this black cap?
W It's $25, and _____ _____ _____ _____ _____ _____ are $15.
M Oh, I see. Can I try on this black cap?
W Sure. There's _____ _____ _____.
M Okay. I'll take it. Here's $30.

10 관계 추론

대화를 듣고, 두 사람의 관계로 가장 적절한 것을 고르시오.

① 은행원 – 고객　　② 코치 – 운동선수
③ 치과 의사 – 환자　　④ 식당 종업원 – 손님
⑤ 여행사 직원 – 고객

Sound Clear ☆ **bad tooth**

[d]가 [t] 앞에서 거의 발음되지 않고 동화되어 [배투쓰]로 발음된다.

W _____ _____ _____ _____. What's wrong?
M _____ _____ _____ whenever I eat.
W Just open wide, and I'll take a look. _____ _____ _____?
M Ouch!
W Yes, this is the one. _____ _____ _____ you have a bad tooth here. 정답 단서

11 특정 정보 파악 �֍

대화를 듣고, 남자가 Cathy에게 고백할 때 선택할 방법을 고르시오.

① 직접 말하기　　② 전화 통화하기
③ 편지 쓰기　　④ 이메일 보내기
⑤ 문자 메시지 보내기

M I like Cathy. How can I _____ _____ _____ that I like her?
W Just go and tell her. 함정
M You know I _____ _____ _____ when I talk to girls.
W Then why don't you write her a letter? 함정
M I'm not really good at writing letters.
W Hmm, then _____ _____ _____ _____ her?
M Oh, I _____ _____ _____. Thanks, Emily.

12 이유 파악

대화를 듣고, 여자가 프런트에 전화한 이유로 가장 적절한 것을 고르시오.

① 욕실에 물이 안 내려가서
② 객실의 청소 상태가 좋지 않아서
③ 큰 수건을 요청하기 위해서
④ 냉방 장치가 작동하지 않아서
⑤ 욕실에 온수가 나오지 않아서

Sound Clear ☆ **Could you**
[d]가 뒤의 반모음 [j]를 만나 동화되어 [쿠쥬]로 발음된다.

(*Telephone rings.*)

M Hello. Front desk. How may I help you?
W I only have _____ _____ _____ _____ _____.
   Could you bring me a big towel? 정답 단서
M Sure. _____ _____ _____ _____?
W This is Room 905.
M Okay. Do you _____ _____ _____?
W No.

13 할 일 파악 ✳

대화를 듣고, 두 사람이 이번 주말에 할 일로 가장 적절한 것을 고르시오.

① 암벽 등반하기   ② 양로원 방문하기
③ 소방서 견학하기   ④ 캠페인 참가하기
⑤ 숲에서 캠핑하기

M Jenny, _____ _____ _____ _____ the nursing home this weekend? 한정
W No, I'm not.
M Then what are you going to do?
W _____ _____.
M Would you like to _____ _____ _____ for stopping forest fires?
W Hmm, okay. That's a good idea.

14 위치 찾기

대화를 듣고, 남자가 가려고 하는 장소를 고르시오.

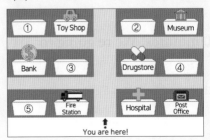

M Excuse me. Is there a flower shop around here?
W Yes. Do you _____ _____?
M Yes, please.
W Go straight two blocks and _____ _____ _____ _____ _____.
M Okay.
W Then, you will see a toy shop _____ _____ _____. The flower shop is next to it.
M Thank you. _____ _____ _____ _____ you.

15 주제 파악

다음을 듣고, 무엇에 관한 안내 방송인지 가장 적절한 것을 고르시오.

① 퀴즈 쇼　　　② 일기 예보
③ 교통 정보　　④ 복권 추첨
⑤ 도로 공사

Sound Clear ☆ **gentlemen**
[t]가 [n]에 동화되어 [제늘맨]으로 발음되는 경우가 있다.

M Good morning, ladies and gentlemen. My name is Sam Bradley. _____ _____ _____ _____ in the downtown area are flowing well now. But it's a different story on Sejong Street. Traffic is very heavy _____ _____ _____ _____ 정답 단서 that happened an hour ago. _____ _____ _____ _____ _____ Yulgok Street instead.

16 어색한 대화 찾기 ✳

대화를 듣고, 두 사람의 대화가 <u>어색한</u> 것을 고르시오.

①　②　③　④　⑤

① **M** Is it okay _____ _____ _____ _____ ?
　W Sure. Go ahead.
② **M** Can I _____ _____ _____ ?
　W Yes. Please tell him that Cindy called.
③ **M** Where are you going _____ _____ _____ ?
　W I am going to Europe.
④ **M** When do I have to return this book?
　W _____ _____ _____ by next Tuesday.
⑤ **M** Where did you _____ _____ _____ ?
　W It's okay. You can use mine.

17 숫자 정보 파악

대화를 듣고, 여자가 Sally를 만나기로 한 시각을 고르시오.

① 2:30 p.m.　　② 2:50 p.m.
③ 3:00 p.m.　　④ 3:10 p.m.
⑤ 3:20 p.m.

W _____ _____ _____ _____ ?
M It's 2:30 p.m.
W Oh, I 한정 _____ _____ _____ now.
M Why?
W I'm going to meet Sally in 40 minutes. We're going to 정답 단서 _____ _____ _____ .
M I see. Have a good time. And _____ _____ _____ _____ for me.
W Okay, I will.

18 특정 정보 파악

대화를 듣고, 남자가 파티에 가져오기로 한 음식을 고르시오.

① 피자 　② 과일 　③ 샐러드
④ 스파게티 　⑤ 케이크

Sound Clear ☆ **dessert**
2음절에 강세를 두어 [디절트]로 발음된다.
1음절에 강세를 두어 [데절트]로 발음되는
dessert(사막)와 구분하여 알아 둔다.

W Hi, Jack. Would you like to _____ _____ _____
_____ _____ this Saturday?

M A potluck party? What's that?

W It's a dinner party where _____ _____ _____
_____ _____.

M Sounds fun. I'd love to go. What are you going to make?

W I'm going to make spaghetti.

M Then _____ 한정 _____ _____ me to bring?

W How about a ☆ dessert or salad? 한정

M Okay. _____ _____ _____ _____.

19 마지막 말에 이어질 응답 찾기

대화를 듣고, 여자의 마지막 말에 이어질 남자의 응답으로 가장 적절한 것을 고르시오.

Man: _____

① I don't know what to do.
② No way! I don't agree with you.
③ Really? I don't understand you.
④ Oh, I'm sorry. I didn't know that.
⑤ I'd like to exchange it for a new ticket.

W Excuse me, but I think _____ _____ _____ _____
_____.

M Really? _____ _____ _____. It's for seat number 11.

W Yes, but it's for seat number 11 in row E.

M _____ _____ row E?

W No, this is row D.

M Oh, I'm sorry. I didn't know that.

20 마지막 말에 이어질 응답 찾기

대화를 듣고, 여자의 마지막 말에 이어질 남자의 응답으로 가장 적절한 것을 고르시오.

Man: _____

① I like studying English online.
② It's very kind of you to say that.
③ I enjoy playing computer games.
④ Because I'm very interested in China.
⑤ Cheer up. You'll do better the next time.

W Are you playing computer games, Junha?

M No. I'm _____ _____ _____.

W Studying Chinese online? Does it help?

M _____ _____ _____ _____. I have learned some important expressions.

W Great. _____ _____ _____, why are you learning Chinese?

M Because I'm very interested in China.

Review Test

Word Check 영어는 우리말로, 우리말은 영어로 써 보기

01	heavily		13	먹이를 주다
02	carefully		14	~ 없이
03	baking class		15	영화감독
04	clearly		16	방학
05	grow up		17	차고
06	nursing home		18	반값
07	share		19	추천하다
08	space		20	지진
09	satisfied		21	기부하다
10	mistake		22	냉장고
11	soup kitchen		23	감동적인
12	delivery		24	나중에, 그 후에

Expression Check 알맞은 표현을 넣어 문장 완성하기

25 I guess it _____ _____ the table. 그것이 탁자에서 떨어졌나 봐.

26 There will be a lot of traffic _____ _____ _____. 이 시간에는 길이 많이 막힐 거야.

27 Can you _____ me _____ _____? 내 부탁 하나 들어줄래?

28 Do you _____ any style _____ _____? 생각하고 계신 스타일이 있나요?

29 I _____ _____ _____ two weeks ago. 저는 2주 전에 예약했어요.

30 Sometimes we don't _____ _____ the water while we brush our teeth.
때때로 우리는 양치를 하는 동안 물을 잠그지 않습니다.

Answers p.38

Word Check   영어는 우리말로, 우리말은 영어로 써 보기

01 blackboard _____

02 attend _____

03 popular _____

04 accident _____

05 quality _____

06 directions _____

07 chef _____

08 sense _____

09 get nervous _____

10 instead _____

11 take a look _____

12 whenever _____

13 ~을 더 좋아하다 _____

14 식당 _____

15 도심(지)의 _____

16 지역 _____

17 반납하다 _____

18 충치 _____

19 프랑스의 _____

20 이해하다 _____

21 캠페인 _____

22 마침내 _____

23 중요한 _____

24 비싼 _____

Expression Check   알맞은 표현을 넣어 문장 완성하기

25 We should hurry up and _____ _____ _____. 우리 서둘러서 줄을 서야 해.

26 _____ _____ _____ _____ I sit here? 제가 여기 앉아도 될까요?

27 _____ it _____ by next Tuesday. 다음 주 화요일까지 그것을 가져오세요.

28 I'd like to _____ it _____ a new ticket. 저는 그것을 새 표로 바꾸고 싶어요.

29 No way! I don't _____ _____ you. 말도 안 돼요! 저는 당신에게 동의하지 않아요.

30 If you drop this on the floor, it will _____ _____ _____.
이것을 바닥에 떨어뜨리면, 산산조각으로 부서질 것입니다.

1.0배속

1.2배속

01 다음을 듣고, 내일의 날씨로 가장 적절한 것을 고르시오.

①   ②   ③

④   ⑤

02 대화를 듣고, 남자가 구입할 재킷으로 가장 적절한 것을 고르시오.

①   ②   ③

④   ⑤

03 다음을 듣고, 'I'가 무엇인지 가장 적절한 것을 고르시오.

04 대화를 듣고, 여자가 한 마지막 말의 의도로 가장 적절한 것을 고르시오.

① 거절 ② 감사 ③ 사과
④ 축하 ⑤ 허락

05 대화를 듣고, 두 사람의 관계로 가장 적절한 것을 고르시오.

① 가수 – 팬 ② 작가 – 팬
③ 교사 – 학생 ④ 의사 – 환자
⑤ 경찰관 – 시민

06 다음을 듣고, 남자가 누나에 대해 언급하지 <u>않은</u> 것을 고르시오.

① 나이 ② 직업 ③ 취미
④ 성격 ⑤ 외모

07 대화를 듣고, 두 사람이 만날 시각을 고르시오.

① 3:30 p.m. ② 4:00 p.m. ③ 4:20 p.m.
④ 4:40 p.m. ⑤ 5:00 p.m.

08 대화를 듣고, 여자의 장래 희망으로 가장 적절한 것을 고르시오.

① 작가 ② 가수 ③ 작곡가
④ 만화가 ⑤ 화가

09 대화를 듣고, 두 사람이 대화 직후에 할 일로 가장 적절한 것을 고르시오.

① 축제 장소 검색하기
② 물풍선 던지기 게임하기
③ 3D 인쇄방에 가기
④ 즉석 사진 찍으러 가기
⑤ 사은품 받으러 가기

10 대화를 듣고, 무엇에 관한 내용인지 가장 적절한 것을 고르시오.

① 봉사 활동 ② 유적지 답사
③ 사진전 관람 ④ 전통 요리 수업
⑤ 박물관 탐방

11 대화를 듣고, 여자의 심정으로 가장 적절한 것을 고르시오.

① 화난 ② 외로운 ③ 자랑스러운
④ 행복한 ⑤ 편안한

12 대화를 듣고, 남자가 피곤한 이유로 가장 적절한 것을 고르시오.

① 숙제를 하느라
② 축구 연습을 하느라
③ 컴퓨터 게임을 하느라
④ 아침에 일찍 일어나서
⑤ 축구 경기를 보느라 잠을 못 자서

13 대화를 듣고, 남자가 이용할 교통수단으로 가장 적절한 것을 고르시오.

① 택시 ② 버스 ③ 자가용
④ 지하철 ⑤ 자전거

14 대화를 듣고, 남자가 가려고 하는 장소를 고르시오.

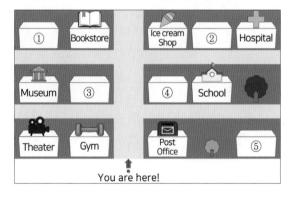

15 대화를 듣고, 여자가 남자에게 부탁한 일로 가장 적절한 것을 고르시오.

① 자리 바꿔 주기 ② 문 잡아 주기
③ 창문 열어 주기 ④ 창문 닫아 주기
⑤ 등 두드려 주기

16 대화를 듣고, 남자가 여자에게 제안한 것으로 가장 적절한 것을 고르시오.

① 날씨 확인하기
② 도시락 싸기
③ 계획 변경하기
④ 우비나 우산 가져가기
⑤ 공원에서 산책하기

17 대화를 듣고, 두 사람의 대화가 <u>어색한</u> 것을 고르시오.

① ② ③ ④ ⑤

18 대화를 듣고, 두 사람이 대화하는 장소로 가장 적절한 곳을 고르시오.

① 도서관 ② 매표소 ③ 서점
④ 놀이공원 ⑤ 식당

[19-20] 대화를 듣고, 남자의 마지막 말에 이어질 여자의 응답으로 가장 적절한 것을 고르시오.

19 Woman: _____

① I can't believe it.
② Yeah. Let's go together.
③ Cheer up. You'll be okay.
④ You don't have to return it.
⑤ Good. I have to go to the dentist today.

20 Woman: _____

① I'm sorry to hear that.
② I enjoy playing basketball.
③ I'd love to. Where shall I be?
④ Of course. Here is a basketball.
⑤ I usually play at Riverside Park.

01 특정 정보 파악

다음을 듣고, 내일의 날씨로 가장 적절한 것을 고르시오.

Sound Clear ☆ **activities**

[t]가 모음 사이에서 약화되어 [액티비리즈]로 발음된다.

W Good morning. Here's the weather report. It's _____ _____ _____, and it's going to rain during the night. Tomorrow morning, however, _____ _____ _____ _____, and it will be sunny. If you have any plans for outdoor activities, it will be _____ _____.

02 그림 정보 파악

대화를 듣고, 남자가 구입할 재킷으로 가장 적절한 것을 고르시오.

W _____ _____ _____ _____ you?
M I'm looking for a jacket for my wife.
W Do you have any style in mind?
M Yes. I _____ _____ _____ _____ with buttons.
W Okay. We have two long jackets here. How about this one?
M Well, I'll take _____ _____ _____ _____.
W Good choice.

03 화제 파악

다음을 듣고, 'I'가 무엇인지 가장 적절한 것을 고르시오.

W You can find me in Aesop's fables. I _____ _____ _____ and in the sea. I have a hard shell on my back. I _____ _____ _____ in my shell when I'm in danger. I can swim well, but I _____ _____ _____. What am I?

04 의도 파악

대화를 듣고, 여자가 한 마지막 말의 의도로 가장 적절한 것을 고르시오.

① 거절 　② 감사 　③ 사과
④ 축하 　⑤ 허락

M What are you going to do this afternoon, Irene?
W I'm going to _____ _____ _____ for my mom.
M Is it a special day today?
W Today is _____ _____ _____.
M Do you need my help?
W Thanks for offering, but I think I can _____ _____ _____ _____.

05 관계 추론

대화를 듣고, 두 사람의 관계로 가장 적절한 것을 고르시오.

① 가수 – 팬 　② 작가 – 팬
③ 교사 – 학생 　④ 의사 – 환자
⑤ 경찰관 – 시민

Sound Clear ☆ sign
g가 묵음이라서 [싸인]으로 발음된다.

W I love your books. I'm reading your new book now.
M _____ _____ _____ _____. 정답 단서
W Can you sign this book, please?
M Sure. _____ _____ _____? 정답 단서
W My name is Jenny Kim.
M _____ _____ _____.
W Thanks.

06 언급하지 않은 것 찾기

다음을 듣고, 남자가 누나에 대해 언급하지 않은 것을 고르시오.

① 나이 　② 직업 　③ 취미
④ 성격 　⑤ 외모

M Hello, everyone. Today, I'd like to _____ _____ _____ to you. She is 25 years old. She is an announcer. She _____ _____ _____ _____. She is very nice and has a good voice. She is tall and _____ _____, _____ _____.

07 숫자 정보 파악

대화를 듣고, 두 사람이 만날 시각을 고르시오.

① 3:30 p.m. 　② 4:00 p.m.
③ 4:20 p.m. 　④ 4:40 p.m.
⑤ 5:00 p.m.

(Cellphone rings.)
W Hey, Dan. _____ _____ _____ _____ the concert hall?
M No. I'm almost there. Where are you?
W I'm _____ _____ _____ there, but I'm going to be a little late.
M Don't worry. It's 4:20 now, and _____ _____ _____ _____ 5:00. 함정
W Thank you for understanding. I think I'll be there _____ _____ _____.
M Okay. See you then.

08 특정 정보 파악

대화를 듣고, 여자의 장래 희망으로 가장 적절한 것을 고르시오.

① 작가 ② 가수 ③ 작곡가
④ 만화가 ⑤ 화가

Sound Clear ☆ **read**
현재형은 [뤼드]로, 과거형은 [뤠드]로 발음된다.

W I read your cartoons. They were really fun.
M Thanks, Chris. _____ _____ _____ _____
_____ a cartoonist.
W That's cool. I'm not good at drawing.
M But you're _____ _____ _____. Do you want to be
a singer _____ _____ _____?
W No. I want to be a songwriter.

09 할 일 파악

대화를 듣고, 두 사람이 대화 직후에 할 일로 가장 적절한 것을 고르시오.

① 축제 장소 검색하기
② 물풍선 던지기 게임하기
③ 3D 인쇄방에 가기
④ 즉석 사진 찍으로 가기
⑤ 사은품 받으러 가기

W Wow! Throwing water balloons was _____ _____.
M What do you _____ _____ _____ _____ _____?
W Let's go to the three-D printing room.
M It's very popular, so _____ _____ _____ _____
for a long time.
W Then why don't we go to the instant photo room instead?
M Sounds good. Let's go right now.

10 주제 파악

대화를 듣고, 무엇에 관한 내용인지 가장 적절한 것을 고르시오.

① 봉사 활동 ② 유적지 답사
③ 사진전 관람 ④ 전통 요리 수업
⑤ 박물관 탐방

M Jessica, _____ _____ _____.
W Today, my class will visit the Seoul Education Museum in
Bukchon.
M Great. What are you going to do there?
W _____ _____ _____ _____ the history of
education.
M Sounds boring. What else will you do there?
W We'll also _____ _____ _____ _____ and take
photos.
M That sounds cool.

11 심정 추론

대화를 듣고, 여자의 심정으로 가장 적절한 것을 고르시오.

① 화난 ② 외로운 ③ 자랑스러운
④ 행복한 ⑤ 편안한

M Sumi, is this a new bag?
W Yes. I ordered it online _____ _____ _____ _____,
and I got it today.
M Then why do you look so unhappy?
W I ordered a black bag, but they _____ _____ _____
_____ _____.
M Oh, that's too bad.
W Now I _____ _____ _____ _____ and wait a few
more days.

12 이유 파악

대화를 듣고, 남자가 피곤한 이유로 가장 적절한 것을 고르시오.

① 숙제를 하느라
② 축구 연습을 하느라
③ 컴퓨터 게임을 하느라
④ 아침에 일찍 일어나서
⑤ 축구 경기를 보느라 잠을 못 자서

Sound Clear☆ **a lot of**
[t]가 모음 사이에서 약화되고 뒤 단어의 모음과 연음되어 [얼라러브]로 발음된다.

W You look so tired. Did you have ☆a lot of homework yesterday?
M No. I ________ ________ ________ ________, so I was up all night.
W What was it?
M ________ ________ ________ ________ Korea and the Netherlands. It was the semifinal.
W What time was the game?
M 4 a.m. The sun was already up ________ ________ ________ ________ ________.

13 특정 정보 파악

대화를 듣고, 남자가 이용할 교통수단으로 가장 적절한 것을 고르시오.

① 택시 ② 버스 ③ 자가용
④ 지하철 ⑤ 자전거

M Kate, are you going to the farewell party this evening?
W Of course. ________ ________, aren't you?
M Yes. How will you go there?
W I'm going to take the bus or the subway. How about you? (함정)
M I have to ________ ________ ________ ________ ________ ________, so my mom will drive me there. (정답 단서)
W Okay. ________ ________ ________ ________ ________ later.

14 위치 찾기

대화를 듣고, 남자가 가려고 하는 장소를 고르시오.

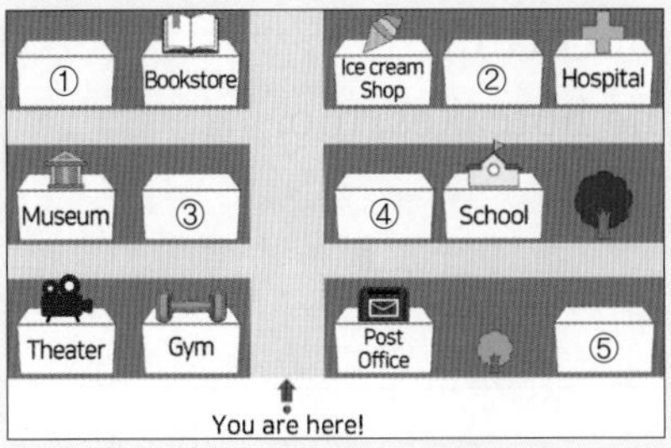

M Becky, can you ________ ________ ________ ________ ________ around here?
W Sure. You should go to Hair Touch.
M ________ ________ ________ ________ ________?
W Go straight two blocks and then turn right.
M Oh, I see. And then?
W You will ________ ________ ________ ________ ________ on the left. Hair Touch is between the ice cream shop and the hospital. (정답 단서)
M Thanks.

15 부탁한 일 파악

대화를 듣고, 여자가 남자에게 부탁한 일로 가장 적절한 것을 고르시오.

① 자리 바꿔 주기 ② 문 잡아 주기
③ 창문 열어 주기 ④ 창문 닫아 주기
⑤ 등 두드려 주기

M Bomi, are you okay? _____ _____ _____.
W It's so hot in here.
M That's true. I think there are _____ _____ on this bus.
W Would you _____ _____ _____?
M Sure. What is it?
W Can you open the window _____ _____ _____?
M No problem.

16 제안한 것 파악

대화를 듣고, 남자가 여자에게 제안한 것으로 가장 적절한 것을 고르시오.

① 날씨 확인하기
② 도시락 싸기
③ 계획 변경하기
④ 우비나 우산 가져가기
⑤ 공원에서 산책하기

M Do you _____ _____ _____ _____ for tomorrow?
W I'm planning to go to an amusement park with my friends.
M Did you check the weather?
W Yes. They said it will be _____ _____ _____ _____.
M Then why don't you take your raincoat or umbrella _____ _____ _____?
W Yes, I will.

17 어색한 대화 찾기

대화를 듣고, 두 사람의 대화가 어색한 것을 고르시오.

① ② ③ ④ ⑤

Sound Clear ☆ **Would you**
[d]가 뒤의 반모음 [j]를 만나 동화되어 [우쥬]로 발음된다.

① W _____ _____ _____ _____ today.
  M Yes, it is. Why don't we go bike riding?
② W What do you do _____ _____ _____ _____?
  M I enjoy cooking.
③ W Would you like some hot chocolate?
  M _____, _____. And some hotcakes, too.
④ W How was Vivian's speech?
  M It was great. She _____ _____ _____.
⑤ W Mike _____ _____ _____ _____ yesterday.
  M That's too bad. I'm sorry to hear that.

18 장소 추론

대화를 듣고, 두 사람이 대화하는 장소로 가장 적절한 곳을 고르시오.

① 도서관　　② 매표소　　③ 서점
④ 놀이공원　　⑤ 식당

W Hello. I need two seats.
M We only ＿＿＿ ＿＿＿ ＿＿＿ ＿＿＿ at the corner.
W Okay. What floor are they on?
M ＿＿＿ ＿＿＿ ＿＿＿ ＿＿＿. They are $20 each.
W Okay. Here is $40.
M The performance will begin soon, so ＿＿＿ ＿＿＿ ＿＿＿.

19 마지막 말에 이어질 응답 찾기

대화를 듣고, 남자의 마지막 말에 이어질 여자의 응답으로 가장 적절한 것을 고르시오.

Woman: ＿＿＿＿＿＿＿＿＿＿＿

① I can't believe it.
② Yeah. Let's go together.
③ Cheer up. You'll be okay.
④ You don't have to return it.
⑤ Good. I have to go to the dentist today.

Sound Clear ☆ he's sick in

he's와 sick에 동일한 [s] 발음이 연이어 나오고, sick과 in이 연음되어 [히씨킨]으로 발음된다.

W Daniel is not here yet.
M ＿＿＿ ＿＿＿ ＿＿＿ ＿＿＿.
W Why? What's the problem?
M He ＿＿＿ ＿＿＿ ＿＿＿, so he's sick in bed.
W Really? He told me to return this book today.
M I'm going to ＿＿＿ ＿＿＿ ＿＿＿ ＿＿＿. Why don't you go with me?
W Yeah. Let's go together.

20 마지막 말에 이어질 응답 찾기

대화를 듣고, 남자의 마지막 말에 이어질 여자의 응답으로 가장 적절한 것을 고르시오.

Woman: ＿＿＿＿＿＿＿＿＿＿＿

① I'm sorry to hear that.
② I enjoy playing basketball.
③ I'd love to. Where shall I be?
④ Of course. Here is a basketball.
⑤ I usually play at Riverside Park.

W Hi, Jimin. What are you going to do this Saturday?
M I'm going to ＿＿＿ ＿＿＿ ＿＿＿ my friends.
W Do you play basketball often?
M Yes, I ＿＿＿ ＿＿＿ ＿＿＿ ＿＿＿ ＿＿＿. Do you like basketball?
W Yes. I love watching basketball games.
M Really? Then would you like to ＿＿＿ ＿＿＿ ＿＿＿?
W I'd love to. Where shall I be?

1.0배속 1.2배속

01 다음을 듣고, 'this'가 가리키는 것으로 가장 적절한 것을 고르시오.

 ① ② ③

④  ⑤

02 대화를 듣고, 남자가 구입할 공책으로 가장 적절한 것을 고르시오.

 ① ② ③

④ ⑤

03 다음을 듣고, 내일 오후의 날씨로 가장 적절한 것을 고르시오.

 ① ② ③

④ ⑤

04 대화를 듣고, 무엇에 관한 내용인지 가장 적절한 것을 고르시오.

① 전자책   ② 도서관 앱   ③ 온라인 서점
④ 스마트폰   ⑤ 독서 동아리

05 대화를 듣고, 남자의 심정으로 가장 적절한 것을 고르시오.

① nervous   ② bored   ③ scared
④ excited   ⑤ worried

06 대화를 듣고, 여자가 마트에 전화를 건 이유로 가장 적절한 것을 고르시오.

① 물건을 주문하기 위해서
② 위치를 물어보기 위해서
③ 할인 상품을 알아보기 위해서
④ 폐점 시간을 알아보기 위해서
⑤ 영업 여부를 알아보기 위해서

07 대화를 듣고, 남자가 한 마지막 말의 의도로 가장 적절한 것을 고르시오.

① 격려   ② 부탁   ③ 추천
④ 조언   ⑤ 감사

08 대화를 듣고, 두 사람이 대화 직후에 할 일로 가장 적절한 것을 고르시오.

① 벤치에 앉기   ② 집에 가기
③ 스낵바에 가기   ④ 인라인스케이트 타기
⑤ 벤치에 페인트칠하기

09 대화를 듣고, 두 사람이 이용할 교통수단으로 가장 적절한 것을 고르시오.

① 택시   ② 버스   ③ 지하철
④ 자가용   ⑤ 자전거

10 대화를 듣고, 남자가 여자에게 부탁한 일로 가장 적절한 것을 고르시오.

① 파리 잡기   ② 쓰레기통 청소하기
③ 과일 껍질 버리기   ④ 단 음식 먹지 않기
⑤ 살충제 가져오기

11 대화를 듣고, 여자의 직업으로 가장 적절한 것을 고르시오.

① 요리사　　　　　② 영화배우
③ 미용사　　　　　④ 배구 선수
⑤ 토크 쇼 진행자

12 대화를 듣고, 여자가 지불할 금액을 고르시오.

① $9　　　　② $10　　　　③ $11
④ $12　　　　⑤ $22

13 대화를 듣고, 두 사람의 관계로 가장 적절한 것을 고르시오.

① 의사 – 간호사　　　② 엄마 – 아들
③ 교사 – 학부모　　　④ 교사 – 학생
⑤ 약사 – 환자

14 대화를 듣고, 여자가 가려고 하는 장소를 고르시오.

15 대화를 듣고, 두 사람이 오늘 오후에 할 일로 가장 적절한 것을 고르시오.

① 교실 청소하기
② 미술 과제하기
③ 쓰레기통 사 오기
④ 재활용품 수집하기
⑤ 재활용 분리수거함 만들기

16 대화를 듣고, 두 사람의 대화가 <u>어색한</u> 것을 고르시오.

①　　　②　　　③　　　④　　　⑤

17 대화를 듣고, 남자의 장래 희망으로 가장 적절한 것을 고르시오.

① 미술 교사　　　　② 여행 작가
③ 사진 기자　　　　④ 여행 가이드
⑤ 화가

18 대화를 듣고, 남자가 오늘 할 일이 <u>아닌</u> 것을 고르시오.

① 방 청소하기　　　　② 쇼핑하기
③ 우유 사 오기　　　　④ 설거지하기
⑤ 거실 청소하기

[19-20] 대화를 듣고, 남자의 마지막 말에 이어질 여자의 응답으로 가장 적절한 것을 고르시오.

19 Woman: _____

① That's all right.
② That's too bad.
③ It's my pleasure.
④ I'm sorry to hear that.
⑤ Thanks. I hope so, too.

20 Woman: _____

① It wasn't expensive at all.
② Yes. My uncle is very kind.
③ Not at all. I'll lend it to you.
④ Thanks. I want to borrow it.
⑤ Yes. Let's ask him for the book.

01 화제 파악

다음을 듣고, 'this'가 가리키는 것으로 가장 적절한 것을 고르시오.

① ② ③

④  ⑤

Sound Clear ☆ **helpful**
자음 세 개가 연속으로 나오며 중간 자음의 발음이 약화되어 [헬플]로 발음된다.

M People can use this _____ _____ _____.
First, they can put this on a desk or table. Then, _____ _____ _____ _____ in their hands, they can put it on this. This is helpful to people when they are reading _____ _____ _____ _____. What is this?

02 그림 정보 파악 ⚜

대화를 듣고, 남자가 구입할 공책으로 가장 적절한 것을 고르시오.

① ② ③

④  ⑤

M I need a science notebook. Can you _____ _____ _____ _____?
W Sure. _____ _____ _____ _____ with the cat on the cover?
한정
M The cat is good, but I'd _____ _____ _____ _____.
W Really? Then how about this one?
M Oh, the rocket and stars look great. I'll take it.
정답 단서

03 특정 정보 파악

다음을 듣고, 내일 오후의 날씨로 가장 적절한 것을 고르시오.

① ② ③

④ ⑤

W Good morning. This is Nancy Joyce. Here's the weather report. This morning, it will be _____ _____ _____ _____. However, there will be dark clouds and showers this afternoon. Tomorrow, _____ _____ _____ _____. You can _____ _____ _____ and lots of sunshine by tomorrow afternoon.
한정

04 주제 파악

대화를 듣고, 무엇에 관한 내용인지 가장 적절한 것을 고르시오.

① 전자책　　　② 도서관 앱
③ 온라인 서점　④ 스마트폰
⑤ 독서 동아리

M Jisu, what are you doing?

W I'm reading a book.

M I don't see a book. Are you reading it _____ _____ _____ ?

W Yeah, I _____ _____ _____ from an online bookstore.

M Oh, you don't read paper books?

W Sometimes. But it's _____ _____ _____ _____ _____ _____ _____ . I can carry a lot of books with me and read them anytime.

05 심정 추론

대화를 듣고, 남자의 심정으로 가장 적절한 것을 고르시오.

① nervous　② bored　③ scared
④ excited　⑤ worried

Sound Clear ☆ **absent today**
동일한 발음의 자음이 연이어 나오면 앞 자음 소리가 탈락하여 [앱쎈투데이]로 발음된다.

W Ted is absent today.

M Why? What happened to him?

W He fell off his bike and _____ _____ _____ yesterday.

M I'm sorry to hear that. Was he hurt badly?

W Yes. He has to _____ _____ _____ _____ until this weekend.

M I hope _____ _____ _____ _____ .

06 이유 파악

대화를 듣고, 여자가 마트에 전화를 건 이유로 가장 적절한 것을 고르시오.

① 물건을 주문하기 위해서
② 위치를 물어보기 위해서
③ 할인 상품을 알아보기 위해서
④ 폐점 시간을 알아보기 위해서
⑤ 영업 여부를 알아보기 위해서

(*Telephone rings.*)

M Hello. This is K-Mart. How can I help you?

W Hi. I _____ _____ _____ . What time do you close? 정답 단서

M We're _____ _____ _____ _____ .

W Okay. Are you open until ten on Sundays, too?

M Actually, _____ _____ _____ _____ _____ on the weekends.

W Oh, I see. Thank you.

07 의도 파악

대화를 듣고, 남자가 한 마지막 말의 의도로 가장 적절한 것을 고르시오.

① 격려　　② 부탁　　③ 추천
④ 조언　　⑤ 감사

(*Cellphone rings.*)

M Mom, I _____ _____ _____ _____ *bulgogi* at school today.

W Did you? Wasn't it hard?

M _____ _____ _____ . I'd like to cook *bulgogi* for dinner today.

W Oh, thank you. But _____ _____ _____ at home.

M Then can you buy some beef on your way home?
정답 단서

08 할 일 파악

대화를 듣고, 두 사람이 대화 직후에 할 일로 가장 적절한 것을 고르시오.

① 벤치에 앉기
② 집에 가기
③ 스낵바에 가기
④ 인라인스케이트 타기
⑤ 벤치에 페인트칠하기

Sound Clear ☆ skating

[s] 뒤에 [k]가 오면 된소리가 되고, [t]는 모음 사이에서 약화되어 [스께이링]으로 발음된다.

M Wow! Inline skating is fun. Do you _____ _____ _____ _____ _____ ?

W Yes, I come here every weekend.

M I'm a little tired. _____ _____ _____ _____ _____ ?

W That's a good idea. Let's sit on the bench over there.

M Okay. (*Pause*) Oh, _____ _____ _____ _____ . It says, "Wet Paint."

W Then let's go to the snack bar.

M Okay.

09 특정 정보 파악 ✱

대화를 듣고, 두 사람이 이용할 교통수단으로 가장 적절한 것을 고르시오.

① 택시   ② 버스   ③ 지하철
④ 자가용   ⑤ 자전거

M Let's _____ _____ _____ _____ _____ together tomorrow morning.

W Sure. What should we take? A bus?

M Traffic will be heavy _____ _____ _____ . How about the subway?

W I think there will be _____ _____ _____ _____ _____ _____ in the morning.

M Then _____ _____ _____ _____ _____ ?

W Good. Let's meet early and go by subway.

M That's a good idea.

10 부탁한 일 파악

대화를 듣고, 남자가 여자에게 부탁한 일로 가장 적절한 것을 고르시오.

① 파리 잡기   ② 쓰레기통 청소하기
③ 과일 껍질 버리기   ④ 단 음식 먹지 않기
⑤ 살충제 가져오기

W Dad, there are a lot of flies around the trash can.

M Oh, no! What _____ _____ _____ _____ ?

W Some fruit peels.

M _____ _____ _____ _____ . Can you bring me the bug spray?

W Okay, Dad. From now on, I won't put fruit peels _____ _____ _____ _____ .

11 직업 추론

대화를 듣고, 여자의 직업으로 가장 적절한 것을 고르시오.

① 요리사　　② 영화배우
③ 미용사　　④ 배구 선수
⑤ 토크 쇼 진행자

M Welcome to the talk show.
W Hello. _____ _____ _____ _____ .
M Long time, no see. You _____ _____ _____ _____ .
W Yes. I'm going to play a volleyball player in my new movie.
M That is _____ _____ _____ your last role as a chef.
W That's right. I learned to cook for that film. This time, I'm _____ _____ _____ _____ .

12 숫자 정보 파악

대화를 듣고, 여자가 지불할 금액을 고르시오.

① $9　　② $10　　③ $11
④ $12　　⑤ $22

M That was _____ _____ _____ .
W I enjoyed it, too. Oh, _____ _____ _____ . Let's go Dutch, shall we?
M Yes, let's.
W Let me see. _____ _____ _____ $10, and yours was $12.
M There's also a 10% tax on the meal.
W Okay. So _____ _____ $10 plus the 10% tax.

13 관계 추론

대화를 듣고, 두 사람의 관계로 가장 적절한 것을 고르시오.

① 의사 – 간호사　　② 엄마 – 아들
③ 교사 – 학부모　　④ 교사 – 학생
⑤ 약사 – 환자

Sound Clear ☆ **headache**
ch가 [k]로 소리 나서 [헤데이크]로 발음된다.

W James, what's wrong? You look pale.
M I have a terrible headache. _____ _____ _____ _____ now?
W I'm sorry to hear that. Did you go to the nurse's office?
M Yes. I _____ _____ _____ , but it didn't work.
W _____ _____ _____ a doctor.
M Yes, I will.

14 위치 찾기

대화를 듣고, 여자가 가려고 하는 장소를 고르시오.

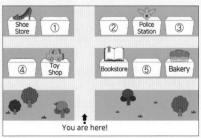

W Excuse me. _____ _____ _____ _____ how to get to Star Hospital?
M Sure. Go straight two blocks and then turn left.
W _____ _____ _____ _____ and turn left. And then?
M It is the second building on your left. _____ _____ _____ the shoe store.
W I got it. Thank you very much.

15 할 일 파악

대화를 듣고, 두 사람이 오늘 오후에 할 일로 가장 적절한 것을 고르시오.

① 교실 청소하기
② 미술 과제하기
③ 쓰레기통 사 오기
④ 재활용품 수집하기
⑤ 재활용 분리수거함 만들기

M Jessie, _____ _____ _____ _____ _____.
Why don't we clean it now?
W Okay. Let's do it.
M Look at the trash bin! _____ _____ _____ all kinds of trash.
W Yes, it is. _____ _____ _____ _____ for cans, bottles, and paper.
M You're right. Let's make them this afternoon.
W _____ _____ _____ _____.

16 어색한 대화 찾기

대화를 듣고, 두 사람의 대화가 <u>어색한</u> 것을 고르시오.

①   ②   ③   ④   ⑤

① **M** Hi, Luna. What's up?
W _____ _____ _____ buy a shirt. What about you?
② **M** What does that sign mean?
W It means that you _____ _____ _____ _____ _____.
③ **M** You look worried. What's going on?
W _____ _____ _____ tomorrow's history quiz.
④ **M** Why don't we go to the zoo this Saturday?
W Yes. I'd like to _____ _____.
⑤ **M** Excuse me. Is the Picasso Museum near here?
W Yes. It's _____ _____ _____ _____.

17 특정 정보 파악

대화를 듣고, 남자의 장래 희망으로 가장 적절한 것을 고르시오.

① 미술 교사   ② 여행 작가
③ 사진 기자   ④ 여행 가이드
⑤ 화가

Sound Clear ☆ **travel**
[t]와 [r]이 연달아 나와 [츄레블]로 발음된다.

M Jina, you are really good at painting.
W Thank you. I _____ _____ _____, so I want to be an artist.
M Great.
W _____ _____ _____ _____ _____ _____ in the future, Minho?
M I want to be a travel writer. I want to travel _____ _____ _____ _____.
W Sounds interesting.

18 할 일 파악

대화를 듣고, 남자가 오늘 할 일이 아닌 것을 고르시오.

① 방 청소하기 ② 쇼핑하기
③ 우유 사 오기 ④ 설거지하기
⑤ 거실 청소하기

W Ryan, did you clean your room?

함정

M No. _______ _______ _______ _______ when I get back from shopping.

W Oh, I see. Can you _______ _______ _______ on your way back home?

M Okay. Anything else?

W No. I'll clean your room _______ _______ _______.

정답 단서

M Thanks. I'll _______ _______ _______ and clean the living room in the evening.

19 마지막 말에 이어질 응답 찾기

대화를 듣고, 남자의 마지막 말에 이어질 여자의 응답으로 가장 적절한 것을 고르시오.

Woman: ____________________

① That's all right.
② That's too bad.
③ It's my pleasure.
④ I'm sorry to hear that.
⑤ Thanks. I hope so, too.

Sound Clear ☆ **environment**

[n]와 발음이 비슷한 [m]가 이어서 나오면 [n]가 탈락해서 [인바이러먼트]로 발음된다.

W My club _______ _______ _______ _______ a green campaign at school next Friday.

M A green campaign? _______ _______ _______ the ☆environment?

W That's right. Many students _______ _______ _______ _______ _______. I want to stop that.

M That's great. I hope _______ _______ _______ _______.

W Thanks. I hope so, too.

20 마지막 말에 이어질 응답 찾기

대화를 듣고, 남자의 마지막 말에 이어질 여자의 응답으로 가장 적절한 것을 고르시오.

Woman: ____________________

① It wasn't expensive at all.
② Yes. My uncle is very kind.
③ Not at all. I'll lend it to you.
④ Thanks. I want to borrow it.
⑤ Yes. Let's ask him for the book.

M What do you _______ _______ _______ _______?

W It's the book *Harry Potter*. My uncle bought it for me.

M Oh, that's a book _______ _______ _______ _______.

W Is it? I'm really enjoying it.

M _______ _______ _______ _______ I borrow it after you read it?

W Not at all. I'll lend it to you.

Review Test

Word Check — 영어는 우리말로, 우리말은 영어로 써 보기

01 airport _____

02 pocket _____

03 choice _____

04 fable _____

05 offer _____

06 by oneself _____

07 introduce _____

08 announcer _____

09 traditional _____

10 curly _____

11 unhappy _____

12 songwriter _____

13 던지다 _____

14 즉석 사진 _____

15 교육 _____

16 목소리 _____

17 준결승 _____

18 송별회 _____

19 추천하다 _____

20 창백한 _____

21 승객 _____

22 서명하다 _____

23 공연 _____

24 빨리 _____

Expression Check — 알맞은 표현을 넣어 문장 완성하기

25 I have to _____ _____ _____ _____ today. 나는 오늘 치과에 가야 해.

26 He has the flu, so he's _____ _____ _____. 그는 독감에 걸려서 앓아누워 있어.

27 The soccer game was _____ Korea _____ the Netherlands.
그 축구 경기는 한국과 네덜란드의 경기였어.

28 I wanted to watch something, so I was _____ _____ _____.
내가 뭐 좀 보고 싶어서 밤을 샜거든.

29 Why don't you take your raincoat or umbrella _____ _____ _____?
만약을 위해서 우비나 우산을 챙겨 가는 게 어때?

30 I can hide myself in my shell when I'm _____ _____.
나는 위험에 처하면 내 딱지에 몸을 숨길 수 있어요.

영어는 우리말로, 우리말은 영어로 써 보기

01	hold	_____	13	계산서	_____
02	absent	_____	14	보건실	_____
03	shower	_____	15	표지	_____
04	expect	_____	16	살충제	_____
05	download	_____	17	초대하다	_____
06	film	_____	18	껍질	_____
07	all around the world	_____	19	식사	_____
08	carry	_____	20	지불하다	_____
09	career camp	_____	21	버리다	_____
10	recycling	_____	22	편리한	_____
11	till	_____	23	환경	_____
12	trash can	_____	24	비용을 각자 부담하다	_____

알맞은 표현을 넣어 문장 완성하기

25 How about _____ _____ _____? 잠깐 쉬는 게 어때?

26 I'm _____ _____ tomorrow's history quiz. 나는 내일 볼 역사 시험이 걱정돼.

27 I _____ some _____, but it didn't work. 약을 좀 먹었지만 효과가 없었어요.

28 It's _____ _____ all kinds of trash. 그것은 온갖 종류의 쓰레기로 가득 차 있어.

29 _____ _____ _____, I won't put fruit peels in the trash can.
이제부터는, 쓰레기통에 과일 껍질을 넣지 않을게요.

30 Can you buy some milk _____ _____ _____ _____ _____?
집에 돌아오는 길에 우유를 좀 사다 줄 수 있니?

01 다음을 듣고, 'this'가 가리키는 것으로 가장 적절한 것을 고르시오.

① ② ③
④ ⑤

02 대화를 듣고, 여자가 구입할 컵으로 가장 적절한 것을 고르시오.

① ② ③
④ ⑤

03 다음을 듣고, 토요일의 날씨로 가장 적절한 것을 고르시오.

① ② ③
④ ⑤

04 대화를 듣고, 남자가 한 마지막 말의 의도로 가장 적절한 것을 고르시오.

① 동의   ② 반대   ③ 거절
④ 칭찬   ⑤ 불만

05 다음을 듣고, 과학 캠프에 대한 내용으로 일치하지 않는 것을 고르시오.

① 햇빛으로 달걀 프라이를 할 것이다.
② 솜사탕을 만들 것이다.
③ 밤하늘의 별을 볼 것이다.
④ 밤에 과학 영화를 볼 것이다.
⑤ 신문에 과학 캠프 광고를 낼 것이다.

06 대화를 듣고, 여자의 장래 희망으로 가장 적절한 것을 고르시오.

① 요리사   ② 운동선수   ③ 스포츠 기자
④ 제빵사   ⑤ 방송 작가

07 대화를 듣고, 남자의 심정으로 가장 적절한 것을 고르시오.

① excited   ② angry   ③ proud
④ happy   ⑤ worried

08 대화를 듣고, 여자가 파티에 도착할 시각을 고르시오.

① 4:30 p.m.   ② 5:00 p.m.   ③ 5:30 p.m.
④ 6:00 p.m.   ⑤ 6:30 p.m.

09 대화를 듣고, 남자가 대화 직후에 할 일로 가장 적절한 것을 고르시오.

① 춤 연습하기   ② 상자 옮기기
③ 탁자 준비하기   ④ 의자 가져오기
⑤ 방송 점검하기

10 대화를 듣고, 무엇에 관한 내용인지 가장 적절한 것을 고르시오.

① 하이킹   ② 주말 계획
③ 문화 체험   ④ 동물원 방문
⑤ 현장 학습 장소

11 대화를 듣고, 두 사람이 이용할 교통수단으로 가장 적절한 것을 고르시오.

① 버스   ② 택시   ③ 지하철

④ 자전거   ⑤ 자가용

12 대화를 듣고, 남자가 전화한 이유로 가장 적절한 것을 고르시오.

① 대출 가능 여부를 확인하기 위해서
② 대출 기간을 문의하기 위해서
③ 이용 시간을 문의하기 위해서
④ 도서 예약 건을 취소하기 위해서
⑤ 분실물을 찾기 위해서

13 대화를 듣고, 두 사람이 대화하는 장소로 가장 적절한 곳을 고르시오.

① 옷 가게   ② 약국
③ 세탁소   ④ 병원
⑤ 자동차 정비소

14 대화를 듣고, 여자가 찾고 있는 리모컨의 위치로 가장 적절한 것을 고르시오.

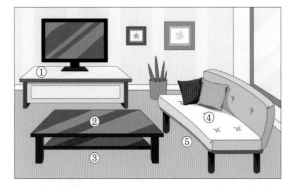

15 대화를 듣고, 남자의 직업으로 가장 적절한 것을 고르시오.

① 경찰관   ② 식당 종업원
③ 마트 계산원   ④ 택배 기사
⑤ 미용사

16 대화를 듣고, 여자가 남자에게 제안한 것으로 가장 적절한 것을 고르시오.

① 병원 진료 받기   ② 테니스 배우기
③ 동아리 만들기   ④ 배드민턴 치기
⑤ 휴식 시간 갖기

17 대화를 듣고, 남자가 중국에서 한 일로 가장 적절한 것을 고르시오.

① 중국 영화 보기   ② 중국 역사 배우기
③ 중국요리 배우기   ④ 축제 참여하기
⑤ 역사적인 장소 방문하기

18 대화를 듣고, 여자가 남자에게 부탁한 일로 가장 적절한 것을 고르시오.

① 요리하기   ② 장보기
③ 거실 청소하기   ④ 손님 안내하기
⑤ 음식 주문하기

[19-20] 대화를 듣고, 여자의 마지막 말에 이어질 남자의 응답으로 가장 적절한 것을 고르시오.

19 Man: _____

① That's not yours.
② You're welcome.
③ Here is a mirror.
④ Sorry to hear that.
⑤ I agree with you on that.

20 Man: _____

① You can say that again.
② Okay. That sounds great.
③ We will meet at the park.
④ I'm going to meet him at 3:00 p.m.
⑤ I usually go to the park after school.

01 화제 파악

다음을 듣고, 'this'가 가리키는 것으로 가장 적절한 것을 고르시오.

① ② ③
④ ⑤

W You can see this in the bathroom. This _____ _____ _____. When you _____ _____ _____, you can use this to wash your hair. _____ _____ _____ _____ on your wet hair, it makes a lot of bubbles. What is this?

02 그림 정보 파악

대화를 듣고, 여자가 구입할 컵으로 가장 적절한 것을 고르시오.

① ② ③
④ ⑤

Sound Clear ☆ **son**

son(아들)과 sun(태양)은 [썬]으로 발음이 같으므로 맥락을 통해 의미를 파악해야 한다.

W I'm looking for a cup for my four-year-old son. ☆
M Okay. How about _____ _____ _____ _____ _____ on it?
W That's good. But I think my son will like that one with the penguin. 정답 단서
M I see. _____ _____ _____ _____?
W I want one with handles on both sides.
M Okay. 정답 단서 _____ _____ _____ _____.

03 특정 정보 파악

다음을 듣고, 토요일의 날씨로 가장 적절한 것을 고르시오.

① ② ③
④ ⑤

W This is the weather forecast for tomorrow and the weekend. Tomorrow _____ _____ _____ _____ like today. The wind _____ _____ _____ _____, and Saturday will be sunny with no clouds. The good weather 정답 단서 _____ _____ _____ _____ _____.

04 의도 파악

대화를 듣고, 남자가 한 마지막 말의 의도로 가장 적절한 것을 고르시오.

① 동의 ② 반대 ③ 거절
④ 칭찬 ⑤ 불만

W Look! Jack Smith _____ _____ _____. He's my favorite player.

M I like Jack Smith, too. Why do you like him?

W I think he's _____ _____ _____ _____.

M Right. He's very smart during games.

W He's also very fast. _____ _____ _____ _____?

M Yes. I think so, too.
정답 단서

05 일치하지 않는 것 찾기 ✽

다음을 듣고, 과학 캠프에 대한 내용으로 일치하지 않는 것을 고르시오.

① 햇빛으로 달걀 프라이를 할 것이다.
② 솜사탕을 만들 것이다.
③ 밤하늘의 별을 볼 것이다.
④ 밤에 과학 영화를 볼 것이다.
⑤ 신문에 과학 캠프 광고를 낼 것이다.

M I'd like to tell you about the science camp during the summer vacation. We will _____ _____ _____ _____ and make cotton candy. We'll also watch _____ _____ _____ _____ _____ at night. We're going to make a science camp newsletter, too.

06 특정 정보 파악

대화를 듣고, 여자의 장래 희망으로 가장 적절한 것을 고르시오.

① 요리사 ② 운동선수 ③ 스포츠 기자
④ 제빵사 ⑤ 방송 작가

W What do you _____ _____ _____ in the future?

M I want to be an athlete. What about you?

W I'm _____ _____ _____ cooking.
한정

M Then do you want to be a cook?

W Yes. I'd like to _____ _____ _____ to the world.
정답 단서

07 심정 추론

대화를 듣고, 남자의 심정으로 가장 적절한 것을 고르시오.

① excited ② angry ③ proud
④ happy ⑤ worried

Sound Clear ☆ at all

[t]가 모음 사이에서 약화되고 뒤 단어의 모음과 연음되어 [애롤]로 발음된다.

W _____ _____ _____. What happened?

M Do you know my puppy Coco?

W Yes. He's very cute. _____ _____ _____ _____ with him?

M He is sick. He is not eating at all.
☆

W That's too bad. I hope _____ _____ _____ _____.

08 숫자 정보 파악 ✳

대화를 듣고, 여자가 파티에 도착할 시각을 고르시오.

① 4:30 p.m. ② 5:00 p.m.
③ 5:30 p.m. ④ 6:00 p.m.
⑤ 6:30 p.m.

M Would you like to _____ _____ _____ _____ for a party tomorrow?

W Sure. What time?

M 5:30 p.m. 한정

W Sorry. I _____ _____ _____ _____ 5:30 p.m. Can I show up one hour later?

M Of course. Do you mean 6:30 p.m.? 정답 단서

W Yes. I have to _____ _____ _____ _____ _____ until 6 o'clock. 한정

M Okay. See you then.

09 할 일 파악

대화를 듣고, 남자가 대화 직후에 할 일로 가장 적절한 것을 고르시오.

① 춤 연습하기 ② 상자 옮기기
③ 탁자 준비하기 ④ 의자 가져오기
⑤ 방송 점검하기

W Tony, we have to _____ _____ _____ _____ _____ _____.

M We're almost ready. What should I do next?

W Can you _____ _____ _____?

M Sure. Where should I put them?

W Under the table. We also need _____ _____ _____ _____.

M Okay. I'll bring one. 정답 단서

10 주제 파악

대화를 듣고, 무엇에 관한 내용인지 가장 적절한 것을 고르시오.

① 하이킹 ② 주말 계획
③ 문화 체험 ④ 동물원 방문
⑤ 현장 학습 장소

W Now, let's talk about ☆ _____ _____ _____ _____. Where shall we go?

M Why don't we _____ _____?

W I think hiking is too hard. Can we go to the zoo?

M Well, we _____ _____ _____ _____.

W Then how about Hanok Village?

M That's good. There are _____ _____ _____ _____ there.

Sound Clear ☆ **talk about**
앞 단어의 끝 자음과 뒤 단어의 첫 모음이 만나 연음되어 [토커바웃]으로 발음된다.

11 특정 정보 파악

대화를 듣고, 두 사람이 이용할 교통수단으로 가장 적절한 것을 고르시오.

① 버스 ② 택시 ③ 지하철
④ 자전거 ⑤ 자가용

Sound Clear ☆ **close**

동사(닫다)는 [클로우즈]로, 형용사(가까운)는 [클로우스]로 발음된다.

M Jimin, where's the Cinema Museum?

W It's in Sangam-dong. ________ ________ ________ ________ ________ or the subway.

M How long does it take to go there by bus?

W It will ________ ________ ________ ________.

M Then how about taking a taxi? The museum will ☆close ________ ________ ________.

W Okay. That'll take about ten minutes.

12 이유 파악

대화를 듣고, 남자가 전화한 이유로 가장 적절한 것을 고르시오.

① 대출 가능 여부를 확인하기 위해서
② 대출 기간을 문의하기 위해서
③ 이용 시간을 문의하기 위해서
④ 도서 예약 건을 취소하기 위해서
⑤ 분실물을 찾기 위해서

(*Telephone rings.*)

W Hangang Public Library. How can I help you?

M I think I ________ ________ ________ there.

W Oh, did you? What does it look like?

M It's a white one ________ ________ ________.

W Just a moment, please. (*Pause*) Oh, it's here.

M Thank you. I'll ________ ________ ________ ________.

13 장소 추론

대화를 듣고, 두 사람이 대화하는 장소로 가장 적절한 곳을 고르시오.

① 옷 가게 ② 약국
③ 세탁소 ④ 병원
⑤ 자동차 정비소

M How may I help you?

W Can you dry-clean ________ ________ ________ ________?

정답 단서

M Sure. Anything else?

W Yes. The zipper on the coat ________ ________.

M Okay. ________ ________ ________.

W Thanks. How much will it be?

M ________ ________ ________ ________ $12.

14 위치 찾기

대화를 듣고, 여자가 찾고 있는 리모컨의 위치로 가장 적절한 것을 고르시오.

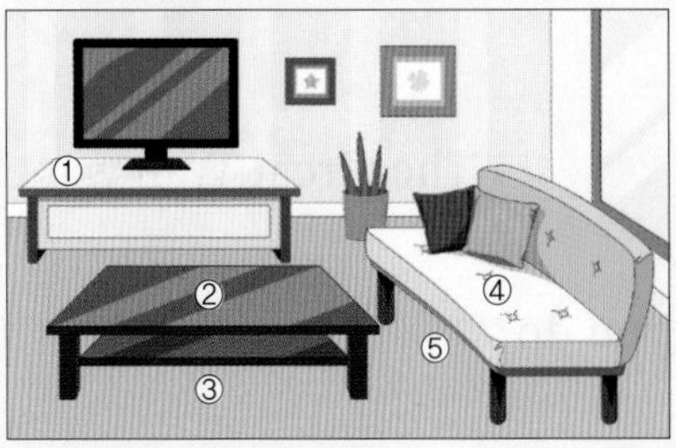

M Are you looking for something, Lily?

W Yes. ________ ________ ________ ________ the remote control on the table, but I don't see it.

함정

M Did you ________ ________ ________ ________?

W Yes, but it's not there either.

M Then maybe you ________ ________ ________ ________.

W Oh, here it is. It's under the sofa.

정답 단서

15 직업 추론

대화를 듣고, 남자의 직업으로 가장 적절한 것을 고르시오.

① 경찰관 ② 식당 종업원
③ 마트 계산원 ④ 택배 기사
⑤ 미용사

Sound Clear ☆ **really**

'리얼리'라고 명확하게 발음되지 않고 [륄리]에 가깝게 발음된다.

W Oh, my! Excuse me!
M Yes, ma'am. What can I do for you?
W Look at this! There's a hair _____ _____.
M Oh, we're really sorry.
W _____ _____ _____ _____ this situation.
M We're really sorry. _____ _____ _____ a new one soon.

16 제안한 것 파악 ✳

대화를 듣고, 여자가 남자에게 제안한 것으로 가장 적절한 것을 고르시오.

① 병원 진료 받기 ② 테니스 배우기
③ 동아리 만들기 ④ 배드민턴 치기
⑤ 휴식 시간 갖기

M I get tired easily these days.
W Why don't you _____ _____ _____?
M Actually, I was thinking about playing tennis.
W I think tennis _____ _____ _____ _____ for you. How about badminton?
M Badminton?
W Yes, it's easy. _____ _____ _____ _____ and start right away.
M Hmm, okay.

17 한 일 파악

대화를 듣고, 남자가 중국에서 한 일로 가장 적절한 것을 고르시오.

① 중국 영화 보기
② 중국 역사 배우기
③ 중국요리 배우기
④ 축제 참여하기
⑤ 역사적인 장소 방문하기

W Allan, how was your summer vacation?
M It was great. I _____ _____ _____ _____ Beijing with my family.
W Oh, what did you do there?
M I _____ _____ _____ _____. The Great Wall was the most impressive to me.
W Sounds great! What else did you do?
M We _____ _____ _____ _____.

18 부탁한 일 파악 ✳

대화를 듣고, 여자가 남자에게 부탁한 일로 가장 적절한 것을 고르시오.

① 요리하기　　　② 장보기
③ 거실 청소하기　④ 손님 안내하기
⑤ 음식 주문하기

M　Mom, _____ _____ _____ _____ right now.
W　Yes. We're having _____ _____ _____ _____ tonight.
M　I see. Is there anything I can do?
W　Yes. Can you clean the living room?
M　Sure. _____ _____ ? 〈정답 단서〉
W　_____ _____ _____ . Thanks, Dan.

---

19 마지막 말에 이어질 응답 찾기

대화를 듣고, 여자의 마지막 말에 이어질 남자의 응답으로 가장 적절한 것을 고르시오.

Man: _____

① That's not yours.
② You're welcome.
③ Here is a mirror.
④ Sorry to hear that.
⑤ I agree with you on that.

Sound Clear ☆ **Open it**
앞 단어의 끝 자음과 뒤 단어의 모음이 만나 연음되어 [오프닛]으로 발음된다.

M　Happy birthday, Somin. _____ _____ _____ _____ .
W　Wow, thank you. What is it?
M　It's a baseball cap. Open it.
W　I wanted a new cap. Thank you.
M　_____ _____ . Do you like it?
W　Of course. I want to see myself _____ _____ _____ _____ .
M　Here is a mirror.

---

20 마지막 말에 이어질 응답 찾기

대화를 듣고, 여자의 마지막 말에 이어질 남자의 응답으로 가장 적절한 것을 고르시오.

Man: _____

① You can say that again.
② Okay. That sounds great.
③ We will meet at the park.
④ I'm going to meet him at 3:00 p.m.
⑤ I usually go to the park after school.

M　Hi, Mia. _____ _____ _____ tomorrow evening?
W　Yes. Why?
M　There will be a pop concert at the park at 7:00 p.m. Would you like to go?
W　Sure. _____ _____ _____ .
M　Okay. What time shall we meet?
W　_____ _____ _____ _____ 6:30?
M　Okay. That sounds great.

1.0배속

1.2배속

01 다음을 듣고, 'I'가 무엇인지 가장 적절한 것을 고르시오.

① ② ③

④ ⑤

02 대화를 듣고, 여자가 구입할 원피스로 가장 적절한 것을 고르시오.

① ② ③

④ ⑤

03 다음을 듣고, 내일 오후의 날씨로 가장 적절한 것을 고르시오.

① ② ③

④ ⑤

04 대화를 듣고, 남자의 심정으로 가장 적절한 것을 고르시오.

① 슬픔 ② 신남 ③ 화남
④ 지루함 ⑤ 부러움

05 다음을 듣고, 남자가 여름 방학 계획에 대해 언급하지 않은 것을 고르시오.

① 매일 수영하기
② 영어 일기 쓰기
③ 다섯 권 이상 책 읽기
④ 사촌 방문하기
⑤ 부산으로 가족 여행하기

06 대화를 듣고, 두 사람이 만날 시각을 고르시오.

① 1:00 p.m. ② 2:00 p.m. ③ 2:30 p.m.
④ 3:00 p.m. ⑤ 3:30 p.m.

07 대화를 듣고, 여자가 장래 희망으로 가장 적절한 것을 고르시오.

① 요리사 ② 과학자 ③ 기자
④ 교사 ⑤ 정치가

08 대화를 듣고, 여자가 한 마지막 말의 의도로 가장 적절한 것을 고르시오.

① 제안 ② 요청 ③ 격려
④ 칭찬 ⑤ 불평

09 대화를 듣고, 두 사람이 대화 직후에 할 일로 가장 적절한 것을 고르시오.

① 점심 식사 요리하기 ② 점심 식사하러 가기
③ 티셔츠 사기 ④ 티셔츠 입어 보기
⑤ 티셔츠 만들기

10 대화를 듣고, 무엇에 관한 내용인지 가장 적절한 것을 고르시오.

① 방 청소하기 ② 집안일 돕기
③ 여행 계획 세우기 ④ 봉사 활동하기
⑤ 장난감 기증하기

11 대화를 듣고, 두 사람이 대화하는 장소로 가장 적절한 곳을 고르시오.

① 급식실
② 세탁소
③ 슈퍼마켓
④ 과일 가게
⑤ 가전제품 대리점

12 대화를 듣고, 여자가 전화한 이유로 가장 적절한 것을 고르시오.

① 컴퓨터 수리를 요청하기 위해서
② 숙제를 물어보기 위해서
③ 영화표 예매를 부탁하기 위해서
④ 친구의 컴퓨터를 사용하기 위해서
⑤ 함께 컴퓨터 게임을 하기 위해서

13 대화를 듣고, 두 사람의 대화가 <u>어색한</u> 것을 고르시오.

①   ②   ③   ④   ⑤

14 대화를 듣고, 남자가 가려고 하는 장소를 고르시오.

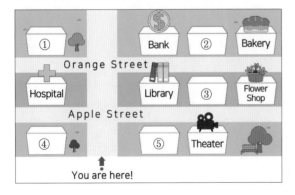

15 대화를 듣고, 여자가 남자에게 제안한 것으로 가장 적절한 것을 고르시오.

① 레모네이드 만들기
② 오렌지 주스 사기
③ 딸기 주스 마시기
④ 샌드위치 만들기
⑤ 핫도그 팔기

16 대화를 듣고, 남자가 여자에게 요청한 일로 가장 적절한 것을 고르시오.

① 휴대 전화 찾아 주기
② 버스 요금 빌려주기
③ 휴대 전화 빌려주기
④ 경찰서에 신고하기
⑤ 분실물 보관소에 전화하기

17 대화를 듣고, 여자가 남자를 위해 구입할 물건을 고르시오.

① 모자
② 장갑
③ 양말
④ 바지
⑤ 머플러

18 대화를 듣고, 여자의 직업으로 가장 적절한 것을 고르시오.

① 경찰관
② 호텔 직원
③ 여행사 직원
④ 방송국 기자
⑤ 출입국 관리소 직원

[19-20] 대화를 듣고, 남자의 마지막 말에 이어질 여자의 응답으로 가장 적절한 것을 고르시오.

19 Woman: _____

① You are very lucky.
② Sure. Sounds good.
③ I think you are wrong.
④ We're late. Let's hurry.
⑤ Yes. I love horror movies.

20 Woman: _____

① I wear a size 7.
② Okay. I'll take it.
③ They're too small.
④ I don't like sneakers.
⑤ They're too expensive.

01 화제 파악

다음을 듣고, 'I'가 무엇인지 가장 적절한 것을 고르시오.

①   ②   ③
④   ⑤

M I have the power _____ _____ _____ _____.
I can make a clock run and make a remote control work.
But if you continue to use me, I _____ _____ _____
_____ _____ _____. You can buy me _____
_____ _____ _____. What am I?

02 그림 정보 파악

대화를 듣고, 여자가 구입할 원피스로 가장 적절한 것을 고르시오.

①   ②   ③
④   ⑤

Sound Clear ☆ dress
[d]와 [r]이 연달아 나와 [쥬레스]에 가깝게 발음된다.

W Excuse me. I'm looking for a dress ☆ _____ _____
_____.
M Okay. How about this striped one?
W Well, she _____ _____ _____. 한정
M I see. Then how about this dress with dots on it?
W Oh, that's good. I think _____ _____ _____
_____. I'll take it. 정답 단서

03 특정 정보 파악

다음을 듣고, 내일 오후의 날씨로 가장 적절한 것을 고르시오.

①   ②   ③
④   ⑤

M Good evening. Here's the weather report for tomorrow.
_____ _____ _____, but it will stop tonight.
Tomorrow morning, it will be clear. You can _____ 한정
_____ _____ _____ _____ _____. But in the
afternoon, it will be partly cloudy. Thank you. 정답 단서

04 심정 추론

대화를 듣고, 남자의 심정으로 가장 적절한 것을 고르시오.

① 슬픔   ② 신남   ③ 화남
④ 지루함   ⑤ 부러움

Sound Clear ☆ had a
앞 단어의 끝 자음과 뒤 단어의 모음이 만나 연음되어 [해더]로 발음된다.

M Olivia, _____ _____ _____ tomorrow.
W Really? That sounds fun.
M My family and I had a good time skiing last winter, too.
W _____ _____ _____ _____. I'd love to see them when you get back.
M Of course. I think I'll be too excited to sleep tonight.
W Don't _____ _____ _____ _____!

05 언급하지 않은 것 찾기

다음을 듣고, 남자가 여름 방학 계획에 대해 언급하지 않은 것을 고르시오.

① 매일 수영하기
② 영어 일기 쓰기
③ 다섯 권 이상 책 읽기
④ 사촌 방문하기
⑤ 부산으로 가족 여행하기

M I'd like to tell you about my _____ _____ _____. I will go swimming every day. I'm also planning to _____ _____ _____ _____ _____. Next, I'm going to _____ _____ _____ _____ _____ during the vacation. Lastly, I'm the most excited about traveling to Busan with my family.

06 숫자 정보 파악

대화를 듣고, 두 사람이 만날 시각을 고르시오.

① 1:00 p.m.   ② 2:00 p.m.
③ 2:30 p.m.   ④ 3:00 p.m.
⑤ 3:30 p.m.

M Yujin, would you like to _____ _____ _____ _____?
W I'm free in the afternoon. What time should we meet?
M How about 3 p.m.?
W At 3? _____ 한정 _____ _____. I have a lot of homework to do in the evening.
M Then _____ _____ _____ 2 o'clock?
    정답 단서
W Okay.

07 특정 정보 파악   �֍

대화를 듣고, 여자의 장래 희망으로 가장 적절한 것을 고르시오.

① 요리사   ② 과학자   ③ 기자
④ 교사   ⑤ 정치가

W _____ _____ _____ _____ the career camp?
M Yes. I'm going to take the cooking class. _____ _____ _____ a chef. What about you?
    한정
W I'm interested in the robot class.
M Do you want to be a robot scientist?
W No. I want to be a reporter.
    한정
M Then how about _____ _____ _____ _____? It
    정답 단서
    will help.

08 의도 파악

대화를 듣고, 여자가 한 마지막 말의 의도로 가장 적절한 것을 고르시오.

① 제안　② 요청　③ 격려
④ 칭찬　⑤ 불평

W　Michael, _____ _____ _____ the school dance contest next month?

M　Yes. _____ _____ _____ _____ for it.

W　That's cool. How's it going?

M　Not bad. I still need to _____ _____ _____ in my dance.

W　I see.

M　I'm worried because time is _____ _____.

W　☆ Don't worry. I'm sure you'll do well.

정답 단서

09 할 일 파악

대화를 듣고, 두 사람이 대화 직후에 할 일로 가장 적절한 것을 고르시오.

① 점심 식사 요리하기
② 점심 식사하러 가기
③ 티셔츠 사기
④ 티셔츠 입어 보기
⑤ 티셔츠 만들기

W　Honey, come here. _____ _____ _____ are very cheap.

M　I'm so hungry. Let's stop shopping and have lunch.

W　Oh, wait a minute. Look at this T-shirt. I think it will _____ _____ _____.

M　Yes. It looks very nice.

W　_____ _____ _____ for you.

M　Thank you. I like it. Can we _____ _____ _____ now?

W　Yes. Let's go.

10 주제 파악

대화를 듣고, 무엇에 관한 내용인지 가장 적절한 것을 고르시오.

① 방 청소하기　② 집안일 돕기
③ 여행 계획 세우기　④ 봉사 활동하기
⑤ 장난감 기증하기

W　Jinho, what are you doing?

M　I'm _____ _____ _____.

W　Why are you packing them?

M　I don't play with _____ _____ _____ _____, so I'll give them to children at the community center.

정답 단서

W　Good idea! The children _____ _____ _____.

M　Do you really think so?

W　Of course.

11 장소 추론

대화를 듣고, 두 사람이 대화하는 장소로 가장 적절한 곳을 고르시오.

① 급식실 ② 세탁소
③ 슈퍼마켓 ④ 과일 가게
⑤ 가전제품 대리점

Sound Clear ☆ **meat**
meat(고기)와 meet(만나다)는 [미트]로 발음이 같으므로 맥락을 통해 의미를 파악해야 한다.

W I just _____ _____ _____ some meat for curry and rice now.
M Wow, curry and rice sounds good. Do we have potatoes, carrots, and _____ _____ _____?
W Yes, _____ _____ _____ _____ _____. All we need is some meat.
M Oh, the meat corner is over there. I'll push the shopping cart. 정답 단서   정답 단서
W Thank you.

12 이유 파악 ✳

대화를 듣고, 여자가 전화한 이유로 가장 적절한 것을 고르시오.

① 컴퓨터 수리를 요청하기 위해서
② 숙제를 물어보기 위해서
③ 영화표 예매를 부탁하기 위해서
④ 친구의 컴퓨터를 사용하기 위해서
⑤ 함께 컴퓨터 게임을 하기 위해서

(*Cellphone rings.*)
W Andy, this is Emma.
M Hi, Emma. What's up?
W _____ _____ _____ _____.
M Do you want me to go to your house and take a look?
W No. Can I _____ _____ _____ at your house 한정 instead?
M Sure. You can _____ _____ _____ _____ _____ now.

13 어색한 대화 찾기

대화를 듣고, 두 사람의 대화가 어색한 것을 고르시오.

① ② ③ ④ ⑤

① W I think classical music is boring.
   M I _____ _____ _____ _____.
② W What does your brother look like?
   M He really likes to read webtoons.
③ W _____ _____ _____ _____ this hairstyle?
   M I like it. It's very popular _____ _____ _____.
④ W May I have some more cake?
   M Sure. _____ _____.
⑤ W What would you like to order?
   M I'd like some pasta and _____ _____ _____ _____ _____.

14 위치 찾기

대화를 듣고, 남자가 가려고 하는 장소를 고르시오.

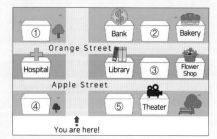

M Excuse me. I'm looking for ABC Bookstore.
W ＿＿＿＿ ＿＿＿＿ ＿＿＿＿ Apple Street.
M How do I get there?
W Go straight one block. Then, ＿＿＿＿ ＿＿＿＿ ＿＿＿＿
＿＿＿＿ ＿＿＿＿.
M Turn right?
W Yes. It will be between the library and the flower shop.
＿＿＿＿ ＿＿＿＿ ＿＿＿＿ ＿＿＿＿.
M Thank you.

15 제안한 것 파악

대화를 듣고, 여자가 남자에게 제안한 것으로 가장 적절한 것을 고르시오.

① 레모네이드 만들기 ② 오렌지 주스 사기
③ 딸기 주스 마시기 ④ 샌드위치 만들기
⑤ 핫도그 팔기

Sound Clear ☆ **Why don't you**

[t]가 뒤의 반모음 [j]를 만나 동화되어 [와이돈츄]로 발음된다. [t]가 약화되어 [와이돈유]로 발음되기도 한다.

M My class will ＿＿＿＿ ＿＿＿＿ ＿＿＿＿ ＿＿＿＿ at the school festival.
W That sounds fun.
M ＿＿＿＿ ＿＿＿＿ ＿＿＿＿ ＿＿＿＿ lemonade, orange juice, and strawberry juice.
W Good. Why don't you ＿＿＿＿ ＿＿＿＿ ＿＿＿＿ ＿＿＿＿
＿＿＿＿, too?
M That's a great idea.

16 요청한 일 파악

대화를 듣고, 남자가 여자에게 요청한 일로 가장 적절한 것을 고르시오.

① 휴대 전화 찾아 주기
② 버스 요금 빌려주기
③ 휴대 전화 빌려주기
④ 경찰서에 신고하기
⑤ 분실물 보관소에 전화하기

W ＿＿＿＿ ＿＿＿＿ ＿＿＿＿ ＿＿＿＿? What's wrong?
M I lost my phone.
W Where did you use it last?
M On the bus. I think I ＿＿＿＿ ＿＿＿＿ ＿＿＿＿ ＿＿＿＿
＿＿＿＿ this morning.
W Why don't you call lost and found?
M Okay. Can I ＿＿＿＿ ＿＿＿＿ ＿＿＿＿ ＿＿＿＿ ＿＿＿＿?
W Sure. Here you are.

17 특정 정보 파악

대화를 듣고, 여자가 남자를 위해 구입할 물건을 고르시오.

① 모자   ② 장갑   ③ 양말
④ 바지   ⑤ 머플러

M Mom, what are you doing?
W I'm ＿＿＿＿ ＿＿＿＿ ＿＿＿＿.
M Oh, I need a pair of gloves and socks.
W Really? Then ＿＿＿＿ ＿＿＿＿ ＿＿＿＿ ＿＿＿＿ yourself.
M Okay. (*Pause*) I like these gloves. I'll buy socks later.
W Oh, ＿＿＿＿ ＿＿＿＿ ＿＿＿＿ ＿＿＿＿. Do you like it?
M No. I don't like it.

18 직업 추론 ✳

대화를 듣고, 여자의 직업으로 가장 적절한 것을 고르시오.

① 경찰관　　　　② 호텔 직원
③ 여행사 직원　　④ 방송국 기자
⑤ 출입국 관리소 직원

W What's the purpose of your visit?
　　　　　　　정답 단서
M Traveling.
　　　한정
W How long _____ _____ _____ _____?
M For two weeks.
W Where are you staying? Do you _____ _____ _____ of the hotel?
　　　　한정
M Yes. Here you are.
W Thank you. _____ _____ _____.

19 마지막 말에 이어질 응답 찾기

대화를 듣고, 남자의 마지막 말에 이어질 여자의 응답으로 가장 적절한 것을 고르시오.

Woman: _____

① You are very lucky.
② Sure. Sounds good.
③ I think you are wrong.
④ We're late. Let's hurry.
⑤ Yes. I love horror movies.

Sound Clear ☆　**this Saturday**
동일한 발음의 자음이 연이어 나오면 앞 자음 소리가 탈락하여 [디쎄러데이]로 발음된다.

M Tina, do you have any plans for this weekend?
W _____ _____. Why?
M I _____ _____ _____ to a popular musical this Saturday.
W Wow! I love musicals.
M Great. Do you want to _____ _____ _____ _____ with me?
W Sure. Sounds good.

20 마지막 말에 이어질 응답 찾기

대화를 듣고, 남자의 마지막 말에 이어질 여자의 응답으로 가장 적절한 것을 고르시오.

Woman: _____

① I wear a size 7.
② Okay. I'll take it.
③ They're too small.
④ I don't like sneakers.
⑤ They're too expensive.

M Can I help you?
W Sure. _____ _____ _____ white sneakers.
M How about these? They're our most popular sneakers.
W Can I _____ _____ _____?
M Of course. _____ _____ _____ _____ _____?
W I wear a size 7.

Review Test

Word Check
영어는 우리말로, 우리말은 영어로 써 보기

01 rub _____

02 historical _____

03 drop _____

04 village _____

05 somewhere _____

06 newsletter _____

07 athlete _____

08 cotton candy _____

09 these days _____

10 field trip _____

11 right away _____

12 public library _____

13 리모컨 _____

14 고장 난 _____

15 손님 _____

16 후에, 나중에 _____

17 기분 좋은 _____

18 상황 _____

19 거품 _____

20 인상적인 _____

21 문화의 _____

22 ~ 동안 _____

23 냄새가 나다 _____

24 기쁨, 즐거움 _____

Expression Check
알맞은 표현을 넣어 문장 완성하기

25 Can I _____ _____ one hour later? 내가 한 시간 늦게 가도 돼?

26 He is sick. He is _____ eating _____ _____. 그가 아파. 그는 전혀 먹지를 않아.

27 We have to start our show _____ _____ _____. 우리는 한 시간 후에 쇼를 시작해야 해.

28 I _____ _____ _____ to Beijing with my family. 나는 가족과 함께 베이징으로 여행을 갔었어.

29 I want one with handles _____ _____ _____. 저는 양쪽에 손잡이가 달린 것을 원해요.

30 I have to _____ _____ _____ my little brother until 6 o'clock.
나는 6시까지 남동생을 돌봐야 해.

Answers p.56

Word Check 영어는 우리말로, 우리말은 영어로 써 보기

01	convenience store	___	13	운동화 ___
02	striped	___	14	(짐을) 싸다 ___
03	partly	___	15	경연 대회 ___
04	go skiing	___	16	분실물 보관소 ___
05	at least	___	17	연설 ___
06	travel	___	18	갑자기 ___
07	fridge	___	19	클래식 음악 ___
08	career	___	20	연습하다 ___
09	reporter	___	21	대신 ___
10	adult	___	22	음료 판매대 ___
11	community center	___	23	주소 ___
12	long face	___	24	목적 ___

Expression Check 알맞은 표현을 넣어 문장 완성하기

25 I think it will _____ _____ _____ you. 이것은 당신한테 잘 어울릴 것 같아요.

26 The bookstore _____ _____ on Apple street. 서점은 Apple Street에 위치해 있습니다.

27 I _____ play with these toys _____ _____. 저는 더 이상 이 장난감들을 가지고 놀지 않아요.

28 It's very _____ _____ young adults. 그것은 젊은이들에게 아주 인기가 있어.

29 You can _____ _____ to my house now. 너는 지금 우리 집에 들러도 돼.

30 Do you want me to go to your house and _____ _____ _____?
내가 너희 집으로 가서 봐 주기를 원하는 거니?

1.0배속

1.2배속

01 다음을 듣고, 일요일 오전의 날씨로 가장 적절한 것을 고르시오.

①   ②   ③

④   ⑤

02 대화를 듣고, 남자가 가리키고 있는 표지판으로 가장 적절한 것을 고르시오.

①   ②   ③

④   ⑤

03 다음을 듣고, 'this'가 가리키는 것으로 가장 적절한 것을 고르시오.

①   ②   ③

④   ⑤

04 대화를 듣고, 남자가 한 마지막 말의 의도로 가장 적절한 것을 고르시오.

① 불평 ② 사과 ③ 거절
④ 제안 ⑤ 위로

05 다음을 듣고, 남자가 동아리에 대해 언급하지 <u>않은</u> 것을 고르시오.

① 회원 수 ② 정기 모임 요일
③ 정기 모임 장소 ④ 주요 활동
⑤ 학교 축제 계획

06 대화를 듣고, 여자가 부산에 도착할 예상 시각을 고르시오.

① 4:30 p.m. ② 5:00 p.m. ③ 5:30 p.m.
④ 6:00 p.m. ⑤ 6:30 p.m.

07 대화를 듣고, 남자의 장래 희망으로 가장 적절한 것을 고르시오.

① 작가 ② 야구 선수 ③ 야구 코치
④ 스포츠 기자 ⑤ 체육 교사

08 대화를 듣고, 남자의 심정으로 가장 적절한 것을 고르시오.

① 기쁜 ② 속상한 ③ 미안한
④ 부러운 ⑤ 걱정스러운

09 대화를 듣고, 여자가 기타 수업 후에 할 일로 가장 적절한 것을 고르시오.

① 쇼핑하러 가기
② 영화 보러 가기
③ 방과 후 수업 듣기
④ 영어 발표 준비하기
⑤ 역사 과제 마무리하기

10 대화를 듣고, 무엇에 관한 내용인지 가장 적절한 것을 고르시오.

① 가정용 로봇 ② 공상 과학 영화
③ 미래의 학교 모습 ④ 요리 기구의 발달
⑤ 로봇의 역사

11 대화를 듣고, 두 사람이 멕시코 식당에 함께 갈 요일을 고르시오.

① 화요일 ② 수요일 ③ 목요일
④ 금요일 ⑤ 토요일

12 대화를 듣고, 여자가 남자에게 제안한 것으로 가장 적절한 것을 고르시오.

① 영어 단어 외우기
② 미국 드라마 보기
③ 영어로 일기 쓰기
④ 영어 소설책 읽기
⑤ 팝송 속 표현 공부하기

13 대화를 듣고, 두 사람의 관계로 가장 적절한 것을 고르시오.

① 의사 – 환자
② 은행원 – 고객
③ 서점 직원 – 손님
④ 호텔 직원 – 투숙객
⑤ 도서관 사서 – 도서 대출자

14 대화를 듣고, 남자가 가려고 하는 장소를 고르시오.

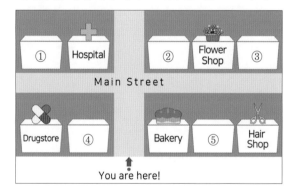

15 대화를 듣고, 여자가 남자에게 요청한 일로 가장 적절한 것을 고르시오.

① 식당 대기하기
② 커피 사다 주기
③ 영화표 구입하기
④ 서점 위치 알려 주기
⑤ 함께 쇼핑몰 구경하기

16 대화를 듣고, 남자가 동아리 모임에 참석하지 못한 이유로 가장 적절한 것을 고르시오.

① 몸이 아파서
② 모임이 있다는 것을 깜빡해서
③ 가족과 여행을 가서
④ 테니스 결승전을 보러 가서
⑤ 테니스 훈련에 참가해서

17 대화를 듣고, 여자가 이용한 교통수단으로 가장 적절한 것을 고르시오.

① 택시 ② 비행기 ③ 지하철
④ 버스 ⑤ 자전거

18 대화를 듣고, 두 사람이 대화하는 장소로 가장 적절한 곳을 고르시오.

① 영화관 ② 경찰서
③ 가방 가게 ④ 분실물 보관소
⑤ 식료품 가게

[19-20] 대화를 듣고, 남자의 마지막 말에 이어질 여자의 응답으로 가장 적절한 것을 고르시오.

19 Woman: _____

① Sure. Here you are.
② I don't have any pets.
③ I'm afraid you're wrong.
④ I want to be an animal doctor.
⑤ I love dogs. I have two dogs at home.

20 Woman: _____

① It means recycling.
② I don't have to make it.
③ I want to save the Earth.
④ I just need three bottles.
⑤ I'm going to make a pencil case.

01 특정 정보 파악

다음을 듣고, 일요일 오전의 날씨로 가장 적절한 것을 고르시오.

① ② ③
④ ⑤

W This is the weather report for this weekend. On Saturday, we will see _____ _____ _____ _____ in the sky. _____ _____ _____ on Saturday, it will be rainy. The rain will continue _____ _____ _____ _____. On Sunday afternoon, we can enjoy a cool and clear day.

02 그림 정보 파악

대화를 듣고, 남자가 가리키고 있는 표지판으로 가장 적절한 것을 고르시오.

① ② ③
④ ⑤

M _____ _____ _____ _____!

W Yes, Dad. Can I swim here?

M No. You _____ _____ _____ _____.

W Why not?

M _____ _____ _____ _____ over there. The waves are too high here.

W I see. Let's take some pictures instead.

03 화제 파악

다음을 듣고, 'this'가 가리키는 것으로 가장 적절한 것을 고르시오.

① ② ③
④ ⑤

M This has a lot of words. When we _____ _____ _____ _____, we use this. _____ _____ _____ the meanings of words and sample sentences. These days, people often use a smartphone instead of this because this is _____ _____ _____. What is this?

Sound Clear ☆ often
[오픈] 또는 [오프튼]으로 발음된다.

04 의도 파악

대화를 듣고, 남자가 한 마지막 말의 의도로 가장 적절한 것을 고르시오.

① 불평 ② 사과 ③ 거절
④ 제안 ⑤ 위로

> **Sound Clear** ☆ **What's up?**
> 앞 단어의 끝 자음과 뒤 단어의 모음이 만나 연음되어 [왓첩] 또는 [왓썹]으로 발음된다.

(Doorbell rings.)

W Who is it?
M Hello. It's Tom _____ _____.
W Hello, Tom. What's up?
M Your dog _____ _____ _____ last night that I couldn't sleep.
W I'm sorry. I'll be _____ _____.
M You said the same thing last week. But _____ _____ _____ _____ _____. I still can't sleep because of that noise.

05 언급하지 않은 것 찾기

다음을 듣고, 남자가 동아리에 대해 언급하지 않은 것을 고르시오.

① 회원 수 ② 정기 모임 요일
③ 정기 모임 장소 ④ 주요 활동
⑤ 학교 축제 계획

M Let me tell you _____ _____ _____ _____.
There are 20 members in my club. We get together every Wednesday afternoon. We _____ _____ _____ _____ together. At the school festival, we are planning to _____ _____ _____ _____.

06 숫자 정보 파악

대화를 듣고, 여자가 부산에 도착할 예상 시각을 고르시오.

① 4:30 p.m. ② 5:00 p.m.
③ 5:30 p.m. ④ 6:00 p.m.
⑤ 6:30 p.m.

W Thanks for _____ _____ _____ _____ to the train station.
M No problem. Please call me _____ _____ _____ you get to Busan.
W Okay, I will.
M What time will your train get there?
W It will _____ _____ _____ _____ to get there.
M It's 4:30 now, so you will get there around 6:30.

07 특정 정보 파악

대화를 듣고, 남자의 장래 희망으로 가장 적절한 것을 고르시오.

① 작가 ② 야구 선수
③ 야구 코치 ④ 스포츠 기자
⑤ 체육 교사

W Alex, what are you doing?
M I'm _____ _____ _____ _____.
W Oh, are you interested in baseball?
M Yes, I am. I play it _____ _____ _____.
W Do you want to be a baseball player?
M _____ _____. I'm not good at it. I want to be a sports reporter.

08 심정 추론

대화를 듣고, 남자의 심정으로 가장 적절한 것을 고르시오.

① 기쁜 ② 속상한 ③ 미안한
④ 부러운 ⑤ 걱정스러운

W Seho, what's the matter?
M I'm sad. I ________ ________ ________ ________ the English speaking contest.
W What happened?
M I ________ ________ ________ in the middle of it.
W I'm sorry to hear that.
M You know, I ________ ________ ________. I wanted to do well, but I didn't.
정답 단서

09 할 일 파악

대화를 듣고, 여자가 기타 수업 후에 할 일로 가장 적절한 것을 고르시오.

① 쇼핑하러 가기
② 영화 보러 가기
③ 방과 후 수업 듣기
④ 영어 발표 준비하기
⑤ 역사 과제 마무리하기

M Let's go shopping around 4 this afternoon.
W ________, ________ ________ ________. I have a guitar class right after school.
M Then how about ________ ________ ________ ________ ________?
W I'm really sorry, but I still can't.
M Why not?
W I haven't finished my history project. I ________ ________ ________ ________ ________ tomorrow morning.

10 주제 파악

대화를 듣고, 무엇에 관한 내용인지 가장 적절한 것을 고르시오.

① 가정용 로봇 ② 공상 과학 영화
③ 미래의 학교 모습 ④ 요리 기구의 발달
⑤ 로봇의 역사

Sound Clear☆ **instead of**
앞 단어의 끝 자음과 뒤 단어의 모음이 만나 연음되어 [인스테더브]로 발음된다.

M Did you like ________ ________ ________ ________?
W Yes. I think robots will do many things for people in the future.
M I think so, too. Which robot ________ ________ ________ ________ ________?
W I liked the cooking robot. How about you?
M I liked the cleaning robot. It can clean my room ☆instead of me.
W ________ ________ ________ ________. Home robots will be very helpful.
정답 단서

11 특정 정보 파악

대화를 듣고, 두 사람이 멕시코 식당에 함께 갈 요일을 고르시오.

① 화요일　② 수요일　③ 목요일
④ 금요일　⑤ 토요일

M A new Mexican restaurant _____ _____ _____.
W Great. I love tacos.
M _____ _____ _____ the tacos there are great.
W Really? Let's go there this Thursday.
M Can we go on Saturday? I _____ _____ _____
_____ on Thursday.
W All right. Saturday afternoon is fine with me. I can't wait.

12 제안한 것 파악

대화를 듣고, 여자가 남자에게 제안한 것으로 가장 적절한 것을 고르시오.

① 영어 단어 외우기
② 미국 드라마 보기
③ 영어로 일기 쓰기
④ 영어 소설책 읽기
⑤ 팝송 속 표현 공부하기

M _____ _____ _____ _____, Sarah?
W Sure. What is it?
M I want to _____ _____ _____ _____ _____.
What should I do?
W You can use pop songs _____ _____ _____
them so much.
M What do you mean?
W _____ _____ _____ in pop songs every day.

13 관계 추론

대화를 듣고, 두 사람의 관계로 가장 적절한 것을 고르시오.

① 의사 – 환자　② 은행원 – 고객
③ 서점 직원 – 손님　④ 호텔 직원 – 투숙객
⑤ 도서관 사서 – 도서 대출자

Sound Clear ☆ check out
앞 단어의 끝 자음과 뒤 단어의 첫 모음이 만나 연음되어 [체카웃]으로 발음된다.

M Becky, _____ _____, _____ _____.
W Hi, Mr. Brown. How are you?
M Great, thanks. Did you _____ _____ _____
_____?
W Yes. I'd like to check out these books. How long can I keep them?
M _____ _____ _____. Have a nice day.

14 위치 찾기

대화를 듣고, 남자가 가려고 하는 장소를 고르시오.

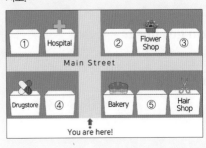

M Excuse me. Is there a bank around here?
W Yes. _____ _____ _____ Main Street.
M How can I get there?
W Let me see. Go straight one block and _____ _____.
M Go straight one block and turn left?
W Yes. Then, _____ _____ a little farther. It'll be on your right _____ _____ _____ _____.
M Oh, I see. Thank you very much.

15 요청한 일 파악 ✳

대화를 듣고, 여자가 남자에게 요청한 일로 가장 적절한 것을 고르시오.

① 식당 대기하기
② 커피 사다 주기
③ 영화표 구입하기
④ 서점 위치 알려 주기
⑤ 함께 쇼핑몰 구경하기

W The movie will start at 4:20. We _____ _____ _____.
M I'd like to walk around this mall. Will you go with me?
W No. I'll just _____ _____ _____ _____.
M Okay. _____ _____ _____ _____ 4 o'clock.
W All right. Oh, can you get me a cup of coffee?
M Sure. Where is the coffee shop?
W It's _____ _____ _____ _____ next to the bookstore.

16 이유 파악

대화를 듣고, 남자가 동아리 모임에 참석하지 못한 이유로 가장 적절한 것을 고르시오.

① 몸이 아파서
② 모임이 있다는 것을 깜빡해서
③ 가족과 여행을 가서
④ 테니스 결승전을 보러 가서
⑤ 테니스 훈련에 참가해서

Sound Clear ☆ **couldn't go**
축약된 't는 거의 발음되지 않아 [쿠든고]로 발음된다.

W Jim, I _____ _____ _____ at the club meeting yesterday.
M I couldn't go.
W Why? Were you _____ _____ _____?
M No. My family and I went to see my brother's final tennis match.
W That's great. _____ _____ _____?
M Yes, he did. He _____ _____ _____ _____.
W I'm glad to hear that.

17 특정 정보 파악

대화를 듣고, 여자가 이용한 교통수단으로 가장 적절한 것을 고르시오.

① 택시 ② 비행기 ③ 지하철
④ 버스 ⑤ 자전거

W Jerry, you _____ _____ _____ today.
M I flew! I just parked my airplane _____ _____ _____.
W Stop kidding me! How did you get here?
M I took the subway _____ _____ _____ _____.
W Do you mean the new subway line?
M Yes. How did you come?
W I _____ _____ _____.

18 장소 추론

대화를 듣고, 두 사람이 대화하는 장소로 가장 적절한 곳을 고르시오.

① 영화관 ② 경찰서
③ 가방 가게 ④ 분실물 보관소
⑤ 식료품 가게

W I _______ _______ _______ on the train on subway line 2.
M What does your bag look like?
W It is big and black. (정답 단서)
M We have many big black bags here. (함정) Can you _______ _______ _______ _______ your bag?
W Oh, it _______ _______ _______ _______ on it. The name on it is Alice Park.
M Okay. (*Pause*) _______ _______. Here is your bag.
W Thank you very much.

19 마지막 말에 이어질 응답 찾기

대화를 듣고, 남자의 마지막 말에 이어질 여자의 응답으로 가장 적절한 것을 고르시오.

Woman: ______________________

① Sure. Here you are.
② I don't have any pets.
③ I'm afraid you're wrong.
④ I want to be an animal doctor.
⑤ I love dogs. I have two dogs at home.

Sound Clear☆ **must be**
자음 세 개가 연속으로 나와 중간 자음의 발음이 약화되어 [머슷비]로 발음된다.

W _______ _______ _______ _______ _______ are so cute. Did you take the picture?
M Yes. Taking pictures is my hobby.
W Do you usually _______ _______ _______?
M Yes. I like to take pictures of cats in the street.
W Cats must be☆ _______ _______ _______.
M That's right. How about you?
W I love dogs. I have two dogs at home.

20 마지막 말에 이어질 응답 찾기

대화를 듣고, 남자의 마지막 말에 이어질 여자의 응답으로 가장 적절한 것을 고르시오.

Woman: ______________________

① It means recycling.
② I don't have to make it.
③ I want to save the Earth.
④ I just need three bottles.
⑤ I'm going to make a pencil case.

W Can I _______ _______ _______ _______?
M Sure, but what are you going to do with it?
W I'm _______ _______ _______ plastic bottles into useful things.
M Sounds interesting. _______ _______ _______ _______ _______ _______ with this plastic bottle?
W I'm going to make a pencil case.

1.0배속

1.2배속

01 다음을 듣고, 'this'가 가리키는 것으로 가장 적절한 것을 고르시오.

①

②

③

④

⑤

02 대화를 듣고, 여자가 완성할 선물 상자로 가장 적절한 것을 고르시오.

①

②

③

④

⑤

03 다음을 듣고, 목요일의 날씨로 가장 적절한 것을 고르시오.

①

②

③

④

⑤

04 대화를 듣고, 남자가 한 마지막 말의 의도로 가장 적절한 것을 고르시오.

① 제안　　　② 허락　　　③ 동의
④ 축하　　　⑤ 초대

05 대화를 듣고, 여자가 지불할 금액을 고르시오.

① 2,000원　　② 3,000원　　③ 4,000원
④ 5,000원　　⑤ 6,000원

06 대화를 듣고, 남자의 심정으로 가장 적절한 것을 고르시오.

① sad　　　② angry　　　③ lonely
④ bored　　⑤ happy

07 대화를 듣고, 두 사람이 대화하는 장소로 가장 적절한 곳을 고르시오.

① 교실　　　② 식당　　　③ 서점
④ 주차장　　⑤ 영화관

08 대화를 듣고, 두 사람의 관계로 가장 적절한 것을 고르시오.

① 운동선수 – 코치
② 경찰관 – 운전자
③ 택시 기사 – 승객
④ 주유소 직원 – 운전자
⑤ 비행기 조종사 – 승무원

09 대화를 듣고, 남자가 미용실을 예약한 시각을 고르시오.

① 2:00 p.m.　② 3:00 p.m.　③ 3:30 p.m.
④ 4:00 p.m.　⑤ 4:30 p.m.

10 대화를 듣고, 남자가 오늘 할 일로 가장 적절한 것을 고르시오.

① 쇼핑하기　　　② 친구들 만나기
③ 등산하기　　　④ 고궁 방문하기
⑤ 박물 가기

11 대화를 듣고, 남자가 토요일에 한 일로 가장 적절한 것을 고르시오.

① 책 읽기
② 쇼핑하기
③ 병원 가서 진찰 받기
④ 엄마와 함께 장보기
⑤ 도서관에서 자원봉사하기

12 대화를 듣고, 두 사람의 대화가 <u>어색한</u> 것을 고르시오.

①   ②   ③   ④   ⑤

13 대화를 듣고, 남자가 증상으로 언급하지 <u>않은</u> 것을 고르시오.

① 머리가 아프다.   ② 열이 난다.
③ 콧물이 난다.   ④ 배가 아프다.
⑤ 목이 아프다.

14 대화를 듣고, 여자가 가려고 하는 장소를 고르시오.

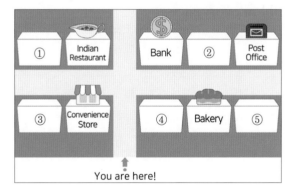

15 대화를 듣고, 여자가 쇼핑을 갈 수 <u>없는</u> 이유로 가장 적절한 것을 고르시오.

① 대만 여행을 가야 해서
② 여행 짐을 싸야 해서
③ 해야 할 숙제가 있어서
④ 친척을 방문해야 해서
⑤ 할아버지의 생신 파티가 있어서

16 다음을 듣고, 무엇에 관한 내용인지 가장 적절한 것을 고르시오.

① 전교 회장 선거   ② 학교 체육 대회
③ 동아리 발표회   ④ 어버이날 행사
⑤ 학생의 날 행사

17 대화를 듣고, 남자가 주문할 음식을 고르시오.

① 피자   ② 햄버거   ③ 샐러드
④ 스파게티   ⑤ 스테이크

18 대화를 듣고, 남자가 여자에게 제안한 것으로 가장 적절한 것을 고르시오.

① 날씨 확인하기   ② 공원 산책하기
③ 친구 칭찬하기   ④ 할 일 목록 만들기
⑤ 쉬운 일부터 하기

[19-20] 대화를 듣고, 여자의 마지막 말에 이어질 남자의 응답으로 가장 적절한 것을 고르시오.

19 Man: _____

① Please wish me good luck.
② Because I like your design.
③ Cheer up! You can skateboard.
④ It's very difficult to design T-shirts.
⑤ I'll keep my fingers crossed for you.

20 Man: _____

① That's too bad.
② That's a good idea.
③ I need a great photo.
④ I'd like to have this photo.
⑤ Hang it in the living room.

Dictation 14회

받아쓰기용

01 화제 파악

다음을 듣고, 'this'가 가리키는 것으로 가장 적절한 것을 고르시오.

① 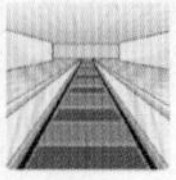 ② 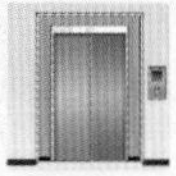 ③ 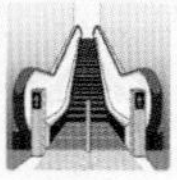
④ 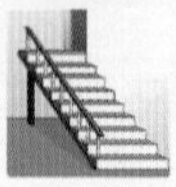 ⑤ 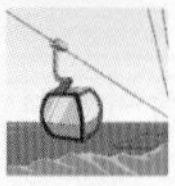

Sound Clear ☆ **buttons**
[t]가 거의 들리지 않고 콧소리로 나서 [번은스]로 발음된다.

W You can see this ________ ________ ________. People use this to move up and down floors in a building. You must press buttons to use this. There are buttons ________ ________. The buttons have numbers on them. When you press a button, this ________ ________ ________ ________. What is this?

02 그림 정보 파악

대화를 듣고, 여자가 완성할 선물 상자로 가장 적절한 것을 고르시오.

① 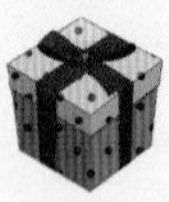 ② 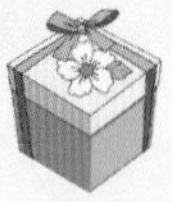 ③ 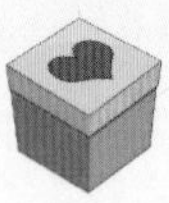
④ 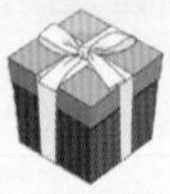 ⑤ 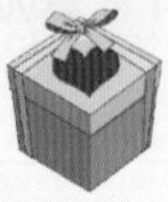

M Sarah, what are you doing?
W Hi, Tony. I'm ________ ________ ________ ________.
M Oh, you ________ ________ ________ ________ on the box. I like it.
W Thanks. And I will ________ ________ ________ on it.
M Wow, that will look very nice.

03 특정 정보 파악

다음을 듣고, 목요일의 날씨로 가장 적절한 것을 고르시오.

①  ②  ③ 
④  ⑤ 

W Hello. This is the ________ ________ ________. The weather will change a lot during this week. It will be partly cloudy on Monday. ________ ________ ________ ________ in most areas from Tuesday through Friday. On Saturday, ________ ________ ________ ________. On Sunday, it'll be clear and sunny.

04 의도 파악

대화를 듣고, 남자가 한 마지막 말의 의도로 가장 적절한 것을 고르시오.

① 제안　　② 허락　　③ 동의
④ 축하　　⑤ 초대

W I'm thinking of joining a sports club.
M Oh, really? What sport do you _____ _____ _____?
W I like all kinds of sports.
M _____ _____ _____ _____, indoor sports or outdoor sports?
W I prefer indoor sports.
M Then why don't you _____ _____ _____ _____ _____?

05 숫자 정보 파악

대화를 듣고, 여자가 지불할 금액을 고르시오.

① 2,000원　　② 3,000원
③ 4,000원　　④ 5,000원
⑤ 6,000원

W How much _____ _____ _____?
M They're 3,000 won _____ _____.
W Okay. Give me one kilo, please.
M Here you are.
W _____ _____ _____ two carrots. How much are they?
M They're 1,000 won for two.
W Okay. _____ _____ _____ _____, please.

06 심정 추론

대화를 듣고, 남자의 심정으로 가장 적절한 것을 고르시오.

① bored　　② angry　　③ lonely
④ sad　　⑤ happy

Sound Clear ☆ **can't**
축약된 't가 거의 발음되지 않아 can과 혼동하기 쉽지만, can't는 can보다 [애] 발음을 강하게 한다.

W How was your blind date, Aiden?
M Great. Lisa is _____ _____ _____ _____ _____.
W Oh, that's good. What is she like?
M She is _____, _____, _____ _____.
W Ha-ha. Congratulations!
M Thank you. I'm going to _____ _____ _____ _____. I can't wait.

07 장소 추론　　�

대화를 듣고, 두 사람이 대화하는 장소로 가장 적절한 곳을 고르시오.

① 교실　　② 식당　　③ 서점
④ 주차장　　⑤ 영화관

W Excuse me. I'm looking for an Italian cookbook.
M They are over here. _____ _____ _____ _____ Italian food?
W No, I haven't. But I _____ _____ _____.
M Then how about _____ _____ _____ _____?
W Good! Thank you. I'll take it.

08 관계 추론

대화를 듣고, 두 사람의 관계로 가장 적절한 것을 고르시오.

① 운동선수 – 코치
② 경찰관 – 운전자
③ 택시 기사 – 승객
④ 주유소 직원 – 운전자
⑤ 비행기 조종사 – 승무원

Sound Clear ☆ **need to**

[d]가 [t] 앞에서 거의 발음되지 않고 동화되어 [니투]로 발음된다.

W Is there a problem?
M _____ _____ _____ _____. You were speeding.
W I'm sorry. I didn't realize I was going so fast.
M You need to _____ _____. Can I see your driver's license?
W Sure. Here you are. I'll _____ _____ _____ from now on.
M That's good.

09 숫자 정보 파악 ✻

대화를 듣고, 남자가 미용실을 예약한 시각을 고르시오.

① 2:00 p.m.　　② 3:00 p.m.
③ 3:30 p.m.　　④ 4:00 p.m.
⑤ 4:30 p.m.

(*Telephone rings.*)
W Hello. Beauty Hair Shop.
M Hello. Can I _____ _____ _____ for tomorrow morning?
W Sorry, but you can't. How about tomorrow afternoon at 4:00 or 4:30?
M Hmm... 4:30 _____ _____ _____.
W Okay. Can I _____ _____ _____, please?
M My name is Andrew Kim.
W All right. _____ _____ _____.

10 할 일 파악

대화를 듣고, 남자가 오늘 할 일로 가장 적절한 것을 고르시오.

① 쇼핑하기　　② 친구들 만나기
③ 등산하기　　④ 고궁 방문하기
⑤ 박물 가기

W Are you _____ _____ _____ in Seoul?
M Yes. I _____ _____ _____ _____ with my friends.
W What are you planning to do today?
M I'm going to _____ _____ _____ _____.
W Oh, really? Can I guide you?
M Sure. Thank you.

11 한 일 파악 ✳

대화를 듣고, 남자가 토요일에 한 일로 가장 적절한 것을 고르시오.

① 책 읽기
② 쇼핑하기
③ 병원 가서 진찰 받기
④ 엄마와 함께 장보기
⑤ 도서관에서 자원봉사하기

Sound Clear ☆ **library**

미국식은 [라이브래뤼]로, 영국식은 [라이브뤼]에 가깝게 발음된다.

M What did you do last Saturday, Rachel?
W I _____ _____ _____ _____ to go shopping. How about you?
M I did volunteer work at the library.
  정답 단서
W _____ _____ _____!
M I'll do volunteer work at a nursing home next week.
W Can I _____ _____ _____ next week?
M Sure.

12 어색한 대화 찾기

대화를 듣고, 두 사람의 대화가 어색한 것을 고르시오.

①   ②   ③   ④   ⑤

① M _____ _____ _____ _____ Mr. Sanders?
  W I'm sorry, but he's out.
② M How often do you _____ _____ _____ _____?
    정답 단서
  W I go to the zoo by bike.
         정답 단서
③ M I'm so sorry _____ _____ _____.
  W That's okay.
④ M What do you want for lunch?
  W Let's have sandwiches.
⑤ M May I _____ _____ _____?
  W Sure. Here it is.

13 언급하지 않은 것 찾기

대화를 듣고, 남자가 증상으로 언급하지 않은 것을 고르시오.

① 머리가 아프다.   ② 열이 난다.
③ 콧물이 난다.   ④ 배가 아프다.
⑤ 목이 아프다.

M Mom, I have a terrible headache. I _____ _____ _____ _____ today.
W Do you have a fever, too?
M Yes. I also _____ _____ _____ _____, and my throat hurts.
W You _____ _____ _____ _____ right now. I'll go with you.
M Thanks, Mom.

14 위치 찾기

대화를 듣고, 여자가 가려고 하는 장소를 고르시오.

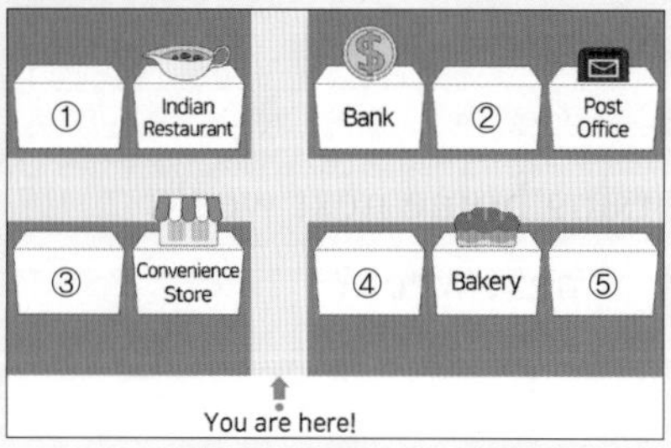

W Excuse me. Is there a Japanese restaurant around here?
M Yes. ______ ______ ______ ______ and turn left at the convenience store.
W Go straight and turn left?
M That's right. It's ______ ______ ______.
W Is it near the Indian restaurant?
M Yes. It's ______ ______ ______ ______ ______.

15 이유 파악

대화를 듣고, 여자가 쇼핑을 갈 수 없는 이유로 가장 적절한 것을 고르시오.

① 대만 여행을 가야 해서
② 여행 짐을 싸야 해서
③ 해야 할 숙제가 있어서
④ 친척을 방문해야 해서
⑤ 할아버지의 생신 파티가 있어서

Sound Clear ☆ **trip**
[t]와 [r]이 연달아 나와 [츄립]으로 발음된다.

W Jinho, ______ ______ ______ for the trip☆ to Taiwan?
함정
M Not yet. I need a big suitcase for this trip.
W Do you want ______ ______ ______ ______?
M Yes. Can you go shopping with me this Saturday?
W ______, ______ ______ ______. I have my grandfather's birthday party this Saturday.
정답 단서
M Oh, I see.

16 주제 파악

다음을 듣고, 무엇에 관한 내용인지 가장 적절한 것을 고르시오.

① 전교 회장 선거 ② 학교 체육 대회
③ 동아리 발표회 ④ 어버이날 행사
⑤ 학생의 날 행사

M Good morning. This is ______ ______ ______. Parents' Day is coming soon. So we ______ ______ ______ ______. Make short videos for your parents and post them on our school homepage. We will pick three best videos and ______ ______ ______ the makers.

17 특정 정보 파악

대화를 듣고, 남자가 주문할 음식을 고르시오.

① 피자 ② 햄버거 ③ 샐러드
④ 스파게티 ⑤ 스테이크

W Wow! ______ ______ ______ ______!
M ______ ______ ______ ______ ______, too. What will you have?
W I'll have a steak. How about you?
함정
M I think I'll have pizza.
정답 단서
W Didn't you ______ ______ ______ ______ yesterday?
M No. I had spaghetti.
함정

18 제안한 것 파악

대화를 듣고, 남자가 여자에게 제안한 것으로 가장 적절한 것을 고르시오.

① 날씨 확인하기　　② 공원 산책하기
③ 친구 칭찬하기　　④ 할 일 목록 만들기
⑤ 쉬운 일부터 하기

M Hi, Luna. The weather is really nice. Let's _____ _____ _____ _____ in the park.

W I'd love to, but I can't. I have _____ _____ _____ _____ _____ today.

M Is there anything I can do for you?

W Thanks, but I don't know _____ _____ _____ _____ first.

M Make a list of the things you need to do. _____ _____.

W That's a good idea. Thank you.

19 마지막 말에 이어질 응답 찾기

대화를 듣고, 여자의 마지막 말에 이어질 남자의 응답으로 가장 적절한 것을 고르시오.

Man: _____

① Please wish me good luck.
② Because I like your design.
③ Cheer up! You can skateboard.
④ It's very difficult to design T-shirts.
⑤ I'll keep my fingers crossed for you.

Sound Clear ☆ **As you know**

[s]가 뒤의 반모음 [j]와 연음되고 know의 k는 묵음이라서 [애쥬노우]로 발음된다.

M _____ _____ _____ _____ this weekend?

W Sorry, but I can't.

M _____ _____ ?

W As you know, I'm entering the T-shirt design contest. I _____ _____ _____ the T-shirt design by next Monday.

M Don't worry. You will _____ _____ _____ _____ .

W I hope so.

M I'll keep my fingers crossed for you.

20 마지막 말에 이어질 응답 찾기

대화를 듣고, 여자의 마지막 말에 이어질 남자의 응답으로 가장 적절한 것을 고르시오.

Man: _____

① That's too bad.
② That's a good idea.
③ I need a great photo.
④ I'd like to have this photo.
⑤ Hang it in the living room.

W That photo looks great! _____ _____ _____ _____ _____ ?

M Yes. I took it last summer.

W You should _____ _____ _____ in the living room, so everyone can see it.

M My family photo is already on the living room wall.

W Then how about _____ _____ _____ _____ ?

M That's a good idea.

Review Test

Word Check 영어는 우리말로, 우리말은 영어로 써 보기

01 a lot of _____

02 wave _____

03 Earth _____

04 meaning _____

05 thick _____

06 upstairs _____

07 bark _____

08 recipe _____

09 noise _____

10 in the future _____

11 farther _____

12 hand in _____

13 운영하다 _____

14 필통 _____

15 방과 후 _____

16 주차하다 _____

17 커피 한 잔 _____

18 운이 좋은 _____

19 잡지 _____

20 살리다, 구하다 _____

21 경기 _____

22 이름표 _____

23 문장 _____

24 재활용 _____

Expression Check 알맞은 표현을 넣어 문장 완성하기

25 What does you bag _____ _____? 당신의 가방은 어떻게 생겼나요?

26 Please call me _____ _____ _____ you get to Busan. 부산에 도착하자마자 저에게 전화하세요.

27 I'd like to _____ _____ this mall. 나는 이 쇼핑몰을 돌아다니고 싶어.

28 I'm _____ _____ change plastic bottles into useful things.
저는 플라스틱병들을 유용한 물건들로 바꾸어 보려고 노력하고 있어요.

29 I forgot my lines _____ _____ _____ _____ the English speaking constest.
나는 영어 말하기 대회 도중에 대사를 잊어버렸어.

30 Thanks for _____ me _____ _____ to the train station.
저를 기차역까지 태워 주셔서 고마워요.

Answers p.66

Word Check — 영어는 우리말로, 우리말은 영어로 써 보기

01	guide	_____	13	외로운
02	inside	_____	14	초보자
03	tie	_____	15	조심하는
04	weekly	_____	16	운전 면허증
05	realize	_____	17	궁궐
06	blow	_____	18	리본
07	expect	_____	19	부모
08	hang	_____	20	머무름
09	outdoor	_____	21	전교 회장
10	table tennis	_____	22	게시하다
11	per	_____	23	누르다
12	go for a walk	_____	24	여행 가방

Expression Check — 알맞은 표현을 넣어 문장 완성하기

25 I'll _____ my _____ _____ for you. 너에게 행운을 빌게.

26 Can I _____ _____ _____ for tomorrow morning? 내일 오전에 예약할 수 있을까요?

27 I'll drive more slowly _____ _____ _____. 이제부터는 더 천천히 운전할게요.

28 _____ _____ _____, I'm entering the T-shirt design contest.
너도 알다시피, 나는 티셔츠 디자인 경연 대회에 나갈 거야.

29 People use this to _____ _____ _____ _____ floors in a building.
사람들은 건물 안에서 층을 오르내리기 위해 이것을 사용합니다.

30 I _____ _____ _____ _____, and my throat hurts.
저는 콧물이 나고, 목도이 아파요.

01 다음을 듣고, 'I'가 무엇인지 가장 적절한 것을 고르시오.

① ② ③ ④ ⑤

02 대화를 듣고, 남자가 구입할 스웨터로 가장 적절한 것을 고르시오.

① ② ③ ④ ⑤

03 다음을 듣고, 주말의 날씨로 가장 적절한 것을 고르시오.

① ② ③ ④ ⑤

04 대화를 듣고, 남자가 한 마지막 말의 의도로 가장 적절한 것을 고르시오.

① 위로   ② 부탁   ③ 제안
④ 승낙   ⑤ 칭찬

05 대화를 듣고, 무엇에 관한 내용인지 가장 적절한 것을 고르시오.

① 병 던지기 게임   ② 꽃 심는 방법
③ 화분 만드는 방법   ④ 쓰레기 분리수거
⑤ 플라스틱병의 재활용

06 대화를 듣고, 두 사람이 만날 시각을 고르시오.

① 3:30 p.m.   ② 4:00 p.m.
③ 4:30 p.m.   ④ 5:00 p.m.
⑤ 5:30 p.m.

07 대화를 듣고, 남자가 여름 방학에 한 일로 언급하지 않은 것을 고르시오.

① 조부모님 방문하기   ② 바다에서 수영하기
③ 말 타는 것 배우기   ④ 사촌들과 등산하기
⑤ 삼촌과 낚시하기

08 대화를 듣고, 남자의 심정으로 가장 적절한 것을 고르시오.

① bored   ② upset   ③ proud
④ worried   ⑤ excited

09 대화를 듣고, 두 사람이 대화하는 장소로 가장 적절한 곳을 고르시오.

① 사진관   ② 정육점   ③ 식당 앞
④ 매표소   ⑤ 마트 계산대

10 다음을 듣고, 선수들이 준비할 물건이 아닌 것을 고르시오.

① 냉수   ② 축구화   ③ 수건
④ 축구공   ⑤ 유니폼

11 대화를 듣고, 두 사람이 이용할 교통수단으로 가장 적절한 것을 고르시오.

① 버스　　② 택시　　③ 지하철
④ 자전거　　⑤ 자가용

12 대화를 듣고, 여자가 티셔츠를 교환하려는 이유로 가장 적절한 것을 고르시오.

① 사이즈가 맞지 않아서
② 소매에 구멍이 나 있어서
③ 색깔이 마음에 들지 않아서
④ 단추가 떨어져서
⑤ 소매가 너무 짧아서

13 대화를 듣고, 남자가 이번 주말에 할 일로 가장 적절한 것을 고르시오.

① 머리 자르기　　② 파마하기
③ 미술 전시회 열기　　④ 미술 숙제하기
⑤ 미술 전시회 가기

14 대화를 듣고, 남자가 찾고 있는 휴대 전화의 위치로 가장 적절한 것을 고르시오.

15 대화를 듣고, 남자가 여자에게 부탁한 일로 가장 적절한 것을 고르시오.

① 글쓰기　　② 인터뷰하기
③ 사진 찍기　　④ 만화 그리기
⑤ 신문 만들기

16 대화를 듣고, 과학 실험실이 있는 층을 고르시오.

① 1층　　② 2층　　③ 3층
④ 4층　　⑤ 5층

17 대화를 듣고, 남자의 직업으로 가장 적절한 것을 고르시오.

① 경찰관　　　　② 호텔 직원
③ 시청 직원　　　　④ 택시 기사
⑤ 음식점 배달원

18 대화를 듣고, 여자가 남자에게 제안한 것으로 가장 적절한 것을 고르시오.

① 친구와 토론하기
② 함께 팀 과제 하기
③ 친구에게 사과하기
④ 쉽게 화내지 않기
⑤ 친구에게 선물하기

[19-20] 대화를 듣고, 여자의 마지막 말에 이어질 남자의 응답으로 가장 적절한 것을 고르시오.

19 Man: _____

① That sounds great.
② Three times a week.
③ I had a very good time.
④ I'm happy to meet you.
⑤ Sometimes I miss easy balls.

20 Man: _____

① She teaches math.
② I'm very proud of you.
③ You can say that again.
④ I like puzzles very much.
⑤ I don't know how to solve it.

Dictation 15회

01 화제 파악

다음을 듣고, 'I'가 무엇인지 가장 적절한 것을 고르시오.

Sound Clear ☆ **weigh**
gh가 묵음이라서 [웨이]로 발음된다.

M I'm _____ _____ _____ in the world. I am a bird, but I can't fly. I weigh a lot. I _____ _____ _____ _____ and a small head. My eyes are big, and my legs are long. I can _____ _____ _____. What am I?

---

02 그림 정보 파악 ✽

대화를 듣고, 남자가 구입할 스웨터로 가장 적절한 것을 고르시오.

① ② ③
④ ⑤

W May I help you?
M Yes. I'd like to _____ _____ _____ _____ my sister.
W Okay. How about this one with the star in the middle?
M _____ _____. But do you have a sweater with a round neck?
  (함정)
W Hmm... we _____ _____ _____ _____ with a heart.
M The one with the heart is good. I'll take it.
  (정답 단서)

---

03 특정 정보 파악

다음을 듣고, 주말의 날씨로 가장 적절한 것을 고르시오.

W Good morning. Here is the weather report for this week. It's going to rain this afternoon, so _____ _____ _____ _____ your umbrellas with you. Tomorrow, it will be clear and warm. But it will be windy and cold
  (함정)   (정답 단서)
_____ _____ _____ _____ _____.

04 의도 파악

대화를 듣고, 남자가 한 마지막 말의 의도로 가장 적절한 것을 고르시오.

① 위로   ② 부탁   ③ 제안
④ 승낙   ⑤ 칭찬

W What do you usually do in your free time?
M I enjoy riding my bike _____ _____ _____.
W Wow, that would be so refreshing.
M It is. You can _____ _____ _____.
W Why don't we ride our bikes together this Saturday?
M Good! _____ _____ _____ _____.
    정답 단서

05 주제 파악

대화를 듣고, 무엇에 관한 내용인지 가장 적절한 것을 고르시오.

① 병 던지기 게임   ② 꽃 심는 방법
③ 화분 만드는 방법   ④ 쓰레기 분리수거
⑤ 플라스틱병의 재활용

Sound Clear ☆ **bottle**
[t]가 [l] 앞에서 약화되어 [바를]로 발음된다.

M Sora, don't throw the plastic bottle☆ away.
W _____ _____ _____. I don't need it.
M You never know. We can _____ _____ _____ with plastic bottles.
W Like what?
M Look at this flowerpot. I _____ _____ _____.
W That's great!

06 숫자 정보 파악

대화를 듣고, 두 사람이 만날 시각을 고르시오.

① 3:30 p.m.   ② 4:00 p.m.
③ 4:30 p.m.   ④ 5:00 p.m.
⑤ 5:30 p.m.

W Jake, do you _____ _____ _____ _____
   Toy Land with me tomorrow?
M Of course. What time does the movie start?
W It _____ _____ 5:00 p.m. What time should we meet?
     함정
M Let's meet at 4:30.
     함정
W How about meeting at 4:00 and eating some snacks?
     정답 단서
M Okay. See you then _____ _____ _____ _____ _____.

07 언급하지 않은 것 찾기

대화를 듣고, 남자가 여름 방학에 한 일로 언급하지 <u>않은</u> 것을 고르시오.

① 조부모님 방문하기
② 바다에서 수영하기
③ 말 타는 것 배우기
④ 사촌들과 등산하기
⑤ 삼촌과 낚시하기

W How was _____ _____ _____?
M It was great. I visited my grandparents in Jeju-do.
W What did you do there?
M I _____ _____ _____ _____ and learned to ride a horse.
W Wow, that sounds fun.
M Yeah. I also _____ _____ _____ _____ _____.

08 심정 추론 ✳

대화를 듣고, 남자의 심정으로 가장 적절한 것을 고르시오.

① bored　② upset　③ proud
④ worried　⑤ excited

W　Jack, _____ _____ _____ _____ your school field trip?

M　Of course, Mom. I already finished packing my bag.

W　It may get cold, so _____ _____ _____ _____.

M　Don't worry. It'll be warm this week. I checked the weather forecast.

W　I see. You should _____ _____ _____ _____.

M　Yes, I will. Oh, I can't wait for the trip.
　　　　　　　　　　정답 단서

09 장소 추론

대화를 듣고, 두 사람이 대화하는 장소로 가장 적절한 곳을 고르시오.

① 사진관　② 정육점　③ 식당 앞
④ 매표소　⑤ 마트 계산대

W　Wow, the line is so long.

M　This restaurant _____ _____ _____ its pork cutlets.

W　Really? _____ _____ _____ _____?

M　Yeah. This is a very hot place with people _____ _____ _____.

W　I didn't know that.

M　The food pictures from here are always trending.

W　I see why _____ _____ _____ _____ _____.

10 특정 정보 파악

다음을 듣고, 선수들이 준비할 물건이 <u>아닌</u> 것을 고르시오.

① 냉수　② 축구화　③ 수건
④ 축구공　⑤ 유니폼

M　We _____ _____ _____ _____ tomorrow. Come to school by 10 o'clock. _____ _____ _____, please. Bring cold water, soccer shoes, and a towel. And don't
　　　　　　　　　　　　　　☆
forget to bring your extra uniform. _____ _____
　　　　　정답 단서
_____ _____ tonight. See you tomorrow.
　　정답 단서

Sound Clear ☆　towel

'타월'은 실제로 [타우얼]처럼 발음된다. [r]로 끝나는 tower(타워)와 구분하여 알아 둔다.

11 특정 정보 파악

대화를 듣고, 두 사람이 이용할 교통수단으로 가장 적절한 것을 고르시오.

① 버스　　② 택시　　③ 지하철
④ 자전거　　⑤ 자가용

W　We'll be late for the concert. _____ _____ _____!
M　Look. The bus is coming. Run!
W　Wait, Kevin! _____ _____ _____ _____.
M　Why not?
W　_____ _____ _____ a taxi.
M　Hmm... why don't we _____ _____ _____? There may be a traffic jam.
W　All right.

12 이유 파악　　✖

대화를 듣고, 여자가 티셔츠를 교환하려는 이유로 가장 적절한 것을 고르시오.

① 사이즈가 맞지 않아서
② 소매에 구멍이 나 있어서
③ 색깔이 마음에 들지 않아서
④ 단추가 떨어져서
⑤ 소매가 너무 짧아서

M　Hello. Can I help you?
W　Yes, please. _____ _____ _____ this T-shirt.
M　Why? Is there a problem? _____ _____ _____ well?
W　I found a small hole in the sleeve.
M　Oh, I'm sorry about that. I will _____ _____ _____ _____ right now.

13 할 일 파악

대화를 듣고, 남자가 이번 주말에 할 일로 가장 적절한 것을 고르시오.

① 머리 자르기　　② 파마하기
③ 미술 전시회 열기　　④ 미술 숙제하기
⑤ 미술 전시회 가기

Sound Clear ☆　exhibition
h가 묵음이라서 [엑시비션]으로 발음된다.

M　Jiyeon, what are you _____ _____ _____ _____ _____?
W　I'm going to visit the beauty shop.
M　Are you going to _____ _____ _____?
W　No. I'm just going to get a haircut. What are you going to do?
M　I'm going to _____ _____ _____ _____. My favorite artist is having an exhibition.
W　That sounds fun.

14 위치 찾기

대화를 듣고, 남자가 찾고 있는 휴대 전화의 위치로 가장 적절한 것을 고르시오.

M　Mom, _____ _____ _____ my phone?
W　Your phone? No, I haven't.
M　I _____ _____ _____ _____ _____, but it isn't there.
W　Could it be under the chair?
M　No. I already checked, but _____ _____ _____.
W　How about on the bookshelf?
M　Um... (*Pause*) oh, _____ _____ _____. It was on my bed.

15 부탁한 일 파악

대화를 듣고, 남자가 여자에게 부탁한 일로 가장 적절한 것을 고르시오.

① 글쓰기   ② 인터뷰하기
③ 사진 찍기   ④ 만화 그리기
⑤ 신문 만들기

M We're making a school newsletter. _____ _____ _____ _____ , Emma?

W Sure. What can I do for you?

M We need a story and cartoons. Are you _____ _____ _____ _____ ?

W No, I'm not good at writing. But I _____ _____ _____ .

M Great. Then can you draw cartoons for us?

W Okay. I'll _____ _____ _____ _____ .

정답 단서

---

16 특정 정보 파악

대화를 듣고, 과학 실험실이 있는 층을 고르시오.

① 1층   ② 2층   ③ 3층
④ 4층   ⑤ 5층

Sound Clear ☆ **second floor**
자음 세 개가 연속으로 나오면 중간 자음의 발음이 약화되어 [세컨플로어]로 발음된다.

M Excuse me. Can you help me?

W Sure. What is it?

M _____ _____ _____ _____ _____ at this school. I'm looking for the computer lab and the gym.

W The computer lab is _____ _____ _____ _____ , and the gym is on the fourth floor.

M Okay, and where is the science lab?
한정

W It is on the second floor. Do you _____ _____ _____ ?
☆   정답 단서

M That's okay. Thanks a lot.

---

17 직업 추론   ✤

대화를 듣고, 남자의 직업으로 가장 적절한 것을 고르시오.

① 경찰관   ② 호텔 직원
③ 시청 직원   ④ 택시 기사
⑤ 음식점 배달원

M Good morning. Where to, ma'am?

W I need to go to City Hotel.

M Okay. It will take about _____ _____ _____ _____ .

W Oh, it's 9:45 now. Can you _____ _____ _____ _____ ?

M No problem. _____ _____ _____ _____ _____ .

W Thank you. I need to be there by 10:00.

18 제안한 것 파악

대화를 듣고, 여자가 남자에게 제안한 것으로 가장 적절한 것을 고르시오.

① 친구와 토론하기
② 함께 팀 과제 하기
③ 친구에게 사과하기
④ 쉽게 화내지 않기
⑤ 친구에게 선물하기

Sound Clear ☆ **matter**

[t]가 모음 사이에서 약화되어 [매러]로 발음된다.

W Brian, you _____ _____. What's the matter?
M I _____ _____ _____ _____ Tim yesterday.
W What did you fight about?
M We fought about our team project. He _____ _____ _____.
W Oh, no. Why don't you apologize to him?
M Okay. I'll _____ _____ _____ _____ right now.

19 마지막 말에 이어질 응답 찾기

대화를 듣고, 여자의 마지막 말에 이어질 남자의 응답으로 가장 적절한 것을 고르시오.

Man: _____

① That sounds great.
② Three times a week.
③ I had a very good time.
④ I'm happy to meet you.
⑤ Sometimes I miss easy balls.

W What do you usually do _____ _____ _____?
M I usually play sports. I like all kinds of sports.
W _____ _____ _____ _____?
M My favorite sport is baseball. Baseball is very exciting.
W Oh, that's my favorite sport, too. Why don't we _____ _____ _____ _____ this weekend?
M That sounds great.

20 마지막 말에 이어질 응답 찾기

대화를 듣고, 여자의 마지막 말에 이어질 남자의 응답으로 가장 적절한 것을 고르시오.

Man: _____

① She teaches math.
② I'm very proud of you.
③ You can say that again.
④ I like puzzles very much.
⑤ I don't know how to solve it.

W I _____ _____ _____ _____.
M Do you want my help?
W Sure. It shouldn't be too difficult, but I can't think of _____ _____ _____ _____.
M Let me see. (*Pause*) I think you can _____ _____ _____ _____.
W Oh, I see. I didn't think of that. Two heads are _____ _____ _____.
M You can say that again.

1.0배속

1.2배속

01 다음을 듣고, 대전의 내일 날씨로 가장 적절한 것을 고르시오.

①

②

③

④

⑤

02 대화를 듣고, 남자가 쓸 모자로 가장 적절한 것을 고르시오.

①

②

③

④

⑤

03 다음을 듣고, 'this'가 가리키는 것으로 가장 적절한 것을 고르시오.

①

②

③

④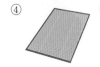

⑤

04 대화를 듣고, 남자의 장래 희망으로 가장 적절한 것을 고르시오.

① 축구 선수 　② 영화감독 　③ 소방관
④ 파일럿 　⑤ 수학 선생님

05 대화를 듣고, 남자가 한 마지막 말의 의도로 가장 적절한 것을 고르시오.

① 초대 　② 동의 　③ 충고
④ 승낙 　⑤ 거절

06 다음을 듣고, 무엇에 관한 내용인지 가장 적절한 것을 고르시오.

① 건강 관리법 　② 행복의 조건
③ 건강의 중요성 　④ 사랑과 우정의 차이
⑤ 돈과 행복의 상관관계

07 대화를 듣고, 남자가 예약한 시각을 고르시오.

① 9:30 a.m. 　② 10:00 a.m. 　③ 10:30 a.m.
④ 11:00 a.m. 　⑤ 11:30 a.m.

08 대화를 듣고, 두 사람이 대화하는 장소로 가장 적절한 것을 고르시오.

① 서점 　② 우체국 　③ 식당
④ 꽃 가게 　⑤ 제과점

09 대화를 듣고, 여자의 심정으로 가장 적절한 것을 고르시오.

① happy 　② worried 　③ angry
④ bored 　⑤ excited

10 대화를 듣고, 남자가 거스름돈으로 받을 금액을 고르시오.

① $1 　② $2 　③ $3
④ $4 　⑤ $5

11 대화를 듣고, 여자가 남자에게 제안한 것으로 가장 적절한 것을 고르시오.

① 가상 현실(VR) 게임   ② 컴퓨터 게임
③ 뮤지컬 관람   ④ 농구 연습
⑤ 야구 경기 관람

12 대화를 듣고, 남자가 전화한 이유로 가장 적절한 것을 고르시오.

① 주문한 컴퓨터를 받지 못해서
② 구입한 컴퓨터가 고장 나서
③ 컴퓨터 매장의 위치를 물어보려고
④ 주문한 것과 다른 컴퓨터가 와서
⑤ 컴퓨터를 하나 더 구입하려고

13 대화를 듣고, 두 사람의 관계로 가장 적절한 것을 고르시오.

① 의사 – 환자   ② 교사 – 학부모
③ 판매원 – 구매자   ④ 시계 수리공 – 고객
⑤ 시험 감독관 – 학생

14 대화를 듣고, 하나중학교의 위치로 가장 알맞은 것을 고르시오.

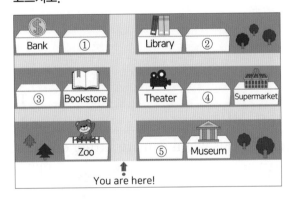

15 대화를 듣고, 여자가 다크서클을 없애는 방법으로 언급하지 <u>않은</u> 것을 고르시오.

① 충분히 자기   ② 적당한 운동하기
③ 물 많이 마시기   ④ 비타민 C 섭취하기
⑤ 눈 아래에 따뜻한 티백 올려놓기

16 대화를 듣고, 두 사람이 오늘 저녁에 할 일로 가장 적절한 것을 고르시오.

① 저녁상 차리기
② 집안 대청소하기
③ 케이크 사기
④ 쿠키 만들고 카드 쓰기
⑤ 선물 사고 안마해 드리기

17 대화를 듣고, 여자가 이용할 교통수단으로 가장 적절한 것을 고르시오.

① 버스   ② 택시   ③ 기차
④ 지하철   ⑤ 자가용

18 대화를 듣고, 두 사람의 대화가 <u>어색한</u> 것을 고르시오.

①   ②   ③   ④   ⑤

[19-20] 대화를 듣고, 남자의 마지막 말에 이어질 여자의 응답으로 가장 적절한 것을 고르시오.

19 Woman: _____

① It looks great on you.
② You can use it all the time.
③ I think it's a good choice for you.
④ Go straight this way and turn left.
⑤ I'd like to buy a present for my father.

20 Woman: _____

① Sure. Here you are.
② Okay. See you then.
③ No. I don't like reading.
④ What a great library it is!
⑤ It opens from 9 a.m. to 8 p.m.

01 특정 정보 파악

다음을 듣고, 대전의 내일 날씨로 가장 적절한 것을 고르시오.

① ② ③

④  ⑤

W Good evening, everyone. Here is tomorrow's weather forecast. _____ _____ _____ _____ _____ in Busan. It's going to rain in Daegu while it's going to get very cloudy in Daejeon. In Jeonju, you will see clear skies _____ _____ _____.

02 그림 정보 파악 ✲

대화를 듣고, 남자가 쓸 모자로 가장 적절한 것을 고르시오.

① ②  ③

④  ⑤

W What are you going to wear on Halloween?
M _____ _____ _____ _____ as a wizard this year.
W A wizard? You _____ _____ _____ _____ _____.
M Of course. I'll wear a big hat with small dots on it.
W _____ _____ _____. How about small stars on it?
M That's a good idea.

03 화제 파악

다음을 듣고, 'this'가 가리키는 것으로 가장 적절한 것을 고르시오.

① ② ③

④ ⑤

W This comes in _____ _____ _____ _____. This is usually very soft and _____ _____ _____ or duck down. You can use this when you are sitting on the sofa or in a chair. When you can lean on this, this will _____ _____ _____ _____. What is this?

Sound Clear ☆ **lean on**
앞 단어의 끝 자음과 뒤 단어의 모음이 만나 연음되어 [리넌]으로 발음된다.

04 특정 정보 파악

대화를 듣고, 남자의 장래 희망으로 가장 적절한 것을 고르시오.

① 축구 선수　② 영화감독　③ 소방관
④ 파일럿　⑤ 수학 선생님

M Susan, I _____ _____ _____ in the final game yesterday.

W Really? Great!

M Thanks. I _____ _____ _____ _____.

W Do you want to be a soccer player?

M No. I play soccer _____ _____ _____. I'd like to be a pilot. What about you?

W I'm _____ _____ _____. I want to be a math teacher.

05 의도 파악

대화를 듣고, 남자가 한 마지막 말의 의도로 가장 적절한 것을 고르시오.

① 초대　② 동의　③ 충고
④ 승낙　⑤ 거절

W What a nice bike!

M I _____ _____ _____ _____ _____ in my town.

W At a market in your town?

M Yes. There are so many _____ _____ _____ there.

W I want to go there. Can you come with me this Saturday?

M I'm sorry, but I can't. I have to _____ _____ _____ _____ _____.

06 주제 파악

다음을 듣고, 무엇에 관한 내용인지 가장 적절한 것을 고르시오.

① 건강 관리법　② 행복의 조건
③ 건강의 중요성　④ 사랑과 우정의 차이
⑤ 돈과 행복의 상관관계

M What's _____ _____ _____ _____ in life? _____ _____ _____ money is the most important thing. Of course, money is important, but I think health is the most important. If you lose your health, you can lose _____ _____ _____ _____.

정답 단서

07 숫자 정보 파악

대화를 듣고, 남자가 예약한 시각을 고르시오.

① 9:30 a.m.　② 10:00 a.m.
③ 10:30 a.m.　④ 11:00 a.m.
⑤ 11:30 a.m.

M Hello. I'd like to _____ _____ _____ _____ Dr. Johnson.

W He can see you on Thursday morning.

M _____ _____ _____ _____.

W Then how about 10 o'clock?

M Hmm, can we make it at 11 o'clock?

☆ *한정*

정답 단서

W All right. Can I _____ _____ _____, please?

M My name is James Park. Thank you.

08 장소 추론

대화를 듣고, 두 사람이 대화하는 장소로 가장 적절한 곳을 고르시오.

① 서점　　② 우체국　　③ 식당
④ 꽃 가게　　⑤ 제과점

W Good afternoon. How may I help you?
M Today is ＿＿＿ ＿＿＿ ＿＿＿, so I'd like to buy some flowers for her.
W ＿＿＿ ＿＿＿ ＿＿＿ ＿＿＿ would you like?
M Hmm... she likes roses. Can you make ＿＿＿ ＿＿＿ ＿＿＿ ＿＿＿ with red roses?
W Sure. Your girlfriend will love them.

09 심정 추론

대화를 듣고, 여자의 심정으로 가장 적절한 것을 고르시오.

① happy　　② worried　　③ angry
④ bored　　⑤ excited

W My dog is sick, so he is ＿＿＿ ＿＿＿ ＿＿＿ ＿＿＿ now.
M Really? What's wrong with him?
W He ＿＿＿ ＿＿＿ ＿＿＿ yesterday. The doctor said he had a cold.
M I'm sorry to hear that.
W I hope ＿＿＿ ＿＿＿ ＿＿＿ soon.
M ＿＿＿ ＿＿＿! I'm sure he'll be okay in no time.

10 숫자 정보 파악

대화를 듣고, 남자가 거스름돈으로 받을 금액을 고르시오.

① $1　　② $2　　③ $3
④ $4　　⑤ $5

W ＿＿＿ ＿＿＿ ＿＿＿ ＿＿＿?
M Yes, please. How much is this baseball cap?
W It's $35.
M Oh, ＿＿＿ ＿＿＿ ＿＿＿. Then how much is the white one over there?
W It was $30, but ＿＿＿ ＿＿＿ ＿＿＿. So you can get it for $27.
M Okay. ＿＿＿ ＿＿＿ ＿＿＿. Here's $30.

11 제안한 것 파악

대화를 듣고, 여자가 남자에게 제안한 것으로 가장 적절한 것을 고르시오.

① 가상 현실(VR) 게임 ② 컴퓨터 게임
③ 뮤지컬 관람　　④ 농구 연습
⑤ 야구 경기 관람

Sound Clear ☆ **sold out**
앞 단어의 끝 자음과 뒤 단어의 첫 모음이 만나 연음되어 [솔다웃]으로 발음된다.

M What do you want to do this weekend?
W How about going to the ballpark?
M I ＿＿＿ ＿＿＿ ＿＿＿ ＿＿＿, but they were sold out.
W Then why don't we play VR games?
M VR games? ＿＿＿ ＿＿＿ ＿＿＿ virtual reality games?
W Yes. We'll ＿＿＿ ＿＿＿ ＿＿＿ ＿＿＿ ＿＿＿.

12 　이유 파악 ✳

대화를 듣고, 남자가 전화한 이유로 가장 적절한 것을 고르시오.

① 주문한 컴퓨터를 받지 못해서
② 구입한 컴퓨터가 고장 나서
③ 컴퓨터 매장의 위치를 물어보려고
④ 주문한 것과 다른 컴퓨터가 와서
⑤ 컴퓨터를 하나 더 구입하려고

(*Telephone rings.*)

W _____ _____ _____ SG Shop. How can I help you?

M Hello. I ordered a computer last week, but I haven't received it yet. 정답 단서

W Oh, really? Please tell me _____ _____ _____ _____.

M Tom Hunt. My address is 123 High Street.

W Oh, I'm really sorry. We _____ _____ _____ to a different address.

M Please send it to me _____ _____ _____ _____.

13 　관계 추론

대화를 듣고, 두 사람의 관계로 가장 적절한 것을 고르시오.

① 의사 – 환자
② 교사 – 학부모
③ 판매원 – 구매자
④ 시계 수리공 – 고객
⑤ 시험 감독관 – 학생

Sound Clear ☆ **battery**

[t]가 모음 사이에서 약화되어 [배러뤼]로 발음된다.

M Can I help you?

W Yes. I think there is _____ _____ _____ my watch.

M Okay. Let me check it.

W _____ _____ _____ _____ the problem?

M I think the battery is almost dead. You need to change the battery.

W Okay. How long will it take _____ _____ _____ _____?

M It'll take about 10 minutes.

14 　위치 찾기

대화를 듣고, 하나중학교의 위치로 가장 알맞은 것을 고르시오.

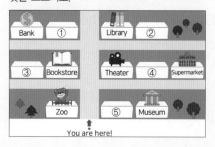

W Excuse me. _____ _____ _____ _____ _____ Hana Middle School from here?

M Are you going to walk? It's a little far from here.

W Yes, I'm _____ _____ _____.

M Go straight two blocks and turn left. Then, you'll see it 정답 단서 _____ _____ _____.

W I see. How long will it take?

M _____ _____ _____ _____, it will take about 10 minutes.

15 언급하지 않은 것 찾기 ✳

대화를 듣고, 여자가 다크서클을 없애는 방법으로 언급하지 <u>않은</u> 것을 고르시오.

① 충분히 자기
② 적당한 운동하기
③ 물 많이 마시기
④ 비타민 C 섭취하기
⑤ 눈 아래에 따뜻한 티백 올려놓기

Sound Clear ☆ **vitamin**

미국식은 [바이러민], 영국식은 [비터민]으로 발음된다.

W Mark, you have ＿＿＿＿ ＿＿＿＿ ＿＿＿＿ ＿＿＿＿ ＿＿＿＿.

M Yes. Do you know how to remove them?

W Sure. You just have to ＿＿＿＿ ＿＿＿＿ ＿＿＿＿ ＿＿＿＿. Drink a lot of water, too.

M Okay. What else?

W ＿＿＿＿ ＿＿＿＿ ＿＿＿＿ under your eyes. Taking vitamin C might be good, too.

M I see. Thanks.

16 할 일 파악

대화를 듣고, 두 사람이 오늘 저녁에 할 일로 가장 적절한 것을 고르시오.

① 저녁상 차리기
② 집안 대청소하기
③ 케이크 사기
④ 쿠키 만들고 카드 쓰기
⑤ 선물 사고 안마해 드리기

W Mom ＿＿＿＿ ＿＿＿＿ ＿＿＿＿ these days.

M You're right.

W Let's ＿＿＿＿ ＿＿＿＿ ＿＿＿＿ for her this evening.

M Okay. How about baking cookies for her?

W Sounds good. ＿＿＿＿ ＿＿＿＿ ＿＿＿＿ ＿＿＿＿ ＿＿＿＿? (정답 단서)

M We can write her a card.

W Great idea! She will ＿＿＿＿ ＿＿＿＿ ＿＿＿＿ ＿＿＿＿. (정답 단서)

17 특정 정보 파악

대화를 듣고, 여자가 이용할 교통수단으로 가장 적절한 것을 고르시오.

① 버스　　② 택시　　③ 기차
④ 지하철　　⑤ 자가용

W I'm going on a camping trip with my family this weekend.

M ＿＿＿＿ ＿＿＿＿ ＿＿＿＿! How will you go there?

W We had planned to drive there, but we ＿＿＿＿ ＿＿＿＿ ＿＿＿＿. (한정)

M Then will you ＿＿＿＿ ＿＿＿＿ ＿＿＿＿ ＿＿＿＿?

W No. We are planning to go there by train.

M Good! I think that will be ＿＿＿＿ ＿＿＿＿. (정답 단서)

18 어색한 대화 찾기

대화를 듣고, 두 사람의 대화가 <u>어색한</u> 것을 고르시오.

①   ②   ③   ④   ⑤

Sound Clear ☆ **join us**

앞 단어의 끝 자음과 뒤 단어의 모음이 만나 연음되어 [조이너스]로 발음된다.

① **W**   Where is the bookstore?

   M   It's _____ _____ _____ _____ _____.

② **W**   What do you want to be in the future?

   M   I want to be a movie star.

③ **W**   Would you like to join☆ us?

   M   Sorry, but I can't. I have to _____ _____ _____ at that time.

④ **W**   How are you doing?

   M   Pretty good. I _____ _____ _____ _____ _____ in my new school.

⑤ **W**   I'm always tired. What should I do?

   M   I _____ _____ _____, too.

19 마지막 말에 이어질 응답 찾기

대화를 듣고, 남자의 마지막 말에 이어질 여자의 응답으로 가장 적절한 것을 고르시오.

Woman: _____

① It looks great on you.
② You can use it all the time.
③ I think it's a good choice for you.
④ Go straight this way and turn left.
⑤ I'd like to buy a present for my father.

W   Welcome to Wilson's Department Store. May I help you?

M   Yes. I'm looking for men's clothes. _____ _____ _____ _____ them?

W   They're _____ _____ _____ _____.

M   Thanks. Where is the elevator?

W   <u>Go straight this way and turn left.</u>

20 마지막 말에 이어질 응답 찾기

대화를 듣고, 남자의 마지막 말에 이어질 여자의 응답으로 가장 적절한 것을 고르시오.

Woman: _____

① Sure. Here you are.
② Okay. See you then.
③ No. I don't like reading.
④ What a great library it is!
⑤ It opens from 9 a.m. to 8 p.m.

M   What are you doing?

W   I'm doing my homework, but _____ _____ _____ _____.

M   What is it? Can I help you with it?

W   _____ _____ _____ _____, but aren't you busy?

M   I'm free after 2 o'clock. _____ _____ _____ in the library at 3?

W   <u>Okay. See you then.</u>

Review Test

Word Check 영어는 우리말로, 우리말은 영어로 써 보기

01	traffic jam		13	(몸에) 맞다
02	science lab		14	축구화
03	bookshelf		15	여분의
04	along		16	구멍
05	refreshing		17	현장 학습
06	get a haircut		18	체육관
07	weigh		19	소매
08	movie theater		20	화분
09	grandparents		21	전시회
10	trending		22	교환하다
11	apologize		23	이런 식으로
12	popular		24	풀다

Expression Check 알맞은 표현을 넣어 문장 완성하기

25 You should _____ _____ your teacher. 너는 선생님 말씀을 잘 들어야 해.

26 We'll _____ _____ _____ the concert. 우리 콘서트에 늦겠어.

27 I'll _____ it _____ _____. 내가 한번 해 볼게.

28 I like _____ _____ _____ sports. 난 모든 종류의 운동을 좋아해.

29 I _____ _____ _____ with Tim yesterday. 나는 어제 Tim과 말다툼을 했어.

30 This restaurant _____ _____ _____ its pork cutlets. 이 식당은 돈가스로 유명해.

Answers p.75

Word Check 영어는 우리말로, 우리말은 영어로 써 보기

01 while _____

02 wizard _____

03 sold out _____

04 various _____

05 lean on _____

06 simple _____

07 for fun _____

08 expensive _____

09 plenty of _____

10 have a fever _____

11 get better _____

12 dress up _____

13 편리한 _____

14 편안한 _____

15 할인 중인 _____

16 걸어서 _____

17 중요한 _____

18 모양 _____

19 받다 _____

20 선물 _____

21 선택 _____

22 다른 _____

23 백화점 _____

24 (건전지가) 방전된 _____

Expression Check 알맞은 표현을 넣어 문장 완성하기

25 This _____ _____ _____ cotton or duck down. 이것은 솜이나 오리털로 가득 차 있습니다.

26 Do you know _____ _____ _____ dark circles? 너 다크서클을 없애는 방법 알아?

27 I'm sure he'll be okay _____ _____ _____. 틀림없이 곧 괜찮아질 거야.

28 Please send it to me _____ _____ _____ _____. 저에게 가능한 한 빨리 보내 주세요.

29 I _____ two _____ in the final game yesterday. 나는 어제 결승전에서 두 골을 넣었어.

30 If you lose your health, you can lose _____ money _____ happiness.
만약 당신이 건강을 잃는다면, 당신은 돈과 행복을 모두 잃을 수 있습니다.

1.0배속 1.2배속

01 다음을 듣고, 'this'가 가리키는 것으로 가장 적절한 것을 고르시오.

① ② ③
④ ⑤

02 대화를 듣고, 두 사람이 구입할 풍선으로 가장 적절한 것을 고르시오.

① ② ③
④ ⑤

03 다음을 듣고, 도쿄의 오늘 날씨로 가장 적절한 것을 고르시오.

① ② ③
④ ⑤

04 대화를 듣고, 여자가 오늘 일어난 시각을 고르시오.

① 5:00 a.m. ② 5:30 a.m. ③ 6:30 a.m.
④ 7:00 a.m. ⑤ 7:30 a.m.

05 다음을 듣고, 여자가 일기에 적는 내용으로 언급하지 않은 것을 고르시오.

① 날씨 ② 식단
③ 일상적인 활동 ④ 자신의 생각
⑤ 미래의 계획

06 대화를 듣고, 여자의 심정으로 가장 적절한 것을 고르시오.

① 흥분한 ② 부끄러운
③ 자랑스러운 ④ 실망한
⑤ 걱정스러운

07 대화를 듣고, 남자의 장래 희망으로 가장 적절한 것을 고르시오.

① 작가 ② 과학자
③ 신문 기자 ④ 수학 선생님
⑤ 과학 선생님

08 대화를 듣고, 남자가 한 마지막 말의 의도로 가장 적절한 것을 고르시오.

① 조언 ② 승낙 ③ 거절
④ 격려 ⑤ 사과

09 대화를 듣고, 무엇에 관한 내용인지 가장 적절한 것을 고르시오.

① 식당 예약 ② 예약 확인 ③ 예약 취소
④ 예약 변경 ⑤ 호텔 예약

10 대화를 듣고, 두 사람의 대화가 <u>어색한</u> 것을 고르시오.

① ② ③ ④ ⑤

11 대화를 듣고, 두 사람의 관계로 가장 적절한 것을 고르시오.

① 교사 – 학생　　　② 의사 – 환자
③ 서점 직원 – 손님　　④ 경찰관 – 시민
⑤ 잡지사 기자 – 작가

12 대화를 듣고, 남자가 전화한 이유로 가장 적절한 것을 고르시오.

① 수업을 취소하기 위해서
② 피아노를 구입하기 위해서
③ 대회 참가 신청을 하기 위해서
④ 수업 시간을 변경하기 위해서
⑤ 피아노 조율을 요청하기 위해서

13 대화를 듣고, 남자가 대화 직후에 할 일로 가장 적절한 것을 고르시오.

① 세차하기　　　　② 주차 다시 하기
③ CCTV 확인하기　④ 차량 수리비 주기
⑤ 주차 요금 지불하기

14 대화를 듣고, 두 사람이 찾고 있는 자동차 열쇠의 위치로 가장 적절한 것을 고르시오.

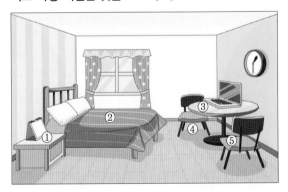

15 대화를 듣고, 남자가 대화 직후에 갈 곳을 고르시오.

① 집　　　② 은행　　　③ 옷 가게
④ 세탁소　⑤ 학교

16 대화를 듣고, 남자가 여자에게 요청한 일로 가장 적절한 것을 고르시오.

① 간식 사 오기　　　② 청소하기
③ 함께 장보기　　　④ 숙제 도와주기
⑤ 닭고기 요리해 주기

17 대화를 듣고, 두 사람이 대화하는 장소로 가장 적절한 곳을 고르시오.

① 버스 안　　　　② 택시 안
③ 공항 환전소　　④ 기차역 매표소
⑤ 극장 매표소

18 대화를 듣고, 여자가 주말에 한 일로 가장 적절한 것을 고르시오.

① 영화 감상하기　　② 카레라이스 만들기
③ 가족과 캠핑하기　④ 부모님 도와드리기
⑤ 박물관 견학하기

[19-20] 대화를 듣고, 남자의 마지막 말에 이어질 여자의 응답으로 가장 적절한 것을 고르시오.

19 Woman: _____

① Sure. It will be fun.
② That's a great idea!
③ He told me about it.
④ Okay. I won't forget.
⑤ I'm sorry to hear that.

20 Woman: _____

① Sure. Here you are.
② You did a good job!
③ No, I don't think so.
④ Yes, I'd love some. Thanks.
⑤ All right. Let's make it together.

받아쓰기용

01 화제 파악

다음을 듣고, 'this'가 가리키는 것으로 가장 적절한 것을 고르시오.

M This is a useful tool that we use _____ _____ _____ _____. People use this when they need to _____ _____ _____ _____. People also use this to cut _____ _____ _____ at restaurants. Hairdressers use this when they cut their customers' hair. What is this?

02 그림 정보 파악

대화를 듣고, 두 사람이 구입할 풍선으로 가장 적절한 것을 고르시오.

Sound Clear ☆ **should I**

[d]가 약화되고 뒤의 모음과 연음되어 [슈라이]로 발음된다.

W What should I buy for Hayeon?
M Hayeon likes heart shapes. She'll _____ _____ _____ _____.
W Then how about that heart-shaped balloon with the bear on it?
M That's cute. But how about _____ _____ _____ _____ _____?
W That heart-shaped balloon with the rabbit?
M Yes. _____ _____ 정답 단서 she'll love it.

03 특정 정보 파악

다음을 듣고, 도쿄의 오늘 날씨로 가장 적절한 것을 고르시오.

W This is _____ _____ _____ _____ _____. In Beijing, it is going to rain. Don't forget to carry your umbrella all day. It _____ _____ _____ 한정 in Seoul. In Hong Kong and Taipei, you will _____ _____ _____ _____ _____. Lastly, it will be cold and windy in Tokyo. 정답 단서

04 숫자 정보 파악

대화를 듣고, 여자가 오늘 일어난 시각을 고르시오.

① 5:00 a.m. ② 5:30 a.m.
③ 6:30 a.m. ④ 7:00 a.m.
⑤ 7:30 a.m.

M Did you finish your science homework?
W Yes. I _____ _____ _____ _____.
M Really? Did you get up early?
W Yeah. I got up two hours earlier than usual.
M What time do you _____ _____ _____ ? 정답 단서
W I usually get up at 7:30.
M Oh, you _____ _____ _____ _____.

05 언급하지 않은 것 찾기

다음을 듣고, 여자가 일기에 적는 내용으로 언급하지 않은 것을 고르시오.

① 날씨   ② 식단
③ 일상적인 활동 ④ 자신의 생각
⑤ 미래의 계획

Sound Clear ☆ **write about**
앞 단어의 끝 자음과 뒤 단어의 첫 모음이 만나 연음되어 [롸이러바웃]으로 발음된다.

W My name is Jina. I _____ _____ _____ _____ every day. I usually write about the weather or my daily activities. I like to _____ _____ _____ _____, too. Sometimes I write about my plans for the future. Keeping a diary _____ _____ _____ _____.

06 심정 추론

대화를 듣고, 여자의 심정으로 가장 적절한 것을 고르시오.

① 흥분한   ② 부끄러운
③ 자랑스러운   ④ 실망한
⑤ 걱정스러운

W Please _____ _____ _____ _____ now.
M Why not? I really want to watch the soccer game live.
W But the last episode of *Sky Land* is starting now. _____ _____ _____ _____.
M Don't you know? It's not going to be on TV this week.
W Oh, no. _____ _____ _____ to see it all week.

07 특정 정보 파악 �֎

대화를 듣고, 남자의 장래 희망으로 가장 적절한 것을 고르시오.

① 작가   ② 과학자
③ 신문 기자   ④ 수학 선생님
⑤ 과학 선생님

M Do you want to be a math teacher _____ _____ ? 한정
W No, I don't. I want to be a science teacher.
M Oh, really? _____ _____ _____ _____ ? 한정
W Yes. I'm very interested in science. What do you want _____ _____ _____ _____ _____ ?
M I want to be a famous writer. 정답 단서
W Wow! That's cool.

08 의도 파악

대화를 듣고, 남자가 한 마지막 말의 의도로 가장 적절한 것을 고르시오.

① 조언   ② 승낙   ③ 거절
④ 격려   ⑤ 사과

M Sandra, your singing and dancing are excellent.

W Oh, thanks. I'm _____ _____ _____ _____.

M You will perform in a musical? When is the performance?

W It will be _____ _____ _____ _____.

M How about the rehearsal?

W The rehearsal is tomorrow. I'm so nervous.

M Don't worry. You always _____ _____ _____
정답 단서
_____ _____.

09 주제 파악

대화를 듣고, 무엇에 관한 내용인지 가장 적절한 것을 고르시오.

① 식당 예약   ② 예약 확인
③ 예약 취소   ④ 예약 변경
⑤ 호텔 예약

Sound Clear ☆ **the evening**
모음 앞의 the는 [디]로 발음해서 [디이브닝]으로 발음된다.

(*Telephone rings.*)

M Hello. This is Jessica's Restaurant.

W Hello. I'd like to make a reservation for this Saturday.

M What time and _____ _____ _____
정답 단서
_____ _____ ?

W Six o'clock in the evening for four people.
정답 단서

M Okay. _____ _____ _____ _____ and phone number?

W My name is Kim Yumi, and _____ _____ _____
_____ 010-234-5678.

M _____ _____. We'll see you then.

10 어색한 대화 찾기 �֎

대화를 듣고, 두 사람의 대화가 어색한 것을 고르시오.

①   ②   ③   ④   ⑤

① M How often do you go to the library?

W I go there _____ _____ _____.

② M How may I help you?

W _____ _____ _____ a backpack.

③ M Would you like to eat more pizza?

W Yes, please. _____ _____.

④ M May I speak to Jenny, please?

W Yes, this is she.

⑤ M _____ _____ _____ _____ _____ your new school?

W I love it. I have many friends there.

11　관계 추론

대화를 듣고, 두 사람의 관계로 가장 적절한 것을 고르시오.

① 교사 – 학생　　② 의사 – 환자
③ 서점 직원 – 손님　④ 경찰관 – 시민
⑤ 잡지사 기자 – 작가

W　Can I help you?
M　Yes. I'm looking for science magazines.
W　They're _____ _____ _____ _____.
M　Thanks. Where can I find books about Korean history?
W　_____ _____ _____ _____ on the second floor.
M　Do you have the book *Kings of Joseon Dynasty*?
W　Yes, we do. It's a bestseller. _____ _____, _____.

12　이유 파악　　✻

대화를 듣고, 남자가 전화한 이유로 가장 적절한 것을 고르시오.

① 수업을 취소하기 위해서
② 피아노를 구입하기 위해서
③ 대회 참가 신청을 하기 위해서
④ 수업 시간을 변경하기 위해서
⑤ 피아노 조율을 요청하기 위해서

(*Cellphone rings.*)
M　Hello, Ms. Evans. This is Oliver.
W　Hi, Oliver. What's up?
M　_____ _____ _____ my piano lesson. Can I change today's lesson to tomorrow?
W　What time are you thinking?
M　_____ _____ 4 p.m. and 6 p.m.
W　Then let's make it at 5 p.m. Is that okay?
M　_____ _____ _____. Thank you.

13　할 일 파악

대화를 듣고, 남자가 대화 직후에 할 일로 가장 적절한 것을 고르시오.

① 세차하기　　② 주차 다시 하기
③ CCTV 확인하기　④ 차량 수리비 주기
⑤ 주차 요금 지불하기

W　Excuse me. Are you _____ _____ _____ _____ _____?
M　Yes, I am. Is there a problem?
W　I can't park _____ _____ _____ _____.
M　I think you can park here.
W　Look here! You parked your car _____ _____ _____.
M　Oh, I'm sorry. I didn't see that.

14　위치 찾기

대화를 듣고, 두 사람이 찾고 있는 자동차 열쇠의 위치로 가장 적절한 것을 고르시오.

(*Cellphone rings.*)
M　Honey, I'm in the garage. But I _____ _____ _____ _____.
W　Where did you put it?
M　I think I left it on the bedside table.
W　Let me check. (*Pause*) I can't find it _____ _____ _____ _____.
M　How about on the tea table?
W　I don't see it on the tea table. Oh, I found it. It was _____ _____ _____.

Sound Clear ☆ **bedside table**

[d]가 [t] 앞에서 거의 발음되지 않고 동화되어 [베드사이테이블]로 발음된다.

15 할 일 파악

대화를 듣고, 남자가 대화 직후에 갈 곳을 고르시오.

① 집 ② 은행 ③ 옷 가게
④ 세탁소 ⑤ 학교

Sound Clear ☆ **favorite**
1음절에 강세가 있고, 2음절의 [ə]가 약화되어 [페이브릿]에 가깝게 발음된다.

W Jacob, there is ________ ________ ________ ________ ________ ________.

M Oh, no! What should I do?

W You'd better go home and change your pants. We ________ ________ ________.

M I'm so sad. These are my favorite pants.

W ________ ________ ________ ________ to the dry cleaner's next to the bank? The workers there are ________ ________ ________ ________.

M That's a good idea. Okay, I should go home and change first.

16 요청한 일 파악

대화를 듣고, 남자가 여자에게 요청한 일로 가장 적절한 것을 고르시오.

① 간식 사 오기
② 청소하기
③ 함께 장보기
④ 숙제 도와주기
⑤ 닭고기 요리해 주기

W Andy, I'm going to the market. Do you ________ ________ ________ ________?

M I'd like to, but I can't. I have a lot of homework to do.

W All right. What do you want to eat for dinner?

M Can you ________ ________ ________ ________?

W Okay. Anything else?

M No. ________ ________ ________ ________.

17 장소 추론

대화를 듣고, 두 사람이 대화하는 장소로 가장 적절한 곳을 고르시오.

① 버스 안 ② 택시 안
③ 공항 환전소 ④ 기차역 매표소
⑤ 극장 매표소

M Excuse me. I need two tickets to Busan.

W Just a moment, please. (*Pause*) ________ ________ ________ ________ at 10:00 a.m. and at 10:30 a.m.

M Two tickets for the 10:00 a.m. train, please.

W Okay. ________ ________ ________ the 10:00 a.m. train, right?

M That's right.

W ________ ________ ________ ________ 40,000 won. Here you are.

18 한 일 파악

대화를 듣고, 여자가 주말에 한 일로 가장 적절한 것을 고르시오.

① 영화 감상하기   ② 카레라이스 만들기
③ 가족과 캠핑하기   ④ 부모님 도와드리기
⑤ 박물관 견학하기

Sound Clear ☆ **went to**
동일한 발음의 자음이 연이어 나오면 앞 자음 소리가 탈락하여 [웬투]로 발음된다.

W   Andy, how was your weekend?
M   Very nice. I _____ _____ _____ my family.
W   Wow! Did you have a good time?
M   Yes. I _____ _____ _____ _____ for my parents. What did you do, Mina?
W   I went to the National Museum of Korea.
M   How was it?
W   Great. It _____ _____ _____ _____ _____ _____ our culture more.

19 마지막 말에 이어질 응답 찾기

대화를 듣고, 남자의 마지막 말에 이어질 여자의 응답으로 가장 적절한 것을 고르시오.

Woman: _____

① Sure. It will be fun.
② That's a great idea!
③ He told me about it.
④ Okay. I won't forget.
⑤ I'm sorry to hear that.

M   Minji, did you _____ _____ _____ Jake?
W   No, I didn't. What happened?
M   He _____ _____ _____ _____ yesterday.
W   No way! I met him yesterday.
M   The accident happened _____ _____ _____ home.
W   Really? How is he?
M   He is _____ _____ _____ now.
W   I'm sorry to hear that.

20 마지막 말에 이어질 응답 찾기

대화를 듣고, 남자의 마지막 말에 이어질 여자의 응답으로 가장 적절한 것을 고르시오.

Woman: _____

① Sure. Here you are.
② You did a good job!
③ No, I don't think so.
④ Yes, I'd love some. Thanks.
⑤ All right. Let's make it together.

W   What are you doing, Suho?
M   Oh, Lindy. I'm making *tteokbokki*.
W   Really? I heard it's _____ _____ _____ _____ in Korea.
M   That's right. _____ _____ _____ _____ .
W   It looks very hot.
M   Yeah. It's _____ _____ _____ _____ . Would you like some?
W   Yes, I'd love some. Thanks.

1.0배속

1.2배속

01 다음을 듣고, 'this'가 가리키는 것으로 가장 적절한 것을 고르시오.

①   ②   ③

④   ⑤

02 대화를 듣고, 여자가 만든 카드로 가장 적절한 것을 고르시오.

①   ②   ③

④   ⑤

03 다음을 듣고, 내일 오후의 날씨로 가장 적절한 것을 고르시오.

①   ②   ③

④   ⑤

04 대화를 듣고, 남자가 한 마지막 말의 의도로 가장 적절한 것을 고르시오.

① 불평   ② 충고   ③ 동의
④ 초대   ⑤ 거절

05 대화를 듣고, 두 사람이 대화하는 장소로 가장 적절한 곳을 고르시오.

① 도서관   ② 옷 가게   ③ 수리점
④ 우체국   ⑤ 서점

06 다음을 듣고, 여자가 오늘 일정에 대해 언급하지 <u>않은</u> 것을 고르시오.

① 런던 아이 탑승   ② 점심 식사 메뉴
③ 사진 촬영   ④ 박물관 관람
⑤ 저녁 식사 장소

07 대화를 듣고, 여자의 장래 희망으로 가장 적절한 것을 고르시오.

① 과학자   ② 가수
③ 피아니스트   ④ 과학 선생님
⑤ 음악 선생님

08 대화를 듣고, 여자의 심정으로 가장 적절한 것을 고르시오.

① 슬픔   ② 화남   ③ 기쁨
④ 두려움   ⑤ 걱정스러움

09 대화를 듣고, 남자가 여행 중 마지막에 할 일로 가장 적절한 것을 고르시오.

① 등산하기   ② 캠핑하기
③ 자전거 타기   ④ 낚시하기
⑤ 수영하기

10 대화를 듣고, 남자가 등산을 가려고 하는 이유로 가장 적절한 것을 고르시오.

① 등산이 취미라서
② 운동을 하기 위해서
③ 동아리 모임이 있어서
④ 풍경화를 그리기 위해서
⑤ 야생화 사진을 찍기 위해서

11 대화를 듣고, 두 사람이 함께 이용할 교통수단으로 가장 적절한 것을 고르시오.

① 버스   ② 택시   ③ 지하철

④ 기차   ⑤ 자전거

12 대화를 듣고, 두 사람의 관계로 가장 적절한 것을 고르시오.

① 의사 – 환자

② 도서관 사서 – 학생

③ 식당 종업원 – 손님

④ 여행 가이드 – 관광객

⑤ 비행기 승무원 – 탑승객

13 대화를 듣고, 여자의 직업으로 가장 적절한 것을 고르시오.

① 유치원 교사   ② 패션모델

③ 소아과 의사   ④ 사진사

⑤ 완구점 직원

14 대화를 듣고, 남자가 가려고 하는 장소를 고르시오.

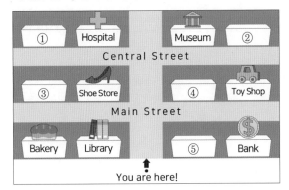

15 대화를 듣고, 남자가 여자에게 제안한 것으로 가장 적절한 것을 고르시오.

① 생일 선물 사기

② 함께 삼촌 방문하기

③ 생일 파티 준비하기

④ 생일 파티에 참석하기

⑤ 전화해서 못 간다고 말하기

16 대화를 듣고, 남자가 지불할 금액을 고르시오.

① $20   ② $25   ③ $30

④ $45   ⑤ $50

17 대화를 듣고, 여자가 남자에게 요청한 일로 가장 적절한 것을 고르시오.

① 함께 집에 가기   ② 숙제 도와주기

③ 책 대출해 주기   ④ 책 사다 주기

⑤ 책 반납해 주기

18 대화를 듣고, 무엇에 관한 내용인지 가장 적절한 것을 고르시오.

① 정원 손질   ② 씨 심는 방법

③ 식습관 개선   ④ 환경 보호

⑤ 공기 정화 식물

[19-20] 대화를 듣고, 여자의 마지막 말에 이어질 남자의 응답으로 가장 적절한 것을 고르시오.

19 Man: _____

① That's fine with me.

② I'm not sure if I can.

③ Sorry, but I have other plans.

④ Really? Thank you for your help.

⑤ No, it isn't. I'm sure you'll love it.

20 Man: _____

① Sure. Here you are.

② Sounds like a good idea.

③ I also want to join the club.

④ Not really, but I can learn it soon.

⑤ I tried, but I couldn't play the piano.

Dictation 18회

받아쓰기용

01 화제 파악

다음을 듣고, 'this'가 가리키는 것으로 가장 적절한 것을 고르시오.

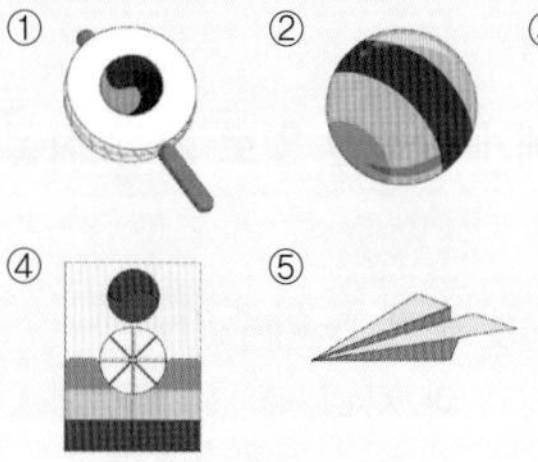

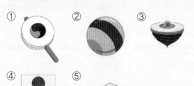

M This ________ ________ ________ paper or cloth. This has a long string at the end of it. You can hold the string and ________ ________ ________ ________ ________. Some of these are very simple, but some are very colorful. To fly this, you have to ________ ________ ________ ________. What is this?

02 그림 정보 파악

대화를 듣고, 여자가 만든 카드로 가장 적절한 것을 고르시오.

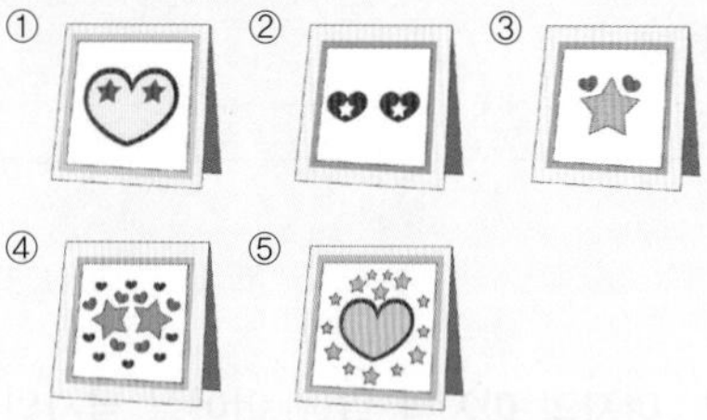

Sound Clear☆ around the

자음 세 개가 연속으로 나오면 중간 자음의 발음이 약화되어 [어롸운더]로 발음된다.

W Dad, this is a card for you. I made it.

M ________ ________ ________ ________! Thank you.

W I drew two stars in the middle. (정답 단서)

M ________ ________ ________ ________ two stars?

W One is for you, and ________ ________ ________ ________ Mom.

M Oh, interesting! And you drew many hearts ☆around the stars. (정답 단서)

W Yes. They're to ________ ________ ________ for you and Mom.

03 특정 정보 파악

다음을 듣고, 내일 오후의 날씨로 가장 적절한 것을 고르시오.

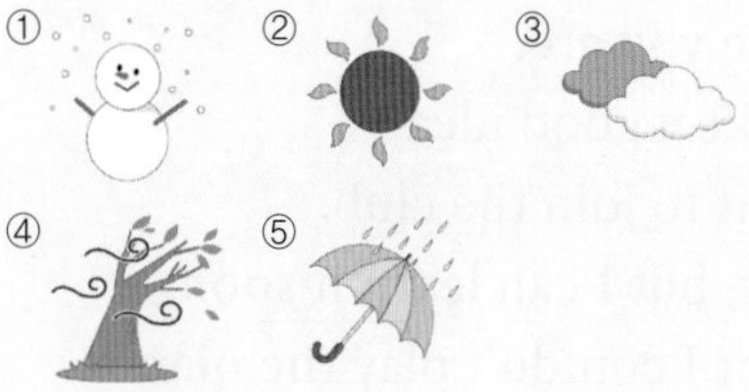

M Hello. This is the weather forecast. Today, it will be cloudy and ________ ________ ________. And tonight, we'll have snow ________ ________ ________. The snow will stop around midnight. Tomorrow will ________ ________ ________ ________ in the morning, but it will be clear in the afternoon. (함정, 함정, 정답 단서)

04 의도 파악

대화를 듣고, 남자가 한 마지막 말의 의도로 가장 적절한 것을 고르시오.

① 불평   ② 충고   ③ 동의
④ 초대   ⑤ 거절

W   What did you do last weekend?
M   I _____ _____ _____ _____ _____ and watched TV.
W   Did you watch the *Comedy Concert*?
M   Yes! _____ _____ _____ TV show.
W   Isn't it so funny _____ _____ _____ _____?
M   You can say that again.
        정답 단서

05 장소 추론

대화를 듣고, 두 사람이 대화하는 장소로 가장 적절한 곳을 고르시오.

① 도서관   ② 옷 가게   ③ 수리점
④ 우체국   ⑤ 서점

Sound Clear ☆ receipt
p가 묵음이라서 [리씨트]로 발음된다.

M   Can I help you?
W   Yes. I'd like to _____ _____ _____ _____ a new one.
M   What's the problem with it?
W   _____ _____ _____ _____.
M   Can I take a look? (*Pause*) Oh, I'm sorry. Do you have the ☆ receipt?
W   Yes. _____ _____ _____.

06 언급하지 않은 것 찾기 ✳

다음을 듣고, 여자가 오늘 일정에 대해 언급하지 않은 것을 고르시오.

① 런던 아이 탑승   ② 점심 식사 메뉴
③ 사진 촬영   ④ 박물관 관람
⑤ 저녁 식사 장소

W   Everybody, please get on the bus. Now, we're going to _____ _____ _____. We're going to ride the London Eye first. Next, we're going to _____ _____ _____ _____ _____. We're going to take some pictures after lunch, and then we're going to _____ _____ _____.

07 특정 정보 파악

대화를 듣고, 여자의 장래 희망으로 가장 적절한 것을 고르시오.

① 과학자   ② 가수
③ 피아니스트   ④ 과학 선생님
⑤ 음악 선생님

M   What's your favorite class, Jimin?
W   It's music. I _____ _____ _____ _____. How about you?
M   I like science. I _____ _____ _____ a scientist in the future. *힌트*
W   That's great.
M   How about you? Do you want to be a pianist? *힌트*
W   No. Playing the piano is _____ _____ _____. I want to be a singer.
        정답 단서

08 심정 추론 ✳

대화를 듣고, 여자의 심정으로 가장 적절한 것을 고르시오.

① 슬픔　② 화남　③ 기쁨
④ 두려움　⑤ 걱정스러움

W Eric, you don't look well. How was your weekend?
M _____ _____ _____. I was sick in bed the whole weekend.
　　　　　　　정답 단서
W Did you see a doctor?
M Yes. I _____ _____ _____ this morning.
W _____ _____ _____ _____ now?
M I'm still not better.
W _____ _____ _____ some more rest.

09 할 일 파악

대화를 듣고, 남자가 여행 중 마지막에 할 일로 가장 적절한 것을 고르시오.

① 등산하기　② 캠핑하기
③ 자전거 타기　④ 낚시하기
⑤ 수영하기

Sound Clear ☆ **climb**
b가 묵음이라서 [클라임]으로 발음된다.

M I have just finished _____ _____ _____ _____ _____.
W Tell me about them. What will you do?
M On the first day, I'm going to climb a mountain. _____ _____ _____, I'm going to go fishing.
　　　　　　　　　　　　　　　　　　　　　　　　　한정
W Is that all?
M No. _____ _____ _____ _____, I'm going to go swimming. After swimming, I will ride my bike.
　　한정　　　　　　　　　　　　　　　　정답 단서
W Wow. It's _____ _____ _____ _____ _____.

10 이유 파악

대화를 듣고, 남자가 등산을 가려고 하는 이유로 가장 적절한 것을 고르시오.

① 등산이 취미라서
② 운동을 하기 위해서
③ 동아리 모임이 있어서
④ 풍경화를 그리기 위해서
⑤ 야생화 사진을 찍기 위해서

M I'm planning to _____ _____ _____ this Sunday.
W Wow, do you like mountain climbing?
M _____ _____.
W Then why are you going to climb the mountain?
M I have to _____ _____ _____ _____.
W Science project?
M Yeah. I'll be taking some pictures of wildflowers there.
　　　　　　　　　　　　　　　　　　정답 단서

11 특정 정보 파악

대화를 듣고, 두 사람이 함께 이용할 교통수단 으로 가장 적절한 것을 고르시오.

① 버스　　② 택시　　③ 지하철
④ 기차　　⑤ 자전거

M　Here comes bus number 5. Let's get on the bus.
W　Just a minute. ＿＿＿＿＿ ＿＿＿＿＿ the subway?
M　Why?
W　Traffic is heavy ＿＿＿＿＿ ＿＿＿＿＿ ＿＿＿＿＿ ＿＿＿＿＿.
M　We have to ＿＿＿＿＿ ＿＿＿＿＿ ＿＿＿＿＿ ＿＿＿＿＿ to the subway station.
W　I know, but I think the subway will be faster.
M　All right. Let's take the subway.

정답 단서

12 관계 추론

대화를 듣고, 두 사람의 관계로 가장 적절한 것 을 고르시오.

① 의사 – 환자
② 도서관 사서 – 학생
③ 식당 종업원 – 손님
④ 여행 가이드 – 관광객
⑤ 비행기 승무원 – 탑승객

Sound Clear ☆ right away

앞 단어의 끝 자음과 뒤 단어의 첫 모음이 만 나 연음되어 [라이러웨이]로 발음된다.

M　Excuse me.
W　Yes. What can I do for you?
M　There is ＿＿＿＿＿ ＿＿＿＿＿ ＿＿＿＿＿ ＿＿＿＿＿.
W　Don't you like your meal, sir?
M　No. ＿＿＿＿＿ ＿＿＿＿＿ ＿＿＿＿＿ ＿＿＿＿＿ ＿＿＿＿＿, I ordered a vegetarian meal.
W　Oh, I'm sorry. ＿＿＿＿＿ ＿＿＿＿＿ ＿＿＿＿＿ a vegetarian meal right away.
M　Okay.

13 직업 추론

대화를 듣고, 여자의 직업으로 가장 적절한 것 을 고르시오.

① 유치원 교사　　② 패션모델
③ 소아과 의사　　④ 사진사
⑤ 완구점 직원

W　What ＿＿＿＿＿ ＿＿＿＿＿ ＿＿＿＿＿ ＿＿＿＿＿?
M　She likes dolls and blocks.
W　Then can you bring them with you tomorrow?
M　Okay. Are you going to ＿＿＿＿＿ ＿＿＿＿＿ ＿＿＿＿＿ with the toys?
W　Yes. ＿＿＿＿＿ ＿＿＿＿＿ ＿＿＿＿＿ with the toys.
M　I hope she enjoys having her picture taken.
W　Don't worry.

14 위치 찾기 ✦

대화를 듣고, 남자가 가려고 하는 장소를 고르시오.

	① Hospital		Museum	②
		Central Street		
	③ Shoe Store		④ Toy Shop	
		Main Street		
Bakery	Library		⑤	Bank

You are here!

M Excuse me. Is there _____ _____ _____ _____ _____?

W Yes. There's one on Central Street.

M _____ _____ _____ _____ _____ _____?

W Go straight two blocks and turn right. It's next to the museum.

M Go straight and turn right?

W Yes. _____ _____ _____ _____ _____ _____.

M Thanks a lot.

---

15 제안한 것 파악

대화를 듣고, 남자가 여자에게 제안한 것으로 가장 적절한 것을 고르시오.

① 생일 선물 사기
② 함께 삼촌 방문하기
③ 생일 파티 준비하기
④ 생일 파티에 참석하기
⑤ 전화해서 못 간다고 말하기

Sound Clear ☆ **aren't you**

[t]가 뒤의 반모음 [j]를 만나 동화되어 [안 츄]로 발음된다.

M This Saturday is Mia's birthday. You're going to her birthday party, aren't you?

W I'd like to, but I can't. _____ _____ _____ _____.

M Really? Mia thinks you're going.

W Then _____ _____ _____ _____?

M Why don't you _____ _____ _____ _____ you can't go to her birthday party?

W Okay, I will.

---

16 숫자 정보 파악

대화를 듣고, 남자가 지불할 금액을 고르시오.

① $20   ② $25   ③ $30
④ $45   ⑤ $50

W Can I help you?

M Yes. I'm looking for _____ _____ _____ _____ _____.

W How about this bat and glove? They are _____ _____ _____ _____.

M How much are they?

W The bat is $20, and the glove is $30. But I can give you a 10% discount today.

M Okay. I'll _____ _____ _____ _____.

17 요청한 일 파악

대화를 듣고, 여자가 남자에게 요청한 일로 가장 적절한 것을 고르시오.

① 함께 집에 가기 ② 숙제 도와주기
③ 책 대출해 주기 ④ 책 사다 주기
⑤ 책 반납해 주기

W Are you going home, Martin?
M No. I'm _____ _____ _____ _____ to do my homework.
W Then can you return this book for me?
M Of course. Are there any books _____ _____ _____ _____ _____ _____ ?
W Thanks, but I'll _____ _____ _____ _____ . I really appreciate it.
M No problem.

18 주제 파악

대화를 듣고, 무엇에 관한 내용인지 가장 적절한 것을 고르시오.

① 정원 손질 ② 씨 심는 방법
③ 식습관 개선 ④ 환경 보호
⑤ 공기 정화 식물

M I have some seeds. _____ _____ _____ together.
W Do you know how to plant them?
M Sure. First, make a garden bed. Then, _____ _____ _____ _____ _____ like this.
W Yes. And then?
M After that, put two or three seeds in each hole. Finally, _____ _____ _____ _____ _____ .
W Wow, great!

19 마지막 말에 이어질 응답 찾기

대화를 듣고, 여자의 마지막 말에 이어질 남자의 응답으로 가장 적절한 것을 고르시오.

Man: _____

① That's fine with me.
② I'm not sure if I can.
③ Sorry, but I have other plans.
④ Really? Thank you for your help.
⑤ No, it isn't. I'm sure you'll love it.

M I'm going snowboarding tomorrow. Do you want to go with me?
W I'm not sure. I can ski, but _____ _____ _____ .
M No problem. _____ _____ _____ .
W Thanks. But snowboarding is _____ _____ _____ _____ , isn't it?
M No, it isn't. I'm sure you'll love it.

20 마지막 말에 이어질 응답 찾기

대화를 듣고, 여자의 마지막 말에 이어질 남자의 응답으로 가장 적절한 것을 고르시오.

Man: _____

① Sure. Here you are.
② Sounds like a good idea.
③ I also want to join the club.
④ Not really, but I can learn it soon.
⑤ I tried, but I couldn't play the piano.

M What club _____ _____ _____ _____ _____ ?
W I'm going to join the *Samullori* club.
M I like *Samullori*, too. Let's _____ _____ _____ _____ .
W Okay. Then can you play the *janggu* or anything?
M Not really, but I can learn it soon.

Review Test

Word Check
영어는 우리말로, 우리말은 영어로 써 보기

01 useful _____

02 daily life _____

03 cloth _____

04 hairdresser _____

05 performance _____

06 heart-shaped _____

07 lastly _____

08 dynasty _____

09 sunlight _____

10 thought _____

11 episode _____

12 dry cleaner's _____

13 훌륭한, 뛰어난 _____

14 내일모레 _____

15 리허설, 예행연습 _____

16 잡지 _____

17 유명한 _____

18 일행 _____

19 주인 _____

20 ~을 가로질러 _____

21 수선하다 _____

22 기회 _____

23 카레라이스 _____

24 길거리 음식 _____

Expression Check
알맞은 표현을 넣어 문장 완성하기

25 Let's _____ _____ _____ 5 p.m. 오후 5시로 하자.

26 Did you _____ _____ _____ _____? 너는 즐거운 시간을 보냈니?

27 I'm _____ _____ my piano lesson. 제 피아노 수업 때문에 전화했어요.

28 _____ _____ _____ is helpful to me. 일기를 쓰는 것은 나에게 도움이 돼.

29 I got up two hours earlier _____ _____. 나는 평소보다 두 시간 더 일찍 일어났어.

30 The accident happened _____ _____ _____ _____ home.
그가 집에 돌아가는 길에 사고가 발생했어.

Answers p.85

Word Check
영어는 우리말로, 우리말은 영어로 써 보기

01	appreciate	13	자정, 한밤중
02	colorful	14	딸
03	wisely	15	관광, 여행
04	throughout	16	편안한
05	stay home	17	(산에) 오르다
06	missing	18	선물
07	meal	19	항공편
08	recerpt	20	끈, 줄, 실
09	garden bed	21	심다
10	make a plan	22	약을 먹다
11	seed	23	농담을 하다
12	vegetarian	24	위험한

Expression Check
알맞은 표현을 넣어 문장 완성하기

25 This _____ _____ _____ paper or cloth. 이것은 종이나 천으로 덮여 있습니다.

26 You'd better _____ some more _____. 너는 좀 더 쉬는 게 좋겠다.

27 Everybody, please _____ _____ the bus. 여러분, 버스에 탑승해 주세요.

28 I was _____ _____ _____ the whole weekend 나는 주말 내내 앓아누워 있었어.

29 I'm going to the library to _____ _____ _____. 나는 숙제하러 도서관에 갈 거야.

30 _____ is for Dad, and _____ _____ is for Mom.
하나는 아빠를 위한 것이고, 다른 하나는 엄마를 위한 거예요.

고난도
모의고사
19-20회

1.0배속

1.2배속

01 다음을 듣고, 'this'가 가리키는 것으로 가장 적절한 것을 고르시오.

①   ②   ③

④   ⑤

02 대화를 듣고, 여자의 여행 가방으로 가장 적절한 것을 고르시오.

①   ②   ③

④   ⑤

03 다음을 듣고, 부산의 내일 오후 날씨로 가장 적절한 것을 고르시오.

①   ②   ③

④   ⑤

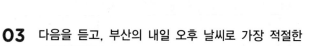

04 대화를 듣고, 여자가 한 마지막 말의 의도로 가장 적절한 것을 고르시오.

① 칭찬 ② 거절 ③ 제안
④ 요청 ⑤ 사과

05 다음을 듣고, 학교 동아리 축제에 대한 내용으로 일치하지 <u>않는</u> 것을 고르시오.

① 수요일에 시작한다.
② 3일 동안 열린다.
③ 체육관과 도서관에 체험 부스가 열린다.
④ 사탕이나 초콜릿을 상품으로 받을 수 있다.
⑤ 동아리 가입 후에 체험 활동을 할 수 있다.

06 대화를 듣고, 두 사람이 만날 시각을 고르시오.

① 4:30 p.m. ② 4:40 p.m. ③ 4:50 p.m.
④ 5:00 p.m. ⑤ 5:10 p.m.

07 대화를 듣고, 여자의 장래 희망으로 가장 적절한 것을 고르시오.

① 과학자 ② 미용사 ③ 파일럿
④ 요리사 ⑤ 작곡가

08 대화를 듣고, 남자의 심정으로 가장 적절한 것을 고르시오.

① 긴장한 ② 행복한 ③ 슬픈
④ 실망한 ⑤ 후회하는

09 대화를 듣고, 남자가 대화 직후에 할 일로 가장 적절한 것을 고르시오.

① 온라인 게임하기 ② 농구하러 가기
③ 입장권 예매하기 ④ 친구 만나기
⑤ 농구 경기 관람하기

10 대화를 듣고, 포스터가 무엇에 관한 내용인지 가장 적절한 것을 고르시오.

① 환경 보호 ② 자원 절약
③ 체험 학습 ④ 안전 규칙
⑤ 학교 행사

11 대화를 듣고, 남자가 이용할 교통수단으로 가장 적절한 것을 고르시오.

① 버스　　　② 택시　　　③ 지하철
④ 자전거　　⑤ 기차

12 대화를 듣고, 남자가 전화한 이유로 가장 적절한 것을 고르시오.

① 배송 주소를 변경하기 위해서
② 주문 내용을 변경하기 위해서
③ 주문을 취소하기 위해서
④ 배송 조회를 하기 위해서
⑤ 불만을 접수하기 위해서

13 대화를 듣고, 두 사람의 대화가 어색한 것을 고르시오.

①　　②　　③　　④　　⑤

14 대화를 듣고, 버스 정류장의 위치로 가장 알맞은 것을 고르시오.

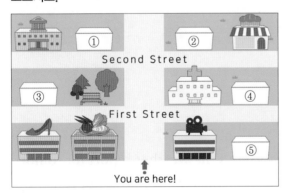

15 대화를 듣고, 여자가 남자에게 요청한 일로 가장 적절한 것을 고르시오.

① 개 돌봐 주기
② 호텔 예약해 주기
③ 식당 추천해 주기
④ 동물 호텔 알아보기
⑤ 동물 호텔 전화번호 알려 주기

16 대화를 듣고, 여자가 남자에게 제안한 것으로 가장 적절한 것을 고르시오.

① 아침 식사 거르지 않기
② 매일 아침 운동하기
③ 당분간 많이 걷지 않기
④ 약국에서 약 사 먹기
⑤ 학교에 걸어가기

17 대화를 듣고, 남자의 직업으로 가장 적절한 것을 고르시오.

① 요리사　　　　② 제빵사
③ 뉴스 앵커　　　④ 프로그램 진행자
⑤ 컴퓨터 전문가

18 대화를 듣고, 두 사람이 구입할 물건을 고르시오.

① 머플러　　② 장갑　　③ 가방
④ 양말　　　⑤ 모자

[19-20] 대화를 듣고, 여자의 마지막 말에 이어질 남자의 응답으로 가장 적절한 것을 고르시오.

19 Man: _____

① Oh, I totally forgot.
② It's a wonderful plan.
③ Why didn't you call me?
④ I'm sure you can make it.
⑤ I'd like to go to the amusement park.

20 Man: _____

① I didn't go to Busan.
② We had a good time.
③ We drove to the beach.
④ Oh, I visited in August.
⑤ I went swimming in the sea.

01 화제 파악

다음을 듣고, 'this'가 가리키는 것으로 가장 적절한 것을 고르시오.

①   ②   ③

④   ⑤

M This is used for a traditional Korean dance. Dancers _____ 정답 단서 _____ _____ _____ _____. We can't see the dancers' faces because of this. This has _____ 정답 단서 _____ _____ _____. This looks very funny, so many people love this. What is this?

02 그림 정보 파악

대화를 듣고, 여자의 여행 가방으로 가장 적절한 것을 고르시오.

①   ②   ③

④   ⑤

M _____ _____ _____?

W My suitcase hasn't come out yet. _____ _____ _____ _____ it for about 20 minutes.

M Okay. What does it look like?

W It's a white suitcase.

M Oh, look over there. The 정답 단서 _____ _____ _____ _____ _____ on it is coming out now.

W That's not mine. My suitcase has flower patterns on it. 정답 단서

M Oh, I see.

03 특정 정보 파악

다음을 듣고, 부산의 내일 오후 날씨로 가장 적절한 것을 고르시오.

①   ②   ③

④    ⑤

W Good evening. Here's the weather report for tomorrow. It's _____ _____ the country now, but it will stop tonight. Tomorrow, it will be sunny _____ _____ _____ _____ _____, but there will be strong winds in Daegu. And in Busan, it will rain _____ _____ _____.

Sound Clear ☆ country
[t]와 [r]이 연달아 나와 [컨츄리]로 발음된다.

대화를 듣고, 여자가 한 마지막 말의 의도로 가장 적절한 것을 고르시오.

① 칭찬   ② 거절   ③ 제안
④ 요청   ⑤ 사과

Sound Clear ☆ **put it on**
각 [t]가 뒤의 모음과 연음되고 약화되어 [푸리론]으로 발음된다.

M Cindy, I can't find my planner. Can you help me?
W Sure. Do you remember _____ _____ _____ _____ ?
M I think I put it on the desk. (*Pause*) Oh, here it is.
W _____ _____ _____ _____ ? Good for you.
M Whew! I wrote all the important things on this.
W Why don't you _____ _____ _____ _____ _____ from now on?

다음을 듣고, 학교 동아리 축제에 대한 내용으로 일치하지 <u>않는</u> 것을 고르시오.

① 수요일에 시작한다.
② 3일 동안 열린다.
③ 체육관과 도서관에 체험 부스가 열린다.
④ 사탕이나 초콜릿을 상품으로 받을 수 있다.
⑤ 동아리 가입 후에 체험 활동을 할 수 있다.

W Let me tell you about our school club festival. It _____ _____ _____ from this Wednesday to Friday. We will _____ _____ _____ in the gym and the library.
After the activities, _____ _____ _____ _____ like candies or chocolate. Just come and enjoy the activities.

대화를 듣고, 두 사람이 만날 시각을 고르시오.

① 4:30 p.m.   ② 4:40 p.m.
③ 4:50 p.m.   ④ 5:00 p.m.
⑤ 5:10 p.m.

(*Cellphone rings.*)
M Hello, Yuna. I think _____ _____ _____ .
W Where are you now?
M _____ _____ _____ _____ . When does the movie start?
W The movie starts at 5:10 p.m. We have 30 minutes.
M I'll be there in 20 minutes. I'm sorry.
W That's okay. I'm _____ _____ _____ at the bookstore.

대화를 듣고, 여자의 장래 희망으로 가장 적절한 것을 고르시오.

① 과학자   ② 미용사
③ 파일럿   ④ 요리사
⑤ 작곡가

W Tomorrow is Job Experience Day. Which job did you choose?
M I'm going to _____ _____ _____ of a pilot.
W Great. Do you want to be a pilot?
M Yes, I do. _____ _____ _____ _____ ?
W I want to become a hairdresser, so I'll experience the job of a hairdresser tomorrow.
M _____ _____ _____ _____ a great hairdresser.

08 심정 추론

대화를 듣고, 남자의 심정으로 가장 적절한 것을 고르시오.

① 긴장한　② 행복한　③ 슬픈
④ 실망한　⑤ 후회하는

> **Sound Clear** ☆ **in front of**
> 앞 단어의 끝 자음과 뒤 단어의 모음이 만나 연음되어 [인프런터브]로 발음된다.

W Lucas, what's wrong? ＿＿＿＿ ＿＿＿＿ ＿＿＿＿.
M The school musical is this Thursday.
W Right. You are ＿＿＿＿ ＿＿＿＿ ＿＿＿＿ ＿＿＿＿, aren't you?
M Yeah, I'm going to act in front of a big audience ＿＿＿＿ ＿＿＿＿ ＿＿＿＿ ＿＿＿＿.
W Don't worry. You will do well.
M Thank you for ＿＿＿＿ ＿＿＿＿ ＿＿＿＿.

09 할 일 파악 ❖

대화를 듣고, 남자가 대화 직후에 할 일로 가장 적절한 것을 고르시오.

① 온라인 게임하기　② 농구하러 가기
③ 입장권 예매하기　④ 친구 만나기
⑤ 농구 경기 관람하기

M What are you going to do this Saturday?
W Nothing special. How about you, Jake?
M I'm going to ＿＿＿＿ ＿＿＿＿ ＿＿＿＿ ＿＿＿＿ with my friends.
W That'll be fun. Do you have tickets?
M No. I ＿＿＿＿ ＿＿＿＿ ＿＿＿＿ ＿＿＿＿.
W Why don't you buy them online? That'll be easier.
M Okay. I'll ＿＿＿＿ ＿＿＿＿ ＿＿＿＿ ＿＿＿＿.

10 주제 파악

대화를 듣고, 포스터가 무엇에 관한 내용인지 가장 적절한 것을 고르시오.

① 환경 보호　② 자원 절약
③ 체험 학습　④ 안전 규칙
⑤ 학교 행사

W There's a new poster on the board.
M ＿＿＿＿ ＿＿＿＿ ＿＿＿＿ ＿＿＿＿?
W It's about safety rules. The first is "Don't look at your phones while walking."
M Good point. ＿＿＿＿ ＿＿＿＿ ＿＿＿＿ ＿＿＿＿.
W The second is "Don't run indoors."
M ＿＿＿＿ ＿＿＿＿ ＿＿＿＿ ＿＿＿＿, I was running to the cafeteria, and I almost knocked my friend over.
W It can be ＿＿＿＿ ＿＿＿＿ ＿＿＿＿ ＿＿＿＿ ＿＿＿＿. We should always follow the safety rules.

11 특정 정보 파악 �֎

대화를 듣고, 남자가 이용할 교통수단으로 가장 적절한 것을 고르시오.

① 버스   ② 택시   ③ 지하철
④ 자전거   ⑤ 기차

M   Is there _____ _____ _____ _____ _____ ?
W   No, there isn't. It's far from here.
M   How long will it take to walk there?
W   It will take about 30 minutes. _____ _____ _____ _____ _____ take the bus or the subway. 함정
M   Thanks. Where is the subway station?
W   It's a 10-minute walk from here, but the bus stop is _____ _____ _____ .
M   Oh, I see. Then I'll take the bus. 정답 단서

12 이유 파악

대화를 듣고, 남자가 전화한 이유로 가장 적절한 것을 고르시오.

① 배송 주소를 변경하기 위해서
② 주문 내용을 변경하기 위해서
③ 주문을 취소하기 위해서
④ 배송 조회를 하기 위해서
⑤ 불만을 접수하기 위해서

> **Sound Clear** ☆ **total**
> [t]가 모음 사이에서 약화되어 [토럴]로 발음된다.

(*Telephone rings.*)
W   Thank you for calling Greenville Farm. How may I help you?
M   I _____ _____ _____ _____ _____ this morning, but I'd like to make a change. 정답 단서
W   Sure. Can I have your name, please?
M   My name is Paul Kim.
W   I found your order. What _____ _____ _____ _____ _____ ?
M   I'd like to _____ _____ _____ _____ of apples to my order.
W   So you'd like to order four boxes in total, right? ☆
M   Yes. Thank you.

13 어색한 대화 찾기

대화를 듣고, 두 사람의 대화가 <u>어색한</u> 것을 고르시오.

①   ②   ③   ④   ⑤

① W   Do you have any brothers or sisters?
   M   Yes. I _____ _____ _____ _____ .
② W   Why didn't you go to school today?
   M   I _____ _____ _____ _____ .
③ W   You look happy. What's up?
   M   I _____ _____ _____ _____ on the math test.
④ W   Can you give me some help, please?
   M   Sure. What can I do for you?
⑤ W   What would you like to eat for lunch?
   M   I'd like to _____ _____ _____ .

14 위치 찾기

대화를 듣고, 버스 정류장의 위치로 가장 알맞은 것을 고르시오.

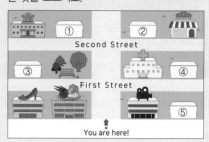

W The museum is much _____ _____ _____ _____.
M Right. I think we should take a bus.
W Do you know where the bus stop is?
M No, but I _____ _____ _____ _____. Let's see. We need to go straight and turn right at Second Street. Then, we will _____ _____ _____ _____ _____.
W Okay. Let's go.

15 요청한 일 파악

대화를 듣고, 여자가 남자에게 요청한 일로 가장 적절한 것을 고르시오.

① 개 돌봐 주기
② 호텔 예약해 주기
③ 식당 추천해 주기
④ 동물 호텔 알아보기
⑤ 동물 호텔 전화번호 알려 주기

W I'm going on a family trip next week.
M Oh, you _____ _____ _____.
W Yes, but I'm worried about my dog because I _____ _____ _____ _____ _____.
M Don't worry. You can _____ _____ _____ at an animal hotel.
W Good idea. Do you _____ _____ _____ _____?
M Yes, I do.
W Can you give me the phone number? 정답 단서
M Of course.

16 제안한 것 파악

대화를 듣고, 여자가 남자에게 제안한 것으로 가장 적절한 것을 고르시오.

① 아침 식사 거르지 않기
② 매일 아침 운동하기
③ 당분간 많이 걷지 않기
④ 약국에서 약 사 먹기
⑤ 학교에 걸어가기

W _____ _____ _____ after breakfast.
M Okay, Mom.
W _____ _____ _____? Does it still hurt?
M Yes, but it's okay.
W Don't walk too much for about a week. I'll _____ 정답 단서 _____ _____ today.
M Thanks, Mom, but I can walk to school.
W I think _____ _____ _____.

17 직업 추론 ❊

대화를 듣고, 남자의 직업으로 가장 적절한 것을 고르시오.

① 요리사　　　　② 제빵사
③ 뉴스 앵커　　　④ 프로그램 진행자
⑤ 컴퓨터 전문가

W The seafood spaghetti is done. Give it a try.
M Mmm, it _____ _____. (*Pause*) Wow, it's very delicious.
W It's _____ _____ _____ _____.
M That's right. Ms. Kim and I made Italian food today.
W Please check _____ _____ _____ _____.
M Our program *Easy Cooking* is on Channel 17 on Saturday.
　　　　　　　　　　　정답 단서

18 특정 정보 파악

대화를 듣고, 두 사람이 구입할 물건을 고르시오.

① 머플러　　② 장갑　　③ 가방
④ 양말　　　⑤ 모자

Sound Clear ☆ **pair**

fair(공정한; 박람회) 또는 fare(요금)와 혼동하지 않도록 [p]와 [f]를 잘 구분하여 듣는다.

M What are you going to get Mom for her birthday?
W I'm thinking of _____ _____ _____ _____.
M Well, Mom has a lot of mufflers. How about _____
환정
_____ _____ _____?
W She just bought a new pair last week.
M Did she? Then let's buy her a bag together. _____
　　　　　　　　　　　　　정답 단서
_____ _____?
W Good idea! Her bag is very old.

19 마지막 말에 이어질 응답 찾기

대화를 듣고, 여자의 마지막 말에 이어질 남자의 응답으로 가장 적절한 것을 고르시오.

Man: _____

① Oh, I totally forgot.
② It's a wonderful plan.
③ Why didn't you call me?
④ I'm sure you can make it.
⑤ I'd like to go to the amusement park.

M Do you know what? I'm _____ _____ _____
_____ with Tina this Saturday. I'm so happy.
W What? This Saturday?
M Yes. _____ _____?
W We planned to _____ _____ _____
_____ with Jim this Saturday. Don't you remember?
M Oh, I totally forgot.

20 마지막 말에 이어질 응답 찾기

대화를 듣고, 여자의 마지막 말에 이어질 남자의 응답으로 가장 적절한 것을 고르시오.

Man: _____

① I didn't go to Busan.
② We had a good time.
③ We drove to the beach.
④ Oh, I visited in August.
⑤ I went swimming in the sea.

W Hi, James. _____ _____, _____ _____.
M Hi, Minji. How was _____ _____ _____?
W It was great. I went to Haeundae Beach with my family.
M Really? I visited my uncle in Busan, too. When did you go?
W I went there _____ _____ _____ _____.
How about you?
M Oh, I visited in August.

1.0배속

1.2배속

01 다음을 듣고, 서해안의 내일 오후 날씨로 가장 적절한 것을 고르시오.

① ② ③

④ ⑤

02 대화를 듣고, 여자가 만든 티셔츠로 가장 적절한 것을 고르시오.

① ② ③

④ ⑤

03 다음을 듣고, 'this'가 가리키는 것으로 가장 적절한 것을 고르시오.

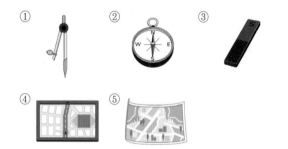

① ② ③

④ ⑤

04 대화를 듣고, 여자의 직업으로 가장 적절한 것을 고르시오.
① 어학원 강사　　　② 가구점 직원
③ 한국어 선생님　　④ 기념품 매장 직원
⑤ 전자 제품 판매원

05 대화를 듣고, 여자가 주말에 할 일로 언급하지 않은 것을 고르시오.
① 할머니 댁 가기　　② 외식하기
③ 불고기 요리하기　　④ 쇼핑하기
⑤ 과학 숙제하기

06 대화를 듣고, 두 사람이 대화하는 장소로 가장 적절한 곳을 고르시오.
① 동물원　　　　　② 문구점
③ 영화관　　　　　④ 도서관
⑤ 전자 제품 매장

07 대화를 듣고, 남자가 한 마지막 말의 의도로 가장 적절한 것을 고르시오.
① 칭찬　　　② 요청　　　③ 사과
④ 제안　　　⑤ 동의

08 대화를 듣고, 남자의 심정으로 가장 적절한 것을 고르시오.
① 기쁘다　　② 미안하다　　③ 답답하다
④ 편안하다　　⑤ 만족스럽다

09 다음을 듣고, 무엇에 관한 내용인지 가장 적절한 것을 고르시오.
① 일찍 일어나는 것이 건강에 좋다.
② 아침 식사를 거르지 말아야 한다.
③ 패스트푸드는 건강에 해롭다.
④ 아침에 학습 효과가 더 높다.
⑤ 청소년은 여가 시간이 많이 필요하다.

10 대화를 듣고, 여자가 지불할 금액을 고르시오.
① $6　　　② $8　　　③ $10
④ $12　　　⑤ $14

11 대화를 듣고, 두 사람이 이용할 교통수단으로 가장 적절한 것을 고르시오.

① 자가용 ② 자전거 ③ 지하철
④ 버스 ⑤ 택시

12 대화를 듣고, 여자가 남자를 찾아온 이유로 가장 적절한 것을 고르시오.

① 면접을 보기 위해서
② 숙제를 제출하기 위해서
③ 동아리에 지원하기 위해서
④ 신청서를 제출하기 위해서
⑤ 선생님을 취재하기 위해서

13 대화를 듣고, 남자의 장래 희망으로 가장 적절한 것을 고르시오.

① 바이올리니스트 ② 영화감독
③ 영화배우 ④ 운동선수
⑤ 사진작가

14 대화를 듣고, 남자가 가려고 하는 장소를 고르시오.

15 대화를 듣고, 여자가 대화 직후에 할 일로 가장 적절한 것을 고르시오.

① 삼촌 만나기 ② 캠핑카 빌리기
③ 캠핑장 예약하기 ④ 텐트 사러 가기
⑤ 삼촌에게 전화하기

16 대화를 듣고, 여자가 남자에게 제안한 것으로 가장 적절한 것을 고르시오.

① 과학 동아리 가입하기
② 과학 경시대회 준비하기
③ 함께 모형 비행기 만들기
④ 함께 과학 전시회 가기
⑤ 공상 과학 영화 보러 가기

17 대화를 듣고, 학교 축제가 시작되는 날짜를 고르시오.

① 10월 8일 ② 10월 10일
③ 10월 13일 ④ 10월 14일
⑤ 10월 15일

18 대화를 듣고, 현재 시각을 고르시오.

① 1:20 p.m. ② 1:40 p.m. ③ 2:00 p.m.
④ 2:20 p.m. ⑤ 2:40 p.m.

[19-20] 대화를 듣고, 남자의 마지막 말에 이어질 여자의 응답으로 가장 적절한 것을 고르시오.

19 Woman: _____

① You did a great job!
② I played soccer with him.
③ I'm sorry I broke the window.
④ You should go to the police station.
⑤ You have to say sorry to your teacher.

20 Woman: _____

① Please don't cut in line.
② That's what I remember.
③ Why don't you try them on?
④ Okay. What should I do next?
⑤ I'm looking forward to the project.

받아쓰기용

01 특정 정보 파악 ❉

다음을 듣고, 서해안의 내일 오후 날씨로 가장 적절한 것을 고르시오.

① ② ③ ④ ⑤

Sound Clear ☆ **reschedule**

미국식은 [뤼스케쥴]로, 영국식은 [뤼셰쥴]로 발음된다.

W Here's the weather forecast _____ _____ _____
_____. It's sunny now, but it will start raining tonight.
The rain _____ _____ _____ _____ _____.
There will be strong winds in the afternoon. If you are
_____ _____ _____ _____ tomorrow, you should
reschedule it.

정답 단서

☆

02 그림 정보 파악

대화를 듣고, 여자가 만든 티셔츠로 가장 적절한 것을 고르시오.

① ② ③ ④ ⑤

W Jackson, _____ _____ _____ _____ this T-shirt.
It's for my little brother.
M Wow! It looks great. The dog on the T-shirt is very cute.
W My brother really likes dogs, so _____ _____ _____
_____ _____.

정답 단서

M Oh, you're a good sister. What does the "M.L.B." under
the dog mean?

정답 단서

W Oh, _____ _____ "My Lovely Brother."
M I see. I'm sure your brother will love it.

03 화제 파악

다음을 듣고, 'this'가 가리키는 것으로 가장 적절한 것을 고르시오.

① ② ③ ④ ⑤

M You can use this _____ _____ _____ _____. This
has a pointer that always points north. This is _____
_____ _____ _____ for explorers and map makers
because this helps them know _____ _____ _____
_____. But now we use this _____ _____ _____
because of GPS. What is this?

04 직업 추론 ✳

대화를 듣고, 여자의 직업으로 가장 적절한 것을 고르시오.

① 어학원 강사
② 가구점 직원
③ 한국어 선생님
④ 기념품 매장 직원
⑤ 전자 제품 판매원

> **Sound Clear** ☆ **fan**
> pan(프라이팬)과 혼동하지 않도록 [f]와 [p]를 잘 구분하여 듣는다.

M Excuse me. I'm looking for a gift for my girlfriend.

W Do you have _____ _____ _____ _____?

M No, but I'd like to buy something very Korean.

W How about this fan?

M Oh, it's so beautiful. Do you _____ _____ _____ _____?

W Of course. _____ _____ _____ _____. I think your girlfriend will like it.

05 언급하지 않은 것 찾기

대화를 듣고, 여자가 주말에 할 일로 언급하지 않은 것을 고르시오.

① 할머니 방문하기   ② 외식하기
③ 불고기 요리하기   ④ 쇼핑하기
⑤ 과학 숙제하기

M Lisa, what are you going to do this weekend?

W I'm going to visit my grandmother with my family this Saturday. _____ _____ _____ _____.

M _____ _____ _____ _____?

W No. My mom and I will be cooking *bulgogi* for her.

M That sounds great. Do you have any other plans?

W I'm going to go shopping. _____ _____ _____ _____ _____.

M Don't forget that we have science homework. _____ _____ _____ _____?

W No, I didn't. I'll do it on Sunday afternoon.

06 장소 추론

대화를 듣고, 두 사람이 대화하는 장소로 가장 적절한 곳을 고르시오.

① 동물원   ② 문구점
③ 영화관   ④ 도서관
⑤ 전자 제품 매장

W Shh, _____ _____ _____ _____ _____.

M Oh, I'm sorry. We're looking for some books on wild animals.

W You can use this computer _____ _____ _____ _____.

M Oh, I think _____ _____ _____ _____. Can you tell me how to use the computer?

W First, _____ _____ _____ _____ _____ "wild animal" and then hit "Enter."

07 의도 파악

대화를 듣고, 남자가 한 마지막 말의 의도로 가장 적절한 것을 고르시오.

① 칭찬 ② 요청 ③ 사과
④ 제안 ⑤ 동의

M Somi, what did you do during vacation?
W I _____ _____ _____ at a hospital.
M What did you do there?
W I _____ _____ _____ and played the guitar for them.
M Wow, you did a lot of good things for them.
W Yes, I _____ _____ _____ _____.
M Good for you. You're an angel.
    정답 단서

08 심정 추론 ✷

대화를 듣고, 남자의 심정으로 가장 적절한 것을 고르시오.

① 기쁘다 ② 미안하다 ③ 답답하다
④ 편안하다 ⑤ 만족스럽다

Sound Clear ☆ **either**
[이더] 또는 [아이더]로 발음된다.

W Tony, what are you doing?
M I'm trying to solve this math problem, but I _____ _____ _____ _____.
W Let me see. (*Pause*) Oh, it's very difficult. _____ _____ _____ _____ your friends?
M I did, but they didn't know either.
W Then you should _____ _____ _____ tomorrow.
M I think I should.

09 주제 파악

다음을 듣고, 무엇에 관한 내용인지 가장 적절한 것을 고르시오.

① 일찍 일어나는 것이 건강에 좋다.
② 아침 식사를 거르지 말아야 한다.
③ 패스트푸드는 건강에 해롭다.
④ 아침에 학습 효과가 더 높다.
⑤ 청소년은 여가 시간이 많이 필요하다.

W What time do you usually get up? Do you _____ _____ _____ _____? Nowadays, a lot of teenagers skip breakfast. Breakfast is _____ _____ _____ _____ _____ for our bodies. Breakfast is also very important _____ _____ _____. Don't skip breakfast!
    정답 단서

10 숫자 정보 파악

대화를 듣고, 여자가 지불할 금액을 고르시오.

① $6 ② $8 ③ $10
④ $12 ⑤ $14

M How can I help you?
W I need _____ _____ _____ _____ _____.
M Here you are. That'll be $8.
W Thank you.
M Do you _____ _____ _____? Our fruit is very fresh and _____ _____ today.
W How much are the lemons?
M They are three for a dollar.
W _____ _____ _____ _____, please.

11　특정 정보 파악

대화를 듣고, 두 사람이 이용할 교통수단으로 가장 적절한 것을 고르시오.

① 자가용　② 자전거　③ 지하철
④ 버스　⑤ 택시

W　I'm excited about the K-pop concert tomorrow.
M　Me, too. _____ _____ _____ _____ to the concert, Bomi?
W　I'm going to ride my bike. It's not far from my house.
M　I also want to go there by bike, but _____ _____ _____ _____.
W　Then shall we go there by bus together?
M　That sounds great. Let's _____ _____ _____ _____ _____ tomorrow.

12　이유 파악

대화를 듣고, 여자가 남자를 찾아온 이유로 가장 적절한 것을 고르시오.

① 면접을 보기 위해서
② 숙제를 제출하기 위해서
③ 동아리에 지원하기 위해서
④ 신청서를 제출하기 위해서
⑤ 선생님을 취재하기 위해서

Sound Clear ☆ **Wednesday**
d가 묵음이라서 [웬즈데이]로 발음된다.

W　Excuse me, Mr. White. Do you _____ _____ _____?
M　Sure. How can I help you, Mina?
W　I'd like to apply for the school broadcasting club.
M　Okay. _____ _____ _____ _____ and come to the interview.
W　_____ _____ _____ _____, sir?
M　It will be next Wednesday at 3:30.
W　Okay. I'll _____ _____ _____ _____ that day. Thank you.

13　특정 정보 파악

대화를 듣고, 남자의 장래 희망으로 가장 적절한 것을 고르시오.

① 바이올리니스트　② 영화감독
③ 영화배우　④ 운동선수
⑤ 사진작가

W　Who is the cute boy playing the violin in this picture?
M　That's me. I _____ _____ _____ _____ at that time.
W　Do you still play the violin?
M　Yes. I _____ _____ _____.
W　Great! Do you want to be a violinist?
M　No. _____ _____ _____ _____ _____ _____.
W　Then what do you want to be?
M　I want to be a movie star.

14 위치 찾기

대화를 듣고, 남자가 가려고 하는 장소를 고르시오.

M Excuse me. Do you know where Tom's Restaurant is?

W Sure. It's on Main Street. Go straight and turn left _____ _____ _____ _____.

M The second corner. Okay.

W _____ _____ Main Street, and you'll find it on your left.

M I'm not sure _____ _____ _____ _____. Is there a tall building around there?

W There is a post office next to the restaurant. And it's _____ _____ _____ _____.

15 할 일 파악 ✦

대화를 듣고, 여자가 대화 직후에 할 일로 가장 적절한 것을 고르시오.

① 삼촌 만나기   ② 캠핑카 빌리기
③ 캠핑장 예약하기   ④ 텐트 사러 가기
⑤ 삼촌에게 전화하기

M What do we need for the family camping trip next week?

W First, we need a large tent for five people.

M _____ _____ _____ _____ for five people. What should we do?

W Uncle Joe has a big one. Why don't we _____ _____ _____ _____?

M That's a good idea.

W I'll call and ask him if he _____ _____ _____ _____ _____. *정답 단서*

16 제안한 것 파악

대화를 듣고, 여자가 남자에게 제안한 것으로 가장 적절한 것을 고르시오.

① 과학 동아리 가입하기
② 과학 경시대회 준비하기
③ 함께 모형 비행기 만들기
④ 함께 과학 전시회 가기
⑤ 공상 과학 영화 보러 가기

W What a nice model airplane! Did you make it?

M Yes. I'm also _____ _____ _____ next week.

W I didn't know you were interested in science.

M I _____ _____. I even joined the science club this year.

W Oh, did you? Do you _____ _____ _____ _____ _____ at COEX?

M No. When is it?

W It's _____ _____ _____ _____ _____. Would you like to go together this weekend? *정답 단서*

17 특정 정보 파악

대화를 듣고, 학교 축제가 시작되는 날짜를 고르시오.

① 10월 8일 ② 10월 10일
③ 10월 13일 ④ 10월 14일
⑤ 10월 15일

W Tyler, I'm _____ _____ _____ _____ the school festival.
M When does the school festival start, _____ _____
_____ _____ _____?
W It starts on October thirteenth.
M Really? Only five days from now? That's great.
W Yeah, _____ _____ _____.

18 숫자 정보 파악

대화를 듣고, 현재 시각을 고르시오.

① 1:20 p.m. ② 1:40 p.m.
③ 2:00 p.m. ④ 2:20 p.m.
⑤ 2:40 p.m.

Sound Clear ☆ next train
동일한 [t] 발음이 연이어 나오고 [t]와 [r]이 연달아 나와서 [넥스츄레인]로 발음된다.

W Oh, no! We _____ _____ _____.
M What should we do now?
W The next train is at 2 p.m. Let's take that.
M Then I'll _____ _____ _____ _____.
W Okay. We still have 40 minutes left, so I'll get some snacks.
M Good. _____ _____ _____ _____ in 10 minutes.

19 마지막 말에 이어질 응답 찾기

대화를 듣고, 남자의 마지막 말에 이어질 여자의 응답으로 가장 적절한 것을 고르시오.

Woman: _____

① You did a great job!
② I played soccer with him.
③ I'm sorry I broke the window.
④ You should go to the police station.
⑤ You have to say sorry to your teacher.

W What's wrong?
M My teacher is _____ _____ _____ _____. I broke a window at my school.
W How did you do that?
M I was playing soccer, and I _____ _____ _____
_____ _____.
W It _____ _____ _____ _____. Why is your teacher so upset?
M Well, when she first asked me about it, I _____ _____
_____. I said someone else had done it.
W You have to say sorry to your teacher.

20 마지막 말에 이어질 응답 찾기

대화를 듣고, 남자의 마지막 말에 이어질 여자의 응답으로 가장 적절한 것을 고르시오.

Woman: _____

① Please don't cut in line.
② That's what I remember.
③ Why don't you try them on?
④ Okay. What should I do next?
⑤ I'm looking forward to the project.

W What can I do _____ _____ _____ _____?
M Why don't you make a bag?
W That's a great idea, but _____ _____ _____?
M No, not at all. It's very simple.
W Can you tell me _____ _____ _____ _____?
M Sure. First, draw a line on your jeans and then _____
_____ _____ _____.
W Okay. What should I do next?

Review Test

Word Check   영어는 우리말로, 우리말은 영어로 써 보기

01	traditional		13	체험; 체험하다
02	suitcase		14	주인공
03	board		15	추가하다
04	facial expression		16	상을 타다
05	rule		17	넘어뜨리다
06	flower pattern		18	고유의, 독특한
07	across the country		19	맛있는
08	in total		20	(충고·지시 등을) 따르다
09	make a note		21	버스 정류장
10	art gallery		22	완전히
11	booth		23	발목
12	safety		24	조리법

Expression Check   알맞은 표현을 넣어 문장 완성하기

25 This _____ _____ _____ a traditional Korean dance. 이것은 한국의 전통 춤에 사용됩니다.

26 How about _____ _____ _____ gloves? 장갑 한 켤레는 어때?

27 I went there _____ _____ _____ _____ July. 나는 7월 말에 그곳에 갔었어.

28 I _____ _____ _____ _____ on the math test. 나는 수학 시험에서 안 좋은 점수를 받았어.

29 I'm _____ _____ _____ _____ with Tina this Saturday.
나는 이번 토요일에 Tina와 데이트할 거야.

30 I'm going to act in front of a big audience _____ _____ _____ _____.
나는 처음으로 많은 관객 앞에서 연기를 할 거야.

Word Check
영어는 우리말로, 우리말은 영어로 써 보기

01 west coast _____

02 reschedule _____

03 brain _____

04 explorer _____

05 along _____

06 teenager _____

07 movie star _____

08 dine out _____

09 dozen _____

10 exhibition _____

11 broadcasting _____

12 nowadays _____

13 거르다, 건너뛰다 _____

14 깨다 _____

15 특별한, 특정한 _____

16 검색하다 _____

17 고장 난 _____

18 양식 _____

19 원천, 근원 _____

20 빌리다 _____

21 빌려주다 _____

22 심지어 _____

23 주요한 _____

24 새치기하다 _____

Expression Check
알맞은 표현을 넣어 문장 완성하기

25 I'd like to _____ _____ the school broadcasting club. 저는 학교 방송 동아리에 지원하고 싶어요.

26 _____ _____ this form and come to the interview. 이 신청서를 작성하고 면접에 오거라.

27 You have to _____ _____ _____ your teacher. 너는 선생님께 죄송하다고 말씀드려야해.

28 Shh, please don't _____ _____ here. 쉿. 여기서는 시끄럽게 떠들지 마세요.

29 Now we use this _____ _____ before because of GPS.
지금 우리는 GPS 때문에 이전보다는 이것을 덜 사용합니다.

30 I'm also _____ _____ the science contest next week.
난 다음 주에 있을 과학 경시대회도 준비하고 있어.

Word List

□ weather forecast	일기 예보
□ work	작동하다
□ electricity	전기
□ warm up	데우다
□ blanket	담요
□ in the middle	가운데에
□ corner	모서리
□ take care of	~을 돌보다
□ be good at	~을 잘하다
□ go for a bike ride	자전거를 타러 가다
□ get up	일어나다
□ on the weekends	주말마다
□ audition	오디션
□ practice	연습하다
□ be interested in	~에 관심이 있다
□ musician	음악가
□ by the way	그런데
□ be planning to	~할 계획이다
□ do magic tricks	마술을 하다
□ stay	머무름
□ activity	활동
□ miss	그리워하다
□ flight	항공편
□ cancel	취소하다
□ because of	~ 때문에
□ book	예매하다, 예약하다
□ prefer	~을 더 좋아하다
□ directions	길 안내
□ go straight	곧장 가다, 직진하다
□ between A and B	A와 B 사이에
□ amusement park	놀이공원
□ sign up for	~을 신청하다
□ hurt	아프다
□ all the time	항상
□ passport	여권
□ purpose	목적
□ sightseeing	관광
□ lose	(경기를) 지다
□ fault	실수, 잘못
□ mistake	실수

□ electric	전기의
□ fan	선풍기
□ instead of	~ 대신에
□ send	보내다
□ section	부분, 구역
□ curly	곱슬곱슬한
□ heavily	심하게
□ had better	~하는 게 좋겠다
□ ballpark	야구장
□ fantastic	환상적인
□ gain weight	체중이 늘다
□ not ~ any more	더 이상 ~ 않다
□ fit	(옷이) 맞다
□ although	비록 ~이지만
□ agree	동의하다
□ sweets	단것
□ cut down on	~을 줄이다
□ on sale	할인 중인
□ across from	~의 맞은편에
□ feed	먹이를 주다
□ crack	금, 선
□ drop	떨어뜨리다
□ wrap	싸다, 포장하다
□ meal	식사
□ pay	지불하다
□ hurry up	서두르다
□ locker	사물함
□ try on	입어 보다, 신어 보다
□ bottle	병
□ fail	(시험 등에) 떨어지다
□ nervous	긴장한, 초조해하는
□ play a role	역할을 맡다
□ disappointed	실망한
□ achieve	이루다, 성취하다
□ various	다양한
□ environment	환경
□ save	절약하다
□ exercise	운동하다
□ somewhere	어딘가에
□ free time	여가 시간

실전 모의고사 03 회

☐ pass	(공을) 패스하다
☐ score	득점을 올리다
☐ up to	~까지
☐ someday	언젠가
☐ fence	울타리, 담
☐ fix	수리하다
☐ clear up	(날씨가) 개다
☐ missing	없어진
☐ exchange A for B	A를 B로 교환하다
☐ get a refund	환불받다
☐ receipt	영수증
☐ in case of	~한 경우에
☐ cry out	외치다
☐ in a loud voice	큰 소리로
☐ make sure	반드시 ~하다
☐ stairs	계단
☐ turn	차례, 순번
☐ dental	치과의
☐ appointment	약속, 예약
☐ look forward to	~을 기대하다
☐ have a stomachache	배가 아프다
☐ homeroom teacher	담임 선생님
☐ order	주문
☐ for example	예를 들어
☐ turn into	~로 바뀌다
☐ fashionable	유행하는
☐ change A into B	A를 B로 바꾸다
☐ garbage	쓰레기
☐ reuse	재사용하다
☐ gym	체육관
☐ social studies	(과목) 사회
☐ extra	여분의
☐ radio station	라디오 방송국
☐ entertainer	연예인
☐ throw a surprise party	깜짝파티를 열다
☐ in a moment	곧, 바로
☐ land	착륙하다
☐ thirsty	목이 마른
☐ spend	(돈을) 쓰다
☐ quit	그만두다

실전 모의고사 04 회

☐ outdoor	야외의
☐ lucky	운이 좋은
☐ however	그러나
☐ look for	~을 찾다
☐ square	정사각형 모양의, 네모난
☐ dot	점
☐ press	누르다
☐ drink	음료
☐ vegetable	채소
☐ chef	요리사, 주방장
☐ enter	(대회 등에) 참가하다, 출전하다
☐ win first prize	일등상을 타다
☐ grade	학년
☐ can't wait to	~ 하고 싶다, ~가 기대되다
☐ text	문자 메시지를 보내다
☐ timetable	시간표
☐ volunteer work	자원봉사 활동
☐ happen	일어나다, 발생하다
☐ relieve	덜어 주다, 완화하다
☐ take a bath	목욕하다
☐ a lot of	많은
☐ relax	휴식을 취하다
☐ festival	축제
☐ decide	결정하다
☐ either	(둘 중) 어느 하나(의)
☐ submit	제출하다
☐ holiday	휴일, 휴가
☐ far from	~로부터 먼
☐ next to	~ 옆에
☐ have ~ in mind	~을 염두에 두다(생각하다)
☐ call a taxi	택시를 부르다
☐ terrible	심한, 끔찍한
☐ at this time	이 시간에
☐ repeat	반복하다
☐ character	등장인물
☐ for the first time	처음으로
☐ keep in mind	명심하다
☐ make noise	시끄럽게 하다
☐ have a cast on	~에 깁스를 하다
☐ fall down	넘어지다

Word List

☐ wheel	바퀴	
☐ control	조종하다, 조절하다	
☐ round-neck	라운드 넥의	
☐ come from	~ 출신이다	
☐ sci-fi movie	공상 과학 영화	
☐ snack bar	스낵바, 간이식당	
☐ fall asleep	잠이 들다	
☐ neighbor	이웃	
☐ late at night	밤늦게	
☐ embarrassed	당황스러운	
☐ animal trainer	동물 조련사	
☐ translator	번역가	
☐ translate *A* into *B*	A를 B로 번역하다	
☐ foreign language	외국어	
☐ a pair of	~ 한 켤레	
☐ sneakers	운동화	
☐ sandals	샌들	
☐ go on a picnic	소풍 가다	
☐ on one's way home	집으로 오는 길에	
☐ a bunch of	~ 한 다발	
☐ stationery store	문구점	
☐ drugstore	약국	
☐ in fact	사실은	
☐ famous	유명한	
☐ wakeup call	모닝콜	
☐ attend	참석하다	
☐ meeting	회의	
☐ department store	백화점	
☐ regular price	정상가	
☐ off	할인하여	
☐ have been to	~에 가 본 적이 있다	
☐ beef	소고기	
☐ pork	돼지고기	
☐ taste	맛이 ~하다	
☐ still	여전히, 아직도	
☐ in front of	~ 앞에서	
☐ helpful	도움이 되는	
☐ try	시도하다	
☐ understand	이해하다	
☐ get rest	쉬다	

☐ spot	반점	
☐ teddy bear	곰 인형, 테디 베어	
☐ temperature	기온	
☐ go up	오르다	
☐ east coast	동해안	
☐ view	풍경, 경치	
☐ along	~을 따라	
☐ thankfully	고맙게도, 다행스럽게도	
☐ the whole time	내내	
☐ documentary	다큐멘터리	
☐ unique	독특한	
☐ have an accident	사고를 당하다	
☐ slip	미끄러지다	
☐ instead	대신에	
☐ lose weight	체중을 줄이다	
☐ stop ~ing	~하는 것을 그만두다	
☐ fatty	기름진	
☐ take a walk	산책을 하다	
☐ get a discount	할인을 받다	
☐ single room	1인용 객실	
☐ credit card	신용 카드	
☐ complete	완성하다	
☐ form	서식, 양식	
☐ deliver	배달하다	
☐ get one's hair cut	머리를 자르다	
☐ hair salon	미용실	
☐ be late for	~에 지각하다	
☐ too ~ to ...	너무 ~해서 …할 수 없다	
☐ on time	제시간에	
☐ have a fever	열이 나다	
☐ throw way	버리다	
☐ donation	기증, 기부	
☐ sunrise	해돋이, 일출	
☐ length	길이	
☐ laptop computer	노트북 컴퓨터	
☐ kindness	친절	
☐ lend	빌려주다	
☐ stripe	줄무늬	
☐ fitting room	탈의실	
☐ look good on	~에게 잘 어울리다	

실전 모의고사 07 회

☐ all day	하루 종일
☐ carefully	조심스럽게
☐ clearly	또렷하게
☐ grow up	자라다
☐ national museum	국립 박물관
☐ in total	모두 합해서, 통틀어
☐ nursing home	양로원
☐ have a reservation	예약이 되어 있다
☐ make a reservation	예약을 하다
☐ receive	받다
☐ confirmation	확인
☐ customer	고객
☐ confused	혼란스러운
☐ satisfied	만족하는
☐ do a good job	잘하다
☐ soup kitchen	무료 급식소
☐ delievery	배달, 배달물
☐ sign	서명하다
☐ without	~ 없이
☐ scary	두려운, 무서운
☐ turn off	끄다, 잠그다
☐ brush one's teeth	양치를 하다
☐ garage	차고
☐ enough	충분히
☐ share	함께 쓰다, 공유하다
☐ half price	반값
☐ recommend	추천하다
☐ wash one's hair	머리를 감다
☐ fall off	~에서 떨어지다
☐ earthquake	지진
☐ donate	기부하다
☐ acting	연기
☐ movie director	영화감독
☐ touching	감동적인
☐ go on a trip	여행을 가다
☐ pack	(짐을) 싸다
☐ do ~ a favor	~의 부탁을 들어주다
☐ be away	떨어져 있다, 부재중이다
☐ fridge	냉장고
☐ afterwards	나중에, 그 후에

실전 모의고사 08 회

☐ break into pieces	산산조각으로 부서지다
☐ flower pattern	꽃무늬
☐ striped	줄무늬의
☐ popular	인기 있는
☐ item	품목
☐ quality	질, 품질
☐ take a picture	사진을 찍다
☐ ride one's bike	자전거를 타다
☐ wedding	결혼식
☐ sense	감각
☐ get in line	줄을 서다
☐ ride	놀이 기구, 탈것
☐ wait for	~을 기다리다
☐ finally	마침내
☐ other	다른
☐ have a seat	자리에 앉다
☐ whenever	~할 때마다
☐ take a look	보다
☐ look like	~인 것처럼 보이다
☐ bad tooth	충치
☐ get nervous	긴장이 되다
☐ campaign	캠페인
☐ forest fire	산불
☐ corner	모퉁이
☐ downtown	도심(지)의
☐ area	지역
☐ flow	흘러가다
☐ traffic	교통(량)
☐ accident	사고
☐ vacation	휴가, 방학
☐ return	반납하다
☐ bring back	돌려주다
☐ have a good time	즐거운 시간을 보내다
☐ say hello to	~에게 안부를 전하다
☐ potluck party	포틀럭 파티(각자 음식을 조금씩 가져 오는 파티)
☐ row	열, 줄
☐ agree with	~에게 동의하다
☐ so far	지금까지
☐ cheer up	기운을 내다

Word List

☐ during	~ 동안
☐ button	단추
☐ pocket	주머니
☐ choice	선택
☐ fable	우화
☐ on land	육지에
☐ hard	단단한, 딱딱한
☐ shell	껍질, 껍데기
☐ hide oneself	숨다
☐ in danger	위험에 처한
☐ offer	제안하다
☐ by oneself	스스로, 혼자
☐ announcer	아나운서
☐ voice	목소리
☐ airport	공항
☐ arrive	도착하다
☐ cartoonist	만화가
☐ songwriter	작곡가
☐ instant photo	즉석 사진
☐ education	교육
☐ history	역사
☐ traditional	전통적인
☐ a few days	며칠
☐ unhappy	불행한, 불만스러운
☐ semifinal	준결승
☐ be over	끝나다
☐ farewell party	송별회
☐ drive	태워다 주다
☐ pale	창백한
☐ passenger	승객
☐ just in case	만약을 위해서
☐ go bike riding	자전거를 타러 가다
☐ speech	연설
☐ performance	공연
☐ quickly	빨리
☐ absent	결석한
☐ flu	독감
☐ sick in bed	앓아누워 있는
☐ after school	방과 후에
☐ go to the dentist	치과에 가다

☐ hold	잡고[들고] 있다; 열다, 개최하다
☐ for a long time	오랫동안
☐ dark cloud	먹구름
☐ shower	소나기
☐ expect	기대하다, 예상하다
☐ download	내려받다, 다운로드하다
☐ convenient	편리한
☐ carry	가지고 다니다
☐ anytime	언제든지
☐ absent	결석한
☐ hurt	다치게 하다
☐ badly	심하게
☐ get well	(병이) 나아지다
☐ till	~까지
☐ on one's way home	집에 오는 길에
☐ inline skating	인라인스케이트를 타다
☐ take a break	잠깐 쉬다
☐ snack bar	스낵바, 간이식당
☐ career camp	직업 체험 캠프
☐ rush hour	러시아워, 출퇴근 혼잡 시간
☐ trash can	쓰레기통
☐ bug spray	살충제
☐ from now on	이제부터
☐ volleyball	배구
☐ bill	계산서
☐ go Dutch	비용을 각자 부담하다
☐ tax	세금
☐ have a headache	머리가 아프다
☐ nurse's office	보건실
☐ take medicine	약을 먹다
☐ work	효과가 있다
☐ see a doctor	병원에 가다
☐ recycling	재활용
☐ make noise	시끄럽게 하다
☐ be worried about	~에 대해 걱정하다
☐ all around the world	전 세계, 세계 각처
☐ wash the dishes	설거지하다
☐ living room	거실
☐ environment	환경
☐ go well	잘 되어 가다

실전 모의고사 11 회

☐ smell	냄새가 나다
☐ take a shower	샤워하다
☐ rub	문지르다
☐ bubble	거품
☐ handle	손잡이
☐ on both sides	양쪽에
☐ continue	계속되다
☐ player	선수
☐ cotton candy	솜사탕
☐ newsletter	소식지
☐ athlete	운동선수
☐ show up	나타나다
☐ take care of	~을 돌보다
☐ field trip	현장 학습
☐ village	마을
☐ cultural	문화의
☐ public library	공립 도서관
☐ stripe	줄무늬
☐ moment	잠깐, 잠시
☐ right away	즉시, 곧바로
☐ dry-clean	드라이클리닝을 하다
☐ zipper	지퍼
☐ broken	고장 난
☐ fix	고치다
☐ total	총액, 합계
☐ remote control	리모컨
☐ either	(부정문에서) ~도 또한
☐ somewhere	어딘가에
☐ be pleased with	~에 만족하다, 기뻐하다
☐ situation	상황
☐ easily	쉽게
☐ these days	요즘
☐ actually	실은
☐ take a trip to	~로 여행을 가다
☐ historical	역사적인
☐ impressive	인상적인
☐ dish	요리
☐ guest	손님
☐ pleasure	기쁨, 즐거움
☐ agree with	~에게 동의하다

실전 모의고사 12 회

☐ move	움직이다; 동작
☐ work	작동시키다
☐ lose	잃어버리다
☐ little by little	조금씩
☐ convenience store	편의점
☐ partly	부분적으로
☐ go skiing	스키 타러 가다
☐ have a good time	즐거운 시간을 보내다
☐ get back	돌아오다
☐ stay up all night	밤새도록 자지 않고 있다
☐ write a diary	일기를 쓰다
☐ at least	적어도, 최소한
☐ be excited about	~에 대해 신나다, 들뜨다
☐ career	진로, 경력
☐ scientist	과학자
☐ reporter	기자
☐ take a class	수업을 듣다
☐ not ~ any more	더 이상 ~하지 않는
☐ community center	복지관, 주민 센터
☐ curry and rice	카레라이스
☐ fridge	냉장고
☐ push	밀다
☐ shopping cart	쇼핑 카트
☐ suddenly	갑자기
☐ die	(기계가) 서다, 멎다
☐ come over	들르다
☐ classical music	클래식 음악
☐ boring	지루한
☐ be popular with	~에게 인기 있다
☐ adult	성인, 어른
☐ be located	위치해 있다
☐ drink stand	음료 판매대
☐ long face	우울한 얼굴
☐ last	마지막으로
☐ lost and found	분실물 보관소
☐ do online shopping	온라인 쇼핑을 하다
☐ purpose	목적
☐ address	주소
☐ horror movie	공포 영화
☐ sneakers	운동화

Word List

☐ cool	시원한
☐ must not	~해서는 안 된다
☐ wave	파도
☐ high	높은
☐ meaning	의미
☐ instead of	~ 대신에
☐ upstairs	위층
☐ bark	짖다
☐ noise	소음
☐ get together	모이다
☐ recipe	조리법
☐ run	운영하다
☐ give ~ a ride	~을 태워 주다
☐ as soon as	~하자마자
☐ get to	~에 도착하다
☐ magazine	잡지
☐ line	대사
☐ in the middle of	~의 중간에
☐ hand in	제출하다
☐ helpful	유용한, 도움이 되는
☐ Mexican	멕시코의
☐ can't wait	너무 기대되다
☐ check out	(도서관 등에서) 대출하다
☐ keep	가지고 있다
☐ farther	더 멀리
☐ walk around	~ 주변을 돌아다니다
☐ match	경기
☐ win a gold medal	금메달을 따다
☐ park	주차하다
☐ across the street	길 건너편에
☐ kid	농담을 하다
☐ name tag	이름표
☐ lucky	운이 좋은
☐ bottle	병
☐ try to	~하려고 노력하다
☐ useful	유용한
☐ recycling	재활용
☐ don't have to	~할 필요가 없다
☐ save	살리다, 구하다
☐ Earth	지구

☐ move up and down	위아래로 움직이다
☐ press	누르다
☐ tie	묶다
☐ blow	(바람이) 불다
☐ area	지역
☐ indoor	실내의
☐ outdoor	야외의
☐ table tennis	탁구
☐ per	~당
☐ lonely	외로운
☐ cookbook	요리책
☐ beginner	초보자
☐ speed	(자동차 등이) 속도위반하다
☐ realize	알아차리다
☐ careful	조심하는, 주의 깊은
☐ driver's license	운전 면허증
☐ from now on	이제부터
☐ make an appointment	예약하다
☐ palace	궁궐
☐ guide	안내하다
☐ do volunteer work	자원봉사를 하다
☐ terrible	심한
☐ have a headache	머리가 아프다
☐ have a fever	열이 나다
☐ have a runny nose	콧물이 흐르다
☐ throat	목구멍
☐ suitcase	여행 가방
☐ school president	전교 회장
☐ parents	부모
☐ post	게시하다
☐ pick	뽑다
☐ prize	상, 상품
☐ go for a walk	산책하러 가다
☐ list	목록
☐ as you know	너도 알다시피
☐ keep one's fingers crossed	좋은 결과(행운)를 빌다
☐ wish	기원하다, 빌다
☐ good luck	행운
☐ hang	걸다

실전 모의고사 15 회

□ weigh	무게가 ~이다
□ in the middle	가운데에
□ round neck	라운드 넥
□ through the weekend	주말 내내
□ along	~을 따라
□ refreshing	상쾌한
□ throw away	버리다
□ trash	쓰레기
□ flowerpot	화분
□ in front of	~ 앞에
□ movie theater	영화관
□ pack	(짐을) 싸다
□ listen to	~에게 귀를 기울이다
□ be well-known for	~로 유명하다
□ pork cutlet	돈가스
□ trending	유행하는
□ towel	수건
□ extra	여분의
□ be late for	~에 늦다
□ hurry up	서두르다
□ get on	~을 타다
□ traffic jam	교통 체증
□ fit	(몸에) 맞다
□ hole	구멍
□ sleeve	소매
□ beauty shop	미용실
□ get a perm	파마하다
□ get a haircut	머리를 자르다
□ art gallery	미술관
□ exhibition	전시회
□ bookshelf	책꽂이
□ give it a try	시도하다, 한번 해 보다
□ science lab	과학실
□ unhappy	불행한, 기분이 나쁜
□ have an argument	말다툼하다
□ fight about	~에 대해 싸우다
□ apologize	사과하다
□ ballpark	야구장
□ solve	풀다
□ this way	이런 식으로

실전 모의고사 16 회

□ while	~하는 동안에
□ dress up	변장을 하다
□ wizard	마법사
□ dot	점
□ various	다양한
□ shape	모양
□ be filled with	~로 가득 차다
□ cotton	솜
□ duck down	오리털
□ lean on	~에 기대다
□ comfortable	편안한
□ score a goal	득점하다, 골을 넣다
□ for fun	재미로
□ get better	좋아지다
□ in no time	곧
□ on sale	할인 중인
□ try to	~하려고 노력하다
□ book	예매하다, 예약하다
□ sold out	매진된, 다 팔린
□ VR(= virtual reality)	가상 현실
□ receive	받다
□ address	주소
□ as soon as possible	가능한 한 빨리
□ dead	(건전지) 방전된
□ far from	~로부터 먼
□ on foot	걸어서
□ dark circle	다크서클
□ how to	~하는 방법
□ remove	없애다, 제거하다
□ plenty of	많은
□ might	~일지도 모른다
□ go on a camping trip	캠핑 여행을 가다
□ mind	마음
□ convenient	편리한
□ movie star	영화배우
□ make a friend	친구를 사귀다
□ department store	백화점
□ all the time	항상
□ present	선물
□ choice	선택

Word List

실전 **모의고사** 17 회

☐ useful	유용한
☐ tool	도구
☐ daily life	일상생활
☐ hairdresser	미용사
☐ customer	고객
☐ heart-shaped	하트 모양의
☐ balloon	풍선
☐ sunlight	햇빛
☐ lastly	마지막으로
☐ than usual	평소보다
☐ activity	활동
☐ thought	생각
☐ keep a diary	일기를 쓰다
☐ channel	(TV · 라디오의) 채널
☐ live	생방송으로
☐ episode	1회 방송분
☐ perform	공연하다
☐ performance	공연
☐ the day after tomorrow	내일모레
☐ rehearsal	리허설, 예행연습
☐ stage	무대
☐ party	일행
☐ twice	두 번
☐ magazine	잡지
☐ history	역사
☐ dynasty	왕조
☐ bestseller	베스트셀러
☐ call about	~ 일로 전화하다
☐ make it at	(약속 시간을) ~로 정하다
☐ owner	주인
☐ garage	차고, 주차장
☐ bedside	침대 옆
☐ dry cleaner's	세탁소
☐ repair	수선하다
☐ moment	잠깐, 잠시
☐ total	총액, 합계
☐ come to	(총계가) ~이 되다
☐ curry and rice	카레라이스
☐ car accident	교통사고
☐ street food	길거리 음식

실전 **모의고사** 18 회

☐ be covered with	~로 덮여 있다
☐ cloth	천
☐ string	끈, 줄, 실
☐ colorful	화려한
☐ wisely	현명하게
☐ one ~, the other ...	하나는 ~, 다른 하나는 …
☐ throughout	도처에, 전체에 걸쳐
☐ country	나라
☐ midnight	자정, 한밤중
☐ all day long	하루 종일
☐ tell a joke	농담을 하다
☐ missing	없어진
☐ take a look	보다
☐ receipt	영수증
☐ get on	타다
☐ tour	관광, 여행
☐ scientist	과학자
☐ get rest	휴식을 취하다
☐ make a plan	계획을 짜다
☐ climb	오르다
☐ mountain climbing	등산
☐ subway station	지하철역
☐ meal	식사
☐ flight	항공편
☐ vegetarian	채식주의자
☐ daughter	딸
☐ comfortable	편안한
☐ on one's left	~의 왼편에
☐ son	아들
☐ be popular with	~에게 인기 있다
☐ discount	할인
☐ return	반납하다
☐ appreciate	고마워하다
☐ seed	씨, 씨앗
☐ plant	심다
☐ garden bed	화단
☐ hole	구멍
☐ soil	흙
☐ snowboard	스노보드를 타다
☐ dangerous	위험한

고난도 모의고사 19 회

☐ be used for	~에 사용되다
☐ traditional	전통적인
☐ unique	고유의, 독특한
☐ facial expression	얼굴 표정
☐ suitcase	여행 가방
☐ flower pattern	꽃 무늬
☐ across the country	전국적으로
☐ most of	~의 대부분
☐ planner	수첩, 일정 계획표
☐ make notes	메모하다
☐ from now on	이제부터
☐ be held	열리다
☐ booth	(전시장 등의) 부스
☐ gym	체육관
☐ win a prize	상을 타다
☐ experience	체험; 체험하다
☐ become	~이 되다
☐ hairdresser	미용사
☐ main character	주인공
☐ act	연기하다
☐ audience	관객
☐ for the first time	처음으로
☐ poster	포스터
☐ board	게시판
☐ safety	안전
☐ rule	규칙
☐ knock over	넘어뜨리다
☐ follow	(충고 · 지시 등을) 따르다
☐ art gallery	미술관
☐ 10-minute walk	걸어서 10분
☐ in total	모두 합해서, 통틀어
☐ get a bad grade	안 좋은 점수를 받다
☐ spicy	매운
☐ must be	~임에 틀림없다
☐ had better not	~하지 않는 것이 좋겠다
☐ ankle	발목
☐ recipe	조리법
☐ go on a date	데이트하러 가다
☐ amusement park	놀이공원
☐ at the end of	~의 말에

고난도 모의고사 20 회

☐ west coast	서해안
☐ reschedule	일정을 변경하다
☐ pointer	(계기판의) 바늘
☐ point	가리키다
☐ north	북쪽의
☐ explorer	탐험가
☐ less than	~보다 덜
☐ particular	특별한, 특정한
☐ mirror	거울
☐ dine out	외식하다
☐ make noise	시끄럽게 하다
☐ search	검색하다
☐ how to	~하는 방법
☐ feel proud of	~을 자랑스러워하다
☐ angel	천사
☐ figure out	이해하다, 알아내다
☐ either	(부정문에서) ~도 또한
☐ nowadays	요즘
☐ teenager	십 대
☐ skip	거르다, 건너뛰다
☐ main	주요한
☐ source	원천, 근원
☐ brain	두뇌
☐ dozen	다스, 12개짜리 한 묶음
☐ broken	고장 난
☐ bus stop	버스 정류장
☐ apply for	~에 지원하다
☐ broadcasting	방송
☐ fill out	작성하다, 기입하다
☐ form	양식, 서식
☐ interview	면접
☐ along	~을 따라
☐ borrow	빌리다
☐ lend	빌려주다
☐ prepare for	~을 준비하다
☐ exhibition	전시회
☐ be upset with	~에게 화가 나다
☐ sound like	~처럼 들리다
☐ tell a lie	거짓말하다
☐ say sorry to	~에게 미안하다고 말하다

동아출판 영어 교재 가이드

영역	브랜드	초1~2	초3~4	초5~6	중1	중2	중3	고1	고2	고3
문법	[초·중등] 개념서 **그래머 클리어 스타터** **중학 영문법 클리어**		Grammar CLEAR Starter 1	Grammar CLEAR Starter 2	중학 영문법 클리어 1	중학 영문법 클리어 2	중학 영문법 클리어 3			
	[중등] 문법 문제서 **그래머 클라우드 3000제**				그래머 클라우드 3000제 1	그래머 클라우드 3000제 2	그래머 클라우드 3000제 3			
	[중등] 실전 문제서 **빠르게 통하는 영문법** **핵심 1200제**				빠르게 통하는 영문법 1200제 1	빠르게 통하는 영문법 1200제 2	빠르게 통하는 영문법 1200제 3			
	[중등] 서술형 영문법 **서술형에 더 강해지는** **중학 영문법**				서술형에 더 강해지는 중학 영문법 1	서술형에 더 강해지는 중학 영문법 2	서술형에 더 강해지는 중학 영문법 3			
	[고등] 시험 영문법 **시험에 더 강해지는** **고등 영문법**							시험에 더 강해지는 고등영문법		
	[고등] 개념서 **Supreme 고등 영문법**							Supreme 고등영문법		
어법	[고등] 기본서 **Supreme 수능 어법** 기본 실전							Supreme 수능 기본 / Supreme 수능 실전		
쓰기	[중등] 영작 집중 훈련서 **중학 문법+쓰기 클리어**				중학 문법+쓰기 클리어 1	중학 문법+쓰기 클리어 2	중학 문법+쓰기 클리어 3			

LISTENING CLEAR))

중학영어듣기
모의고사 20회

ANSWERS

1

동아출판)

LISTENING CLEAR

중학영어듣기 모의고사 20회

1

01 ⑤	02 ②	03 ③	04 ③	05 ④
06 ④	07 ⑤	08 ③	09 ①	10 ②
11 ③	12 ④	13 ②	14 ②	15 ③
16 ⑤	17 ②	18 ①	19 ①	20 ⑤

01 ⑤

W Good evening. This is the weather forecast for tomorrow. In Seoul, there will be no rain, just a lot of clouds. In Busan, there will be strong winds and heavy rain. Daegu will be windy and very cold.

여 안녕하세요. 내일의 일기 예보입니다. 서울은 구름만 많이 끼겠고 비는 오지 않겠습니다. 부산은 강한 바람이 불고 폭우가 내리겠습니다. 대구는 바람이 불고 아주 춥겠습니다.

해설 내일 대구는 바람이 불고 아주 추울 것이라고 했다.

어휘 weather forecast 일기 예보   a lot of 많이   cloud 구름   heavy rain 폭우   wind 바람   windy 바람이 부는

02 ②

W You can see this in the kitchen. This looks like a box with buttons or dials. This works by electricity. You can use this for cooking food. You can also warm up food very fast with this. What is this?

여 여러분은 이것을 부엌에서 볼 수 있습니다. 이것은 버튼이나 다이얼이 있는 상자처럼 보입니다. 이것은 전기로 작동합니다. 여러분은 이것을 음식을 요리하는 데 사용할 수 있습니다. 여러분은 또한 이것으로 음식을 아주 빨리 데울 수도 있습니다. 이것은 무엇일까요?

해설 부엌에서 볼 수 있고 음식을 요리하거나 데우는 데 사용하며, 전기로 작동하는 것은 전자레인지이다.

어휘 kitchen 부엌   button 버튼, 단추   dial 다이얼   work 작동하다   electricity 전기   warm up 데우다

03 ③

M Look! These blankets are so pretty.
W Yes, they are. Which one would be good for Sally?
M How about the one with the small bears?
W The one with the small bears in the middle?
M No, the one with a small bear in each corner.
W Oh, it looks cute. Let's take that.

남 봐! 이 담요들 너무 예뻐.
여 그래. Sally에게 어떤 것이 좋을까?
남 작은 곰들이 있는 거 어때?
여 가운데에 작은 곰들이 있는 거 말이니?
남 아니, 각 모서리에 작은 곰이 한 마리씩 있는 거.
여 아, 그거 귀여워 보여. 그걸 사자.

해설 두 사람은 각 모서리에 작은 곰이 한 마리씩 그려진 담요를 구입하기로 했다.

어휘 blanket 담요   pretty 예쁜   bear 곰   in the middle 가운데에   each 각각의   corner 모서리   cute 귀여운

04 ③

(Cellphone rings.)
W Hi, Mike.
M Oh, hi, Jenny. What's up?
W I have two tickets to an action movie this Saturday. Would you like to go with me?
M Sure, I'd love to. What time is the movie?
W It starts at 2 p.m.
M Oh, I'm sorry, but I can't. I have a violin lesson at 3 p.m.

(휴대 전화가 울린다.)
여 안녕, Mike.
남 어, 안녕, Jenny. 무슨 일이야?
여 이번 토요일에 상영하는 액션 영화표 두 장이 있어. 나랑 같이 갈래?
남 물론, 그러고 싶어. 영화가 몇 시야?
여 오후 2시에 시작해.
남 아, 미안하지만, 못 가겠다. 나는 오후 3시에 바이올린 수업이 있어.

해설 남자는 바이올린 수업이 있어서 함께 영화를 보러 가자는 여자의 제안을 거절했다.

어휘 ticket 표   action movie 액션 영화   lesson 수업

05 ④

M Let me introduce my family. My dad is a middle school teacher. He is very kind and humorous. My mom is a nurse. She takes care of sick people. I'm very good at soccer. Oh, I almost forgot another important member, Puko. Puko is my pet cat. He's very quiet.

남 우리 가족을 소개할게. 우리 아빠는 중학교 선생님이셔. 그는 아주 친절하고 유머러스하셔. 우리 엄마는 간호사이셔. 그녀는 아픈 사람들을 돌보셔. 나는 축구를 아주 잘해. 아, 또다른 중요한 구성원인 Puko를 잊을 뻔했네. Puko는 나의 애완 고양이야. 그는 아주 조용해.

해설 남자는 엄마의 성격은 언급하지 않았다.

어휘 introduce 소개하다   middle school 중학교   humorous 유머러스한   nurse 간호사   take care of ~을 돌보다   be good at ~을 잘하다   soccer 축구   almost 거의   forget 잊다   important 중요한   member 구성원   pet 애완동물   quiet 조용한

06 ④

W Ryan, let's go for a bike ride tomorrow morning.
M Sounds great. What time should we meet?

W When do you usually get up on the weekends?
M I get up at around 7 o'clock.
W Then can we meet at 7:30?
M Oh, that's too early. How about an hour after I get up?
W Okay. See you then.

여 Ryan, 내일 아침에 자전거 타러 가자.
남 좋아. 몇 시에 만날까?
여 넌 주말에 보통 몇 시에 일어나?
남 난 7시쯤에 일어나.
여 그럼 7시 30분에 만날 수 있을까?
남 아, 그건 너무 일러. 내가 일어나고 한 시간 후는 어때?
여 그래. 그때 보자.

해설 남자가 평소에 일어나는 시각인 7시에서 한 시간 후에 보자고 했으므로 두 사람은 8시에 만날 것이다.

어휘 go for a bike ride 자전거를 타러 가다   usually 보통, 대개   get up 일어나다   on the weekends 주말마다 around 약, ~쯤   early 이른   hour 시간

07 ⑤

W You don't look well. What's wrong?
M I had an audition for the school musical yesterday.
W How did it go?
M Well, I practiced a lot, but I didn't get a role.
W Cheer up! You will have a chance again.

여 너 안 좋아 보여. 무슨 일이야?
남 나 어제 학교 뮤지컬 오디션을 봤어.
여 어떻게 됐어?
남 음, 연습을 많이 했는데, 배역을 못 맡았어.
여 기운 내! 또 기회가 있을 거야.

해설 남자는 학교 뮤지컬 오디션에서 배역을 맡지 못해 실망했다.

어휘 audition 오디션   musical 뮤지컬   practice 연습하다 a lot 많이   role 역할, 배역   chance 기회

08 ③

W Jason, which club do you want to join?
M I want to join the swimming club. How about you?
W I'm thinking about the music club.
M Oh, I thought you would be interested in the movie club.
W I do love movies, but I want to be a musician when I grow up.
M Sounds great.

여 Jason, 넌 어떤 동아리에 가입하고 싶어?
남 난 수영 동아리에 가입하고 싶어. 너는?
여 난 음악 동아리를 생각하고 있어.
남 아, 나는 네가 영화 동아리에 관심이 있을 거라고 생각했어.
여 영화를 정말 좋아하지만, 난 커서 음악가가 되고 싶어.
남 좋을 것 같아.

해설 여자는 영화를 정말 좋아하지만 커서 음악가가 되고 싶다고 했다.

어휘 club 동아리   join 가입하다   think about ~에 대해 생각하다   be interested in ~에 관심이 있다   musician 음악가   grow up 자라다

09 ①

M Wow! The concert was really great.
W Yeah. It was so exciting.
M What time is it by the way?
W Let's see. It's 5:20 p.m.
M It's almost dinnertime. Do you want to get a hamburger?
W I'm sorry, but I have to go home now. Tonight is my dad's birthday dinner.

남 우와! 콘서트가 정말 멋졌어.
여 그래. 정말 신났어.
남 그런데 지금 몇 시야?
여 어디 보자. 오후 5시 20분이야.
남 거의 저녁 먹을 시간이네. 햄버거 하나 먹을래?
여 미안하지만, 난 지금 집에 가야 해. 오늘 밤에 우리 아빠 생신 저녁 식사가 있거든.

해설 여자는 아빠의 생신 저녁 식사가 있어서 집에 가야 한다고 했다.

어휘 really 정말   exciting 신나는   by the way 그런데 almost 거의   dinnertime 저녁 식사 시간   have to ~해야 한다   go home 집에 가다   tonight 오늘 밤   birthday 생일

10 ②

M What are you going to do this weekend?
W I'm going to see my uncle in Gimpo. How about you?
M I'm planning to go to the children's hospital with my friends.
W Is someone sick?
M No. We're going to do some magic tricks for the children there.
W That's nice!

남 넌 이번 주말에 뭐 할 거니?
여 난 김포에 사시는 우리 삼촌을 뵈러 갈 거야. 너는?
남 난 친구들과 어린이 병원에 갈 계획이야.
여 누가 아프니?
남 아니. 우리는 그곳에 있는 어린이들을 위해 마술을 할 거야.
여 멋지다!

해설 두 사람은 주말 계획에 대해 이야기하고 있다.

어휘 weekend 주말   be planning to ~할 계획이다 children 어린이들(child의 복수형)   hospital 병원   sick 아픈 do magic tricks 마술을 하다

11 ③

M Are you enjoying your stay here?
W Yes. I love all the foods and activities. I'll miss this

place a lot.

M You can always come back.

W Thank you.

M What time is your flight tomorrow?

W The flight was canceled because of the bad weather. So I booked a train ticket.

남 여기서 즐겁게 지내고 계신가요?

여 네. 음식과 활동이 다 너무 좋아요. 이곳이 많이 그리울 거예요.

남 언제든 다시 오세요.

여 고맙습니다.

남 내일 몇 시 비행기인가요?

여 안 좋은 날씨 때문에 항공편이 취소되었어요. 그래서 기차표를 예매했어요.

해설 여자는 안 좋은 날씨 때문에 항공편이 취소되어 기차표를 예매했다고 했다.

어휘 stay 머무름   activity 활동   miss 그리워하다   place 장소   flight 항공편   cancel 취소하다   because of ~ 때문에   book 예매하다, 예약하다

---

12 ④

(*Cellphone rings.*)

M Hello, Jessica!

W Hi, Jake! Are you at home now?

M Yes. I was doing my homework. Why?

W I'm sorry, but I can't meet you today.

M Is everything okay?

W I have to visit my friend in the hospital. Can we meet tomorrow?

M Sure. Should we meet at the same time tomorrow?

W Sounds good.

(*휴대 전화가 울린다.*)

남 안녕, Jessica!

여 안녕, Jake! 너 지금 집에 있니?

남 응. 숙제하고 있었어. 왜?

여 미안하지만, 오늘 너를 못 만날 거 같아.

남 별일 없는 거지?

여 친구 병문안을 가야 해. 우리 내일 만날 수 있을까?

남 물론이야. 내일 같은 시각에 만날까?

여 좋아.

해설 여자는 친구 병문안을 가야 해서 약속을 내일로 미뤘다.

어휘 at home 집에   do one's homework 숙제하다   meet 만나다   visit 방문하다   hospital 병원   same 같은

---

13 ②

① **M** Which do you prefer, coffee or tea?

　W I like coffee more.

② **M** How do you go to school?

　W It takes about ten minutes.

③ **M** What does your father do?

　W He drives a bus.

④ **M** What season do you like best?

W My favorite season is winter.

⑤ **M** May I see your library card, please?

　W Yes. Here it is.

① **남** 너는 커피와 차 중에 무엇을 더 좋아하니?

　여 난 커피를 더 좋아해.

② **남** 너는 학교에 어떻게 가니?

　여 약 10분 걸려.

③ **남** 너희 아버지는 무슨 일을 하시니?

　여 그는 버스를 운전하셔.

④ **남** 너는 무슨 계절을 가장 좋아하니?

　여 내가 가장 좋아하는 계절은 겨울이야.

⑤ **남** 당신의 도서관 카드를 보여 주시겠어요?

　여 네. 여기 있어요.

해설 ② 학교에 가는 방법을 묻는 말에 소요 시간을 답하는 것은 어색하다.

어휘 prefer ~을 더 좋아하다   take (시간이) 걸리다   about 약, ~쯤   drive 운전하다   season 계절   favorite 가장 좋아하는   winter 겨울   library 도서관

---

14 ②

W Excuse me. I'm looking for Green Park.

M You're almost there.

W Really? Can you give me directions, please?

M Sure. Go straight down to Maple Street and turn right.

W Turn right at Maple Street?

M Yes. It'll be on your left. It's between the bookstore and the museum.

W Thank you.

여 실례합니다. Green Park를 찾고 있어요.

남 거의 다 오셨어요.

여 정말요? 저에게 길을 알려 주시겠어요?

남 물론이죠. Maple Street까지 곧장 내려가셔서 오른쪽으로 도세요.

여 Maple Street에서 오른쪽으로 돌아요?

남 네. 왼편에 있을 거예요. 그것은 서점과 박물관 사이에 있어요.

여 감사합니다.

해설 Green Park는 Maple Street까지 곧장 걸어가서 오른쪽으로 돈 후, 왼편에 있는 서점과 박물관 사이에 있다고 했다.

어휘 directions 길 안내   go straight 곧장 가다, 직진하다   turn right 오른쪽으로 돌다   between *A* and *B* A와 B 사이에   bookstore 서점   museum 박물관

---

15 ③

M Mom, what are you doing?

W I'm making chocolate cookies.

M Wow! I love cookies. Is there anything I can do to help?

W Yes. Can you get me some eggs?

M Of course. I'll get some milk and orange juice, too.

남 엄마, 뭐 하세요?

여 초콜릿 쿠키를 만들고 있단다.
남 우와! 쿠키 정말 좋아요. 제가 도와드릴 일이 있나요?
여 응. 달걀 몇 개 사다 줄 수 있겠니?
남 물론이죠. 우유랑 오렌지 주스도 좀 사 올게요.

해설 여자는 달걀 몇 개를 사다 줄 것을 요청했다. 우유와 오렌지 주스를 사 오는 것은 여자가 요청한 일은 아니다.

어휘 chocolate 초콜릿   cookie 쿠키   anything 무엇, 아무것   help 돕다   get 사다, 얻다

16 ⑤

W What are you going to do tomorrow?
M I'm going to stay home. What about you?
W I'm going to go to the amusement park with Sandy.
M Sounds good. You can watch the parade there.
W Why don't you go with us?
M Sure, I'd love to.

여 너 내일 뭐 할 거니?
남 난 집에 있을 거야. 너는?
여 난 Sandy와 함께 놀이공원에 갈 거야.
남 좋겠다. 넌 그곳에서 퍼레이드를 볼 수 있어.
여 너도 우리랑 함께 가는 거 어때?
남 그래, 나도 가고 싶어.

해설 여자는 남자에게 놀이공원에 함께 가자고 제안했다.

어휘 stay home 집에 있다   amusement park 놀이공원
watch 보다   parade 퍼레이드

17 ②

W How was your science camp?
M It was really fun.
W What did you do there?
M We had a science quiz show and watched the stars at night.
W Sounds interesting.
M Yes. I'm going to sign up for the next camp.

여 과학 캠프 어땠어?
남 정말 재미있었어.
여 거기서 뭘 했니?
남 과학 퀴즈 쇼를 했고 밤에는 별을 관찰했어.
여 재미있었겠네.
남 응. 다음 캠프도 신청할 거야.

해설 남자가 과학 캠프에서 한 일은 퀴즈 쇼 참가하기와 별 관찰하기이다.

어휘 science 과학   camp 캠프   quiz show 퀴즈 쇼
watch 보다   at night 밤에   sign up for ~을 신청하다
next 다음의

18 ①

W My neck hurts.
M Let me check. Can you turn your head?

W Okay. My neck hurts when I do that.
M Umm, do you use your smartphone a lot?
W Yes. I use it almost all the time.
M I think you have text neck. Let me take an X-ray.

여 목이 아파요.
남 어디 봅시다. 고개를 돌려 보시겠어요?
여 네. 고개를 돌리면 목이 아파요.
남 음, 스마트폰을 많이 사용하시나요?
여 네. 전 거의 항상 그것을 사용해요.
남 거북목 증상인 것 같아요. 엑스레이를 찍어 볼게요.

해설 문진과 진찰을 통해 진단하고, 엑스레이를 찍어 보겠다고 말할 수 있는 사람은 의사이다.

어휘 neck 목   hurt 아프다   turn 돌리다   use 사용하다
a lot 많이   almost 거의   all the time 항상   text neck
거북목   take an X ray 엑스레이를 찍다

19 ①

W Can I see your passport, please?
M Here it is.
W What's the purpose of your visit?
M I came here for sightseeing.
W How long are you going to stay?
M For 5 days.

여 여권을 보여 주시겠어요?
남 여기 있습니다.
여 방문하신 목적이 무엇인가요?
남 관광하러 왔습니다.
여 얼마 동안 머무르실 건가요?
남 5일 동안이요.

해설 공항 입국 심사대에서 체류 기간을 묻는 말에 대한 응답이 와야 한다.
② 그것은 길이가 10미터입니다.
③ 저는 호텔에 머물 겁니다.
④ 저는 많은 장소를 방문할 계획입니다.
⑤ 그곳에 도착하는 데 약 두 시간이 걸릴 겁니다.

어휘 passport 여권   purpose 목적   visit 방문
sightseeing 관광   stay 머무르다   take (시간이) 걸리다
about 약, ~쯤   hour 시간

20 ⑤

W How was the soccer game?
M My team lost by two goals.
W Oh, I'm sorry to hear that.
M It's all my fault. I missed the ball many times.
W It's okay. Everyone makes mistakes.
M It's very kind of you to say that.

여 축구 경기는 어땠니?
남 우리 팀이 두 골 차이로 졌어.
여 아, 유감이구나.
남 다 내 잘못이야. 내가 여러 번 공을 놓쳤어.
여 괜찮아. 실수는 누구나 해.

남 그렇게 말해 주다니 넌 정말 친절하구나.

해설 누구나 실수를 한다는 위로의 말에 대한 응답이 와야 한다.
① 난 그걸 믿을 수가 없어.
② 네가 좋아해서 기뻐.
③ 잘했어!
④ 축구 경기가 재미있었어.

어휘 lose(-lost-lost) (경기를) 지다 goal 골 fault 실수, 잘못
miss 놓치다 many times 여러 번 mistake 실수 believe
믿다 kind 친절한 exciting 신나는, 흥미진진한

01 ③	02 ②	03 ④	04 ②	05 ④
06 ①	07 ④	08 ②	09 ①	10 ②
11 ③	12 ②	13 ③	14 ③	15 ①
16 ⑤	17 ②	18 ②	19 ⑤	20 ⑤

01 ③

W People use this when they feel hot. Some people use electric fans instead of this. This sends the heat inside the house to the air outside. This is much more expensive than an electric fan. What is this?

여 사람들은 더울 때 이것을 사용합니다. 어떤 사람들은 이것 대신에 선풍기를 사용합니다. 이것은 집 안에 있는 열을 바깥 공기로 보냅니다. 이것은 선풍기보다 훨씬 더 비쌉니다. 이것은 무엇일까요?

해설 더울 때 선풍기가 이것을 대신할 수 있으며 선풍기보다 가격이 훨씬 비싼 것은 에어컨이다.

어휘 electric 전기의 fan 선풍기 instead of ~ 대신에
send 보내다 heat 열 inside ~의 안에 outside 바깥에
expensive 비싼

02 ②

W Hi, Andy! Are you shopping alone?
M No, I came here with my mom. She's over there in the fruit section.
W What does your mother look like?
M She is tall and has long, curly hair.
W Let me see. There are two women with long, curly hair over there.
M She is wearing a blouse and a skirt.
W Oh, I see.

여 안녕, Andy! 너 혼자 쇼핑하고 있어?
남 아니, 여기에 엄마랑 같이 왔어. 엄마는 저기 과일 코너에 계셔.
여 너희 어머니는 어떻게 생기셨니?
남 키가 크시고 긴 곱슬머리를 하고 계셔.
여 어디 보자. 저기에 긴 곱슬머리의 여자분이 두 분 계셔.
남 엄마는 블라우스와 치마를 입고 계셔.
여 아, 알겠다.

해설 남자의 엄마는 키가 크고 긴 곱슬머리이며, 블라우스와 치마를 입고 있다고 했다.

어휘 alone 혼자 section 부분, 구역 curly 곱슬곱슬한
wear 입다 blouse 블라우스 skirt 치마

03 ④

M Good morning. I'm David from the weather center. Today, it'll rain heavily. The rain will stop tonight.

Tomorrow, it will get a lot colder in the morning, so you'd better wear a warm coat when you go out. In the afternoon, it will snow a lot.

남 안녕하세요. 저는 기상 센터의 David입니다. 오늘은 비가 세차게 내리겠습니다. 비는 오늘 밤에 그치겠습니다. 내일은 오전에 굉장히 추워질 것이므로 외출하실 때 따뜻한 외투를 입으시는 것이 좋겠습니다. 오후에는 눈이 많이 내리겠습니다.

해설 내일 오후에는 눈이 많이 내릴 것이라고 했다.

어휘 weather center 기상 센터   heavily 심하게   a lot 훨씬, 많이   had better ~하는 것이 좋겠다   warm 따뜻한   go out 외출하다, 나가다

04 ②

(Cellphone rings.)
W Honey, what's the matter?
M I left my passport at home.
W What? What time is your flight?
M I have three hours left.
W Okay. Where did you put your passport?
M I think I put it on the table in the living room.
W Oh, I found it. I'll leave right now. Don't worry.
M Whew! Thanks a lot.

(휴대 전화가 울린다.)
여 여보, 무슨 일이에요?
남 집에 여권을 두고 왔어요.
여 뭐라고요? 몇 시 비행기죠?
남 3시간 남았어요.
여 알겠어요. 여권을 어디에 두었어요?
남 거실 탁자 위에 둔 것 같아요.
여 아, 찾았어요. 지금 바로 출발할게요. 걱정하지 말아요.
남 휴! 정말 고마워요.

해설 여자가 여권을 가지고 온다고 해서 남자는 안도했다.

어휘 leave(-left-left) 두고 오다, 남아 있다, 출발하다   passport 여권   flight 항공편   put A on B A를 B 위에 놓다   living room 거실   right now 지금 당장   worry 걱정하다   relieved 안도하는   proud 자랑스러운

05 ④

M Hi, everyone. My name is James Brown. I'm thirteen years old. I'm from Toronto, Canada. My hobby is listening to K-pop. I'm learning Korean from my Korean friend. I'm not good at speaking Korean now, but I'm studying it every day.

남 안녕하세요, 여러분. 제 이름은 James Brown이에요. 저는 열세 살이에요. 저는 캐나다 토론토에서 왔어요. 저의 취미는 케이 팝을 듣는 거예요. 저는 한국인 친구에게 한국어를 배우고 있어요. 지금은 제가 한국말을 잘 못하지만, 매일 공부하고 있어요.

해설 특기에 대한 언급은 없으며 케이 팝을 듣는 것이 취미라고 했다.

어휘 hobby 취미   listen to ~을 듣다   learn 배우다

be good at ~을 잘하다   speak 말하다   every day 매일

06 ①

W Hi, Kevin. I'm sorry I'm late. I got on the wrong subway.
M That's all right. So how do we get to the ballpark?
W It's two stops from here. Why don't we walk?
M I don't want to walk because it's so cold.
W Then let's take the bus. The bus stop is right here.
M Okay. Oh, there's a bus coming.

여 안녕, Kevin. 늦어서 미안해. 지하철을 잘못 탔어.
남 괜찮아. 그런데 야구장까지 어떻게 가지?
여 여기서 두 정거장이야. 우리 걸어가는 게 어때?
남 너무 추워서 걷고 싶지 않아.
여 그럼 버스 타자. 버스 정류장이 바로 여기야.
남 그래. 아, 버스가 오고 있어.

해설 여자는 처음에 걸어갈 것을 제안했지만 남자가 날씨가 추워서 싫다고 하자 두 사람은 버스를 타기로 했다.

어휘 late 늦은   get on ~을 타다   wrong 잘못된   subway 지하철   ballpark 야구장   stop 정류장   because ~ 때문에

07 ④

W Tim, how was the concert yesterday?
M It was fantastic. But I'm so tired because I got home late.
W What time was the concert?
M It started at 7:00 and ended at 9:30.
W That doesn't sound so bad.
M But I took the bus, so it took me another fifty minutes to get home.

여 Tim, 어제 콘서트 어땠어?
남 환상적이었어. 그런데 집에 늦게 도착해서 너무 피곤해.
여 콘서트가 몇 시였지?
남 7시에 시작해서 9시 30분에 끝났어.
여 그렇게 나쁘지는 않은 거 같은데.
남 그런데 버스를 타서 집에 가는 데 50분이 더 걸렸어.

해설 콘서트가 9시 30분에 끝났고 버스를 타고 집에 가는 데 50분이 더 걸렸다고 했으므로, 남자가 집에 도착한 시각은 10시 20분이다.

어휘 fantastic 환상적인   tired 피곤한   get home 귀가하다   start 시작하다   end 끝나다

08 ②

W Oh, no! I think I've gained weight.
M Really? You look fine. What makes you think so?
W My jeans don't fit well anymore. I don't understand because I don't eat that much.
M Although I agree, I think you eat too many sweets.
W I do love chocolate and candies.
M Try to cut down on those.
W Okay. I'll try.

여 아, 이런! 나 살이 찐 것 같아.

남 정말? 괜찮아 보이는데. 왜 그렇게 생각해?

여 청바지가 더 이상 안 맞아. 나 그렇게 많이 안 먹는데. 이해가 안 되네.

남 나도 동의하지만, 난 네가 단것을 너무 많이 먹는 것 같아.

여 난 초콜릿과 사탕을 너무 좋아해.

남 그런 것들을 줄이도록 해 봐.

여 알았어. 노력해 볼게.

해설 남자는 여자에게 단것을 덜 먹을 것을 제안했다.

어휘 gain weight 체중이 늘다 jeans 청바지 not ~ anymore 더 이상 ~ 않다 fit (옷이) 맞다 although 비록 ~이지만 agree 동의하다 sweets 단것 try to ~하려고 노력하다 cut down on ~을 줄이다

09 ①

W May I help you?

M Yes. Can you show me some books about great scientists?

W Sure. How about this book?

M Oh, it's about Einstein. I want to learn about him.

W Good. It's on sale for $10.

M Wow, what a great price. I'll take it.

여 도와드릴까요?

남 네. 위대한 과학자들에 관한 책들을 좀 보여 주시겠어요?

여 네. 이 책은 어떠세요?

남 아, 아인슈타인에 관한 책이군요. 그에 대해 알고 싶어요.

여 잘됐네요. 이것은 할인해서 10달러예요.

남 우와, 정말 좋은 가격이네요. 이걸 살게요.

해설 책을 판매하는 직원과 고객 사이의 대화이므로 대화가 이루어지는 장소는 서점이다.

어휘 scientist 과학자 learn about ~에 대해 배우다 on sale 할인 중인 price 가격

10 ②

M Lisa, look at this map. There's a bird park near here.

W Where?

M It's across from the movie theater. Let's go and see the birds.

W Great. I want to feed the birds, too.

M Then let's get some food for the birds first.

W Yes, let's.

남 Lisa, 이 지도를 봐. 이 근처에 새 공원이 있어.

여 어디?

남 영화관 맞은편에 있어. 우리 가서 새들을 구경하자.

여 좋아. 난 새들한테 모이도 주고 싶어.

남 그럼 먼저 새들에게 줄 모이를 좀 사러 가자.

여 응, 그러자.

해설 두 사람은 새들에게 줄 모이를 먼저 사러 가기로 했다.

어휘 map 지도 near here 이 근처에 across from ~의 맞은편에 movie theater 영화관 feed 먹이를 주다 first 먼저, 우선

11 ③

W What's the matter, Henry?

M Look at my new smartphone.

W Oh, your phone screen has a crack. Did you drop it?

M Yes. I dropped it on the way here. I'm so upset!

W I think you should get a phone case. It will protect your phone.

M Okay. I'll get one.

여 무슨 일이야, Henry?

남 새로 산 내 스마트폰 좀 봐.

여 아, 화면에 금이 갔네. 너 그거 떨어뜨렸어?

남 응. 여기 오다가 떨어뜨렸어. 너무 속상해!

여 전화기 케이스를 사야 할 것 같다. 그게 너의 전화기를 보호해 줄 거야.

남 알겠어. 하나 살게.

해설 남자는 스마트폰을 떨어뜨려 화면에 금이 가서 속상하다고 했다.

어휘 smartphone 스마트폰 screen 화면 crack 금, 선 drop 떨어뜨리다 upset 속상한 protect 보호하다 get 사다, 얻다

12 ②

M Excuse me. Can I have some more water?

W Sure.

M And I'd like to have the rest of my food wrapped, please.

W Okay. Did you enjoy your meal?

M Yes, I did.

W Great. Just a minute, please. Would you like to pay first?

M Yes, I would.

남 실례합니다. 물 좀 더 주시겠어요?

여 알겠습니다.

남 그리고 남은 음식 좀 포장해 주세요.

여 네. 식사는 즐거우셨나요?

남 네.

여 잘됐네요. 잠시만 기다려 주세요. 계산 먼저 하시겠어요?

남 네, 그럴게요.

해설 물을 더 가져다주고 식사 후 남은 음식을 포장해 줄 수 있는 사람은 식당 종업원이다.

어휘 rest 나머지 wrap 싸다, 포장하다 enjoy 즐기다 meal 식사 minute 잠깐 pay 지불하다 first 먼저, 우선

13 ③

M How about spaghetti for dinner?

W Great. Do you know any good restaurants?

M There's a nice place around here. You can see it right there.

W Oh, no! I left my phone in the office.

M Hurry up and get it.

W Then can you order for me? I'll have tomato spaghetti.

남 저녁으로 스파게티 어때?
여 좋아. 너 괜찮은 식당 알고 있어?
남 이 근처에 멋진 곳이 한 군데 있어. 바로 저기 보이네.
여 아, 이런! 나 사무실에 휴대 전화를 두고 왔어.
남 빨리 가서 가져와.
여 그럼 날 위해 주문 좀 해 줄래? 난 토마토 스파게티를 먹을게.

해설 여자는 남자에게 음식을 주문해 줄 것을 부탁했다.

어휘 restaurant 식당 place 장소 leave(-left-left) 두고 오다 office 사무실 hurry up 서두르다 order 주문하다

---

14 ③

M Mom, I can't find the key to my locker.
W I always told you to put the key in your pencil case.
M I think I put it in the pencil case, but it's not there now.
W Did you check your backpack?
M Sure. (*Pause*) Oh, I found it. It's in my jacket.

남 엄마, 제 사물함 열쇠를 못 찾겠어요.
여 내가 항상 필통 속에 열쇠를 넣으라고 말했잖니.
남 필통 속에 넣은 것 같은데, 지금 거기에 없네요.
여 가방도 확인해 봤니?
남 물론이죠. (잠시 후) 아, 찾았어요. 재킷 속에 있어요.

해설 남자는 재킷 속에서 열쇠를 찾았다고 했다.

어휘 key 열쇠 locker 사물함 pencil case 필통 check 확인하다 backpack 가방, 배낭 jacket 재킷

---

15 ①

W Aiden, what are you doing?
M I'm shopping online. How do you like these shoes?
W They look good. But I don't think it's a good idea to buy shoes online.
M Why not? The price is so good.
W Shoe sizes can be different, so I think you should try on the shoes first.

여 Aiden, 너 뭐 하고 있어?
남 인터넷 쇼핑 하고 있어. 이 신발 어때?
여 좋아 보여. 그런데 인터넷으로 신발을 사는 건 좋은 생각은 아닌 것 같아.
남 왜? 가격이 아주 괜찮아.
여 신발 사이즈가 다를 수 있어서 난 네가 신발을 우선 신어 봐야 한다고 생각해.

해설 여자는 인터넷으로 신발을 사려고 하는 남자에게 신발은 직접 신어 보고 사야 한다고 충고했다.

어휘 shop 쇼핑하다; 가게 online 온라인으로 idea 생각 price 가격 different 다른 try on 입어 보다, 신어 보다 first 먼저, 우선

---

16 ⑤

① **M** How are you doing?
　W Great. I'm happy with my new school.
② **M** Can you open this bottle for me?
　W Sure. No problem.
③ **M** Would you like some pizza?
　W Yes, please. I like potato pizza.
④ **M** Which is faster, light or sound?
　W Light is faster than sound.
⑤ **M** What do you think of this book?
　W I think so, too.

① **남** 잘 지내니?
　여 잘 지내. 난 새 학교에 만족해.
② **남** 이 병을 열어 줄 수 있어?
　여 물론이지. 문제없어.
③ **남** 피자 좀 먹을래?
　여 응. 나 포테이토 피자 좋아해.
④ **남** 빛과 소리 중 어느 것이 더 빠르니?
　여 빛이 소리보다 더 빨라.
⑤ **남** 너는 이 책에 대해 어떻게 생각해?
　여 나도 그렇게 생각해.

해설 ⑤ 책에 대한 상대방의 의견을 물었으므로 구체적인 의견을 말하는 응답이 와야 한다.

어휘 bottle 병 potato 감자 fast 빠른 light 빛 sound 소리 think of ~에 대해 생각하다

---

17 ②

M Emma, I failed the audition again.
W Oh, my! What happened?
M I was so nervous that I couldn't play my role well.
W Don't be disappointed. You can achieve your dream.
M Thank you. I really want to be an actor and play various roles.

남 Emma, 나 오디션에서 또 떨어졌어.
여 저런! 어쩌다가?
남 너무 긴장을 해서 내 역할을 잘 연기하지 못했어.
여 실망하지 마. 넌 꿈을 이룰 수 있어.
남 고마워. 난 정말 배우가 돼서 다양한 역할을 연기하고 싶어.

해설 남자는 오디션에서 떨어졌지만 꼭 배우가 되고 싶다고 했다.

어휘 fail (시험 등에) 떨어지다 audition 오디션 nervous 긴장한, 초조해하는 play a role 역할을 맡다 disappointed 실망한 achieve 이루다, 성취하다 actor 배우 various 다양한

---

18 ②

W Are you tired of taking the bus or subway? Are you tired of crowds? Then how about riding a bicycle? Riding a bicycle is good for the environment and you can save a lot of money. Also, you will be healthier because you'll be always exercising when you go somewhere.

여 버스나 지하철을 타는 것에 싫증이 났나요? 북적거리는 사람들에 질렸나요? 그럼 자전거를 타는 게 어떤가요? 자전거 타기는 환경에도 좋고 돈도 많이 아낄 수 있습니다. 그리고 어딘가에 갈 때 항상 운동을 하게 되기 때문에 당신은 건강해질 것입니다.

해설 여자는 자전거를 타면 좋은 점에 대해 말하며 자전거를 타는 것을 제안하고 있다.

어휘 be tired of ~에 싫증이 나다　crowd 군중, 사람들　ride a bicycle 자전거를 타다　environment 환경　save 절약하다　a lot of 많은　healthy 건강한　always 항상　exercise 운동하다　somewhere 어딘가에

19 ⑤

(Telephone rings.)
W Hello. Dr. Kim's office.
M Hello. May I speak to Brian? This is his friend Sam.
W I'm sorry. There's no one named Brian here.
M Isn't this 355-2788?
W I'm sorry, but you have the wrong number.

(전화벨이 울린다.)
여 여보세요. 김 박사님 사무실입니다.
남 여보세요. Brian 좀 바꿔 주시겠어요? 저는 그의 친구 Sam입니다.
여 죄송합니다. 이곳에는 Brian이라는 이름의 사람이 없습니다.
남 355-2788번 아닌가요?
여 죄송하지만, 전화를 잘못 거셨습니다.

해설 남자가 전화를 잘못 건 상황이므로 이에 알맞은 응답이 와야 한다.
① 좋아요. 그때 만나요.
② 저는 당신의 말이 옳다고 생각해요.
③ 잠깐만 기다리세요.
④ 지금 그는 통화 중이에요.

어휘 office 사무실　speak to ~와 말하다　moment 잠깐, 잠시　be on another line 통화 중이다　have the wrong number 전화를 잘못 걸다

20 ⑤

W Daniel, what do you usually do in your free time?
M I usually play games with my dad.
W What kind of games do you like?
M I like board games. I usually play chess. How about you?
W I usually read books in my free time.

여 Daniel, 넌 여가 시간에 주로 뭐 하니?
남 난 주로 아빠와 게임을 해.
여 넌 어떤 종류의 게임을 좋아해?
남 난 보드게임을 좋아해. 주로 체스를 하지. 넌 어때?
여 난 여가 시간에 주로 책을 읽어.

해설 남자가 말한 How about you?는 What do you usually do in your free time?의 의미이므로 여가 시간에 무엇을 하는지

말하는 응답이 와야 한다.
① 난 네가 할 수 있을 거라고 확신해.
② 난 체스를 하고 싶지 않아.
③ 난 체스 동아리에 가입하고 싶어.
④ 난 체스를 매우 잘해.

어휘 usually 보통, 대개　free time 여가 시간　kind 종류　chess 체스

Review Test
pp.42~43

Word Check
01회

01 일어나다	02 연습하다
03 가입하다	04 전기
05 소개하다	06 유머러스한
07 잊다	08 일기 예보
09 가운데에	10 폭우
11 모서리	12 담요
13 purpose	14 turn
15 grow up	16 activity
17 fault	18 prefer
19 directions	20 hurt
21 by the way	22 musician
23 lose	24 flight

Expression Check

25 good at	26 go for
27 have to	28 between, and
29 planning to	30 be interested in

Word Check
02회

01 잘못된	02 열
03 혼자	04 부분, 구역
05 안도하는	06 걱정하다
07 보내다	08 야구장
09 환상적인	10 체중이 늘다
11 (옷이) 맞다	12 먹이를 주다
13 upset	14 disappointed
15 wrap	16 hurry up
17 play a role	18 protect
19 achieve	20 environment
21 locker	22 various
23 crowd	24 free time

Expression Check

25 listening to	26 across from
27 cut down on	28 try on
29 have the wrong number	30 You'd better

01 ②	02 ⑤	03 ④	04 ③	05 ④
06 ①	07 ④	08 ②	09 ⑤	10 ④
11 ④	12 ③	13 ②	14 ③	15 ②
16 ⑤	17 ③	18 ②	19 ③	20 ⑤

01 ②

W This is a sport. This is usually played by two teams. Each team has five players. You can use your hands to pass or throw the ball. You can score up to three points if you throw the ball into the other team's net. What is this?

여 이것은 운동입니다. 이것은 보통 두 팀에 의해 경기가 이루어집니다. 각 팀은 5명의 선수가 있습니다. 당신은 손을 이용해서 공을 패스하거나 던질 수 있습니다. 당신은 상대 팀의 골대 안으로 공을 던지면 3점까지 점수를 얻을 수 있습니다. 이것은 무엇일까요?

해설 다섯 명의 선수로 이루어진 두 팀이 상대 팀의 골대 안에 공을 넣어 점수를 얻는 운동은 농구이다.

어휘 player 선수 pass (공을) 패스하다 throw 던지다
score 득점을 올리다 up to ~까지 net 골대, 골문

02 ⑤

W Wow, your house looks great.
M I'm glad you like it.
W I hope to have my own house someday.
M Tell me about your dream house.
W I'd like a house with many windows and some trees.
M Many windows and some trees? And what else?
W I'd like a fence, too.

여 우와, 집이 정말 좋아 보여요.
남 마음에 드신다니 기쁘네요.
여 저도 언젠가 제 집을 갖고 싶어요.
남 당신이 꿈에 그리는 집에 대해 말해 주세요.
여 저는 창문이 많고 나무가 몇 그루 있는 집이 좋아요.
남 창문이 많고 나무가 몇 그루 있는 집이요? 그리고 다른 건요?
여 울타리도 있으면 좋겠어요.

해설 여자가 원하는 집은 창문이 많고, 나무가 몇 그루 있으며 울타리가 있는 집이다.

어휘 own 자신의 someday 언젠가 dream house 바라던 집 window 창문 else 또 다른, 그 밖의 fence 울타리, 담

03 ④

M Mom, I'm going to the bike shop to fix my bike now.

W In this weather? Look outside. It's raining.
M I know. But I have to fix it before the bike riding festival this Saturday.
W Wait! Let me check the weather. Oh, it'll clear up in the afternoon.
M Is that so? Then I'll go in the afternoon.

남 엄마, 저 지금 자전거를 고치러 자전거 가게에 갈 거예요.
여 이런 날씨에? 밖을 봐. 비가 오고 있어.
남 알아요. 하지만 이번 토요일 자전거 타기 축제 전에 고쳐야 하거든요.
여 기다려 봐! 날씨를 확인해 볼게. 아, 오후에는 갠다는구나.
남 그래요? 그럼 오후에 갈게요.

해설 지금은 비가 내리고 있지만 오후에는 갤 것이라고 했다.

어휘 fix 수리하다 weather 날씨 outside 밖, 바깥쪽 bike riding 자전거 타기 festival 축제 clear up (날씨가) 개다

04 ③

W May I help you?
M Yes. I bought this shirt here yesterday, but there is a button missing.
W Oh, I'm really sorry. Do you want to exchange it for a new one?
M Not really. Can I get a refund?
W Sure. Do you have the receipt?
M Yes. Here it is.

여 도와드릴까요?
남 네. 제가 어제 여기서 이 셔츠를 샀는데요, 단추가 하나 없어요.
여 아, 정말 죄송합니다. 새것으로 교환하기를 원하세요?
남 아니에요. 환불받을 수 있나요?
여 물론입니다. 영수증 가지고 계신가요?
남 네. 여기 있습니다.

해설 여자가 새것으로 교환을 원하는지 물었으나 남자는 환불을 요청했다.

어휘 button 단추 missing 없어진 exchange A for B A를 B로 교환하다 get a refund 환불받다 receipt 영수증

05 ④

M What should we do in case of fire? First, cry out, "Fire!" in a loud voice and then call 119. After that, get out of the building. Make sure you use the stairs. Don't take the elevator. One more thing: cover your mouth with a wet towel if you can.

남 불이 났을 때 우리는 어떻게 해야 할까요? 먼저 "불이야!"라고 큰 소리로 외치고 나서 119에 전화하세요. 그런 다음에 건물 밖으로 나오세요. 반드시 계단을 이용하세요. 엘리베이터를 타지 마세요. 한 가지 더, 가능하다면 젖은 수건으로 입을 막으세요.

해설 남자는 창문에 관한 내용은 언급하지 않았다.

어휘 in case of ~한 경우에 cry out 외치다 in a loud voice 큰 소리로 get out of ~에서 나오다 building 건물

make sure 반드시 ~ 하다   stairs 계단   elevator 엘리베이터
cover A with B A를 B로 가리다   wet 젖은   towel 수건

06 ①

W Now, it's your turn. <u>Are you ready</u>?
M Yes, I'm ready.
W <u>Don't think too much</u> about winning. Just enjoy yourself.
M But I'm too nervous. Can I sing well <u>in front of</u> so many people?
W Don't worry. You'll <u>do a good job</u>.

여 이제 네 차례야. 준비됐니?
남 응, 준비됐어.
여 이기는 것에 대해 너무 많이 생각하지 마. 그냥 즐겨.
남 그런데 너무 떨려. 내가 이렇게 많은 사람들 앞에서 노래를 잘 할 수 있을까?
여 걱정하지 마. 넌 잘할 거야.

[해설] 많은 사람들 앞에서 노래하기 전에 떨린다고 하는 남자에게 여자는 잘할 수 있다고 격려했다.

[어휘] turn 차례, 순번   ready 준비된   win 이기다   enjoy oneself 즐기다   nervous 긴장한, 초조해하는   in front of ~ 앞에서   worry 걱정하다   do a good job 잘하다

07 ④

W Kevin, can you <u>go shopping with me</u> this Wednesday afternoon?
M Sorry, but I have a dental appointment on that day.
W I have to buy a camera, so <u>I need your help</u>.
M Hmm... I will be free this Friday.
W Sounds good. <u>What time is fine</u> with you?
M How about 4 o'clock?
W That's perfect. I'll see you then.

여 Kevin, 이번 수요일 오후에 나랑 쇼핑 갈 수 있니?
남 미안하지만, 그날 치과 예약이 있어.
여 내가 카메라를 사야 하는데, 너의 도움이 필요해.
남 음… 이번 금요일에는 시간 있어.
여 잘됐다. 몇 시가 괜찮니?
남 4시 어때?
여 아주 좋아. 그때 보자.

[해설] 여자가 수요일에 만날 것을 제안했으나 남자가 그날은 치과 예약이 있어 안 되고, 금요일에 시간이 있다고 했다.

[어휘] go shopping 쇼핑하러 가다   dental 치과의   appointment 약속, 예약   free 다른 계획이 없는, 한가한

08 ②

W Hurray! The school picnic is <u>next Wednesday</u>.
M That's right! We are going to Fantasy Land.
W What do you want to do there?
M <u>I'm looking forward to</u> riding the roller coaster!
W Me, too. It will be scary but fun.

M <u>I can't wait</u>. We'll have a great time.

여 야호! 학교 소풍이 다음 주 수요일이야.
남 맞아! 우리 Fantasy Land에 가는 거야.
여 넌 거기서 뭘 하고 싶니?
남 난 롤러코스터 타는 것이 기대돼!
여 나도 그래. 무섭지만 재미있을 거야.
남 너무 기대된다. 아주 좋은 시간을 보내게 될 거야.

[해설] I can't wait.은 기다릴 수 없을 만큼 기대하고 있다는 의미 이므로 남자는 신이 난 상태이다.

[어휘] hurray (감탄사) 야호   picnic 소풍   look forward to ~을 기대하다   ride 타다   roller coaster 롤러코스터   scary 무서운   nervous 긴장한, 초조해하는   afraid 두려워하는   worried 걱정하는   bored 지루해하는

09 ⑤

M Rachel, you don't look well. What's wrong?
W I <u>have a stomachache</u>.
M Oh, that's too bad. Did you <u>see the school nurse</u>?
W Yes, but I still don't feel well.
M Then you <u>should see a doctor</u>.
W Okay, I will. But I have to see my homeroom teacher first.

남 Rachel, 너 안 좋아 보여. 어디가 아프니?
여 배가 아파.
남 아, 안됐구나. 보건 선생님께는 갔었니?
여 응, 하지만 여전히 몸이 안 좋아.
남 그럼 병원에 가 보는 게 좋겠어.
여 알았어, 그렇게. 하지만 먼저 담임 선생님을 만나야 해.

[해설] 여자는 병원에 가기 전에 먼저 담임 선생님을 만나야 한다고 했다.

[어휘] have a stomachache 배가 아프다   school nurse 보건 선생님   still 여전히   see a doctor 병원에 가다   homeroom teacher 담임 선생님   first 먼저, 우선

10 ④

M <u>How can I help</u> you?
W I lost my toy bear.
M What does it look like?
W It is brown and <u>has a ribbon around</u> its neck.
M Where did you lose it?
W I think I <u>left it on the bench</u> near the restaurant.
M Wait a minute. I'll go and check.

남 무엇을 도와드릴까요?
여 제 장난감 곰을 잃어버렸어요.
남 어떻게 생겼나요?
여 갈색이고 목에 리본을 두르고 있어요.
남 어디서 잃어버렸나요?
여 식당 근처 벤치에 그것을 둔 것 같아요.
남 잠시 기다려 주세요. 제가 가서 확인할게요.

[해설] 남자는 여자가 잃어버린 장난감 곰이 어떻게 생겼는지, 어디

서 분실했는지 묻고 난 후 확인해 보겠다고 했으므로 분실물 보관소에서 이루어지는 대화이다.

어휘 lose(-lost-lost) 잃어버리다   toy 장난감   brown 갈색의   ribbon 리본   around ~ 주위에, ~ 둘레에   neck 목   leave(-left-left) 두다, 놓다   bench 벤치   near ~의 가까이에   restaurant 식당

11 ④

W Can I take your order?
M Yes. I'd like to have an egg sandwich and a watermelon juice.
W That will be $10.
M Can I use this 10%-off coupon?
W Of course.
M Okay. Here you are.

여 주문하시겠어요?
남 네. 달걀 샌드위치와 수박 주스 주세요.
여 10달러입니다.
남 이 10퍼센트 할인 쿠폰을 사용할 수 있나요?
여 물론이죠.
남 좋아요. 여기 있습니다.

해설 남자가 주문한 음식은 총 10달러인데 10퍼센트 할인 쿠폰을 사용할 수 있으므로, 남자는 9달러를 지불할 것이다.

어휘 order 주문   sandwich 샌드위치   watermelon 수박   use 사용하다   coupon 쿠폰

12 ③

M We can make new things with used items around us. For example, we can make soap with used oil. Old pants can turn into fashionable shorts. We can change old shirts into shopping bags, too. Garbage is important because we can reuse it.

남 우리는 주변의 중고품들로 새로운 물건을 만들 수 있습니다. 예를 들어, 우리는 사용한 기름으로 비누를 만들 수 있습니다. 낡은 바지는 유행하는 반바지로 바뀔 수 있습니다. 낡은 셔츠를 쇼핑백으로 바꿀 수도 있습니다. 쓰레기는 우리가 그것을 재사용할 수 있기 때문에 중요합니다.

해설 남자는 물건을 재사용하는 것에 관해 말하고 있다.

어휘 used item 중고품   for example 예를 들어   soap 비누   oil 기름   turn into ~로 변하다   fashionable 유행하는   shorts 반바지   change A into B A를 B로 바꾸다   garbage 쓰레기   important 중요한   reuse 재사용하다

13 ②

M Cindy, you look very healthy. What's your secret?
W Nothing special. I just exercise three times a week.
M What kind of exercise do you do?
W I play badminton at the gym. It's a lot of fun.
M Oh, you run a lot when playing badminton, don't you?

W Yes, but it's not that hard. Why don't you try it?

남 Cindy, 너 아주 건강해 보여. 비결이 뭐니?
여 특별한 건 없어. 난 그냥 일주일에 세 번 운동을 해.
남 무슨 운동을 하는데?
여 체육관에서 배드민턴을 쳐. 아주 재미있어.
남 아, 배드민턴을 칠 때 많이 뛰지, 그렇지?
여 그래, 하지만 그렇게 힘들지는 않아. 너도 한번 해 보는 게 어때?

해설 여자는 남자에게 배드민턴을 쳐 보라고 제안했다.

어휘 healthy 건강한   secret 비결   exercise 운동하다; 운동   three times a week 일주일에 세 번   play badminton 배드민턴을 치다   gym 체육관   hard 힘든   try 시도하다

14 ③

M Excuse me. Can you tell me the way to Happy Pizza?
W Sure. Go straight two blocks and turn left.
M Go one block and then turn left?
W No, go two blocks. Then, turn left. It's across from the museum.
M Oh, I see. Thanks a lot.
W You're welcome.

남 실례합니다. Happy Pizza에 가는 길을 알려 주시겠어요?
여 물론이죠. 두 블록 직진하시다가 왼쪽으로 도세요.
남 한 블록 가다가 왼쪽으로 돌라고요?
여 아니요, 두 블록 가세요. 그리고 왼쪽으로 도세요. 그것은 박물관 맞은편에 있습니다.
남 아, 알겠습니다. 정말 고맙습니다.
여 천만에요.

해설 Happy Pizza는 두 블록 직진하다가 왼쪽으로 돌면 박물관 맞은편에 있다고 했다.

어휘 way 길, 방법   go straight 직진하다   turn left 왼쪽으로 돌다   across from ~의 맞은편에   museum 박물관

15 ②

M Mia, what are you looking for?
W I need a red pen for social studies class, but I can't find mine.
M Maybe you didn't bring it from home.
W No, I used it in English class today.
M Why don't you check the English classroom?
W I did, but it wasn't there.
M I have an extra one here. You can use it for now.
W Oh, thank you.

남 Mia, 너 무엇을 찾고 있니?
여 사회 시간에 빨간 펜이 필요한데, 내 것을 찾을 수가 없어.
남 네가 집에서 안 가져왔을지도 몰라.
여 아니야, 오늘 영어 시간에 그걸 썼거든.
남 영어 교실을 확인해 보는 게 어때?
여 확인했지, 그런데 거기 없었어.
남 여기 나한테 여분이 한 개 있어. 당분간은 이것을 써도 돼.
여 아, 고마워.

해설 여자가 사회 시간에 사용할 빨간 펜을 잃어버려서 남자가 여분의 펜을 빌려주는 상황이다.

어휘 look for ~을 찾다   social studies (과목) 사회   bring 가져오다   check 확인하다   extra 여분의   use 사용하다   for now 당분간은

16 ⑤

M Kate, what did you do last weekend?
W I went to Forever Land with my friends.
M Great. Did you have fun there?
W Yes. I rode a bumper car. How was your weekend?
M I visited my uncle at the Dream Radio Station.
W Wow, did you see any entertainers there?
M Yes. I saw some K-pop stars.

남 Kate, 너 지난 주말에 뭐 했니?
여 친구들과 Forever Land에 갔었어.
남 좋았겠다. 거기서 재미있게 놀았니?
여 응. 난 범퍼카를 탔어. 넌 주말 어떻게 보냈어?
남 나는 Dream 라디오 방송국에서 근무하시는 삼촌을 방문했어.
여 우와, 거기서 연예인도 봤어?
남 응. 케이 팝 스타들을 몇 명 봤어.

해설 남자는 주말에 삼촌이 근무하는 라디오 방송국을 방문했다고 했다.

어휘 have fun 재미있게 놀다   ride(-rode-ridden) 타다   radio station 라디오 방송국   entertainer 연예인

17 ③

M Hi, Jina. Why did you buy a cake?
W Hi, Mike. It's Anna's birthday today.
M Oh, is it? I didn't know that.
W We're going to throw a surprise party for her.
M Can I come?
W Sure. Why don't you bring some flowers for Anna?
M That'll be nice.

남 안녕, 지나. 케이크는 왜 샀어?
여 안녕, Mike. 오늘이 Anna의 생일이야.
남 아, 그래? 난 몰랐어.
여 우리는 그녀를 위해 깜짝파티를 열 거야.
남 내가 가도 될까?
여 물론이지. 네가 Anna에게 줄 꽃을 좀 가져오는 게 어때?
남 그거 좋겠다.

해설 남자가 Anna의 깜짝파티에 가도 되는지 묻자, 여자는 오라고 하면서 Anna에게 줄 꽃을 가져올 것을 요청했다.

어휘 birthday 생일   throw a surprise party 깜짝파티를 열다   bring 가져오다   flower 꽃

18 ②

W Excuse me. Would you like some more water?
M Yes, please. And I'm a little cold.
W I'll get you an extra blanket in a moment.

M Thank you. By the way, when will we land at the airport?
W We will land in about an hour.
M I see. Thank you.

여 실례합니다. 물 좀 더 드릴까요?
남 네, 주세요. 그리고 제가 좀 춥습니다.
여 제가 곧 여분의 담요를 가져다 드리겠습니다.
남 고맙습니다. 그런데 공항에는 언제 도착하나요?
여 약 한 시간 후에 도착할 겁니다.
남 그렇군요. 고맙습니다.

해설 물과 담요를 제공하고, 공항에 도착하는 시각을 말해 줄 수 있는 사람은 비행기 승무원이다.

어휘 a little 조금, 약간   extra 여분의   blanket 담요   in a moment 곧, 바로   by the way 그런데   land 착륙하다   airport 공항   in an hour 한 시간 후에   about 약, 대략

19 ③

M Oh, I'm hungry. Let's have lunch.
W What do you want to have for lunch?
M I'd like to have curry. Why don't you try it, too?
W Well, not today.
M Then what would you like to have?
W I'll have fried rice.

남 아, 나 배고파. 점심 먹자.
여 넌 점심으로 뭐 먹고 싶어?
남 난 카레를 먹고 싶어. 너도 카레 먹는 게 어때?
여 음. 오늘은 싫어.
남 그럼 뭐 먹고 싶니?
여 난 볶음밥을 먹을래.

해설 남자가 무엇을 먹고 싶은지 물었으므로 무엇을 먹을지 말하는 응답이 와야 한다.
① 난 목이 말라.
② 나도 카레를 아주 좋아해.
④ 난 네가 그것을 좋아할 거라고 확신해.
⑤ 지금 점심 먹으러 나가자.

어휘 hungry 배고픈   have lunch 점심을 먹다   curry 카레   thirsty 목이 마른   fried rice 볶음밥

20 ⑤

W Dad, can you give me some money?
M What? I gave you $16 last week.
W I spent all the money to buy some caps.
M How many caps did you buy?
W I bought two, and they were $8 each.
M Joan, you must not spend your money like that.
W Sorry, Dad. I won't the next time.

여 아빠, 제게 돈 좀 주실 수 있나요?
남 뭐라고? 지난주에 16달러 줬잖아.
여 모자를 몇 개 사느라 다 썼어요.
남 모자를 몇 개 샀는데?
여 두 개요. 그런데 한 개에 8달러였어요.

남 Joan, 용돈을 그렇게 써서는 안 돼.
여 죄송해요, 아빠. 다음번엔 그러지 않을게요.

해설 용돈을 계획 없이 쓴 것에 대해 나무라는 아빠의 말에 대한 사과의 응답이 가장 적절하다.
① 그 말을 들으니 유감이에요.
② 그것들은 너무 비싸요.
③ 전 어제 쇼핑을 끊었어요.
④ 왜 저에게 진작 말하지 않으셨어요?

어휘 spend(spent-spent) (돈을) 쓰다   each 각각   must not ~해서는 안 된다   like ~처럼   expensive 비싼   quit 그만두다   before 진작, 전에

01 ②	02 ④	03 ③	04 ⑤	05 ①
06 ③	07 ③	08 ③	09 ④	10 ②
11 ⑤	12 ④	13 ②	14 ③	15 ①
16 ①	17 ⑤	18 ④	19 ①	20 ⑤

01 ②

W Good evening. This is the weekly weather report. If you are planning outdoor activities for tomorrow, you're lucky. It's going to be sunny tomorrow. But it's going to rain for the rest of the week. However, it will clear up on the weekend.

여 안녕하십니까. 주간 일기 예보입니다. 내일 야외 활동을 계획하고 계신다면, 운이 좋으신 겁니다. 내일은 날씨가 맑겠습니다. 그러나 이번 주 나머지 날에는 비가 오겠습니다. 하지만, 주말에는 날이 갤 것입니다.

해설 주말에는 날이 갤 것이라고 했다.

어휘 weekly 주간의   weather report 일기 예보   outdoor 야외의   activity 활동   lucky 운이 좋은   rest 나머지   however 하지만   clear up (날씨가) 개다

02 ④

M May I help you?
W Yes. I'm looking for a vase for my living room.
M How about this? This heart-shaped one is very popular.
W Hmm... it looks special, but I want a square one.
M Here is a square one. It has dots on it.
W Oh, that's good. I'll take it.

남 도와드릴까요?
여 네. 거실에 놓을 꽃병을 찾고 있어요.
남 이거 어떠세요? 이 하트 모양 꽃병이 아주 인기가 있습니다.
여 음… 특별해 보이기는 한데, 전 네모난 것을 원해요.
남 여기 네모난 것이 있습니다. 꽃병에 점무늬가 있고요.
여 아, 그게 좋네요. 그것을 살게요.

해설 여자는 네모난 모양에 점무늬가 있는 꽃병을 사겠다고 했다.

어휘 look for ~을 찾다   vase 꽃병   living room 거실   heart-shaped 하트 모양의   popular 인기 있는   special 특별한   square 정사각형 모양의, 네모난   dot 점

03 ③

W You can see this in a kitchen. Put the food into this and then press a button. Then, this cuts the food into small pieces. You can also make delicious drinks by putting fruits and vegetables into this. What is this?

남 이것은 부엌에서 볼 수 있습니다. 이것 안에 음식을 넣고 버튼을 누르세요. 그러면 이것이 음식을 작은 조각들로 자릅니다. 이것 안에 과일과 채소를 넣어서 맛있는 음료도 만들 수 있습니다. 이것은 무엇일까요?

해설 음식을 잘게 자르거나 음료를 만들 때 사용하는 것은 믹서이다.

어휘 kitchen 부엌   put A into B A를 B 안에 넣다   press 누르다   button 버튼, 단추   cut 자르다   piece 조각 delicious 맛있는   drink 음료   fruit 과일   vegetable 채소

04 ⑤

M Amy, what are you watching?
W I'm watching a cooking program.
M Is this your favorite program?
W No. My favorite program starts in twenty minutes.
M Really? What's that?
W It's *The Chef's Table*.
M That sounds like fun. Why don't we watch it together?

남 Amy, 너 지금 뭐 보고 있어?
여 요리 프로그램을 보고 있어.
남 이게 네가 제일 좋아하는 프로그램이니?
여 아니. 내가 제일 좋아하는 프로그램은 20분 후에 시작해.
남 그래? 그게 뭔데?
여 〈The Chef's Table〉이야.
남 그거 재미있겠다. 우리 같이 보는 게 어때?

해설 남자는 여자가 좋아하는 프로그램을 같이 보자고 제안했다.

어휘 watch 보다   cooking 요리   favorite 가장 좋아하는 in ~ 후에   chef 요리사, 주방장   together 함께

05 ①

M Yuna, do you remember that I entered the school art contest?
W Of course. Any good news?
M I won first prize in my grade.
W Oh, did you? Congratulations!
M Thank you. I can't wait to tell my parents.
W You should text them right now.

남 유나야, 내가 학교 미술 대회에 참가했던 거 기억해?
여 물론이지. 좋은 소식 있어?
남 내가 우리 학년에서 1등을 했어.
여 아, 그랬어? 축하해!
남 고마워. 어서 부모님께 말씀드리고 싶어.
여 지금 바로 부모님께 문자 메시지를 보내.

해설 남자는 학교 미술 대회에서 1등을 했으므로 기쁠 것이다.

어휘 remember 기억하다   enter (대회 등에) 참가하다, 출전하다   contest 경연 대회   news 소식   win first prize 일등상을 타다   grade 학년   Congratulations! 축하해! can't wait to ~ 하고 싶다, ~가 기대되다   text 문자 메시지를 보내다

06 ③

M Julie, what are you going to do on Thanksgiving?
W I'm going to visit my grandparents. My grandmother will cook a turkey for us.
M That's nice. Do you have any other plans?
W I'm going to go shopping. Stores have big sales on the day after Thanksgiving.
M That sounds good.

남 Julie, 너 추수 감사절에 뭐 할 거니?
여 조부모님 댁을 방문할 거야. 할머니께서 우리에게 칠면조 요리를 해 주신대.
남 좋겠다. 또 다른 계획 있어?
여 쇼핑을 할 거야. 가게들이 추수 감사절 다음 날 큰 세일을 하거든.
남 좋겠다.

해설 여자는 추수 감사절에 조부모님 댁을 방문하여 할머니가 해 주시는 칠면조 고기를 먹을 것이라고 했다. 쇼핑은 추수 감사절 다음 날의 계획이다.

어휘 Thanksgiving 추수 감사절   grandparents 조부모 grandmother 할머니   turkey 칠면조 (고기)   plan 계획 go shopping 쇼핑하러 가다   store 가게   sale 할인

07 ③

W What time shall we meet tomorrow?
M How about 3 o'clock? Our flight leaves at 5:30.
W That's too late. It takes an hour to get to the airport.
M Then how about 2:30?
W Let's check the timetable for the airport limousine bus. (*Pause*) There's a bus at 2:30.
M We need to meet a little earlier then. How about 2 o'clock?
W Okay. See you then.

여 우리 내일 몇 시에 만날까?
남 3시 어때? 우리 비행기가 5시 30분에 출발해.
여 그건 너무 늦어. 공항까지 가는 데 한 시간 걸려.
남 그럼 2시 30분 어때?
여 공항 리무진 버스 시간표를 확인해 보자. (*잠시 후*) 2시 30분에 버스가 있어.
남 그럼 좀 더 일찍 만나야겠다. 2시 어때?
여 좋아. 그때 보자.

해설 두 사람은 2시 30분 공항 리무진 버스를 타기 위해 2시에 만나기로 했다.

어휘 flight 항공편   leave 출발하다   get to ~에 도착하다 airport 공항   timetable 시간표   limousine bus 리무진 버스 a little 조금, 약간   earlier 더 일찍(early의 비교급)

08 ③

M Hey, Sarah. I have good news.
W What is it, Brian?
M I can do some volunteer work with you this Friday.

W Oh, I'm glad to hear that. What happened to your family trip?

M We moved it to Saturday.

W I see. Then let's meet at 3 this Friday.

남 야, Sarah. 좋은 소식이 있어.

여 뭔데, Brian?

남 나 이번 주 금요일에 너랑 같이 자원봉사 활동을 갈 수 있어.

여 아, 반가운 소리다. 너희 가족 여행은 어떻게 하고?

남 여행을 토요일로 옮겼어.

여 알겠어. 그럼 이번 주 금요일 3시에 만나자.

해설 두 사람은 이번 주 금요일에 자원봉사 활동을 하기로 했다.

어휘 news 소식   volunteer work 자원봉사 활동   happen 일어나다, 발생하다   trip 여행   move 옮기다

09 ④

W I have many different ways to relieve my stress. Sometimes I listen to music or go to the movies. But the best way is by exercising or taking a warm bath. I exercise when I have a lot of worries. I take a warm bath when I want to relax after a hard day.

여 나는 스트레스를 푸는 방법이 여러 가지 있다. 가끔 음악을 듣거나 영화를 보러 간다. 하지만 가장 좋은 방법은 운동을 하거나 따뜻한 물에 목욕을 하는 것이다. 나는 걱정거리가 많을 때 운동을 한다. 힘든 하루를 보낸 후 휴식을 취하고 싶을 때 따뜻한 물에 목욕을 한다.

해설 여자는 스트레스 해소 방법으로 책 읽기는 언급하지 않았다.

어휘 different 각각 다른, 각양각색의   way 방법   relieve 덜어주다, 완화하다   stress 스트레스   sometimes 가끔, 때때로   go to the movies 영화를 보러 가다   exercise 운동하다   take a bath 목욕하다   warm 따뜻한   a lot of 많은   worry 걱정   relax 휴식을 취하다   hard 힘든

10 ②

W What are you going to do at the school festival?

M I'm going to do a B-boy dance. How about you?

W Well, I haven't decided yet.

M You're good at playing the guitar and the drums. Why don't you play either one?

W Okay. I'll play the drums.

여 너 학교 축제 때 뭐 할 거니?

남 난 비 보이 댄스를 출 거야. 넌 어때?

여 글쎄. 난 아직 결정을 못 했어.

남 넌 기타와 드럼 연주를 잘하잖아. 둘 중 하나를 연주하는 게 어때?

여 좋아. 드럼을 연주할게.

해설 여자는 남자의 제안에 따라 드럼을 연주하겠다고 했다.

어휘 festival 축제   B-boy dance 비 보이 댄스   decide 결정하다   yet (부정문·의문문에서) 아직   be good at ~을 잘하다   either (둘 중) 어느 하나(의)

11 ⑤

M You look unhappy. Didn't you finish your homework?

W I did, but I left it at home.

M Oh, my! Did you tell the teacher about it?

W Yes. She told me to bring it tomorrow.

M Then what's the problem?

W I lost two points because I didn't submit it today.

M Oh, I'm sorry to hear that.

남 너 기분이 안 좋아 보여. 숙제 못 끝냈어?

여 끝냈는데 그걸 집에 두고 왔어.

남 아, 저런! 그것에 대해 선생님께 말씀드렸어?

여 응. 내일 가져오라고 말씀하셨어.

남 그럼 뭐가 문제야?

여 오늘 제출하지 못해서 2점을 깎였어.

남 아, 안타깝다.

해설 여자는 숙제를 집에 두고 와서 오늘 제출하지 못해 점수가 깎였다고 했다.

어휘 finish 끝내다   homework 숙제   leave(-left-left) 두고 오다   bring 가져오다   problem 문제   lose(-lost-lost) 잃다   point 점수   because ~ 때문에   submit 제출하다

12 ④

W Good morning, sir. What can I do for you?

M I'd like to travel to some Italian cities during the holidays.

W Okay. We have some tour packages for Italy.

M Let me see. Oh! I like this.

W Good, sir. When would you like to go?

M At the beginning of May.

여 안녕하세요, 고객님. 무엇을 도와드릴까요?

남 휴가 동안에 이탈리아의 몇몇 도시를 여행하고 싶어요.

여 알겠습니다. 이탈리아 여행 패키지 상품이 몇 개 있습니다.

남 한번 볼게요. 아! 이게 맘에 들어요.

여 좋습니다, 고객님. 언제 가고 싶으세요?

남 5월 초예요.

해설 여행 패키지 상품에 관한 대화를 나누고 있으므로 두 사람은 여행사 직원과 고객의 관계이다.

어휘 travel 여행하다   Italian 이탈리아의   city 도시   during ~ 동안   holiday 휴일, 휴가   tour 여행   package 패키지   beginning 초반, 시작   May 5월

13 ②

M Excuse me. Is there a post office near here?

W Yes, there is. It's not far from here.

M Can I walk there?

W Yes. Go one block and turn right.

M Go one block and turn right?

W Yes. Then, you will see a bakery. It's right next to the bakery.

M I see. Thank you.

남 실례합니다. 이 근처에 우체국이 있나요?

여 네. 있어요. 여기서 멀지 않아요.

남 거기에 걸어서 갈 수 있나요?

여 네. 한 블록 가서 오른쪽으로 도세요.

남 한 블록 가서 오른쪽으로 돌라고요?

여 네. 그러면 빵집이 보일 거예요. 빵집 바로 옆에 있어요.

남 그렇군요. 고맙습니다.

해설 우체국은 한 블록 가서 오른쪽으로 돌면 빵집 옆에 있다고 했다.

어휘 post office 우체국 near here 이 근처에 far from ~로부터 먼 walk 걷다 block 블록, 구역 turn right 오른쪽으로 돌다 bakery 빵집, 제과점 next to ~ 옆에

14 ③

M Today, I'll cook a special lunch for you.

W Wow! What are you going to make for me?

M Which do you like better, mushroom pizza or cream pasta?

W I like both of them. But I'd like to eat cream pasta today.

M Okay. I'll make cream pasta.

W Thank you.

남 오늘 내가 너에게 특별한 점심을 요리해 줄게.

여 우와! 뭘 만들어 줄 건데?

남 버섯 피자와 크림파스타 중에 뭐가 더 좋아?

여 둘 다 좋아해. 하지만 오늘은 크림파스타를 먹고 싶어.

남 좋아. 크림파스타를 만들어줄게.

여 고마워.

해설 남자는 여자에게 크림파스타를 만들어 주겠다고 했다.

어휘 cook 요리하다 special 특별한 mushroom 버섯 pasta 파스타 both 둘 다의

15 ①

W What would be a good birthday present for Daniel?

M How about a toy car or block set?

W He already has a lot of toy cars and block sets.

M Then do you have anything else in mind?

W Yes. How about a bike?

M Oh, that's a good idea. Let's look at some bikes.

여 Daniel의 생일 선물로 무엇이 좋을까?

남 장난감 자동차나 블록 세트 어때?

여 Daniel은 이미 장난감 자동차와 블록 세트를 많이 가지고 있어.

남 그럼 네가 생각하고 있는 게 있니?

여 응. 자전거 어때?

남 아, 그거 좋은 생각이야. 자전거들 좀 살펴보자.

해설 장난감 자동차, 블록 세트, 자전거 중에 두 사람이 선택한 것은 자전거이다.

어휘 present 선물 toy car 장난감 자동차 already 이미, 벌써 a lot of 많은 else 또 다른, 그 밖의 have ~ in mind ~을 염두에 두다(생각하다) bike 자전거 look at ~을 (자세히) 살피다

16 ①

① **M** How are you doing?

　W I'm doing my math homework.

② **M** How long does it take to get there?

　W About twenty minutes.

③ **M** Would you like some pie?

　W No, thank you. I'm full.

④ **M** I got an A on my English test.

　W Good job! I'm very proud of you.

⑤ **M** Shall I call a taxi?

　W No. The traffic is terrible at this time.

① **남** 어떻게 지내니?

　여 나는 수학 숙제를 하고 있어.

② **남** 거기까지 가는 데 얼마나 걸리나요?

　여 약 20분 정도 걸려요.

③ **남** 파이 좀 드시겠어요?

　여 아니요, 괜찮습니다. 배불러요.

④ **남** 나 영어 시험에서 A 받았어.

　여 잘했다! 네가 정말 자랑스러워.

⑤ **남** 택시를 부를까?

　여 아니. 이 시간에는 교통 체증이 심해.

해설 ① 안부를 묻는 말에 현재 하고 있는 일을 답하는 것은 어색하다.

어휘 do one's homework 숙제를 하다 math 수학 about 약, ~쯤 full 배부른 be proud of ~을 자랑스러워하다 call a taxi 택시를 부르다 traffic 교통(량) terrible 심한, 끔찍한 at this time 이 시간에

17 ⑤

W I want to speak English well, but I don't know what to do.

M Do you watch American dramas?

W Sometimes. Why?

M Watching American dramas can be helpful.

W How?

M Try to listen and repeat what the characters say. That will help.

W Okay. I'll do that.

여 난 영어를 잘 말하고 싶은데, 어떻게 해야 할지 모르겠어.

남 너 미국 드라마 보니?

여 가끔. 왜?

남 미국 드라마를 보는 게 도움이 될 수도 있어.

여 어떻게?

남 등장인물들이 하는 말을 듣고 따라 해 봐. 도움이 될 거야.

여 알았어. 그렇게 해 볼게.

해설 여자는 영어를 잘 말하기 위한 방법으로 미국 드라마를 보면서 대사를 듣고 따라 해 볼 것을 제안했다.

어휘 American 미국의 sometimes 가끔, 때때로 helpful 도움이 되는 try to ~하려고 노력하다 repeat 반복하다 character 등장인물 help 도움이 되다

18 ④

W　Have you heard of bird watching?
M　Sure. I tried it when I was a child.
W　Actually, I'm doing it for the first time this Saturday.
M　You should bring warm clothes and something to eat.
W　Okay. What else should I keep in mind?
M　You shouldn't make any noise when you watch the birds.
W　I see. Thank you.

여　너 새 관찰하기에 대해 들어 본 적 있니?
남　물론이지. 어렸을 때 해 봤어.
여　사실, 난 이번 토요일에 처음으로 해 보려고.
남　따뜻한 옷이랑 먹을 것을 가져가야 해.
여　알겠어. 또 명심해야 할 게 있니?
남　새를 관찰할 때는 어떤 소리도 내면 안 돼.
여　그렇구나. 고마워.

해설 두 사람은 새를 관찰할 때 필요한 준비물이나 주의할 점에 대해 이야기하고 있다.

어휘 hear of ~에 대해 듣다　bird watching 새 관찰　try 시도하다　child 아이　actually 사실, 실제로　for the first time 처음으로　bring 가져가다　warm 따뜻한　clothes 옷　keep in mind 명심하다　make noise 시끄럽게 하다

19 ①

M　Luna, what's the matter? You have a cast on your leg.
W　I fell down the stairs and broke my leg yesterday.
M　Oh, my! Are you okay?
W　No, I'm not.
M　Can I carry your bag?
W　Thank you so much.

남　Luna, 무슨 일이야? 다리에 깁스를 했네.
여　어제 계단에서 넘어져서 다리가 부러졌어.
남　오, 저런! 괜찮아?
여　아니, 괜찮지 않아.
남　내가 네 가방을 들어 줄까?
여　정말 고마워.

해설 도와주겠다는 말에 대한 응답으로 감사를 표현하는 말이 가장 적절하다.
② 발 밑 조심해.
③ 미안하지만 널 도와줄 수가 없어.
④ 아니. 네 가방은 필요 없어.
⑤ 걱정하지 마. 넌 할 수 있어.

어휘 have a cast on ~에 깁스를 하다　leg 다리　fall down 넘어지다　stairs 계단　break(-broke-broken) 부러뜨리다　carry 나르다, 운반하다　step 걸음

20 ⑤

W　Can you come to my house for dinner this Friday?

We will have a barbecue party.
M　That's great. What time on Friday?
W　Can you make it at six?
M　Sure. Would you like me to bring something?
W　Not at all. I'll prepare everything.

여　너 이번 금요일에 저녁 먹으러 우리 집에 올 수 있니? 우리는 바비큐 파티를 할 거야.
남　좋아. 금요일 몇 시?
여　6시에 올 수 있어?
남　물론이지. 내가 뭐 가져갈까?
여　전혀 없어. 내가 모든 걸 준비할 거야.

해설 가져갈 것이 있는지 묻는 말에 대한 응답이 와야 한다.
① 좋아. 그때 거기로 갈게.
② 미안하지만, 난 지금 가야 해.
③ 맞아. 파티는 정말 재미있었어.
④ 아니. 넌 선물을 가져와야 해.

어휘 have a barbecue party 바비큐 파티를 하다　bring 가져오다　have to ~해야 한다　present 선물　prepare 준비하다　everything 모든 것

Review Test

pp.60~61

Word Check `03회`

01 약속, 예약	**02** 득점을 올리다
03 자신의	**04** 수리하다
05 없어진	**06** 계단
07 영수증	**08** 긴장한, 초조해하는
09 치과의	**10** 무서운
11 외치다	**12** 목이 마른
13 garbage	**14** exercise
15 reuse	**16** museum
17 secret	**18** turn
19 extra	**20** ride
21 radio station	**22** land
23 healthy	**24** spend

Expression Check

25 Make sure	**26** look like
27 clear up	**28** looking forward to
29 in case of	**30** turn into

Word Check `04회`

01 야외의	**02** 반복하다
03 조부모	**04** 점
05 맛있는	**06** 정사각형 모양의, 네모난
07 넘어지다	**08** 누르다
09 문자 메시지를 보내다	**10** 항공편
11 시간표	**12** 등장인물
13 volunteer work	**14** relieve
15 rest	**16** either
17 submit	**18** travel
19 special	**20** traffic
21 terrible	**22** vegetable
23 popular	**24** prepare

Expression Check

25 looking for	**26** can't wait to
27 won first prize	**28** far from
29 tired of	**30** fell down

실전 모의고사 05 회

pp.62~69

01 ②	02 ④	03 ③	04 ④	05 ③
06 ③	07 ④	08 ⑤	09 ④	10 ⑤
11 ③	12 ①	13 ④	14 ⑤	15 ⑤
16 ②	17 ①	18 ③	19 ④	20 ④

01 ②

M This is a kind of chair. This has two big wheels on its sides. People can make this move or stop by controlling the wheels with both hands. People use this when they hurt their legs or can't walk. What is this?

남 이것은 일종의 의자입니다. 이것은 옆면에 큰 바퀴가 두 개 있습니다. 사람들은 양손으로 바퀴를 조종함으로써 이것을 움직이거나 멈추게 할 수 있습니다. 사람들은 다리를 다쳤거나 걸을 수 없을 때 이것을 사용합니다. 이것은 무엇일까요?

해설 옆면에 있는 큰 바퀴로 움직이는 일종의 의자로, 다리를 다쳤거나 걸을 수 없을 때 사용하는 것은 휠체어이다.

어휘 a kind of 일종의, ~ 같은   wheel 바퀴   side 옆면   move 움직이다   control 조종하다, 조절하다   both 둘 다(의)   hurt 다치게 하다

02 ④

M Cathy, what do you want for your birthday?
W I want a T-shirt, Dad.
M Okay. What's your favorite style?
W I like round-neck T-shirts.
M Then how about the round-neck T-shirt with the rabbit in the middle?
W No. I like this T-shirt with the star on it.

남 Cathy, 생일 선물로 뭘 원하니?
여 저는 티셔츠를 원해요, 아빠.
남 좋아. 네가 가장 좋아하는 스타일이 뭐니?
여 저는 라운드 넥 티셔츠가 좋아요.
남 그럼 가운데에 토끼가 있는 라운드 넥 티셔츠는 어떠니?
여 아니요. 저는 별이 있는 이 티셔츠가 좋아요.

해설 여자는 별이 있는 라운드 넥 티셔츠가 마음에 든다고 했다.

어휘 round-neck 라운드 넥의, 목둘레선이 둥근   rabbit 토끼   in the middle 가운데에

03 ③

W Good morning. This is the weather report for today. This morning, we started the day with a little rain and a lot of clouds in the sky. However, the weather will clear up in the afternoon. It will be perfect weather for outdoor activities.

여 안녕하세요. 오늘의 일기 예보입니다. 오늘 아침은 약간의 비와 하늘에 많은 구름으로 시작했습니다. 하지만 오후에는 날이 개겠습니다. 야외 활동을 하기에 완벽한 날씨가 되겠습니다.

[해설] 아침에는 비가 약간 내리고 구름이 많았지만, 오후에는 날이 갤 것이라고 했다.

[어휘] weather report 일기 예보　a little 약간의　a lot of 많은　however 하지만　clear up (날씨가) 개다　perfect 완벽한　outdoor activity 야외 활동

04 ④

M What <u>do you usually do</u> in your free time?
W I enjoy playing badminton. I play it with my dad on Sundays.
M <u>Are you good at</u> playing badminton?
W Yes. I am a member of a badminton club.
M Wow! Can you teach me <u>how to play badminton</u> this Saturday?

남 넌 여가 시간에 보통 뭘 하니?
여 난 배드민턴 치는 걸 즐겨. 난 일요일마다 아빠랑 배드민턴을 쳐.
남 너 배드민턴 잘 쳐?
여 응. 난 배드민턴 동아리 회원이야.
남 우와! 이번 토요일에 배드민턴 치는 법 좀 가르쳐 줄래?

[해설] 남자는 여자에게 배드민턴 치는 법을 가르쳐 달라고 부탁했다.

[어휘] usually 보통, 대개　free time 여가 시간　on Sundays 일요일마다　be good at ~을 잘하다　member 회원　how to ~하는 방법

05 ③

M Hello. Nice to meet you. My name is Nick. I <u>come from</u> New Zealand. I <u>like reading comic books</u> and watching movies. My best friend is Jiho, and he's <u>interested in movies</u>, too. We are both in the movie club at school.

남 안녕. 만나서 반가워. 내 이름은 Nick이야. 나는 뉴질랜드 출신이야. 난 만화책 읽는 것과 영화 보는 것을 좋아해. 나와 제일 친한 친구는 지호인데 그 애도 영화에 흥미가 있어. 우리는 둘 다 학교에서 영화 동아리에 속해 있어.

[해설] 남자는 자신의 외모에 대해서는 언급하지 않았다.

[어휘] come from ~ 출신이다　comic book 만화책　watch a movie 영화를 보다　be interested in ~에 흥미가 있다　both 둘 다

06 ③

W Peter, <u>I want to see</u> this movie. How about you?
M I do, too. I love sci-fi movies.
W That's good. It's 2:20 now.
M Then we have 40 minutes <u>before the movie starts</u>.
W Shall we get <u>some popcorn and coke</u>?

M Yes. Let's go to the snack bar.

여 Peter, 나 이 영화 보고 싶어. 너는 어때?
남 나도 그래. 난 공상 과학 영화를 정말 좋아해.
여 잘됐다. 지금 2시 20분이야.
남 그럼 영화 시작하기 전에 40분이 있어.
여 팝콘이랑 콜라 좀 살까?
남 그래. 스낵바에 가자.

[해설] 현재 시각이 2시 20분인데 영화 상영 시작까지 40분이 남았다고 했으므로 영화는 3시에 시작한다.

[어휘] sci-fi movie 공상 과학 영화　minute 분　before ~ 전에　popcorn 팝콘　coke 콜라　snack bar 스낵바, 간이식당

07 ④

M Hi, Emma! <u>You look so tired</u>.
W I didn't sleep well last night.
M Were you sick?
W No. It was so noisy that <u>I couldn't fall asleep</u>.
M Was it because of your neighbors?
W No. My brother was <u>watching a soccer game</u> on TV until late at night.

남 안녕, Emma! 너 정말 피곤해 보여.
여 어젯밤에 잠을 잘 못 잤어.
남 아팠어?
여 아니. 너무 시끄러워서 잠을 잘 수가 없었어.
남 이웃 사람들 때문에?
여 아니. 오빠가 밤늦게까지 TV로 축구 경기를 보고 있었거든.

[해설] 여자는 오빠가 밤늦게까지 TV로 축구 경기를 봐서 시끄러워서 잠을 못 잤다고 했다.

[어휘] tired 피곤한　sick 아픈　so ~ that ... 너무 ~해서 …하다　noisy 시끄러운　fall asleep 잠이 들다　because of ~ 때문에　neighbor 이웃　until ~까지　late at night 밤늦게

08 ⑤

W Hi, Billy! Long time, no see!
M Excuse me? <u>Are you talking to</u> me?
W It's me, Kelly's sister.
M I'm sorry <u>I don't know anyone</u> named Kelly. And my name isn't Billy.
W Oh, really? I thought <u>you were someone else</u>. I'm sorry.
M That's all right.

여 안녕, Billy! 오랜만이야!
남 네? 저한테 말씀하시는 거예요?
여 나야, Kelly의 언니.
남 죄송하지만 저는 Kelly라는 이름을 가진 사람을 몰라요. 그리고 제 이름은 Billy가 아니고요.
여 아, 정말요? 다른 사람으로 착각했나 봐요. 죄송합니다.
남 괜찮아요.

해설 여자는 남자가 자신이 아는 사람인 줄 알고 반갑게 인사했는데 다른 사람인 것을 알고 당황스러웠을 것이다.

어휘 talk to ~에게 이야기하다   anyone 누구, 아무   someone else 어떤 다른 사람   angry 화가 난   proud 자랑스러운   embarrassed 당황스러운

09 ④

W Mark, what do you want to be in the future?
M I want to be an animal trainer. How about you?
W I want to be a translator.
M Wow, great.
W I want to translate Korean books into foreign languages.
M I'm sure you'll be a great translator.

여 Mark, 넌 장래 희망이 뭐니?
남 난 동물 조련사가 되고 싶어. 너는?
여 난 번역가가 되고 싶어.
남 우와, 멋지다.
여 난 한국 책들을 외국어로 번역하고 싶어.
남 난 네가 훌륭한 번역가가 될 거라고 확신해.

해설 여자는 번역가가 되어 한국 책들을 외국어로 번역하고 싶다고 했다.

어휘 in the future 미래에   animal trainer 동물 조련사   translator 번역가   translate A into B A를 B로 번역하다   foreign language 외국어

10 ⑤

M Lisa, do you have any special plans for this Saturday?
W Yes. I will do some volunteer work.
M That's great. Do you do volunteer work every weekend?
W No, twice a month.
M So what do you usually do when you volunteer?
W I read books to children at the children's hospital.

남 Lisa, 이번 토요일에 특별한 계획 있어?
여 응. 자원봉사를 할 거야.
남 대단하다. 주말마다 자원봉사를 하는 거야?
여 아니, 한 달에 두 번.
남 너는 자원봉사를 할 때 보통 무엇을 해?
여 나는 어린이 병원에 있는 아이들에게 책을 읽어 줘.

해설 두 사람은 자원봉사 활동에 관해 이야기하고 있다.

어휘 plan 계획   volunteer work 자원봉사 활동   weekend 주말   twice 두 번   month 달   hospital 병원

11 ③

W Good afternoon. May I help you?
M Yes, please. I want something for my sister for her birthday.
W This way, please. What do you think about this

fruitcake?
M Wow, I like the roses on it. How much is it?
W It is 20,000 won.
M Okay. I'll take it.

여 안녕하세요. 도와드릴까요?
남 네. 제 여동생 생일을 위해 뭔가를 원해요.
여 이쪽으로 오세요. 이 과일 케이크는 어떠세요?
남 우와, 위에 있는 장미꽃이 마음에 드네요. 얼마예요?
여 20,000원이에요.
남 좋아요. 그것을 살게요.

해설 과일 케이크를 사고파는 상황이므로 대화가 이루어지는 장소는 제과점이다.

어휘 fruitcake 과일 케이크   rose 장미

12 ①

M Tiffany, come on. We're going to be late.
W I can't decide which shoes to wear.
M We're going to do a lot of walking. You shouldn't wear high heels.
W Well, what are you wearing?
M A pair of sneakers. Why don't you wear your sandals?
W Okay. I'll wear my sandals.

남 Tiffany, 어서. 우리 늦겠어.
여 어떤 신발을 신어야 할지 결정을 못하겠어.
남 우리는 많이 걸을 거야. 하이힐은 신으면 안 돼.
여 음, 넌 뭐 신을 거야?
남 운동화. 넌 샌들을 신는 게 어때?
여 그래. 난 샌들을 신을래.

해설 여자는 샌들을 신겠다고 했다.

어휘 late 늦은   decide 결정하다   wear 입다, 신다   high heels 하이힐, 굽 높은 구두   a pair of ~ 한 켤레   sneakers 운동화   sandals 샌들

13 ④

M What did you do last Sunday?
W I baked cookies and went on a picnic at the park.
M Sounds interesting! What else?
W On my way home, I bought a bunch of roses. How about you?
M I went to the mall. I bought a pair of shoes there.

남 지난 일요일에 뭐 했어?
여 난 쿠키를 구워서 공원에 소풍을 갔어.
남 재미있었겠다! 그리고 또?
여 집에 오는 길에 장미 한 다발을 샀어. 너는?
남 난 쇼핑몰에 갔었어. 거기서 신발 한 켤레를 샀어.

해설 남자는 쇼핑몰에 가서 신발 한 켤레를 샀다고 했다.

어휘 bake 굽다   go on a picnic 소풍 가다   else 또 다른, 그 밖의   on one's way home 집으로 오는 길에   a bunch of ~ 한 다발   mall 쇼핑몰   a pair of ~ 한 켤레

14 ⑤

M Excuse me. Is there a stationery store near here?
W Yes, there is. Go straight down this street.
M Go straight down this street? That's it?
W Yes. It's on the right side of the street. It's right next to the drugstore.
M Next to the drugstore? That's easy. Thank you.
W No problem.

남 실례합니다. 이 근처에 문구점이 있나요?
여 네, 있어요. 이 길을 따라 쭉 가세요.
남 이 길을 따라 쭉 가라고요? 그게 다인가요?
여 네. 문구점은 길 오른편에 있어요. 약국 바로 옆에 있어요.
남 약국 옆이요? 쉽네요. 고맙습니다.
여 천만에요.

해설 문구점은 길을 따라 쭉 가다가 오른쪽에 있는 약국 옆에 있다고 했다.

어휘 stationery store 문구점   go straight 직진하다   street 길   next to ~ 옆에   drugstore 약국   easy 쉬운

15 ⑤

W Hi, Jimin. You are a good dancer.
M Thank you. In fact, my dream is to be a K-pop star.
W Really? You are also good at singing songs. You will be a famous K-pop star someday.
M Do you really think so?
W Of course. Why don't you enter a K-pop contest? You can do it!

여 안녕, 지민아. 너 춤을 잘 추는구나.
남 고마워. 사실, 내 꿈은 케이 팝 스타가 되는 거야.
여 정말? 넌 노래도 잘하잖아. 넌 언젠가 유명한 케이 팝 스타가 될 거야.
남 정말 그렇게 생각해?
여 그럼. 케이 팝 경연 대회에 나가 보는 게 어때? 넌 할 수 있을 거야!

해설 여자는 남자에게 케이 팝 경연 대회에 나가 보라고 제안했다.

어휘 dancer 댄서, 춤을 추는 사람   in fact 사실은   be good at ~을 잘하다   famous 유명한   someday 언젠가   enter 출전하다, 참가하다   contest 경연 대회

16 ②

W How can I help you, sir?
M Can you give me a wakeup call tomorrow morning?
W Okay. What time would you like us to call you?
M At 7 o'clock. I need to attend a meeting at 9 o'clock.
W Okay. What's your room number, please?
M My room number is 1302.

여 무엇을 도와드릴까요, 손님?
남 내일 아침에 모닝콜을 해 주실 수 있나요?
여 알겠습니다. 몇 시에 모닝콜을 해 드릴까요?
남 7시에요. 9시에 회의에 참석해야 하거든.

여 알겠습니다. 객실 번호가 어떻게 되시죠?
남 제 방은 1302호입니다.

해설 남자가 여자에게 모닝콜을 요청했고, 여자는 남자에게 모닝콜을 원하는 시각과 객실 번호를 물었으므로 여자의 직업은 호텔 직원이다.

어휘 wakeup call 모닝콜   attend 참석하다   meeting 회의

17 ①

M Mom, where have you been?
W I just came back from the department store. It is having a big sale.
M Wow! What did you buy?
W I bought a backpack for you.
M Thanks, Mom. I needed a new backpack. How much was it?
W The regular price was $120. But I got it for 50% off.

남 엄마, 어디 다녀오셨어요?
여 방금 백화점에서 돌아왔어. 큰 할인 행사를 하고 있거든.
남 우와! 뭐 사셨어요?
여 네 가방을 샀단다.
남 고마워요, 엄마. 새 가방이 필요했었거든요. 얼마였어요?
여 정가는 120달러였어. 그런데 50퍼센트 할인을 받아서 샀어.

해설 가방의 정가는 120달러였지만 50퍼센트 할인을 받아서 샀다고 했다.

어휘 come back 돌아오다   department store 백화점   sale 할인 판매   backpack 가방, 배낭   regular price 정상가   off 할인하여

18 ③

M I'm traveling to Europe with my family this summer.
W Really? What countries are you planning to visit?
M We'll travel to France, Spain, and Portugal.
W I've been to France and Spain. You will love Spain.
M I am looking forward to Spain, but I'm the most excited about visiting Portugal.

남 난 이번 여름에 가족들과 함께 유럽 여행을 갈 거야.
여 정말? 어느 나라를 방문할 계획이니?
남 우리는 프랑스, 스페인, 그리고 포르투갈을 여행할 거야.
여 나는 프랑스와 스페인에 가 봤어. 넌 스페인을 아주 좋아할 거야.
남 나도 스페인이 많이 기대되지만, 포르투갈을 방문하는 것이 가장 신나.

해설 남자는 포르투갈을 방문하는 것이 가장 신난다고 했다.

어휘 travel 여행하다   Europe 유럽   country 나라, 국가   be planning to ~ 할 계획이다   have been to ~에 가 본 적이 있다   look forward to ~을 기대하다   be excited about ~에 대해 들뜨다

19 ④

W May I take your order?

M I'd like a taco, please.

W We have beef, chicken, and pork. What kind of meat would you like?

M Well, my favorite meat is beef. I want a beef taco.

W Okay. Would you like a drink? We have apple juice and orange juice.

M Yes, please. I'd like apple juice.

여 주문하시겠어요?
남 타코 주세요.
여 소고기, 닭고기, 그리고 돼지고기가 있습니다. 어떤 종류의 고기를 원하세요?
남 음, 제가 좋아하는 고기가 소고기예요. 소고기 타코를 원해요.
여 네. 음료를 드시겠어요? 사과 주스와 오렌지 주스가 있습니다.
남 네. 사과 주스로 할게요.

해설 사과 주스와 오렌지 주스 중 주문하고 싶은 것을 말하는 응답이 와야 한다.
① 물론이죠. 여기 있어요.
② 그러고 싶지만, 배가 고파요.
③ 우와! 정말 맛있어요!
⑤ 아니요, 괜찮아요. 전 오렌지 주스를 원해요.

어휘 order 주문 taco 타코 beef 소고기 pork 돼지고기
kind 종류 meat 고기 drink 음료 taste 맛이 ~하다

20 ④

W What's the matter, Sam?

M I'm so nervous.

W Why? Are you nervous because of the dance contest?

M Yes. I practiced a lot, but I'm still nervous. What should I do?

W I think you should practice in front of your family. It would be very helpful.

M That's a good idea. Thank you.

여 무슨 일이야, Sam?
남 나 너무 긴장돼.
여 왜? 춤 경연 대회 때문에 긴장되는 거야?
남 응. 많이 연습했는데, 여전히 긴장돼. 나 어떡하지?
여 가족들 앞에서 연습해 보면 좋을 것 같아. 도움이 많이 될 거야.
남 좋은 생각이야. 고마워.

해설 여자가 긴장을 풀 수 있는 방법을 조언해 주었으므로 고마움을 표현하는 응답이 가장 적절하다.
① 난 그것을 이해 못하겠어.
② 난 네가 할 수 있을 거라고 확신해.
③ 넌 좀 쉬어야 해.
⑤ 넌 다음번에 다시 해 볼 수 있어.

어휘 matter 문제 nervous 긴장한, 초조해하는 because of ~ 때문에 comtest 경연대회 practice 연습하다 a lot 많이 still 여전히 in front of ~ 앞에서 helpful 도움이 되는 try 시도하다 understand 이해하다 get rest 쉬다

01 ③	02 ①	03 ③	04 ④	05 ⑤
06 ③	07 ④	08 ③	09 ②	10 ③
11 ③	12 ④	13 ⑤	14 ⑤	15 ②
16 ②	17 ④	18 ⑤	19 ③	20 ⑤

01 ③

M I live in Africa. I eat leaves from trees. I am the tallest animal in the world. I have big eyes and some spots on my body. I have long legs and a very long neck. What am I?

남 나는 아프리카에 살아요. 나는 나무에 달린 잎을 먹어요. 나는 세상에서 가장 키가 큰 동물이에요. 나는 눈이 크고 몸에 반점이 있어요. 나는 다리가 길고 목이 아주 길어요. 나는 무엇일까요?

해설 세상에서 가장 키가 큰 동물이고 몸에 반점이 있으며, 다리와 목이 긴 초식동물은 기린이다.

어휘 leaf(pl. leaves) 잎 in the world 세상에서 spot 반점 body 몸

02 ①

W Henry, what is that?

M It's a teddy bear. It's a birthday gift for my brother.

W It's so cute. It is wearing a T-shirt and jeans.

M My brother loves to wear jeans a lot, so I chose it.

W Wow! I'm sure your brother will love it.

M Do you really think so? I hope so.

여 Henry, 그게 뭐야?
남 이건 테디 베어야. 남동생에게 줄 생일 선물이야.
여 정말 귀엽다. 티셔츠와 청바지를 입고 있네.
남 남동생이 청바지 입는 것을 정말 좋아해서 이것을 골랐어.
여 우와! 네 남동생이 그것을 정말 좋아할 거라고 확신해.
남 정말 그렇게 생각해? 나도 그러길 바라.

해설 남자는 남동생 생일 선물로 티셔츠에 청바지를 입고 있는 곰 인형을 준비했다.

어휘 teddy bear 곰 인형, 테디 베어 gift 선물 wear 입다 jeans 청바지 choose(-chose-chosen) 고르다, 선택하다 sure 확신하는

03 ③

W Good evening. This is the weather report for this weekend. It'll be very cold and cloudy from tonight until Saturday morning. On Saturday afternoon, we will get a lot of snow. However, the temperature will go up a little, and we will see clear skies on Sunday.

남 안녕하세요. 이번 주말 일기 예보입니다. 오늘 밤부터 토요일 오전까지 매우 춥고 흐리겠습니다. 토요일 오후에는 눈이 많이

내리겠습니다. 하지만, 일요일에는 기온이 조금 오르겠고, 맑은 하늘을 볼 수 있겠습니다.

해설 토요일 오후에는 눈이 많이 내릴 것이라고 했다.

어휘 weekend 주말 cloudy 흐린 tonight 오늘 밤 until ~까지 a lot of 많은 temperature 기온 go up 오르다 a little 약간 clear 맑은, 갠

04 ④

M My uncle bought me a new tablet PC.
W That's great. Can I see it now?
M Just a minute. (*Pause*) Here it is.
W Wow, it looks cool. And it's very light.
M It's good for watching video clips.
W Oh, can I try watching a video clip?
M Sure. Go ahead.

남 우리 삼촌이 내게 새 태블릿 피시를 사 주셨어.
여 좋겠다. 그거 지금 볼 수 있어?
남 잠깐만. (*잠시 후*) 여기 있어.
여 우와, 멋있다. 그리고 아주 가벼워.
남 동영상 보기에 좋아.
여 아, 그럼 내가 동영상을 한번 봐도 될까?
남 물론이지. 어서 봐.

해설 Sure. Go ahead.는 여자의 요청을 허락하는 말이다.

어휘 tablet PC 태블릿 피시 minute 잠깐 cool 멋진 light 가벼운 video clip (짧게 제작한) 동영상 try ~ing ~해 보다

05 ⑤

W Let me tell you about my trip to the east coast. The best part of my trip was the wonderful view along the coast. I took a lot of pictures and ate many kinds of seafood. Thankfully, the weather was really nice the whole time.

여 저의 동해안 여행에 대해 말할게요. 여행에서 가장 좋았던 부분은 해안선을 따라 펼쳐진 멋진 풍경이었어요. 저는 사진을 많이 찍었고 많은 종류의 해산물을 먹었어요. 다행스럽게도, 날씨가 내내 정말 좋았어요.

해설 여자는 여행 내내 날씨가 좋았다고 했다.

어휘 trip 여행 east coast 동해안 part 부분 view 풍경, 경치 along ~을 따라 take pictures 사진을 찍다 kind 종류 seafood 해산물 thankfully 고맙게도, 다행스럽게도 the whole time 내내

06 ③

W Taehyun, what are you watching?
M I'm watching a documentary about Antoni Gaudi.
W Wow, that building is unique.
M Isn't it great? I would like to design a building like that.
W I thought you wanted to be a painter.

M No. I want to design wonderful buildings.

여 태현아, 너 뭐 보고 있어?
남 안토니 가우디에 관한 다큐멘터리를 보고 있어.
여 우와, 저 빌딩 특이하다.
남 멋지지 않니? 나도 저런 건물을 디자인하고 싶어.
여 난 네가 화가가 되고 싶어 한다고 생각했는데.
남 아니야. 난 멋진 건물을 디자인하고 싶어.

해설 남자는 안토니 가우디처럼 멋진 건물을 디자인하고 싶다고 했다.

어휘 documentary 다큐멘터리 building 건물 unique 독특한 design 디자인하다 like ~처럼 painter 화가

07 ④

M Susan, how was the movie yesterday?
W It was good. But I missed the beginning.
M What do you mean?
W The movie started at 5 o'clock, but I arrived a little late.
M How late did you get there?
W I was 10 minutes late for the movie.
M I'm sorry about that.

남 Susan, 어제 영화 어땠어?
여 좋았어. 그런데 시작 부분을 놓쳤어.
남 무슨 말이야?
여 영화가 5시에 시작했는데, 내가 좀 늦게 도착했어.
남 거기에 얼마나 늦게 도착했는데?
여 영화에 10분 늦었어.
남 안타깝다.

해설 5시에 시작하는 영화에 10분 늦었다고 했으므로 여자가 영화관에 도착한 시각은 5시 10분이다.

어휘 miss 놓치다 beginning 초반, 시작 mean 의미하다 arrive 도착하다 a little 약간, 조금 late 늦은

08 ③

M Sandra, what happened to your arm?
W Well, I had an accident.
M An accident? What accident?
W I hurt my arm while I was helping my mom at home.
M How?
W I slipped on the floor while I was moving some plants.
M Oh, that's too bad. I hope you get better soon.

남 Sandra, 너 팔이 왜 그러니?
여 음, 사고가 있었어.
남 사고? 무슨 사고?
여 집에서 엄마를 돕다가 팔을 다쳤어.
남 어떻게?
여 식물을 몇 개 옮기던 중에 바닥에 미끄러졌어.
남 아, 정말 안됐구나. 빨리 낫길 바라.

해설 여자는 식물을 옮기다가 바닥에 미끄러져 팔을 다쳤다고 했다.

happen 일어나다, 발생하다   have an accident
사고를 당하다   hurt 다치게 하다   while ~하는 동안에   slip
미끄러지다   floor 바닥   move 옮기다   plant 식물   get
better (병이) 나아지다

09 ②

W How are you going to Busan on *chuseok*?
M I'm going to take a bus.
W Why don't you take the train instead? Traffic will be heavy on *chuseok*.
M I know, but I couldn't get a train ticket.
W Oh, I see. That's too bad.

여 너 추석에 부산에 어떻게 갈 거니?
남 버스를 탈거야.
여 대신 기차를 타는 게 어때? 추석에는 차가 많이 막힐 텐데.
남 나도 알아, 하지만 기차표를 못 구했어.
여 아, 그랬구나. 안됐다.

해설 남자는 기차표를 못 구해서 버스를 타고 갈 것이라고 했다.

어휘 instead 대신에   traffic 교통(량)   heavy 심한   ticket 표

10 ③

W You look different. Have you lost weight?
M Yes. I've stopped eating fatty foods, and I eat lots of vegetables now.
W Good for you.
M I also take a walk in the park every morning.
W You look quite healthier.
M My goal is to lose five kilos.
W I'm sure you can do it.

여 너 달라 보여. 살 뺀 거야?
남 응. 나는 기름진 음식 먹는 것을 끊었고, 지금은 채소를 많이 먹고 있어.
여 잘했네.
남 나는 매일 아침 공원에서 산책도 해.
여 훨씬 더 건강해 보여.
남 내 목표는 5킬로를 감량하는 거야.
여 넌 할 수 있을 거라고 확신해.

해설 두 사람은 남자의 다이어트에 대해 이야기하고 있다.

어휘 lose weight 체중을 줄이다   stop ~ing ~하는 것을
그만두다   fatty 기름진   lots of 많은   vegetable 채소   take
a walk 산책을 하다   quite 꽤   healthy 건강한   goal 목표

11 ③

W Do you have this jacket in a size 4?
M Of course. Here is a size 4.
W Thanks. I like it. How much is it?
M It's $100.
W Okay. Can I use this discount coupon?
M Yes. You can get a 20% discount.
W That's nice. I'll take it.

여 이 재킷 사이즈 4가 있나요?
남 물론이죠. 여기 사이즈 4가 있습니다.
여 고맙습니다. 마음에 들어요. 얼마예요?
남 100달러입니다.
여 네. 이 할인 쿠폰을 사용할 수 있나요?
남 네. 20퍼센트 할인을 받으실 수 있습니다.
여 좋아요. 이걸 살게요.

해설 재킷은 원래 100달러인데 20퍼센트 할인 쿠폰을 사용할 수
있으므로 여자가 지불할 금액은 80달러이다.

어휘 jacket 재킷   size 크기   use 사용하다   discount 할인
coupon 쿠폰   get a discount 할인을 받다

12 ④

W Good afternoon. May I help you?
M Yes. Do you have a single room?
W Let me check. (*Pause*) We have only one single room left.
M Good.
W How long would you like to stay?
M For two nights. I'll pay by credit card.
W Okay. Please complete this form.

여 안녕하세요. 도와드릴까요?
남 네. 1인용 객실이 있나요?
여 확인해 볼게요. (잠시 후) 1인용 객실이 딱 하나 남았습니다.
남 잘됐네요.
여 얼마 동안 머무르실 건가요?
남 이틀이요. 신용 카드로 결제할게요.
여 알겠습니다. 이 양식을 작성해 주세요.

해설 1인용 객실이 남아 있다고 답하며 남자의 숙박 기간을 물었
으므로 여자의 직업은 호텔 직원이다.

어휘 single room 1인용 객실(1인용 침대가 있는 방)   left
남아 있는(leave의 과거분사)   stay 머무르다   pay 지불하다
credit card 신용 카드   complete 완성하다   form 서식, 양식

13 ⑤

W How about a sandwich for lunch?
M I want to eat pizza today.
W Then shall we go out and have pizza?
M No. I'm a little busy right now. Let's have it delivered.
W That's a good idea. Do you know the phone number?
M No. But I can order pizza by using an app. I'll do it now.

여 점심으로 샌드위치 어때?
남 난 오늘은 피자를 먹고 싶어.
여 그럼 우리 나가서 피자 먹을까?
남 아니. 난 지금 좀 바빠. 배달시키자.
여 그거 좋은 생각이야. 너 전화번호 알아?
남 아니. 하지만 내가 앱을 이용해서 피자를 주문할 수 있어. 지금
할게.

어휘 go out 나가다   a little 약간, 조금   busy 바쁜   deliver 배달하다   order 주문하다   app 앱, 애플리케이션

14 ⑤

W I got my hair cut at the new hair salon. How do I look?
M You look cool. I have to get my hair cut, too. Where is it?
W Go one block down this street and turn right at the corner.
M Oh, is it near the post office?
W Go one more block from the post office.
M Is the hair salon next to the bakery?
W That's right.

여 나 새로 생긴 미용실에서 머리 잘랐어. 나 어때 보여?
남 근사해. 나도 머리 잘라야 하는데. 거기 어디야?
여 이 길로 한 블록 가서 모퉁이에서 오른쪽으로 돌아.
남 아, 그게 우체국 근처야?
여 우체국에서 한 블록 더 가.
남 그 미용실이 제과점 옆에 있니?
여 맞아.

해설 미용실은 한 블록 가다가 오른쪽으로 돈 후, 한 블록 더 가면 제과점 옆에 있다고 했다.

어휘 get one's hair cut 머리를 자르다   hair salon 미용실   cool 멋진   street 길   corner 모퉁이   near ~에서 가까이에   post office 우체국   next to ~ 옆에   bakery 제과점, 빵집

15 ②

W You were late for school this morning. What happened?
M I was too tired to get up on time.
W Were you? How do you feel now?
M I have a fever and still feel tired.
W I'm sorry to hear that. Why don't you go to the nurse's office?
M Okay, I will. Thank you.

여 너 오늘 아침에 학교에 늦었지. 무슨 일 있었어?
남 너무 피곤해서 제시간에 못 일어났어.
여 그랬어? 지금은 좀 어때?
남 열이 나고 여전히 피곤해.
여 안됐구나. 보건실에 가 보는 게 어때?
남 알았어, 그럴게. 고마워.

해설 여자는 열이 나고 여전히 피곤하다고 하는 남자가 안됐다고 하며 보건실에 가 보라고 했으므로, 남자를 걱정하고 있음을 알 수 있다.

어휘 be late for ~에 늦다, 지각하다   too ~ to ... 너무 ~해서 …할 수 없다   tired 피곤한   get up 일어나다   on time 제시간에   have a fever 열이 나다   still 여전히   nurse's office 보건실   proud 자랑스러운   pleased 기쁜   thankful 감사하는

16 ②

W What are the clothes in this paper bag?
M I'm throwing them away.
W Really? I think they're still good.
M Yeah, but they're all too small for me, so I can't wear them.
W Then how about sending them to the donation center?
M Oh, that's a good idea.

여 이 종이 가방 안에 든 옷들은 뭐니?
남 이것들을 버릴 거야.
여 정말? 아직 상태가 좋은 거 같은데.
남 응, 그런데 전부 나한테 너무 작아서 입을 수가 없어.
여 그럼 그것들을 기증 센터에 보내는 건 어때?
남 아, 그거 좋은 생각이야.

해설 작아서 입을 수 없는 옷들을 버리려고 하는 남자에게 여자는 옷들을 기증할 것을 제안했다.

어휘 clothes 옷   paper bag 종이 가방   throw away 버리다   wear 입다   send 보내다   donation 기증, 기부

17 ④

M Miso, did you have a good vacation?
W Yes. I visited my cousin in Gangneung and enjoyed delicious seafood.
M Great. What else did you do?
W On January 1, I saw the sunrise from a mountain. I took a wonderful sunrise video.
M Wow, can you send the video file to me?
W Of course.

남 미소야, 방학 즐겁게 보냈니?
여 응. 나는 강릉에 있는 사촌을 방문했고 맛있는 해산물을 먹었어.
남 좋았겠다. 그 밖에 뭘 했니?
여 1월 1일에는 산에서 일출을 보았어. 멋진 일출 동영상을 찍었어.
남 우와, 내게 동영상 파일을 보내 줄 수 있니?
여 물론이지.

해설 남자는 여자가 찍은 일출 동영상을 보내 달라고 요청했다.

어휘 vacation 방학   cousin 사촌   delicious 맛있는   seafood 해산물   else 또 다른, 그 밖의   January 1월   sunrise 해돋이, 일출   mountain 산   video 동영상

18 ⑤

W Hello. How can I help you?
M These pants are too long for me. Can you make them shorter?
W Sure, I can. I need to check the length.
M Okay. How long will it take to fix them?
W It will take about two hours.
M Okay. I'll come back in two hours.

여 안녕하세요. 무엇을 도와드릴까요?
남 이 바지가 저한테 너무 길어서요. 더 짧게 해 주실 수 있나요?

여 물론, 할 수 있죠. 길이 좀 확인해 봐야겠네요.
남 좋아요. 수선하는 데 얼마나 걸릴까요?
여 두 시간 정도 걸릴 거예요.
남 알겠습니다. 두 시간 후에 돌아올게요.

해설 바지 길이 수선에 대해 이야기하고 있으므로 대화가 이루어지는 장소는 옷 수선집이다.

어휘 pants 바지   length 길이   fix 수선하다   about 약, ~쯤   come back 돌아오다   in ~ 후에   hour 시간

19 ③

W Hey, Daniel.
M Oh, hi, Mina. What are you doing here?
W I'm shopping for a new laptop computer.
M You bought one last month, didn't you?
W I did. But I lost it yesterday.

여 야, Daniel.
남 아, 안녕, 미나야. 너 여기서 뭐 하고 있어?
여 나는 새 노트북 컴퓨터를 사려고 쇼핑하고 있어.
남 너 지난달에 노트북 컴퓨터 샀잖아, 그렇지 않니?
여 그랬지. 그런데 어제 그걸 잃어버렸어.

해설 지난달에 노트북을 사지 않았는지 묻는 말에 대한 응답이 와야 한다.
① 난 네가 아주 자랑스러워.
② 난 새 카메라를 사야 해.
④ 너의 친절을 잊지 않을게.
⑤ 나에게 네 컴퓨터를 빌려줄 수 있니?

어휘 shop for ~을 사다   laptop computer 노트북 컴퓨터   last month 지난달   be proud of ~을 자랑스러워하다   have to ~해야 한다   lose(-lost-lost) 잃어버리다   forget 잊다   kindness 친절   lend 빌려주다

20 ⑤

M Wow, there are a lot of nice T-shirts.
W Which T-shirt do you like, Minho?
M I like the blue one with stripes.
W Oh, I like that one, too.
M I want to try it on. Where is the fitting room?
W It's over there.

남 우와, 멋진 티셔츠가 많네요.
여 민호야, 넌 어떤 티셔츠가 마음에 드니?
남 전 줄무늬가 있는 파란색 셔츠가 마음에 들어.
여 아, 나도 그것이 마음에 드는구나.
남 그것을 입어 보고 싶어요. 탈의실이 어디에 있죠?
여 2층에 있어.

해설 탈의실이 어디 있는지 물었으므로 위치를 알려 주는 응답이 와야 한다.
① 천만에.
② 그것에 관해서는 걱정하지 마.
③ 그것은 너에게 잘 어울려.
④ 그 말을 들으니 유감이구나.

어휘 a lot of 많은   stripe 줄무늬   try on 입어 보다   fitting room 탈의실   on the second floor 2층에   worry about ~에 대해 걱정하다   look good on ~에게 잘 어울리다

Review Test
pp.78~79

Word Check   05회

01 조종하다, 조절하다   02 이웃
03 하지만   04 완벽한
05 여가 시간   06 만화책
07 문구점   08 잠이 들다
09 약국   10 당황스러운
11 번역가   12 두 번
13 decide   14 sneakers
15 department store   16 in fact
17 someday   18 enter
19 regular price   20 attend
21 favorite   22 wakeup call
23 sci-fi movie   24 helpful

Expression Check

25 went on a picnic   26 I've been to
27 in front of   28 translate, into
29 On my way home   30 so, that, couldn't

Word Check   06회

01 반점   02 기온
03 길이   04 풍경, 경치
05 고맙게도, 다행스럽게도   06 독특한
07 해돋이, 일출   08 교통
09 청바지   10 사고
11 미끄러지다   12 기름진
13 January   14 complete
15 form   16 deliver
17 delicious   18 throw away
19 donation   20 on time
21 have an accident   22 tonight
23 stripe   24 lend

Expression Check

25 lost weight   26 looks good on
27 in two hours   28 too, to
29 have a fever   30 got, hair cut

01 ③	02 ④	03 ③	04 ②	05 ④
06 ⑤	07 ②	08 ③	09 ③	10 ①
11 ⑤	12 ③	13 ③	14 ④	15 ②
16 ③	17 ①	18 ②	19 ④	20 ④

01 ③

W This is the weather forecast for today. In Los Angeles, it will rain heavily all day. Don't forget your umbrellas. Miami will be sunny, so it will be a perfect day for beach activities. There will be very much snow in New York. Please drive carefully.

여 오늘의 일기 예보입니다. 로스앤젤레스에는 하루 종일 비가 많이 내리겠습니다. 우산을 잊지 마세요. 마이애미는 화창해서 해변 활동을 하기에 완벽한 날이 될 것입니다. 뉴욕에는 많은 눈이 내리겠습니다. 조심해서 운전하세요.

해설 뉴욕에는 많은 눈이 내릴 것이라고 했다.

어휘 heavily 심하게   all day 하루 종일   forget 잊다   umbrella 우산   perfect 완벽한   beach 해변   activity 활동   drive 운전하다   carefully 조심스럽게

02 ④

M Cindy, look at this cake. I made it in my baking class.
W Wow! The baseball on the cake looks great.
M Thanks. It's for my dad.
W What does the "B.D.E." over the baseball mean?
M Oh, it means "Best Dad Ever."
W Very nice. I'm sure your dad will like it a lot.

남 Cindy, 이 케이크를 봐. 내가 제빵 시간에 만들었어.
여 우와! 케이크 위에 있는 야구공이 멋져.
남 고마워. 아빠께 드릴 거야.
여 야구공 위에 'B.D.E.'는 무슨 뜻이니?
남 아, 그건 '지금까지 최고의 아빠'라는 뜻이야.
여 정말 멋지다. 너희 아빠가 그것을 정말 좋아하실 거라고 확신해.

해설 남자가 만든 케이크는 윗면에 야구공이 있고, 야구공 위쪽에 'B.D.E.'라고 쓰인 케이크이다.

어휘 baking class 제빵 수업   baseball 야구공   over ~ 위쪽에   mean 의미하다   ever (비교급·최상급의 의미를 강조함) 어느 때보다, 역대   sure 확신하는   a lot 많이

03 ③

W You need this when you swim. If you want to open your eyes and see clearly under the water, you can wear this. You wear this around your eyes. What is this?

여 당신은 수영할 때 이것이 필요합니다. 물속에서 눈을 뜨고 또렷하게 보고 싶다면, 이것을 착용할 수 있습니다. 당신은 이것을 눈 주위에 착용합니다. 이것은 무엇일까요?

해설 수영할 때 물속에서 눈을 뜨고 또렷하게 볼 수 있게 해 주는 것은 물안경이다.

어휘 swim 수영하다   open one's eyes 눈을 뜨다   clearly 또렷하게   wear 입다, 쓰다   around ~ 주변에

04 ②

M Hello, everyone. This is my friend Mark. He is from France. He's 14 years old. He is kind and fun. He likes playing basketball. He wants to be a basketball player when he grows up. His favorite food is spaghetti.

남 안녕하세요, 여러분. 이 애는 제 친구 Mark입니다. 프랑스 출신이고요. 열네 살입니다. Mark는 친절하고 재미있어요. 농구하는 것을 좋아해요. 커서 농구 선수가 되고 싶어 합니다. 얘가 좋아하는 음식은 스파게티예요.

해설 남자는 친구의 특기는 언급하지 않았다.

어휘 be from ~ 출신이다   kind 친절한   play basketball 농구를 하다   grow up 자라다   favorite 아주 좋아하는

05 ④

W Jake, we have to leave now.
M Okay. Where is the musical theater?
W It's near the national museum.
M How can we go there?
W We can take the subway or a bus.
M There will be a lot of traffic at this time. Let's take the subway.
W Okay. Let's hurry.

여 Jake, 우리 지금 출발해야 해.
남 알았어. 뮤지컬 극장이 어디지?
여 국립 박물관 근처야.
남 거기에 어떻게 갈 수 있어?
여 지하철이나 버스를 타고 갈 수 있어.
남 이 시간에는 길이 많이 막힐 거야. 지하철을 타자.
여 그래. 서두르자.

해설 이 시간에는 길이 막힐 것이므로 두 사람은 지하철과 버스 중 지하철을 타기로 했다.

어휘 have to ~해야 한다   leave 출발하다   theater 극장   national museum 국립 박물관   subway 지하철   traffic 교통(량)   at this time 이 시간에는   hurry 서두르다

06 ⑤

M Hi, Julia. What can I do for you?
W Good afternoon, Mr. Roberts. Give me two kilos of onions, please.
M Okay. Anything else?

W I also need 40 eggs. How much are they?
M They're $12 in total. Why do you need so many eggs?
W My family is going to cook for the people in a nursing home.

남 안녕, Julia. 무엇을 도와줄까?
여 안녕하세요, Roberts 아저씨. 양파 2킬로 주세요.
남 알겠다. 또 다른 건?
여 계란 40개도 필요해요. 얼마예요?
남 전부 12달러란다. 계란이 왜 그렇게 많이 필요하니?
여 저희 가족이 양로원에 계신 분들을 위해 요리를 할 거예요.

해설 양파와 계란을 파는 곳은 식료품 가게이다.

어휘 kilo 킬로   onion 양파   else 또 다른, 그 밖의   in total 모두 합해서, 통틀어   cook 요리하다   nursing home 양로원

07 ②

W Hi. I'm Silvia Brown. I have a reservation.
M Okay. Let me check. (Typing sound) Silvia Brown? I'm sorry, but you're not on the list.
W What? I made a reservation two weeks ago.
M Did you receive a booking confirmation email?
W No, I didn't.
M We send every customer a confirmation email after a reservation is made.
W But I didn't receive one. How could this happen?

여 안녕하세요, 저는 Silvia Brown입니다. 예약을 했는데요.
남 네. 확인해 보겠습니다. (타이핑하는 소리) Silvia Brown이라고요? 죄송합니다만, 명단에 없습니다.
여 뭐라고요? 저는 2주 전에 예약했어요.
남 예약 확인 이메일을 받으셨나요?
여 아니요.
남 저희는 예약이 완료되면 모든 고객 분들께 확인 이메일을 발송해 드립니다.
여 그런데 저는 이메일을 못 받았는데요. 어떻게 이런 일이 생길 수 있는 거죠?

해설 예약자 명단에 여자의 이름이 없다고 했고, 예약 후 발송되는 예약 확인 이메일을 받지 못했음을 알게 되어 여자는 혼란스러울 것이다.

어휘 have a reservation 예약이 되어 있다   list 명단, 목록   make a reservation 예약을 하다   ago ~ 전에   receive 받다   booking 예약   confirmation 확인   customer 고객   happen 일어나다, 발생하다   pleased 기쁜   confused 혼란스러운   satisfied 만족하는

08 ③

M Here are some cookies. I made them.
W How cool! You did a good job.
M Thanks. Why don't you try one?
W Can I? (Pause) Oh, it tastes great.
M I'm glad you like it. Actually, I'm going to take them to the soup kitchen.

W Oh, how nice of you!

남 여기 쿠키가 좀 있어요. 제가 만들었어요.
여 멋지구나! 잘했어.
남 고맙습니다. 하나 드셔 보시겠어요?
여 그래도 되니? (잠시 후) 아, 맛이 아주 좋구나.
남 좋아하셔서 기뻐요. 사실, 저는 그것들을 무료 급식소에 갖다 주려고요.
여 오, 너 정말 착하구나!

해설 How nice of you!는 상대방을 칭찬하는 말이다.

어휘 do a good job 잘하다   taste 맛이 ~하다   actually 사실은   soup kitchen 무료 급식소

09 ③

M Hello. I have a delivery for Sujin Lee. Does she live here?
W Oh, it must be the printer I ordered last week.
M Are you Sujin Lee?
W Yes, that's me.
M All right. Can you sign here, please?
W Okay.

남 안녕하세요, 이수진 씨에게 배달된 물건을 가져왔습니다. 그분이 여기 사시나요?
여 아, 제가 지난주에 주문한 프린터일 거예요.
남 당신이 이수진 씨인가요?
여 네, 저예요.
남 좋습니다. 여기에 서명해 주시겠어요?
여 알겠습니다.

해설 서명해 달라는 남자의 말에 알겠다고 했으므로 여자는 바로 서명을 할 것이다.

어휘 delivery 배달, 배달물   must be ~임에 틀림없다   printer 프린터   order 주문하다   last week 지난주   sign 서명하다

10 ①

W Think about a world without water. It's scary, isn't it? We use too much water. Sometimes we don't turn off the water while we brush our teeth or take a shower. There are so many people without drinking water in the world. Why don't you save water for those people and the Earth?

여 물이 없는 세상을 생각해 보세요. 그것은 두려운 일입니다. 그렇지 않나요? 우리는 물을 너무 많이 씁니다. 때때로 우리는 양치를 하거나 샤워를 하는 동안 물을 잠그지 않습니다. 세계에는 마실 물이 없는 사람들이 너무 많습니다. 그 사람들과 지구를 위해 물을 절약하는 것이 어떨까요?

해설 물이 부족한 사람들과 지구를 위해 물을 절약하자는 내용이다.

어휘 without ~ 없이   scary 두려운, 무서운   turn off 끄다, 잠그다   while ~하는 동안에   brush one's teeth 양치를 하다   take a shower 샤워하다   drinking water 마실 물   save 절약하다   Earth 지구

11 ⑤

W I have to move this table. Can you help me?
M Sure. Where to?
W To the garage.
M Are you going to get a new table?
W No. I just need more space in the room.
M Your room is big enough, isn't it?
W That's true, but I have to share the room with my sister during vacation.

여 이 탁자를 옮겨야 해. 좀 도와줄래?
남 물론이지. 어디로?
여 차고로.
남 새 탁자를 사려고?
여 아니. 방에 공간이 더 필요해서.
남 네 방은 충분히 크잖아, 그렇지 않아?
여 맞아, 그런데 방학 동안 언니랑 방을 같이 써야 해.

해설 여자는 방학 동안 언니와 방을 같이 써야 하기 때문에 방의 공간을 확보하기 위해 탁자를 차고로 옮기려고 한다.

어휘 have to ~해야 한다 move 옮기다 garage 차고
space 공간 enough 충분히 share 함께 쓰다, 공유하다
during ~ 동안 vacation 방학

12 ③

W This hairpin is so cute. How much is it?
M One dollar each, but if you buy two, you can get one free.
W That's good. I'll take two hairpins.
M Okay. That'll be $2 for three hairpins.
W Oh, this hairband is pretty, too. How much is it?
M It was $6, but now it's half price.
W Good. I'll take that one, too.

여 이 머리핀 정말 귀엽네요. 얼마예요?
남 한 개에 1달러인데, 두 개를 사시면 한 개를 덤으로 드려요.
여 좋네요. 머리핀 두 개 살게요.
남 네. 머리핀 세 개에 2달러입니다.
여 오, 이 머리띠도 예쁘네요. 이건 얼마예요?
남 6달러였는데, 지금은 반값이에요.
여 좋아요. 그것도 살게요.

해설 여자는 머리핀 두 개와 머리띠 한 개를 사겠다고 했다. 머리핀은 한 개에 1달러이고 머리띠는 6달러의 반값이라고 했으므로, 여자가 지불할 총 금액은 5달러이다.

어휘 hairpin 머리핀 cute 귀여운 each 각각 free 무료로
hairband 머리띠 pretty 예쁜 half price 반값

13 ③

W Hello. My friend recommended this place.
M You're in the right place. How may I help you today?
W I need a haircut.
M Do you have any style in mind?
W No, but can you wash my hair first?

M Sure. James will shampoo your hair over there.

여 안녕하세요, 제 친구가 이곳을 추천했어요.
남 잘 오셨습니다. 오늘 어떻게 해 드릴까요?
여 머리를 자르려고요.
남 생각하고 계신 스타일이 있나요?
여 아니요, 근데 머리를 먼저 감겨 주실 수 있나요?
남 물론이죠. James가 저쪽에서 감겨 드릴 겁니다.

해설 여자에게 원하는 헤어스타일이 있는지 물어본 것으로 보아 남자의 직업은 미용사이다.

어휘 recommend 추천하다 haircut 이발, 머리 자르기
have ~ in mind ~을 염두에 두다(생각하다) wash one's
hair 머리를 감다 first 먼저, 우선 shampoo (머리를 샴푸로)
감다

14 ④

M Susie, are you ready? We're late. Hurry up!
W Did you see my watch?
M Your watch? Where did you put it?
W I thought I put it on the table, but it's not there.
M Isn't it next to the TV?
W No, it isn't. Oh, it's under the table. I guess it fell off the table.

남 Susie, 준비됐어? 우리 늦었어. 서둘러!
여 너 내 손목시계 봤니?
남 네 손목시계? 그걸 어디에 두었는데?
여 탁자 위에 두었다고 생각했는데, 거기에 없어.
남 TV 옆에 있는 거 아니야?
여 아니, 없어. 아, 탁자 밑에 있다. 탁자에서 떨어졌나 봐.

해설 여자의 손목시계는 탁자 밑에 있었다.

어휘 ready 준비된 late 늦은 hurry up 서두르다 watch
손목시계 put 놓다 next to ~ 옆에 under ~ 아래에
guess ~인 것 같다 fall off ~에서 떨어지다

15 ②

M Megan, did you hear about the terrible earthquake in Indonesia?
W Yes. I watched the news. So many people died or lost their homes.
M That's very sad. How can we help them?
W We can't go there to volunteer. What can we do?
M Let's donate some money.
W That's a great idea.

남 Megan, 너 인도네시아에서 일어난 끔찍한 지진에 대해 들었니?
여 응. 뉴스를 봤어. 너무 많은 사람들이 죽거나 집을 잃었어.
남 정말 슬픈 일이야. 우리가 어떻게 그들을 도울 수 있을까?
여 우리는 자원봉사를 하러 거기로 갈 수가 없잖아. 뭘 할 수 있을까?
남 돈을 좀 기부하자.
여 훌륭한 생각이야.

남자는 지진 피해를 입은 인도네시아 사람들을 위해 돈을 기부할 것을 제안했다.

terrible 끔찍한   earthquake 지진   die 죽다   lose(-lost-lost) 잃다   volunteer 자원봉사를 하다   donate 기부하다   money 돈

documentary 다큐멘터리의   film 영화   touching 감동적인

16 ③

W Which club did you join, Mark?
M I haven't decided yet. I'm thinking of joining the drama club.
W Oh, are you interested in acting?
M Yes. But I want to be a movie director someday.
W Great! Then why don't we join the movie club together?
M That sounds great.

여 Mark, 너 어떤 동아리에 가입했니?
남 아직 결정 못했어. 연극 동아리에 가입할까 생각하고 있어.
여 아, 너 연기에 관심이 있니?
남 응. 하지만 난 언젠가 영화감독이 되고 싶어.
여 멋지다! 그럼 우리 함께 영화 동아리에 가입하는 건 어때?
남 그거 좋겠다.

남자는 처음에 연극 동아리에 가입할 것을 생각했지만 여자의 권유로 함께 영화 동아리에 가입하기로 했다.

join 가입하다   decide 결정하다   think of ~에 대해 생각하다   drama 연극   be interested in ~에 관심이 있다   acting 연기   movie director 영화감독   someday 언젠가

17 ①

① W What's your favorite Korean food?
　 M Yes. I like it very much.
② W What are you going to do tomorrow?
　 M I'm planning to go hiking.
③ W Did you watch the documentary film?
　 M Of course. It was so touching.
④ W What do you want for lunch?
　 M I'll have a chicken sandwich and an orange juice.
⑤ W How do you like your classes this year?
　 M They're very fun.

① 여 네가 가장 좋아하는 한국 음식은 뭐니?
　 남 응. 난 그것을 아주 좋아해.
② 여 너 내일 뭐 할 거니?
　 남 난 하이킹을 할 계획이야.
③ 여 너 그 다큐멘터리 영화 봤어?
　 남 물론이지. 그것은 정말 감동적이었어.
④ 여 너 점심으로 뭐 먹고 싶어?
　 남 난 치킨샌드위치와 오렌지 주스를 먹을래.
⑤ 여 올해 수업들이 어떠니?
　 남 아주 재미있어.

① 가장 좋아하는 한국 음식이 무엇인지 물었으므로 좋아하는 한국 음식을 구체적으로 답해야 한다.

be planning to ~할 계획이다   go hiking 하이킹하다

18 ②

W Kevin, I'm going on a trip to Japan for a week.
M Great. Did you finish packing?
W Yes. Can you do me a favor?
M Of course. What is it?
W Can you feed my dog while I'm away?
M Sure. I'll also walk him once a day.
W Thanks a lot.

여 Kevin, 나 일주일 동안 일본으로 여행을 갈 거야.
남 좋겠다. 짐은 다 썼어?
여 응. 내 부탁 하나 들어줄래?
남 물론이지. 뭔데?
여 내가 떠나 있는 동안 우리 개한테 먹이 좀 줄 수 있니?
남 그럼. 하루에 한 번 산책도 시켜 줄게.
여 정말 고마워.

여자는 남자에게 자신이 여행 가 있는 동안 애완견에게 먹이 줄 것을 부탁했다.

go on a trip 여행을 가다   pack (짐을) 싸다   do ~ a favor ~의 부탁을 들어주다   feed 먹이를 주다   be away 떨어져 있다, 부재중이다   walk 산책시키다   once 한 번

19 ④

W This Friday is Mom's birthday, right?
M Yes, it is. We should do something for her.
W Sure. Why don't we make her a special present?
M Sounds great. How about making a video letter?
W Great. I'll get the video camera.

여 이번 금요일이 엄마 생신이지, 맞지?
남 응. 우리는 엄마를 위해 뭔가를 해야 해.
여 물론이지. 특별한 선물을 준비하는 게 어때?
남 좋아. 영상 편지를 만드는 건 어때?
여 좋아. 내가 비디오카메라를 가져올게.

남자가 영상 편지를 만들자고 제안했으므로 이에 대한 수락 또는 거절의 응답이 와야 한다.
① 그 편지는 정말 감동적이었어.
② 응. 그녀가 내게 영상 편지를 보냈어.
③ 안 될 리가 있어? 그녀는 치즈케이크를 아주 좋아해.
⑤ 문제없어. 난 영화 보는 것을 즐겨.

special 특별한   present 선물   video letter 영상 편지   touching 감동적인   cheesecake 치즈케이크

20 ④

W How about *bibimbap* for dinner?
M That's a good idea. Do we have any vegetables?
W Let me check the fridge. (*Pause*) We have enough vegetables.
M Please bring them to me so I can wash them.
W Thank you. I'll cut them afterward.

여 저녁 식사로 비빔밥 어때요?

남 그거 좋은 생각이에요. 채소가 좀 있나요?

여 냉장고를 확인해 볼게요. (잠시 후) 채소가 충분하네요.

남 내가 채소를 씻을 테니 가져다주세요.

여 고마워요. 그 뒤에 내가 그것들을 자를게요.

해설 남자가 채소를 씻겠다고 했으므로 그 이후에 자신이 채소를 자르겠다는 말이 이어지는 것이 가장 자연스럽다.

① 나에게 다른 걸 보여 줄래요?

② 알았어요. 내가 그것들을 씻어 줄게요.

③ 나는 비빔밥보다 피자를 더 좋아해요.

⑤ 채소를 먼저 씻는 게 어때요?

어휘 vegetable 채소 fridge 냉장고 enough 충분한 bring 가져오다 wash 씻다 cut 자르다 afterward 나중에, 그 후에 show 보여주다 first 먼저, 우선

실전 모의고사 08 회 pp.88~95

01 ②	02 ④	03 ③	04 ④	05 ③
06 ①	07 ⑤	08 ②	09 ③	10 ③
11 ⑤	12 ③	13 ④	14 ①	15 ③
16 ⑤	17 ④	18 ③	19 ④	20 ④

01 ②

W You can see this in the classroom. You can write or draw something on the blackboard with this. This is long and round. This comes in different colors. If you drop this on the floor, it will break into pieces. What is this?

여 당신은 교실에서 이것을 볼 수 있습니다. 당신은 이것으로 칠판에 뭔가를 쓰거나 그릴 수 있습니다. 이것은 길고 둥급니다. 이것은 여러 가지 색깔이 있습니다. 이것을 바닥에 떨어뜨리면, 산산조각으로 부서질 것입니다. 이것은 무엇일까요?

해설 칠판에 뭔가를 쓰거나 그릴 수 있으며 여러 가지 색깔이 있고, 바닥에 떨어뜨리면 산산조각으로 부서지는 것은 분필이다.

어휘 classroom 교실 blackboard 칠판 round 둥근 different 각각 다른, 각양각색의 drop 떨어뜨리다 floor 바닥 break into pieces 산산조각으로 부서지다

02 ④

W May I help you?

M Yes. I'm looking for a shirt.

W How about this shirt?

M Hmm... I don't like the flower pattern.

W Then how about this striped one?

M That's good.

W This shirt is a popular item.

M Okay. I'll take it.

여 도와드릴까요?

남 네. 저는 셔츠를 찾고 있어요.

여 이 셔츠 어떠세요?

남 음… 저는 꽃무늬를 안 좋아해요.

여 그럼 이 줄무늬 셔츠는 어떠세요?

남 좋네요.

여 이 셔츠가 인기 있는 품목입니다.

남 네. 그걸로 살게요.

해설 남자는 여자가 처음에 권한 꽃무늬 셔츠 대신 줄무늬 셔츠를 선택했다.

어휘 look for ~을 찾다 shirt 셔츠 flower pattern 꽃무늬 striped 줄무늬의 popular 인기 있는 item 품목

03 ③

M Hello. I'm Eric Jordan. This is the weather report for this week. It will be sunny on Monday and Tuesday. But on Wednesday, it will rain all day. The rain will stop on Thursday, but it will be very windy. On Friday, it will be cloudy.

남 안녕하세요. 저는 Eric Jordan입니다. 이번 주 일기 예보를 말씀드리겠습니다. 월요일과 화요일은 화창하겠습니다. 하지만 수요일에는 하루 종일 비가 오겠습니다. 목요일에는 비가 그치겠지만 바람이 많이 불겠습니다. 금요일에는 흐리겠습니다.

해설 수요일은 하루 종일 비가 온다고 했다.

어휘 sunny 화창한, 맑은   Monday 월요일   Tuesday 화요일
Wednesday 수요일   all day 하루 종일   Thursday 목요일
windy 바람이 부는   Friday 금요일   cloudy 구름 낀, 흐린

04 ④

W Hi, Jimmy. Is that a new camera?
M Yes. I bought it last week.
W I'd like to buy one, too. Do you like it?
M Yes. It's not expensive, and the quality is good.
W Really? Can I try taking a picture?
M Of course. Go ahead.

여 안녕, Jimmy. 그거 새 카메라니?
남 응. 지난주에 샀어.
여 나도 카메라를 하나 사고 싶은데. 넌 그거 마음에 들어?
남 응. 비싸지도 않고 품질도 좋아.
여 정말? 내가 사진을 한번 찍어 봐도 될까?
남 물론이지. 찍어 봐.

해설 Of course. Go ahead.는 여자의 요청을 허락하는 말이다.

어휘 last week 지난주   expensive 비싼   quality 질, 품질
try ~ing ~해 보다   take a picture 사진을 찍다

05 ③

M Hi. I'm Dylan. I live in London. I like riding my bike, and I'm good at playing the piano. My father is a chef. He cooks French food. My mother is a writer. She writes children's books. I have a sister. She likes painting. She wants to be a painter.

남 안녕. 나는 Dylan이야. 나는 런던에 살아. 나는 자전거 타는 것을 좋아하고, 피아노를 잘 쳐. 나의 아버지는 요리사야. 아버지는 프랑스 음식을 요리하셔. 어머니는 작가야. 어머니는 어린이 책을 쓰셔. 나한테는 여동생이 한 명 있어. 그녀는 그림 그리는 것을 좋아해. 그녀는 화가가 되고 싶어 해.

해설 남자는 자신의 장래 희망은 언급하지 않았다.

어휘 ride one's bike 자전거를 타다   be good at ~을 잘하다   chef 요리사, 주방장   French 프랑스의   writer 작가
children 아이들(child의 복수형)   paint (물감으로) 그리다
painter 화가

06 ①

M Kate, can you help me?

W Sure. What can I do for you?
M I need to buy new clothes for my uncle's wedding.
W Do you want me to go shopping with you?
M Yes. You have a good sense of style.
W Okay. Just a moment, please.

남 Kate, 나 좀 도와줄래?
여 그래. 뭘 도와줄까?
남 나는 삼촌 결혼식에 입고 갈 새 옷을 사야 해.
여 내가 너와 함께 쇼핑을 가 쳤으면 하는 거야?
남 응. 넌 패션 감각이 좋잖아.
여 알았어. 잠깐만 기다려.

해설 남자는 여자에게 자신과 함께 쇼핑하러 가 달라고 부탁했다.

어휘 clothes 옷   wedding 결혼식   go shopping 쇼핑하러
가다   sense 감각   moment 잠깐, 잠시

07 ⑤

M Wow, there are so many people here already.
W The reason is that today's Saturday.
M We should hurry up and get in line.
W Which ride should we go on first?
M How about the roller coaster?
W Okay. Let's go over there and get in line.

남 우와, 여기 벌써 사람이 너무 많아.
여 오늘이 토요일이라서 그런 거야.
남 우리 서둘러서 줄을 서야 해.
여 어떤 놀이 기구를 먼저 탈까?
남 롤러코스터 어때?
여 좋아. 저쪽에 가서 줄 서자.

해설 사람이 많은 놀이공원에서 놀이 기구를 타기 위해 줄을 서려고 하는 상황이다.

어휘 already 이미, 벌써   reason 이유   hurry up 서두르다
get in line 줄을 서다   ride 놀이 기구, 탈것   first 먼저, 우선
roller coaster 롤러코스터

08 ②

W I went to a restaurant to have lunch with my friend. We were very hungry. We ordered some food and waited for it. Thirty minutes later, the food finally arrived. However, it was not what we ordered!

여 나는 친구와 점심을 먹으려고 한 식당에 갔다. 우리는 배가 많이 고팠다. 우리는 음식을 주문했고 그것을 기다렸다. 30분 후에 마침내 음식이 나왔다. 하지만 그것은 우리가 주문한 것이 아니었다!

해설 배가 많이 고팠는데 식당에서 주문한 음식이 늦게 나온 데다 잘못 나와서 여자는 화났을 것이다.

어휘 restaurant 식당   have lunch 점심 식사를 하다
hungry 배고픈   order 주문하다   wait for ~을 기다리다
later ~ 후에   finally 마침내   arrive (물건이) 배달되다,
도착하다

09 ③

W Hi. May I help you?
M Yes. I'd like to buy a cap. How much is this black cap?
W It's $25, and all the caps in other colors are $15.
M Oh, I see. Can I try on this black cap?
W Sure. There's only one left.
M Okay. I'll take it. Here's $30.

여 안녕하세요. 도와드릴까요?
남 네. 모자를 사고 싶어요. 이 검은색 모자는 얼마인가요?
여 그건 25달러이고, 다른 색 모자들은 전부 15달러입니다.
남 아, 그렇군요. 이 검은색 모자를 써 봐도 될까요?
여 물론이죠. 딱 한 개 남았습니다.
남 좋아요. 그걸로 할게요. 여기 30달러 받으세요.

해설 검은색 모자는 25달러인데 남자가 30달러를 냈으므로 거스름돈으로 5달러를 받을 것이다.

어휘 other 다른 try on 입어 보다, 써 보다 only 유일한, 단하나의 left 남아 있는(leave의 과거분사)

10 ③

W Have a seat here. What's wrong?
M My tooth hurts whenever I eat.
W Just open wide, and I'll take a look. Does it hurt?
M Ouch!
W Yes, this is the one. It looks like you have a bad tooth here.

여 여기 앉으세요. 뭐가 문제인가요?
남 먹을 때마다 이가 아파요.
여 입을 크게 벌리세요. 제가 한번 보겠습니다. 여기가 아픈가요?
남 아야!
여 네, 이거군요. 여기에 충치가 있는 것 같아요.

해설 남자는 이가 아파서 여자를 찾아왔고, 여자는 남자의 입속을 보며 충치가 있는 것 같다고 했으므로, 두 사람은 치과 의사와 환자의 관계이다.

어휘 have a seat 자리에 앉다 tooth 이, 치아 hurt 아프다 whenever ~할 때마다 wide 완전히, 활짝 take a look 보다 ouch 아야, 아이쿠 look like ~인 것처럼 보이다 bad tooth 충치

11 ⑤

M I like Cathy. How can I let her know that I like her?
W Just go and tell her.
M You know I get very nervous when I talk to girls.
W Then why don't you write her a letter?
M I'm not really good at writing letters.
W Hmm, then why don't you text her?
M Oh, I prefer that idea. Thanks, Emily.

남 난 Cathy를 좋아해. 내가 그녀를 좋아한다는 걸 어떻게 알릴 수 있을까?
여 그냥 가서 좋아한다고 말해.

남 여자애들한테 말할 때 내가 엄청 긴장하는 거 너 알잖아.
여 그럼 그녀에게 편지를 쓰는 건 어때?
남 난 편지를 정말 못 써.
여 음, 그럼 그녀에게 문자를 보내는 건 어때?
남 아, 그게 더 좋겠어. 고마워, Emily.

해설 Cathy에게 고백하는 세 가지 방법 중에서 남자는 문자 메시지를 보내는 방법이 가장 좋다고 했다.

어휘 get nervous 긴장이 되다 talk to ~에게 이야기하다 be good at ~을 좋아하다 letter 편지 text 문자 메시지를 보내다 prefer ~을 더 좋아하다

12 ③

(Telephone rings.)
M Hello. Front desk. How may I help you?
W I only have small towels in the bathroom. Could you bring me a big towel?
M Sure. What's your room number?
W This is Room 905.
M Okay. Do you need anything else?
W No.

(전화벨이 울린다.)
남 안녕하세요, 프런트 데스크입니다. 무엇을 도와드릴까요?
여 욕실에 작은 수건밖에 없어서요. 큰 수건 한 장을 가져다주시겠어요?
남 알겠습니다. 객실 번호가 어떻게 되시죠?
여 905호입니다.
남 알겠습니다. 그 밖에 또 필요한 거 있으신가요?
여 아니요.

해설 여자는 욕실에 큰 수건이 없어서 한 장 가져다 달라고 요청하기 위해 전화했다.

어휘 front desk (호텔의) 프런트, 안내 데스크 towel 수건 bathroom 욕실 bring 가져다주다 else 또 다른, 그 밖의

13 ④

M Jenny, are you going to visit the nursing home this weekend?
W No, I'm not.
M Then what are you going to do?
W Nothing special.
M Would you like to attend the campaign for stopping forest fires?
W Hmm, okay. That's a good idea.

남 Jenny, 너 이번 주말에 양로원을 방문할 거니?
여 아니.
남 그럼 뭐 할 거야?
여 특별한 일은 없어.
남 산불 방지 캠페인에 참가할래?
여 음, 좋아. 좋은 생각이야.

해설 여자는 이번 주말에 산불 방지 캠페인에 참가하자는 남자의 제안을 받아들였다.

14 ①

M Excuse me. Is there a flower shop around here?
W Yes. Do you need directions?
M Yes, please.
W Go straight two blocks and turn left at the corner.
M Okay.
W Then, you will see a toy shop on your right. The flower shop is next to it.
M Thank you. That's very kind of you.

남 실례합니다. 이 근처에 꽃 가게가 있나요?
여 네. 가는 길을 알려 드릴까요?
남 네. 부탁드립니다.
여 두 블록을 직진하다가 모퉁이에서 왼쪽으로 도세요.
남 알겠어요.
여 그러면 오른편에서 장난감 가게를 발견할 거예요. 꽃 가게는 그 옆에 있어요.
남 고맙습니다. 당신은 매우 친절하시네요.

해설 두 블록 직진하다가 왼쪽으로 돌면 오른편에 장난감 가게가 있고, 그 옆에 꽃 가게가 있다고 했다.

어휘 flower shop 꽃 가게   directions 길 안내   block 블록, 구역   corner 모퉁이   next to ~ 옆에   toy shop 장난감 가게   kind 친절한

15 ③

M Good morning, ladies and gentlemen. My name is Sam Bradley. Almost all the streets in the downtown area are flowing well now. But it's a different story on Sejong Street. Traffic is very heavy because of an accident that happened an hour ago. I think you should try Yulgok Street instead.

남 안녕하십니까, 신사 숙녀 여러분. 제 이름은 Sam Bradley입니다. 시내의 거의 모든 도로가 지금 흐름이 원활합니다. 하지만 세종로의 상황은 좀 다릅니다. 한 시간 전에 일어난 사고 때문에 교통이 매우 혼잡합니다. 대신 율곡로를 이용하시는 게 좋을 것 같습니다.

해설 사고로 혼잡한 도로 상황을 알려 주는 교통 정보 안내 방송이다.

어휘 almost 거의   downtown 도심(지)의   area 지역   flow 흘러가다   different 다른   traffic 교통(량)   because of ~ 때문에   accident 사고   happen 일어나다, 발생하다   ago ~ 전에   instead 대신에

16 ⑤

① M Is it okay if I sit here?
  W Sure. Go ahead.
② M Can I take a message?

W Yes. Please tell him that Cindy called.
③ M Where are you going on your vacation?
  W I am going to Europe.
④ M When do I have to return this book?
  W Bring it back by next Tuesday.
⑤ M Where did you put my pencil?
  W It's okay. You can use mine.

① 남 제가 여기 앉아도 될까요?
  여 물론이에요. 앉으세요.
② 남 메시지를 남기시겠어요?
  여 네. Cindy가 전화했다고 그에게 전해 주세요.
③ 남 휴가를 어디로 가실 건가요?
  여 유럽에 갈 거예요.
④ 남 이 책을 언제 반납해야 하나요?
  여 다음 주 화요일까지 가져오세요.
⑤ 남 너 내 연필을 어디에 두었니?
  여 괜찮아. 내 것을 써도 돼.

해설 ⑤ 연필을 어디에 두었는지 물었으므로 구체적인 위치나 장소를 답해야 한다.

어휘 take a message 메시지를 받다   call 전화하다   vacation 휴가, 방학   Europe 유럽   return 반납하다   bring back 돌려주다   by ~까지   use 사용하다

17 ④

W What time is it?
M It's 2:30 p.m.
W Oh, I have to go now.
M Why?
W I'm going to meet Sally in 40 minutes. We're going to take a magic lesson.
M I see. Have a good time. And say hello to her for me.
W Okay, I will.

여 몇 시야?
남 오후 2시 30분이야.
여 아, 나 지금 가야 돼.
남 왜?
여 난 40분 후에 Sally를 만날 거야. 우린 마술 수업을 들을 거야.
남 그렇구나. 즐거운 시간 보내. 그리고 Sally한테 안부 전해 줘.
여 알았어, 그럴게.

해설 현재 시각은 2시 30분인데 여자는 40분 후에 Sally를 만난다고 했다.

어휘 have to ~해야 한다   in ~ 후에   take a lesson 수업을 듣다   magic 마술   have a good time 즐거운 시간을 보내다   say hello to ~에게 안부를 전하다

18 ③

W Hi, Jack. Would you like to come to my potluck party this Saturday?
M A potluck party? What's that?
W It's a dinner party where each person brings one

---

dish.

M Sounds fun. I'd love to go. What are you going to make?

W I'm going to make spaghetti.

M Then what would you like me to bring?

W How about a dessert or salad?

M Okay. I'll bring a salad.

여 안녕, Jack. 이번 토요일에 포틀럭 파티에 올래?

남 포틀럭 파티? 그게 뭔데?

여 사람들이 각자 음식을 하나씩 가져와서 저녁을 먹는 파티야.

남 재미있겠다. 가고 싶어. 넌 뭘 만들 거야?

여 난 스파게티를 만들 거야.

남 그럼 난 뭘 가져가면 좋겠어?

여 디저트나 샐러드 어때?

남 알았어. 내가 샐러드를 가져갈게.

해설 남자는 포틀럭 파티에 샐러드를 가져오기로 했다.

어휘 potluck party 포틀럭 파티(각자 음식을 조금씩 가져오는 파티) each 각각의 person 사람 bring 가져오다 dish 요리 dessert 디저트, 후식

19 ④

W Excuse me, but I think you're sitting in my seat.

M Really? Here's my ticket. It's for seat number 11.

W Yes, but it's for seat number 11 in row E.

M Isn't this row E?

W No, this is row D.

M Oh, I'm sorry. I didn't know that.

여 실례합니다만, 제 자리에 앉아 계신 것 같은데요.

남 정말요? 여기 제 표가 있어요. 11번 좌석 표예요.

여 맞아요, 하지만 그건 E열 11번 좌석이네요.

남 여기가 E열 아닌가요?

여 아니요, 여기는 D열이에요.

남 아, 미안해요. 몰랐어요.

해설 극장에서 남자가 여자의 좌석에 잘못 앉은 상황이므로 사과하는 응답이 가장 적절하다.

① 어떻게 해야 할지 모르겠어요.

② 말도 안 돼요! 저는 당신에게 동의하지 않아요.

③ 정말요? 저는 당신을 이해할 수가 없어요.

⑤ 저는 그것을 새 표로 바꾸고 싶어요.

어휘 seat 자리, 좌석 row 열, 줄 agree with ~에게 동의하다 understand 이해하다 exchange A for B A를 B로 교환하다

20 ④

W Are you playing computer games, Junha?

M No. I'm studying Chinese online.

W Studying Chinese online? Does it help?

M Pretty well so far. I have learned some important expressions.

W Great. By the way, why are you learning Chinese?

M Because I'm very interested in China.

여 너 컴퓨터 게임하고 있어?

남 아니. 나 인터넷으로 중국어 공부하는 중이야.

여 인터넷으로 중국어 공부를 한다고? 그게 도움이 돼?

남 지금까지는 아주 괜찮아. 중요한 표현들을 좀 배웠어.

여 좋네. 그런데 중국어를 왜 배우고 있는 거야?

남 난 중국에 관심이 많기 때문이야.

해설 중국어 공부를 왜 하는지 물었으므로 중국어 공부를 하는 이유에 해당하는 응답이 와야 한다.

① 난 인터넷으로 영어 공부하는 걸 좋아해.

② 그렇게 말해 줘서 정말 고마워.

③ 난 컴퓨터 게임하는 것을 즐기거든.

⑤ 힘내. 넌 다음번에 더 잘할 거야.

어휘 play computer games 컴퓨터 게임을 하다 Chinese 중국어 online 온라인으로 help 도움이 되다 pretty 꽤 so far 지금까지 important 중요한 expression 표현 by the way 그런데 be interested in ~에 관심이 있다 cheer up 기운을 내다

Word Check   07회

01 심하게	02 조심스럽게
03 제빵 수업	04 또렷하게
05 자라다	06 양로원
07 함께 쓰다, 공유하다	08 공간
09 만족하는	10 실수
11 무료 급식소	12 배달, 배달물
13 feed	14 without
15 movie director	16 vacation
17 garage	18 half price
19 recommend	20 earthquake
21 donate	22 fridge
23 touching	24 afterwards

Expression Check

25 fell off	26 at this time
27 do, a favor	28 have, in mind
29 made a reservation	30 turn off

Word Check   08회

01 칠판	02 참석하다, 참가하다
03 인기 있는	04 사고
05 질, 품질	06 길 안내
07 요리사, 주방장	08 감각
09 긴장이 되다	10 대신에
11 보다	12 ~할 때마다
13 prefer	14 restaurant
15 downtown	16 area
17 return	18 bad tooth
19 French	20 understand
21 campaign	22 finally
23 important	24 expensive

Expression Check

25 get in line	26 Is it okay if
27 Bring, back	28 exchange, for
29 agree with	30 break into pieces

실전 모의고사 09회   pp.98~105

01 ③	02 ②	03 ④	04 ①	05 ②
06 ③	07 ④	08 ③	09 ④	10 ⑤
11 ①	12 ⑤	13 ③	14 ②	15 ③
16 ④	17 ③	18 ②	19 ②	20 ③

01 ③

W Good morning. Here's the weather report. It's <u>very cloudy now</u>, and it's going to rain during the night. Tomorrow morning, however, <u>the rain will stop</u>, and it will be sunny. If you have any plans for outdoor activities, it will be <u>perfect weather</u>.

여 안녕하세요. 일기 예보입니다. 지금은 매우 흐리고, 밤 동안에는 비가 내리겠습니다. 하지만 내일 아침에는 비가 그치고 화창해지겠습니다. 야외 활동 계획이 있으시다면, 완벽한 날씨가 될 것입니다.

해설 내일 아침에 비가 그치고 화창해질 것이라고 했다.

어휘 weather report 일기 예보   during ~ 동안   however 그러나   plan 약속, 계획   outdoor activity 야외 활동   perfect 완벽한

02 ②

W How may I help you?
M I'm looking for a jacket for my wife.
W Do you have any style in mind?
M Yes. I want a long jacket with buttons.
W Okay. We have two long jackets here. How about this one?
M Well, I'll take that one with pockets.
W Good choice.

여 무엇을 도와드릴까요?
남 아내를 위한 재킷을 찾고 있어요.
여 생각하고 계신 스타일이 있나요?
남 네. 단추가 있는 긴 재킷을 원해요.
여 알겠습니다. 여기 긴 재킷이 두 벌 있어요. 이거 어떠세요?
남 음. 주머니가 있는 저것으로 할게요.
여 탁월한 선택입니다.

해설 남자는 단추가 있고 주머니가 달린 긴 재킷을 선택했다.

어휘 wife 아내   have ~ in mind ~을 염두에 두다(생각하다)   button 단추   pocket 주머니   choice 선택

03 ④

W You can find me in Aesop's fables. I <u>live on land</u> and in the sea. I have a hard shell on my back. I <u>can hide myself</u> in my shell when I'm in danger. I can swim well, but I <u>can't walk fast</u>. What am I?

여 당신은 나를 이솝 우화에서 찾을 수 있어요. 나는 육지와 바다에서 살아요. 나는 등에 단단한 딱지를 가지고 있어요. 나는 위험에 처하면 내 딱지에 몸을 숨길 수 있어요. 나는 수영을 잘하지만 빨리 걸을 수는 없어요. 나는 무엇일까요?

해설 이솝 우화에 등장하고 육지와 바다에서 모두 살 수 있으며, 등에 단단한 딱지가 있는 동물은 거북이다.

어휘 fable 우화   on land 육지에   hard 단단한, 딱딱한   shell 껍질, 껍데기   back 등   hide oneself 숨다   in danger 위험에 처한

04 ①

M What are you going to do this afternoon, Irene?
W I'm going to make a cake for my mom.
M Is it a special day today?
W Today is my mother's birthday.
M Do you need my help?
W Thanks for offering, but I think I can do it by myself.

남 Irene, 너 오늘 오후에 뭐 할 거니?
여 엄마를 위해 케이크를 만들 거야.
남 오늘이 특별한 날이야?
여 오늘은 우리 엄마 생신이셔.
남 내 도움이 필요하니?
여 제안해 줘서 고맙지만, 내가 혼자 할 수 있을 것 같아.

해설 고맙지만 혼자 할 수 있다는 말은 남자의 제안을 거절하는 의도의 말이다.

어휘 special 특별한   birthday 생일   offer 제안하다   by oneself 스스로, 혼자

05 ②

W I love your books. I'm reading your new book now.
M Thank you very much.
W Can you sign this book, please?
M Sure. What's your name?
W My name is Jenny Kim.
M Here you go.
W Thanks.

여 저는 당신의 책을 정말 좋아해요. 지금은 당신의 신간을 읽고 있어요.
남 정말 감사합니다.
여 이 책에 사인해 주시겠어요?
남 물론이죠. 이름이 뭐예요?
여 제 이름은 Jenny Kim입니다.
남 여기 있습니다.
여 고맙습니다.

해설 여자가 남자의 신간을 읽고 있다고 했고, 남자에게 책에 사인해 달라고 요청했으므로 두 사람은 작가와 팬의 관계이다.

어휘 sign 서명하다, 사인하다

06 ③

M Hello, everyone. Today, I'd like to introduce my sister to you. She is 25 years old. She is an announcer. She works at the airport. She is very nice and has a good voice. She is tall and has long, curly hair.

남 안녕하세요, 여러분. 오늘 저는 제 누나를 여러분께 소개하겠습니다. 그녀는 25살입니다. 그녀는 아나운서입니다. 그녀는 공항에서 일합니다. 그녀는 매우 착하고 목소리가 좋습니다. 그녀는 키가 크고 긴 곱슬머리입니다.

해설 남자는 누나의 취미는 언급하지 않았다.

어휘 introduce 소개하다   announcer 아나운서   airport 공항   voice 목소리   curly 곱슬곱슬한

07 ④

(Cellphone rings.)
W Hey, Dan. Did you arrive at the concert hall?
M No. I'm almost there. Where are you?
W I'm on my way there, but I'm going to be a little late.
M Don't worry. It's 4:20 now, and the concert starts at 5:00.
W Thank you for understanding. I think I'll be there in twenty minutes.
M Okay. See you then.

(휴대 전화가 울린다.)
여 야, Dan. 너 콘서트홀에 도착했니?
남 아니. 거의 다 왔어. 넌 어디야?
여 거기로 가는 중인데, 약간 늦을 거야.
남 걱정하지 마. 지금 4시 20분이고, 콘서트는 5시에 시작하잖아.
여 이해해 줘서 고마워. 나는 20분 후에 거기에 도착할 것 같아.
남 알았어. 그때 봐.

해설 현재 시각은 4시 20분인데 여자가 콘서트홀에 20분 후에 도착할 것 같다고 했으므로, 두 사람이 만날 시각은 4시 40분이다.

어휘 arrive 도착하다   concert hall 콘서트홀   almost 거의   on one's way 가는(오는) 중인   a little 조금, 약간   late 늦은   worry 걱정하다   understand 이해하다   in ~ 후에

08 ③

W I read your cartoons. They were really fun.
M Thanks, Chris. My dream is to become a cartoonist.
W That's cool. I'm not good at drawing.
M But you're good at singing. Do you want to be a singer in the future?
W No. I want to be a songwriter.

여 네 만화 읽었어. 정말 재미있었어.
남 고마워, Chris. 내 꿈이 만화가가 되는 거야.
여 멋지다. 난 그림을 잘 못 그려.
남 하지만 넌 노래를 잘하잖아. 너는 장래 희망이 가수야?
여 아니. 난 작곡가가 되고 싶어.

해설 여자는 노래를 잘하지만 가수가 아니라 작곡가가 되고 싶다고 했다.

어휘 cartoon 만화   dream 꿈   become ~이 되다
cartoonist 만화가   be good at ~을 잘하다   singer 가수
in the future 미래에   songwriter 작곡가

09 ④

W Wow! Throwing water balloons was great fun.
M What do you want to do next?
W Let's go to the three-D printing room.
M It's very popular, so we'll have to wait for a long time.
W Then why don't we go to the instant photo room instead?
M Sounds good. Let's go right now.

여 우와! 물풍선 던지기는 정말 재미있었어.
남 다음에는 뭐 하고 싶니?
여 3D 인쇄방에 가자.
남 그건 인기가 너무 많아서 한참 기다려야 할 거야.
여 그럼 대신에 즉석 사진방에 가는 게 어때?
남 아. 지금 바로 가자.

해설 두 사람은 3D 인쇄방에 가고 싶어 했지만 한참 기다려야 할 것 같아서 즉석 사진방에 가기로 했다.

어휘 throw 던지다   water balloon 물풍선   printing 인쇄
popular 인기 있는   have to ~해야 한다   for a long time
오랫동안   instant photo 즉석 사진   instead 대신에

10 ⑤

M Jessica, you look excited.
W Today, my class will visit the Seoul Education Museum in Bukchon.
M Great. What are you going to do there?
W We will learn about the history of education.
M Sounds boring. What else will you do there?
W We'll also wear Korean traditional clothes and take photos.
M That sounds cool.

남 Jessica, 너 신나 보여.
여 오늘 우리 반이 북촌에 있는 서울교육박물관을 방문할 거야.
남 좋겠다. 거기서 뭐 할 건데?
여 우리는 교육의 역사에 대해 배울 거야.
남 지루할 것 같아. 거기서 또 뭐 할 거니?
여 한국의 전통 의상을 입고 사진도 찍을 거야.
남 그거 멋지겠다.

해설 두 사람은 박물관 탐방에 관해 이야기하고 있다.

어휘 excited 신난, 들뜬   class 학급   education 교육
museum 박물관   history 역사   boring 지루한   traditional
전통적인   clothes 옷   take a photo 사진을 찍다

11 ①

M Sumi, is this a new bag?
W Yes. I ordered it online a few days ago, and I got it today.
M Then why do you look so unhappy?
W I ordered a black bag, but they sent me a white one.
M Oh, that's too bad.
W Now I have to return it and wait a few more days.

남 수미야, 이거 새 가방이니?
여 응. 며칠 전에 인터넷으로 주문했는데 오늘 받았어.
남 그런데 왜 그렇게 기분이 안 좋아 보여?
여 난 검은색 가방을 주문했는데, 나한테 흰색 가방을 보냈어.
남 아, 안됐구나.
여 이제 이것을 반송하고 며칠을 더 기다려야 해.

해설 인터넷으로 주문한 가방이 잘못 배송되어서 가방을 반송하고 다시 기다려야 하는 상황이므로 여자는 화났을 것이다.

어휘 order 주문하다   online 온라인으로   a few days 며칠
ago ~ 전에   unhappy 불행한, 불만스러운   send 보내다
return 돌려보내다, 반납하다   wait 기다리다

12 ⑤

W You look so tired. Did you have a lot of homework yesterday?
M No. I wanted to watch something, so I was up all night.
W What was it?
M The soccer game between Korea and the Netherlands. It was the semifinal.
W What time was the game?
M 4 a.m. The sun was already up when the game was over.

여 너 너무 피곤해 보여. 어제 숙제가 많았어?
남 아니. 내가 뭐 좀 보고 싶어서 밤을 샜거든.
여 그게 뭐였는데?
남 한국과 네덜란드의 축구 경기였어. 준결승이었어.
여 경기가 몇 시였는데?
남 새벽 4시. 경기가 끝났을 때 이미 해가 떴더라고.

해설 남자는 새벽 4시에 하는 축구 준결승전을 보기 위해 밤새 잠을 못 자서 피곤하다.

어휘 tired 피곤한   a lot of 많은   homework 숙제   be up
all night 밤을 꼬박 새우다   between A and B A와 B 사이에
semifinal 준결승   already 이미, 벌써   be over 끝나다

13 ③

M Kate, are you going to the farewell party this evening?
W Of course. You're coming, aren't you?
M Yes. How will you go there?
W I'm going to take the bus or the subway. How about you?

M I have to <u>visit my grandmother at the hospital</u>, so my mom will drive me there.
W Okay. <u>See you at the party</u> later.

남 Kate, 너 오늘 저녁 송별회에 갈 거야?
여 물론이지. 너도 올 거지, 그렇지 않니?
남 응. 넌 거기 어떻게 갈 거야?
여 난 버스나 지하철을 탈 거야. 넌?
남 난 병원에 계신 할머니를 뵈러 가야 해서, 우리 엄마가 차로 그곳에 데려다주실 거야.
여 알았어. 나중에 파티에서 보자.

해설 여자는 버스나 지하철을 타고 가겠다고 했고, 남자는 엄마가 차로 데려다주실 거라고 했다.

어휘 farewell party 송별회   visit 방문하다   grandmother 할머니   hospital 병원   drive 태워다 주다   later 나중에

14 ②

M Becky, can you <u>recommend a good hair shop</u> around here?
W Sure. You should go to Hair Touch.
M <u>How can I get there</u>?
W Go straight two blocks and then turn right.
M Oh, I see. And then?
W You will <u>see an ice cream shop</u> on the left. Hair Touch is between the ice cream shop and the hospital.
M Thanks.

남 Becky, 이 근처에 좋은 미용실을 추천해 줄 수 있니?
여 물론이야. Hair Touch에 가 봐.
남 거기에 어떻게 갈 수 있어?
여 두 블록 직진하다가 오른쪽으로 돌아.
남 아, 알겠어. 그 다음엔?
여 왼편에 아이스크림 가게가 보일 거야. Hair Touch는 아이스크림 가게와 병원 사이에 있어.
남 고마워.

해설 미용실은 두 블록 직진하다가 오른쪽으로 돌면 왼편에 아이스크림 가게와 병원 사이에 있다고 했다.

어휘 recommend 추천하다   hair shop 미용실   around here 이 근처에   go straight 직진하다   turn right 오른쪽으로 돌다   between A and B A와 B 사이에

15 ③

M Bomi, are you okay? <u>You look pale</u>.
W It's so hot in here.
M That's true. I think there are <u>too many passengers</u> on this bus.
W Would you <u>do me a favor</u>?
M Sure. What is it?
W Can you open the window <u>over your head</u>?
M No problem.

남 보미야, 너 괜찮아? 창백해 보여.
여 이 안이 너무 더워.

남 그건 사실이야. 이 버스에 승객이 너무 많이 탄 것 같아.
여 부탁 하나 들어 줄래?
남 물론이지. 뭔데?
여 네 머리 위에 있는 창문을 열어 줄래?
남 알겠어.

해설 여자는 남자에게 남자의 머리 위쪽 창문을 열어 달라고 부탁했다.

어휘 pale 창백한   hot 더운   true 사실인   many 많은   passenger 승객   do ~ a favor ~의 부탁을 들어주다   window 창문   over ~ 위쪽의

16 ④

M Do you <u>have any special plans</u> for tomorrow?
W I'm planning to go to an amusement park with my friends.
M Did you check the weather?
W Yes. They said it will be <u>cloudy all day tomorrow</u>.
M Then why don't you take your raincoat or umbrella <u>just in case</u>?
W Yes, I will.

남 너 내일 무슨 특별한 계획 있어?
여 친구들과 놀이공원에 갈 계획이야.
남 날씨는 확인했어?
여 응. 내일은 하루 종일 흐릴 거라고 했어.
남 그럼 만약을 위해서 우비나 우산을 챙겨 가는 게 어때?
여 응, 그럴게.

해설 남자는 여자에게 만약을 위해서 우비나 우산을 챙겨갈 것을 제안했다.

어휘 be planning to ~할 계획이다   amusement park 놀이공원   weather 날씨   all day 하루 종일   raincoat 우비   umbrella 우산   just in case 만약을 위해서

17 ③

① W <u>The weather is so nice</u> today.
   M Yes, it is. Why don't we go bike riding?
② W What do you do <u>in your free time</u>?
   M I enjoy cooking.
③ W Would you like some hot chocolate?
   M <u>No, thanks</u>. And some hotcakes, too.
④ W How was Vivian's speech?
   M It was great. She <u>won first prize</u>.
⑤ W Mike <u>fell and hurt his leg</u> yesterday.
   M That's too bad. I'm sorry to hear that.

① 여 오늘 날씨가 아주 좋아.
   남 맞아. 자전거 타러 갈래?
② 여 넌 여가 시간에 뭐 해?
   남 난 요리하는 걸 즐겨.
③ 여 핫초코 좀 마실래?
   남 아니, 괜찮아. 그리고 핫케이크도 좀 줘.
④ 여 Vivian의 연설은 어땠니?
   남 훌륭했어. 그녀가 일등상을 탔어.

⑤ 여 Mike는 어제 넘어져서 다리를 다쳤어.
　남 참 안됐다. 그 말을 들으니 유감이야.

[해설] ③ 핫초코를 권하는 말에 사양한 뒤 핫케이크도 달라고 하는 것은 어색하다.

[어휘] go bike riding 자전거를 타러 가다 　free time 여가 시간 hot chocolate 핫초코, 코코아 　hotcake 핫케이크 　speech 연설 　win first prize 일등상을 타다 　fall(-fell-fallen) 넘어지다 　hurt 다치게 하다

18 ②

W Hello. I need two seats.
M We only <u>have a few seats</u> at the corner.
W Okay. What floor are they on?
M <u>On the second floor</u>. They are $20 each.
W Okay. Here is $40.
M The performance will begin soon, so <u>please enter quickly</u>.

여 안녕하세요. 두 자리가 필요합니다.
남 구석에 몇 좌석만 남았습니다.
여 괜찮아요. 좌석이 몇 층에 있나요?
남 2층입니다. 각 20달러입니다.
여 네. 여기 40달러 있습니다.
남 공연이 곧 시작되니 빨리 입장해 주세요.

[해설] 공연 입장권을 구입하는 상황이므로 대화가 이루어지는 장소는 매표소이다.

[어휘] seat 자리, 좌석 　a few 조금 　corner 구석 　on the second floor 2층에 　each 각각 　performance 공연 begin 시작되다 　enter 들어가다, 입장하다 　quickly 빨리

19 ②

W Daniel is not here yet.
M <u>He is absent today</u>.
W Why? What's the problem?
M He <u>has the flu</u>, so he's sick in bed.
W Really? He told me to return this book today.
M I'm going to <u>visit him after school</u>. Why don't you go with me?
W <u>Yeah. Let's go together.</u>

여 Daniel이 아직 안 왔어.
남 그는 오늘 결석이야.
여 왜? 무슨 일 있어?
남 독감에 걸려서 앓아누워 있어.
여 정말? 그가 이 책을 오늘 돌려달라고 말했는데.
남 내가 방과 후에 그를 방문할 거야. 나랑 같이 가는 게 어때?
여 그래. 함께 가자.

[해설] 남자가 Daniel을 만나러 함께 가자고 제안했으므로 이에 대한 수락 또는 거절의 응답이 와야 한다.
① 난 그걸 믿을 수가 없어.
③ 기운 내. 넌 괜찮을 거야.
④ 넌 그것을 돌려줄 필요 없어.

⑤ 좋아. 난 오늘 치과에 가야 해.

[어휘] yet (부정문·의문문에서) 아직 　absent 결석한 　flu 독감 sick in bed 앓아누워 있는 　return 돌려주다 　after school 방과 후에 　believe 믿다 　cheer up 기운 내다 　don't have to ~할 필요가 없다 　go to the dentist 치과에 가다

20 ③

W Hi, Jimin. What are you going to do this Saturday?
M I'm going to <u>play basketball with</u> my friends.
W Do you play basketball often?
M Yes, I <u>play it twice a week</u>. Do you like basketball?
W Yes. I love watching basketball games.
M Really? Then would you like to <u>come and watch</u>?
W <u>I'd love to. Where shall I be?</u>

여 안녕, 지민아. 너 이번 토요일에 뭐 할 거니?
남 친구들과 농구를 할 거야.
여 너 농구 자주 해?
남 응. 일주일에 두 번씩 해. 넌 농구 좋아해?
여 응. 난 농구 경기 보는 걸 아주 좋아해.
남 정말? 그럼 와서 볼래?
여 그러고 싶어. 내가 어디로 갈까?

[해설] 남자가 농구 경기를 보러 오겠냐고 물었으므로 이에 대한 긍정 또는 부정의 응답이 와야 한다.
① 그 말을 들으니 유감이구나.
② 난 농구하는 것을 즐겨.
④ 물론이지. 여기 농구공이 있어.
⑤ 난 보통 Riverside Park에서 해.

[어휘] play basketball 농구를 하다 　often 자주 　twice 두 번 usually 대개, 보통

01 ②	02 ③	03 ②	04 ①	05 ⑤
06 ④	07 ②	08 ③	09 ③	10 ⑤
11 ②	12 ③	13 ④	14 ④	15 ⑤
16 ④	17 ②	18 ①	19 ⑤	20 ③

01 ②

M People can use this <u>when they read</u> books. First, they can put this on a desk or table. Then, <u>instead of holding the book</u> in their hands, they can put it on this. This is helpful to people when they are reading <u>for a long time</u>. What is this?

남 사람들은 책을 읽을 때 이것을 사용할 수 있습니다. 먼저, 이것을 책상이나 탁자 위에 놓을 수 있습니다. 그리고 나서 손으로 책을 드는 대신에 이것 위에 책을 올려 둘 수 있습니다. 이것은 오랫동안 책을 읽을 때 도움이 됩니다. 이것은 무엇일까요?

해설 책을 읽을 때 사용하며 책을 올려 둘 수 있는 것은 독서대이다.

어휘 instead of ~ 대신　hold 잡고(들고) 있다　helpful 도움이 되는　for a long time 오랫동안

02 ③

M I need a science notebook. Can you <u>help me choose one</u>?
W Sure. <u>How about this one</u> with the cat on the cover?
M The cat is good, but I'd <u>prefer stars or rockets</u>.
W Really? Then how about this one?
M Oh, the rocket and stars look great. I'll take it.

남 난 과학 공책이 필요해. 고르는 것 좀 도와줄래?
여 좋아. 표지에 고양이가 있는 이거 어때?
남 고양이도 좋지만, 별이나 로켓이 더 좋아.
여 정말? 그럼 이거 어때?
남 오, 로켓과 별들이 멋있어 보여. 그것으로 할래.

해설 남자는 로켓과 별들이 그려진 공책을 사겠다고 했다.

어휘 science 과학　notebook 공책　choose 고르다, 선택하다　cover 표지　prefer ~을 더 좋아하다　rocket 로켓

03 ②

W Good morning. This is Nancy Joyce. Here's the weather report. This morning, it will be <u>sunny with no clouds</u>. However, there will be dark clouds and showers this afternoon. Tomorrow, <u>it will clear up</u>. You can <u>expect clear skies</u> and lots of sunshine by tomorrow afternoon.

여 안녕하세요. Nancy Joyce입니다. 일기 예보입니다. 오늘 아침은 구름 한 점 없이 맑겠습니다. 하지만, 오늘 오후에는 먹구름과 소나기가 올 것입니다. 내일은 개겠습니다. 내일 오후까지 맑은 하늘과 많은 햇빛을 기대할 수 있겠습니다.

해설 내일 오후에는 맑은 하늘과 많은 햇빛을 기대할 수 있다고 했다.

어휘 weather report 일기 예보　no ~가 없는　dark cloud 먹구름　shower 소나기　clear up (날씨가) 개다　expect 기대하다, 예상하다　lots of 많은　sunshine 햇빛　by ~까지

04 ①

M Jisu, what are you doing?
W I'm reading a book.
M I don't see a book. Are you reading it <u>on your smartphone</u>?
W Yeah, I <u>downloaded some e-books</u> from an online bookstore.
M Oh, you don't read paper books?
W Sometimes. But it's <u>more convenient to read on the app</u>. I can carry a lot of books with me and read them anytime.

남 지수야, 너 뭐 하고 있어?
여 책 읽고 있어.
남 책이 안 보이는데. 스마트폰으로 읽고 있어?
여 응, 온라인 서점에서 전자책을 몇 권 다운로드했어.
남 아, 넌 종이책은 안 읽는구나?
여 가끔. 하지만 앱으로 읽는 게 더 편리해. 많은 책을 가지고 다닐 수 있고 언제든지 읽을 수 있거든.

해설 두 사람은 전자책에 관해 이야기하고 있다.

어휘 download 내려받다, 다운로드하다　e-book 전자책　online 온라인의　bookstore 서점　paper book 종이책　sometimes 가끔, 때때로　convenient 편리한　app 앱, 애플리케이션　carry 가지고 다니다　a lot of 많은　anytime 언제든지

05 ⑤

W Ted is absent today.
M Why? What happened to him?
W He fell off his bike and <u>hurt his leg</u> yesterday.
M Oh, I'm sorry to hear that. Was he hurt badly?
W Yes. He has to <u>be in the hospital</u> until this weekend.
M I hope <u>he gets well soon</u>.

여 오늘 Ted가 결석했어.
남 왜? 그에게 무슨 일이 있었니?
여 그는 어제 자전거에서 떨어져서 다리를 다쳤어.
남 아, 안됐다. 심하게 다쳤대?
여 응. 그는 이번 주말까지 병원에 입원해야 해.
남 빨리 나아야 할 텐데.

해설 남자는 자전거에서 떨어져 다리를 다친 친구의 소식을 듣고 걱정하고 있다.

어휘 absent 결석한　happen 일어나다, 발생하다　fall off ~에서 떨어지다　hurt 다치게 하다　badly 심하게　be in the

hospital 입원하다 until ~까지 get well (병이) 나아지다
scared 무서운

06 ④

(Telephone rings.)
M Hello. This is K-Mart. How can I help you?
W Hi. I have a question. What time do you close?
M We're open until ten o'clock.
W Okay. Are you open until ten on Sundays, too?
M Actually, we stay open till eleven on the weekends.
W Oh, I see. Thank you.

(전화벨이 울린다.)
남 안녕하세요. K-Mart입니다. 무엇을 도와드릴까요?
여 안녕하세요. 물어볼 게 있어요. 몇 시에 문을 닫나요?
남 저희는 10시까지 영업합니다.
여 알겠습니다. 일요일에도 10시까지 영업하시나요?
남 사실, 주말에는 11시까지 문을 엽니다.
여 아, 그렇군요. 고맙습니다.

해설 여자는 마트의 폐점 시간을 알아보기 위해 전화했다.

어휘 question 질문 close (상점 등이) 문을 닫다 open (상점 등이) 문을 연 until ~까지 actually 사실 stay ~한 상태로 있다 till ~까지

07 ②

(Cellphone rings.)
M Mom, I learned how to cook *bulgogi* at school today.
W Did you? Wasn't it hard?
M Not at all. I'd like to cook *bulgogi* for dinner today.
W Oh, thank you. But there's no beef at home.
M Then can you buy some beef on your way home?

(휴대 전화가 울린다.)
남 엄마, 저 오늘 학교에서 불고기 만드는 법을 배웠어요.
여 그랬니? 어렵지 않았어?
남 전혀요. 오늘 저녁 식사로 불고기 요리를 하고 싶어요.
여 아, 고맙구나. 그런데 집에 소고기가 없어.
남 그럼 집에 오시는 길에 소고기를 좀 사다 주시겠어요?

해설 남자는 저녁 식사로 불고기를 만들려고 하는데 집에 소고기가 없어서 엄마에게 소고기를 사 오라고 부탁했다.

어휘 learn 배우다 how to ~하는 방법 hard 어려운 beef 소고기 on one's way home 집에 오는 길에

08 ③

M Wow! Inline skating is fun. Do you come to this park often?
W Yes, I come here every weekend.
M I'm a little tired. How about taking a break?
W That's a good idea. Let's sit on the bench over there.
M Okay. *(Pause)* Oh, look at the sign. It says, "Wet Paint."
W Then let's go to the snack bar.
M Okay.

남 우와! 인라인스케이트 타는 거 재미있다. 넌 이 공원에 자주 오니?
여 응, 난 여기에 주말마다 와.
남 나 조금 피곤해. 잠깐 쉬는 게 어때?
여 좋은 생각이야. 저쪽에 있는 벤치에 앉자.
남 좋아. *(잠시 후)* 아, 표지판을 봐. '페인트 주의'라고 쓰여 있어.
여 그러면 스낵바에 가자.
남 좋아.

해설 두 사람은 인라인스케이트를 탄 뒤 벤치에 앉아 잠깐 쉬려고 했는데 '페인트 주의'라는 표지판을 보고 스낵바에 가기로 했다.

어휘 inline skate 인라인스케이트를 타다 often 자주 a little 조금, 약간 take a break 잠깐 쉬다 bench 벤치 sign 표지판 Wet Paint (마르지 않은) 페인트 주의 snack bar 스낵바, 간이식당

09 ③

M Let's go to the career camp together tomorrow morning.
W Sure. What should we take? A bus?
M Traffic will be heavy during rush hour. How about the subway?
W I think there will be too many people on the subway in the morning.
M Then why don't we meet earlier?
W Good. Let's meet early and go by subway.
M That's a good idea.

남 우리 내일 아침에 직업 체험 캠프에 같이 가자.
여 좋아. 뭘 타야 할까? 버스?
남 출퇴근 시간에는 차가 막힐 거야. 지하철은 어때?
여 아침에는 지하철에 사람이 엄청 많을 것 같은데.
남 그럼 더 일찍 만나는 건 어때?
여 좋아. 일찍 만나서 지하철로 가자.
남 그거 좋은 생각이야.

해설 출퇴근 시간에는 교통 혼잡이 예상되므로 두 사람은 더 일찍 만나서 지하철을 타기로 했다.

어휘 career camp 직업 체험 캠프 traffic 교통(량) during ~ 동안 rush hour 러시아워, 출퇴근 혼잡 시간 subway 지하철 earlier 더 일찍(early의 비교급)

10 ⑤

W Dad, there are a lot of flies around the trash can.
M Oh, no! What did you throw away?
W Some fruit peels.
M Flies love sweet things. Can you bring me the bug spray?
W Okay, Dad. From now on, I won't put fruit peels in the trash can.

여 아빠, 쓰레기통 주변에 파리가 많아요.

남 아, 저런! 너 뭘 버렸니?
여 과일 껍질 조금요.
남 파리는 달콤한 걸 좋아해. 살충제 좀 가져다줄래?
여 네, 아빠. 이제부터는, 쓰레기통에 과일 껍질을 넣지 않을게요.

해설 남자는 여자에게 살충제를 가져다 달라고 부탁했다.

어휘 a lot of 많은   fly 파리   around ~ 주변에   trash
can 쓰레기통   throw away 버리다   fruit 과일   peel 껍질
sweet 달콤한   bug spray 살충제   from now on 이제부터

11 ②

M Welcome to the talk show.
W Hello. Thank you for inviting me.
M Long time, no see. You cut your hair short.
W Yes. I'm going to play a volleyball player in my new
  movie.
M That is very different from your last role as a chef.
W That's right. I learned to cook for that film. This
  time, I'm learning to play volleyball.

남 토크 쇼에 오신 것을 환영합니다.
여 안녕하세요. 초대해 주셔서 감사합니다.
남 오랜만인데요. 머리를 짧게 자르셨네요.
여 네. 새 영화에서 배구 선수 역할을 할 거예요.
남 지난번 요리사 역할과는 많이 다르네요.
여 맞아요. 그 영화를 위해서는 요리를 배웠었죠. 이번에는 배구를
  배우고 있어요.

해설 여자는 지난번 영화에서는 요리사 역할이었고 새 영화에서는
배구 선수를 연기한다고 했으므로, 여자의 직업은 영화배우이다.

어휘 invite 초대하다   cut one's hair short 머리를 짧게
자르다   volleyball 배구   be different from ~와 다르다
last 지난   role 역할   as ~로서   chef 요리사, 주방장   learn
배우다   film 영화

12 ③

M That was a delicious meal.
W I enjoyed it, too. Oh, here's the bill. Let's go Dutch,
  shall we?
M Yes, let's.
W Let me see. My meal was $10, and yours was $12.
M There's also a 10% tax on the meal.
W Okay. So I'll pay $10 plus the 10% tax.

남 정말 맛있는 식사였어.
여 나도 잘 먹었어. 아, 여기 계산서가 있네. 각자 낼까?
남 응, 그러자.
여 어디 보자. 내 식사는 10달러였고, 네 것은 12달러였어.
남 그리고 식사에 10퍼센트 세금도 있어.
여 알았어. 그럼 난 10달러에 10퍼센트 세금을 추가해서 낼게.

해설 여자의 식사는 10달러인데 거기에 10퍼센트의 세금이 붙으
므로 여자가 지불할 금액은 11달러이다.

어휘 delicious 맛있는   meal 식사   bill 계산서   go Dutch
비용을 각자 부담하다   tax 세금   pay 지불하다   plus 더하기

13 ④

W James, what's wrong? You look pale.
M I have a terrible headache. Can I go home now?
W I'm sorry to hear that. Did you go to the nurse's
  office?
M Yes. I took some medicine, but it didn't work.
W You'd better see a doctor.
M Yes, I will.

여 James, 무슨 일이니? 너 창백해 보여.
남 머리가 너무 아파요. 지금 집에 가도 될까요?
여 안됐구나. 보건실에는 갔었니?
남 네. 약을 좀 먹었지만 효과가 없었어요.
여 병원에 가 보는 게 좋겠다.
남 네, 그럴게요.

해설 남자가 여자에게 집에 가도 되는지 허락을 구했고, 여자는 남
자에게 보건실에 가 봤는지 물었으므로, 두 사람은 교사와 학생 사
이의 관계이다.

어휘 pale 창백한   have a headache 머리가 아프다
terrible 심한, 지독한   nurse's office 보건실   take
medicine 약을 먹다   work 효과가 있다   had better ~하는
것이 좋겠다   see a doctor 병원에 가다

14 ④

W Excuse me. Can you tell me how to get to Star
  Hospital?
M Sure. Go straight two blocks and then turn left.
W Go straight two blocks and turn left. And then?
M It is the second building on your left. It's across
  from the shoe store.
W I got it. Thank you very much.

여 실례합니다. Star Hospital에 어떻게 가는지 좀 가르쳐 주시
  겠어요?
남 네. 두 블록 직진하다가 왼쪽으로 도세요.
여 두 블록 직진해서 왼쪽으로 돌라고요. 그 다음은요?
남 그것은 당신의 오른편에서 두 번째 건물입니다. 신발 가게 맞은
  편에 있어요.
여 알겠습니다. 정말 고맙습니다.

해설 Star Hospital은 두 블록 직진하다가 왼쪽으로 돌면 오른편
에 있는 두 번째 건물로, 신발 가게 맞은편에 있다고 했다.

어휘 how to ~하는 방법   get to ~에 도착하다   second 두
번째의   building 건물   across from ~의 맞은편에   shoe
store 신발 가게

15 ⑤

M Jessie, the classroom is so dirty. Why don't we
  clean it now?
W Okay. Let's do it.
M Look at the trash bin! It's full of all kinds of trash.
W Yes, it is. We need recycling boxes for cans, bottles,
  and paper.
M You're right. Let's make them this afternoon.

W That's a good idea.

남 Jessie, 교실이 너무 지저분해. 지금 청소하는 게 어때?

여 그래. 청소하자.

남 쓰레기통 좀 봐! 온갖 종류의 쓰레기로 가득 차 있어.

여 응, 그러네. 우리는 캔, 병, 그리고 종이를 담을 재활용 상자가 필요해.

남 네 말이 맞아. 오늘 오후에 그것들을 만들자.

여 좋은 생각이야.

해설 여자는 오후에 재활용 분리수거함을 만들자는 남자의 제안에 동의했다.

어휘 classroom 교실 dirty 지저분한 clean 청소하다 trash bin 쓰레기통 be full of ~로 가득 차다 all kinds of 모든 종류의, 온갖 trash 쓰레기 recycling 재활용 can 캔 bottle 병 paper 종이

16 ④

① **M** Hi, Luna. What's up?
　W I'm here to buy a shirt. What about you?
② **M** What does that sign mean?
　W It means that you should not make any noise.
③ **M** You look worried. What's going on?
　W I'm worried about tomorrow's history quiz.
④ **M** Why don't we go to the zoo this Saturday?
　W Yes. I'd like to go camping.
⑤ **M** Excuse me. Is the Picasso Museum near here?
　W Yes. It's not far from here.

① **남** 안녕, Luna. 웬일이야?
　여 나 여기 셔츠 사러 왔어. 너는?
② **남** 저 표지판은 무슨 뜻이니?
　여 시끄럽게 하면 안 된다는 뜻이야.
③ **남** 너 걱정 있는 것 같아. 무슨 일이니?
　여 내일 볼 역사 시험이 걱정돼.
④ **남** 이번 토요일에 동물원에 가는 게 어때?
　여 그래. 나 캠핑하러 가고 싶어.
⑤ **남** 실례합니다. 이 근처에 Picasso Museum이 있나요?
　여 네. 여기서 멀지 않아요.

해설 ④ 동물원에 가자는 남자의 제안에 긍정으로 답한 뒤 캠핑을 가고 싶다고 말하는 것은 어색하다.

어휘 sign 표지판 mean 의미하다 make noise 시끄럽게 하다 be worried about ~에 대해 걱정하다 history 역사 quiz 퀴즈, 시험 go camping 캠핑하러 가다 museum 박물관 far from ~로부터 먼

17 ②

M Jina, you are really good at painting.
W Thank you. I love drawing pictures, so I want to be an artist.
M Great.
W What do you want to be in the future, Minho?
M I want to be a travel writer. I want to travel all around the world.

W Sounds interesting.

남 지나야. 너는 정말 그림을 잘 그리는구나.

여 고마워. 난 그림 그리는 걸 아주 좋아해서 화가가 되고 싶어.

남 멋지다.

여 민호야, 넌 장래 희망이 뭐야?

남 난 여행 작가가 되고 싶어. 난 전 세계를 여행하고 싶어.

여 재미있겠다.

해설 여행 작가가 되어 전 세계를 여행하고 싶다고 했다.

어휘 be good at ~을 잘하다 artist 화가, 예술가 in the future 미래에 travel writer 여행 작가 all around the world 전 세계, 세계 각처 interesting 흥미로운

18 ①

W Ryan, did you clean your room?
M No. I'll clean my room when I get back from shopping.
W Oh, I see. Can you buy some milk on your way back home?
M Okay. Anything else?
W No. I'll clean your room while you're out.
M Thanks. I'll wash the dishes and clean the living room in the evening.

여 Ryan, 네 방 청소했니?

남 아니요. 쇼핑하고 와서 제 방을 청소할게요.

여 그래, 알았어. 집에 돌아오는 길에 우유 좀 사다 줄 수 있니?

남 네. 다른 건요?

여 없어. 네가 나가 있는 동안 내가 네 방을 청소해 줄게.

남 고마워요. 저녁에 제가 설거지하고 거실 청소도 할게요.

해설 남자가 나가 있는 동안 여자가 남자의 방을 청소하겠다고 했다.

어휘 get back 돌아오다 on one's way back home 집으로 돌아오는 길에 else 또 다른, 그 밖의 while ~하는 동안 wash the dishes 설거지하다 living room 거실

19 ⑤

W My club is planning to hold a green campaign at school next Friday.
M A green campaign? Is it about the environment?
W That's right. Many students throw trash on the streets. I want to stop that.
M That's great. I hope your campaign goes well.
W Thanks. I hope so, too.

여 우리 동아리는 다음 주 금요일에 학교에서 그린 캠페인을 열 계획이야.

남 그린 캠페인? 환경에 관한 거야?

여 맞아. 많은 학생들이 길에 쓰레기를 버리잖아. 난 그걸 멈추고 싶어.

남 멋지다. 캠페인이 잘 되길 바라.

여 고마워. 나도 그러길 바라.

해설 남자가 캠페인이 잘 되길 바란다고 했으므로 감사를 표현하는 말이 이어지는 것이 가장 적절하다.

① 괜찮아.
② 참 안됐구나.
③ 천만에.
④ 그 말을 들으니 유감이야.

어휘 be planning to ~할 계획이다   hold 열다, 개최하다
campaign 캠페인   environment 환경   throw 던지다,
버리다   trash 쓰레기   street 길   go well 잘 되어 가다

20 ③

M What do you have in your hand?
W It's the book *Harry Potter*. My uncle bought it for me.
M Oh, that's a book I want to read.
W Is it? I'm really enjoying it.
M Do you mind if I borrow it after you read it?
W Not at all. I'll lend it to you.

남 네 손에 있는 것이 뭐니?
여 〈해리 포터〉 책이야. 삼촌이 사 주셨어.
남 아, 그거 내가 읽고 싶은 책인데.
여 그래? 나 정말 재미있게 읽고 있어.
남 네가 다 읽은 후에 내가 빌려도 될까?
여 그래. 내가 빌려줄게.

해설 남자는 여자의 책을 빌릴 수 있는지 물었으므로 허락이나 거절
의 응답이 와야 한다.
① 그것은 전혀 비싸지 않았어.
② 응. 우리 삼촌은 아주 친절하셔.
④ 고마워. 나 그거 빌리고 싶어.
⑤ 그래. 그에게 책을 달라고 해 보자.

어휘 Do you mind if ~? ~해도 괜찮을까요?   borrow 빌리다
lend 빌려주다   kind 친절한   not ~ all 전혀 ~이 아닌
expensive 비싼

Review Test

Word Check 09회

01 공항
02 주머니
03 선택
04 우화
05 제안하다
06 혼자, 스스로
07 소개하다
08 아나운서
09 전통적인
10 곱슬곱슬한
11 불행한, 불만스러운
12 작곡가
13 throw
14 instant photo
15 education
16 voice
17 semifinal
18 farewell party
19 recommend
20 pale
21 passenger
22 sign
23 performance
24 quickly

Expression Check

25 go to the dentist
26 sick in bed
27 between, and
28 up all night
29 just in case
30 in danger

Word Check 10회

01 잡고 있다; 열다, 개최하다
02 결석한
03 소나기
04 기대하다
05 내려받다, 다운로드하다
06 영화
07 전 세계, 세계 각처
08 가지고 다니다
09 직업 체험 캠프
10 재활용
11 ~까지
12 쓰레기통
13 bill
14 nurse's office
15 cover
16 bug spray
17 invite
18 peel
19 meal
20 pay
21 throw away
22 convenient
23 environment
24 go Dutch

Expression Check

25 taking a break
26 worried about
27 took, medicine
28 full of
29 From now on
30 on your way back home

01 ③	**02** ⑤	**03** ②	**04** ①	**05** ⑤
06 ①	**07** ⑤	**08** ⑤	**09** ④	**10** ⑤
11 ②	**12** ⑤	**13** ③	**14** ⑤	**15** ②
16 ④	**17** ⑤	**18** ③	**19** ③	**20** ②

01 ③

W You can see this in the bathroom. This usually smells good. When you take a shower, you can use this to wash your hair. If you rub this on your wet hair, it makes a lot of bubbles. What is this?

여 당신은 이것을 욕실에서 볼 수 있습니다. 이것은 보통 향기가 좋습니다. 당신은 샤워할 때 머리를 감기 위해 이것을 사용할 수 있습니다. 당신이 젖은 머리카락 위에 이것을 놓고 문지르면 많은 거품을 만들어냅니다. 이것은 무엇일까요?

해설 욕실에서 볼 수 있고 향기가 좋으며 머리를 감는 데 사용하는 것은 샴푸이다.

어휘 bathroom 욕실 usually 보통, 대개 smell 냄새가 나다 take a shower 샤워하다 wash one's hair 머리를 감다 rub 문지르다 wet 젖은 a lot of 많은 bubble 거품

02 ⑤

W I'm looking for a cup for my four-year-old son.
M Okay. How about this one with the bird on it?
W That's good. But I think my son will like that one with the penguin.
M I see. How about the handles?
W I want one with handles on both sides.
M Okay. Please wait a minute.

여 네 살짜리 아들에게 줄 컵을 찾고 있어요.
남 그러시군요. 새가 그려진 이것은 어떠세요?
여 좋아요. 하지만 제 아들은 펭귄이 그려진 저것을 좋아할 것 같아요.
남 그렇군요. 손잡이는 어떤 게 좋으세요?
여 양쪽에 손잡이가 달린 것이 좋아요.
남 알겠습니다. 잠시만 기다려 주세요.

해설 여자는 펭귄이 그려져 있고 양쪽에 손잡이가 달린 컵을 사려고 한다.

어휘 look for ~을 찾다 four-year-old 네 살짜리 son 아들 bird 새 penguin 펭귄 handle 손잡이 on both sides 양쪽에 wait 기다리다 minute 잠깐

03 ②

W This is the weather forecast for tomorrow and the weekend. Tomorrow will be a windy day like today. The wind will stop tomorrow night, and Saturday

will be sunny with no clouds. The good weather will continue until Sunday afternoon.

여 내일과 주말의 일기 예보입니다. 내일은 오늘처럼 바람이 부는 날이 되겠습니다. 바람은 내일 밤에 멈추겠고, 토요일은 구름 한 점 없는 화창한 날이 되겠습니다. 좋은 날씨는 일요일 오후까지 계속되겠습니다.

해설 토요일은 구름 한 점 없이 화창할 것이라고 했다.

어휘 weather forecast 일기 예보 like ~와 같은 no ~가 없는 cloud 구름 continue 계속되다 until ~까지

04 ①

W Look! Jack Smith is coming out. He's my favorite player.
M I like Jack Smith, too. Why do you like him?
W I think he's a very smart player.
M Right. He's very smart during games.
W He's also very fast. Don't you think so?
M Yes. I think so, too.

여 봐! Jack Smith가 나오고 있어. 그는 내가 아주 좋아하는 선수야.
남 나도 Jack Smith를 좋아해. 너는 왜 그를 좋아하니?
여 난 그가 아주 영리한 선수라고 생각해.
남 맞아. 그는 경기 때 아주 영리해.
여 그리고 그는 아주 빨라. 그렇게 생각하지 않니?
남 응. 나도 그렇게 생각해.

해설 남자도 여자의 생각과 같다고 했다.

어휘 favorite 아주 좋아하는 player 선수 smart 영리한, 똑똑한 during ~ 동안 fast 빠른

05 ⑤

M I'd like to tell you about the science camp during the summer vacation. We will fry eggs with sunlight and make cotton candy. We'll also watch the stars and science movies at night. We're going to make a science camp newsletter, too.

남 여름 방학 동안 있을 과학 캠프에 대해 말씀드리겠습니다. 우리는 햇빛으로 계란 프라이를 하고 솜사탕을 만들 겁니다. 우리는 밤에 별을 관찰하고 과학 영화도 볼 겁니다. 우리는 과학 캠프 소식지도 만들 겁니다.

해설 신문에 과학 캠프 광고를 내는 것이 아니라 소식지를 만들 것이라고 했다.

어휘 summer vacation 여름 방학 fry (기름에) 부치다, 튀기다 sunlight 햇빛 cotton candy 솜사탕 newsletter 소식지

06 ①

W What do you want to be in the future?
M I want to be an athlete. What about you?
W I'm very interested in cooking.

M Then do you want to be a cook?
W Yes. I'd like to introduce Korean food to the world.

여 너는 미래에 뭐가 되고 싶어?
남 난 운동선수가 되고 싶어. 너는?
여 난 요리에 관심이 많아.
남 그럼 넌 요리사가 되고 싶니?
여 응. 난 한국 음식을 세계에 소개하고 싶어.

해설 여자는 요리에 관심이 있고, 요리사가 되어 한국 음식을 세계에 알리고 싶다고 했다.

어휘 in the future 미래에 athlete 운동선수 be interested in ~에 관심이 있다 cook 요리사 introduce 소개하다

07 ⑤

W You look terrible. What happened?
M Do you know my puppy Coco?
W Yes. He's very cute. Is there anything wrong with him?
M He is sick. He is not eating at all.
W That's too bad. I hope he gets well soon.

여 너 정말 안 좋아 보여. 무슨 일이니?
남 너 우리 강아지 Coco 알지?
여 응. 너무 귀여워. Coco에게 무슨 안 좋은 일 있어?
남 Coco가 아파. 전혀 먹지를 않아.
여 안됐구나. Coco가 얼른 낫기를 바라.

해설 남자는 강아지가 아파서 걱정하고 있다.

어휘 terrible (기분·몸이) 안 좋은 puppy 강아지 cute 귀여운 sick 아픈 not ~ at all 전혀 ~하지 않은 angry 화가 난 proud 자랑스러운

08 ⑤

M Would you like to come to my house for a party tomorrow?
W Sure. What time?
M 5:30 p.m.
W Sorry. I can't make it at 5:30 p.m. Can I show up one hour later?
M Of course. Do you mean 6:30 p.m.?
W Yes. I have to take care of my little brother until 6 o'clock.
M Okay. See you then.

남 내일 우리 집 파티에 올래?
여 물론이지. 몇 시야?
남 오후 5시 30분.
여 미안해. 오후 5시 30분은 안 될 것 같아. 한 시간 늦게 가도 돼?
남 물론이지. 6시 30분을 말하는 거지?
여 응. 6시까지 남동생을 돌봐야 하거든.
남 좋아. 그때 보자.

해설 5시 30분에 파티를 한다는 남자의 말에 여자는 한 시간 더 늦게 가도 되는지 물었으므로, 여자가 파티에 도착할 시각은 6시 30분이다.

어휘 make it at (약속 시간을) ~로 정하다 show up 나타나다 hour 시간 later 후에, 나중에 mean 의미하다 have to ~해야 한다 take care of ~을 돌보다 until ~까지

09 ④

W Tony, we have to start our show in an hour.
M We're almost ready. What should I do next?
W Can you move these boxes?
M Sure. Where should I put them?
W Under the table. We also need one more chair here.
M Okay. I'll bring one.

여 Tony, 우리 한 시간 후에 쇼를 시작해야 해.
남 거의 준비되었어요. 제가 다음에 뭘 할까요?
여 이 상자들을 옮겨줄래?
남 네. 그것들을 어디에 둘까요?
여 탁자 아래. 여기에 의자도 하나 더 필요해.
남 알겠어요. 제가 하나 가져올게요.

해설 의자가 하나 더 필요하다는 여자의 말에 남자는 의자를 가져오겠다고 했다.

어휘 have to ~해야 한다 in ~ 후에 hour 시간 almost 거의 ready 준비된 next 그 다음에 move 옮기다 under ~ 아래에 bring 가져오다

10 ⑤

W Now, let's talk about our class field trip. Where shall we go?
M Why don't we go hiking?
W I think hiking is too hard. Can we go to the zoo?
M Well, we went there last year.
W Then how about Hanok Village?
M That's good. There are lots of cultural programs there.

여 이제 우리 반 현장 학습에 대해 이야기해 보자. 어디로 갈까?
남 하이킹하러 가는 건 어때?
여 난 하이킹은 너무 힘든 것 같아. 동물원에 갈까?
남 글쎄. 우리 작년에 거기에 갔었잖아.
여 그럼 한옥 마을은 어때?
남 좋아. 거기에는 문화 프로그램이 많이 있어.

해설 하이킹, 동물원 방문, 문화 프로그램은 현장 학습 장소를 정하기 위해 언급된 것들이다.

어휘 field trip 현장 학습 go hiking 하이킹하다 hard 힘든 village 마을 lots of 많은 cultural 문화의

11 ②

M Jimin, where's the Cinema Museum?
W It's in Sangam-dong. We should take a bus or the subway.
M How long does it take to go there by bus?
W It will take about thirty minutes.
M Then how about taking a taxi? The museum will

close in an hour.
W Okay. That'll take about ten minutes.

남 지민아, 영화 박물관이 어디에 있니?
여 상암동에 있어. 우리는 버스나 지하철을 타야 해.
남 거기에 버스로 가는 데 얼마나 걸리니?
여 30분 정도 걸릴 거야.
남 그럼 택시를 타는 건 어때? 박물관이 한 시간 후면 문을 닫을 거야.
여 좋아. 택시를 타면 10분 정도 걸릴 거야.

[해설] 박물관이 한 시간 후에 문을 닫으므로 빨리 가기 위해 두 사람은 택시를 타기로 했다.

[어휘] cinema 영화관, 극장   museum 박물관   by bus 버스로
close 문을 닫다   about 약, ~쯤   in ~ 후에   hour 시간

12   ⑤

(Telephone rings.)
W Hangang Public Library. How can I help you?
M I think I left my umbrella there.
W Oh, did you? What does it look like?
M It's a white one with blue stripes.
W Just a moment, please. (Pause) Oh, it's here.
M Thank you. I'll go there right away.

(전화벨이 울린다.)
여 한강 공립 도서관입니다. 무엇을 도와드릴까요?
남 제가 우산을 거기에 두고 온 것 같아요.
여 아, 그러셨어요? 우산이 어떻게 생겼나요?
남 파란 줄무늬가 있는 흰색 우산이에요.
여 잠깐만 기다려 주세요. (잠시 후) 아, 여기 있네요.
남 감사합니다. 제가 지금 바로 갈게요.

[해설] 남자는 도서관에 두고 온 우산을 찾기 위해 전화했다.

[어휘] public library 공립 도서관   leave(-left-left) 두고 오다
umbrella 우산   stripe 줄무늬   right away 지금 당장

13   ③

M How may I help you?
W Can you dry-clean this coat for me?
M Sure. Anything else?
W Yes. The zipper on the coat is broken.
M Okay. I'll fix that.
W Thanks. How much will it be?
M The total will be $12.

남 무엇을 도와드릴까요?
여 이 코트를 드라이클리닝 해 주시겠어요?
남 알겠습니다. 또 다른 건 없나요?
여 있어요. 코트 지퍼가 고장 났어요.
남 알겠습니다. 고쳐 드릴게요.
여 고맙습니다. 얼마죠?
남 총 12달러입니다.

[해설] 코트 드라이클리닝과 지퍼 수선을 맡길 수 있는 곳은 세탁소이다.

[어휘] dry-clean 드라이클리닝을 하다   zipper 지퍼   broken
고장 난   fix 고치다   total 총액, 합계

14   ⑤

M Are you looking for something, Lily?
W Yes. I thought I put the remote control on the table, but I don't see it.
M Did you check under the table?
W Yes, but it's not there either.
M Then maybe you dropped it somewhere else.
W Oh, here it is. It's under the sofa.

남 Lily, 너 뭔가를 찾고 있니?
여 네. 리모컨을 탁자 위에 둔 것 같은데, 안 보여요.
남 탁자 아래 확인해 봤니?
여 네, 하지만 거기에도 없어요.
남 그러면 아마 다른 어딘가에 떨어뜨렸나 보다.
여 아, 여기 있어요. 소파 아래에 있네요.

[해설] 리모컨은 소파 아래에 있다고 했다.

[어휘] look for ~을 찾다   remote control 리모컨   check
확인하다   either (부정문에서) ~도 또한   maybe 아마도
drop 떨어뜨리다   somewhere 어딘가에   else 그 밖에, 달리

15   ②

W Oh, my! Excuse me!
M Yes, ma'am. What can I do for you?
W Look at this! There's a hair in my soup.
M Oh, we're really sorry.
W I'm not pleased with this situation.
M We're really sorry. We'll bring you a new one soon.

여 아, 이런! 실례합니다!
남 네, 손님. 무엇을 도와드릴까요?
여 이것 좀 보세요! 제 수프에 머리카락이 있어요.
남 아, 정말 죄송합니다.
여 이런 상황이 기분이 안 좋네요.
남 정말 죄송합니다. 곧 새것으로 가져다드리겠습니다.

[해설] 수프에 머리카락이 있는 것에 대해 항의하는 손님을 응대하고 있으므로 남자의 직업은 식당 종업원이다.

[어휘] hair 머리카락   soup 수프   be pleased with ~에
만족하다, 기뻐하다   situation 상황   bring 가져오다

16   ④

M I get tired easily these days.
W Why don't you get some exercise?
M Actually, I was thinking about playing tennis.
W I think tennis would be too hard for you. How about badminton?
M Badminton?
W Yes, it's easy. Join a badminton club and start right away.
M Hmm, okay.

남 난 요즘 쉽게 피곤해.

여 운동을 좀 하는 게 어때?

남 실은 테니스를 할까 생각 중이었어.

여 테니스는 너한테 힘든 운동인 것 같아. 배드민턴은 어때?

남 배드민턴?

여 응, 그것은 쉬워. 배드민턴 동아리에 가입하고 당장 시작해 봐.

남 음, 알았어.

[해설] 여자는 남자에게 배드민턴 동아리에 가입하고 배드민턴을 시작해 보라고 제안했다.

[어휘] get tired 피곤하다 easily 쉽게 these days 요즘
get exercise 운동하다 actually 실은 think about ~에
대해 생각하다 hard 힘든 right away 지금 당장

17 ⑤

W Allan, how was your summer vacation?

M It was great. I took a trip to Beijing with my family.

W Oh, what did you do there?

M I visited many historical places. The Great Wall was the most impressive to me.

W Sounds great! What else did you do?

M We tried many Chinese dishes.

여 Allan, 여름 방학 어땠니?

남 아주 좋았어. 나는 가족과 함께 베이징으로 여행 갔었어.

여 오, 거기서 뭘 했어?

남 역사적인 장소들을 많이 방문했어. 만리장성이 나한테 가장 인상적이었어.

여 좋았겠다! 또 뭘 했어?

남 우리는 중국요리를 많이 먹어 봤어.

[해설] 남자는 중국에서 역사적인 장소들을 많이 방문했고, 중국요리를 많이 먹었다고 했다.

[어휘] take a trip to ~로 여행을 가다 visit 방문하다
historical 역사적인 place 장소 the Great Wall 만리장성
impressive 인상적인 try 먹어 보다 dish 요리

18 ③

M Mom, you look so busy right now.

W Yes. We're having some guests for dinner tonight.

M I see. Is there anything I can do?

W Yes. Can you clean the living room?

M Sure. Anything else?

W That'll be all. Thanks, Dan.

남 엄마, 지금 아주 바빠 보이시네요.

여 맞아. 오늘 저녁 식사에 손님이 몇 분 오실 거란다.

남 그렇군요. 제가 할 수 있는 일이 있나요?

여 응. 거실 좀 청소해 주겠니?

남 물론이죠. 다른 건요?

여 그게 다야. 고맙구나, Dan.

[해설] 요리를 하느라 바쁜 여자는 남자에게 거실 청소를 부탁했다.

[어휘] busy 바쁜 guest 손님 tonight 오늘 밤 living room
거실 else 또 다른, 그 밖의

19 ③

M Happy birthday, Somin. This is for you.

W Wow, thank you. What is it?

M It's a baseball cap. Open it.

W I wanted a new cap. Thank you.

M My pleasure. Do you like it?

W Of course. I want to see myself with this cap on.

M Here is a mirror.

남 생일 축하해, 소민아. 이거 너에게 주는 거야.

여 우와, 고마워. 그게 뭐니?

남 야구 모자야. 열어 봐.

여 난 새 모자를 원했어. 고마워.

남 천만에. 마음에 드니?

여 물론이야. 이 모자를 쓴 내 모습을 보고 싶어.

남 여기 거울 있어.

[해설] 여자가 야구 모자를 쓴 모습을 보고 싶다고 했으므로 거울을 건네주며 하는 말이 이어지는 것이 가장 자연스럽다.

① 그건 네 것이 아니야.

② 천만에.

④ 그 말을 들으니 유감이야.

⑤ 난 그것에 대해 너에게 동의해.

[어휘] pleasure 기쁨, 즐거움 myself 나 자신 mirror 거울
agree with ~에게 동의하다

20 ②

M Hi, Mia. Are you free tomorrow evening?

W Yes. Why?

M There will be a pop concert at the park at 7:00 p.m. Would you like to go?

W Sure. I'd love to.

M Okay. What time shall we meet?

W Can we meet at 6:30?

M Okay. That sounds great.

남 안녕, Mia. 내일 저녁에 시간 있니?

여 응. 왜?

남 저녁 7시에 공원에서 팝 콘서트가 있어. 너도 갈래?

여 좋아. 가고 싶어.

남 알았어. 우리 몇 시에 만날까?

여 6시 30분에 만날까?

남 그래. 좋아.

[해설] 여자가 약속 시간을 제안했으므로 이에 대한 동의나 거절의 응답이 와야 한다.

① 네 말이 맞아.

③ 우리는 공원에서 만날 거야.

④ 난 오후 3시에 그를 만날 거야.

⑤ 난 보통 방과 후에 공원에 가.

[어휘] free 다른 계획이 없는, 한가한 concert 콘서트 park
공원 meet 만나다 usually 보통, 대개 after school 방과
후에

01 ①	02 ②	03 ⑤	04 ②	05 ④
06 ②	07 ③	08 ③	09 ②	10 ⑤
11 ③	12 ④	13 ②	14 ③	15 ⑤
16 ③	17 ②	18 ⑤	19 ②	20 ①

01 ①

M I have the power to make things move. I can make a clock run and make a remote control work. But if you continue to use me, I lose my power little by little. You can buy me at a convenience store. What am I?

남 나는 물건을 움직이게 할 수 있는 힘을 가지고 있습니다. 나는 시계를 가게 하고, 리모컨을 작동하게 할 수 있습니다. 하지만 당신이 나를 계속해서 사용한다면, 나는 조금씩 힘을 잃습니다. 당신은 나를 편의점에서 살 수 있습니다. 나는 무엇일까요?

해설 시계를 가게 하거나 리모컨을 작동하게 하는 것은 건전지이다.

어휘 power 힘   move 움직이다   clock 시계   run 작동시키다   remote control 리모콘   work 작동시키다   continue 계속하다   lose 잃어버리다   little by little 조금씩   convenience store 편의점

02 ②

W Excuse me. I'm looking for a dress for my daughter.
M Okay. How about this striped one?
W Well, she doesn't like stripes.
M I see. Then how about this dress with dots on it?
W Oh, that's good. I think she will like that. I'll take it.

여 실례합니다. 딸아이 원피스를 찾고 있어요.
남 네. 이 줄무늬 원피스는 어떠세요?
여 음, 딸이 줄무늬를 좋아하지 않아요.
남 알겠습니다. 그럼 이 물방울무늬 원피스는 어떠세요?
여 아, 그거 좋네요. 딸이 좋아할 것 같아요. 그걸 살게요.

해설 여자는 딸이 줄무늬를 싫어한다고 말하며 물방울무늬 원피스를 사겠다고 했다.

어휘 look for ~을 찾다   dress 원피스   daughter 딸   striped 줄무늬의   stripe 줄무늬   dot 점

03 ⑤

M Good evening. Here's the weather report for tomorrow. It's raining now, but it will stop tonight. Tomorrow morning, it will be clear. You can enjoy the sunlight in the morning. But in the afternoon, it will be partly cloudy. Thank you.

남 안녕하세요. 내일의 일기 예보입니다. 지금은 비가 내리고 있지만, 오늘 밤에는 그치겠습니다. 내일 아침은 맑겠습니다. 오전

에는 햇빛을 즐기실 수 있습니다. 하지만 오후에는 부분적으로 구름이 끼겠습니다. 감사합니다.

해설 내일 오후에는 부분적으로 구름이 낀다고 했다.

어휘 weather report 일기 예보   clear 맑은   sunlight 햇빛   partly 부분적으로   cloudy 구름이 낀, 흐린

04 ②

M Olivia, I'm going skiing tomorrow.
W Really? That sounds fun.
M My family and I had a good time skiing last winter, too.
W Take lots of pictures. I'd love to see them when you get back.
M Of course. I think I'll be too excited to sleep tonight.
W Don't stay up all night!

남 Olivia, 나 내일 스키 타러 갈 거야.
여 정말? 재미있겠다.
남 우리 가족과 나는 작년 겨울에도 스키를 타면서 즐거운 시간을 보냈어.
여 사진 많이 찍어. 네가 돌아오면 사진들을 보고 싶어.
남 물론이지. 나 너무 신나서 오늘 밤에 잠을 못 잘 것 같아.
여 밤은 새지 마!

해설 남자는 내일 스키 타러 가서 신난다고 했다.

어휘 go skiing 스키 타러 가다   have a good time 즐거운 시간을 보내다   take pictures 사진을 찍다   get back 돌아오다   stay up all night 밤새도록 자지 않고 있다

05 ④

M I'd like to tell you about my summer vacation plans. I will go swimming every day. I'm also planning to write a diary in English. Next, I'm going to read at least five books during the vacation. Lastly, I'm the most excited about traveling to Busan with my family.

남 저의 여름 방학 계획에 대해 여러분께 이야기하겠습니다. 저는 매일 수영을 하러 갈 것입니다. 영어로 일기도 쓸 계획입니다. 다음으로, 방학 동안 적어도 책을 다섯 권 읽을 것입니다. 마지막으로, 가족과 함께 부산으로 여행을 가는 것이 가장 신납니다.

해설 남자는 여름 방학 계획으로 사촌을 방문하는 것은 언급하지 않았다.

어휘 summer vacation 여름 방학   plan 계획   every day 매일   be planning to ~할 계획이다   write a diary 일기를 쓰다   at least 적어도, 최소한   during ~ 동안   be excited about ~에 대해 신나다, 들뜨다   travel 여행하다

06 ②

M Yujin, would you like to go shopping with me?
W I'm free in the afternoon. What time should we meet?

M　How about 3 p.m.?

W　At 3? That's too late. I have a lot of homework to do in the evening.

M　Then shall we meet at 2 o'clock?

W　Okay.

남　유진아, 나랑 쇼핑하러 갈래?

여　난 오후에 시간 돼. 몇 시에 만날까?

남　3시 어때?

여　3시? 너무 늦어. 저녁에 해야 할 숙제가 많아.

남　그럼 2시에 만날까?

여　좋아.

해설　여자는 3시에 만나자는 남자의 제안을 거절하고, 2시에 만나자는 제안을 수락했다.

어휘　go shopping 쇼핑하러 가다　free 다른 계획이 없는, 한가한　late 늦은　a lot of 많은　homework 숙제

07　③

W　Did you hear about the career camp?

M　Yes. I'm going to take the cooking class. I want to be a chef. What about you?

W　I'm interested in the robot class.

M　Do you want to be a robot scientist?

W　No. I want to be a reporter.

M　Then how about taking the speech class? It will help.

여　너 진로 캠프에 대해 들었니?

남　응. 난 요리 수업을 들을 거야. 난 요리사가 되고 싶거든. 너는?

여　난 로봇 수업에 관심이 있어.

남　넌 로봇 과학자가 되고 싶니?

여　아니. 난 기자가 되고 싶어.

남　그럼 말하기 수업을 듣는 게 어때? 그게 도움이 될 거야.

해설　여자는 기자가 되고 싶다고 했다.

어휘　career 진로, 경력　chef 요리사, 주방장　be interested in ~에 관심이 있다　scientist 과학자　reporter 기자　take a class 수업을 듣다　speech 연설

08　③

W　Michael, are you entering the school dance contest next month?

M　Yes. I'm practicing really hard for it.

W　That's cool. How's it going?

M　Not bad. I still need to change some moves in my dance.

W　I see.

M　I'm worried because time is running out.

W　Don't worry. I'm sure you'll do well.

여　Michael, 다음 달에 교내 춤 경연 대회에 나갈 거니?

남　응. 대회에 나가려고 정말 열심히 연습하고 있어.

여　멋지다. 잘 돼 가고 있어?

남　나쁘진 않아. 내 춤에서 몇 가지 동작을 바꿀 필요는 있지만 말이야.

여　그렇구나.

남　시간이 얼마 없어서 걱정이야.

여　걱정하지 마. 난 네가 잘할 거라고 확신해.

해설　여자는 남자에게 걱정하지 말라고 하면서 잘할 거라고 격려하고 있다.

어휘　enter (대회 등에) 출전하다, 참가하다　contest 경연 대회　month 달　practice 연습하다　move 동작　sure 확신하는

09　②

W　Honey, come here. All these clothes are very cheap.

M　I'm so hungry. Let's stop shopping and have lunch.

W　Oh, wait a minute. Look at this T-shirt. I think it will look good on you.

M　Yes. It looks very nice.

W　I'll buy it for you.

M　Thank you. I like it. Can we get some lunch now?

W　Yes. Let's go.

여　여보, 여기로 와 봐요. 옷이 모두 아주 저렴해요.

남　나 너무 배가 고파요. 쇼핑 그만하고 점심 먹읍시다.

여　아, 잠깐만요. 이 티셔츠 좀 봐요. 당신한테 잘 어울릴 것 같아요.

남　그래요. 아주 좋아 보이네요.

여　내가 당신에게 사 줄게요.

남　고마워요. 마음에 들어요. 이제 점심 먹으러 갈까요?

여　네. 가요.

해설　쇼핑을 하던 두 사람은 이제 점심을 먹으러 가기로 했다.

어휘　clothes 옷　cheap 저렴한　hungry 배고픈　stop ~ing ~하기를 그만두다　have lunch 점심 식사를 하다　look good on ~에게 잘 어울리다

10　⑤

W　Jinho, what are you doing?

M　I'm packing my toys.

W　Why are you packing them?

M　I don't play with these toys any more, so I'll give them to children at the community center.

W　Good idea! The children will like them.

M　Do you really think so?

W　Of course.

여　진호야, 너 뭐 하고 있니?

남　장난감들을 싸고 있어요.

여　왜 그것들을 싸고 있는 거야?

남　저는 더 이상 이 장난감들을 가지고 놀지 않아요. 그래서 복지관에 있는 아이들에게 이것들을 줄 거예요.

여　좋은 생각이구나! 아이들이 장난감들을 좋아할 거야.

남　정말 그렇게 생각하세요?

여　물론이지.

해설　남자가 복지관 아이들을 위해 장난감을 기증하려고 한다는 내용이다.

어휘　pack (짐을) 싸다　toy 장난감　not ~ any more 더 이상

~하지 않는　children 아이들(child의 복수형)　community center 복지관, 주민 센터

11　③

W　I just <u>need to buy</u> some meat for curry and rice now.
M　Wow, curry and rice sounds good. Do we have potatoes, carrots, and <u>onions</u> <u>at</u> <u>home</u>?
W　Yes, <u>they</u> <u>are</u> <u>in</u> <u>the</u> <u>fridge</u>. All we need is some meat.
M　Oh, the meat corner is over there. I'll push the shopping cart.
W　Thank you.

여　이제 카레라이스에 넣을 고기만 좀 사면 돼.
남　우와, 카레라이스 좋아. 감자, 당근, 그리고 양파는 집에 있어?
여　응, 그것들은 냉장고에 있어. 고기만 좀 필요해.
남　아, 저쪽에 정육 코너가 있어. 내가 쇼핑 카트를 밀게.
여　고마워.

해설　정육 코너와 쇼핑 카트가 있는 곳은 슈퍼마켓이다.

어휘　meat 고기　curry and rice 카레라이스　potato 감자　carrot 당근　onion 양파　fridge 냉장고　push 밀다　shopping cart 쇼핑 카트

12　④

(Cellphone rings.)
W　Andy, this is Emma.
M　Hi, Emma. What's up?
W　<u>My</u> <u>computer</u> <u>suddenly</u> <u>died</u>.
M　Do you want me to go to your house and take a look?
W　No. Can I <u>use</u> <u>your</u> <u>computer</u> at your house instead?
M　Sure. You can <u>come</u> <u>over</u> <u>to</u> <u>my</u> <u>house</u> now.

(휴대 전화가 울린다.)
여　Andy, 나 Emma야.
남　안녕, Emma. 무슨 일이야?
여　내 컴퓨터가 갑자기 멈췄어.
남　내가 너희 집으로 가서 봐 주기를 원하는 거니?
여　아니. 대신 너희 집에 있는 네 컴퓨터를 좀 써도 될까?
남　물론이지. 지금 우리 집에 와도 돼.

해설　여자는 자신의 컴퓨터가 갑자기 멈춰서 남자의 집에 있는 컴퓨터를 사용해도 되는지 물어보기 위해 전화했다.

어휘　suddenly 갑자기　die (기계가) 서다, 멎다　take a look 보다　instead 대신　come over 들르다

13　②

① W　I think classical music is boring.
　　M　I <u>don't</u> <u>agree</u> <u>with</u> <u>you</u>.
② W　What does your brother look like?
　　M　He really likes to read webtoons.
③ W　<u>How</u> <u>do</u> <u>you</u> <u>like</u> this hairstyle?
　　M　I like it. It's very popular <u>with</u> <u>young</u> <u>adults</u>.
④ W　May I have some more cake?
　　M　Sure. <u>Help</u> <u>yourself</u>.
⑤ W　What would you like to order?
　　M　I'd like some pasta and <u>a</u> <u>glass</u> <u>of</u> <u>orange</u> <u>juice</u>.

① 여　난 클래식 음악이 지루하다고 생각해.
　　남　난 동의하지 않아.
② 여　너의 형은 어떻게 생겼니?
　　남　그는 웹툰 읽는 것을 정말로 좋아해.
③ 여　이 헤어스타일 어때?
　　남　마음에 들어. 그것은 젊은이들에게 매우 인기가 있어.
④ 여　케이크를 좀 더 먹어도 될까요?
　　남　물론이죠. 마음껏 드세요.
⑤ 여　무엇을 주문하시겠어요?
　　남　저는 파스타와 오렌지 주스 한 잔을 먹겠어요.

해설　② 인물의 외모를 묻는 말에 좋아하는 것을 답하는 것은 어색하다.

어휘　classical music 클래식 음악　boring 지루한　agree with ~에게 동의하다　webtoon 웹툰　be popular with ~에게 인기가 있다　adult 성인, 어른　Help yourself. 마음껏 드세요.　order 주문하다　a glass of ~ 한 잔

14　③

M　Excuse me. I'm looking for ABC Bookstore.
W　<u>It's</u> <u>located</u> <u>on</u> Apple Street.
M　How do I get there?
W　Go straight one block. Then, <u>turn</u> <u>right</u> <u>at</u> <u>the</u> <u>corner</u>.
M　Turn right?
W　Yes. It will be between the library and the flower shop. <u>You</u> <u>can't</u> <u>miss</u> <u>it</u>.
M　Thank you.

남　실례합니다. ABC Bookstore를 찾고 있는데요.
여　그것은 Apple Street에 있어요.
남　거기에 어떻게 가나요?
여　한 블록 직진하세요. 그러고 나서 모퉁이에서 오른쪽으로 도세요.
남　오른쪽으로 돌아요?
여　네. 그것은 도서관과 꽃 가게 사이에 있을 거예요. 틀림없이 찾으실 겁니다.
남　고맙습니다.

해설　ABC Bookstore는 한 블록 직진하다가 모퉁이에서 오른쪽으로 돌면 도서관과 꽃 가게 사이에 있다고 했다.

어휘　look for ~을 찾다　bookstore 서점　be located 위치해 있다　go straight 직진하다　turn right 오른쪽으로 돌다　corner 모퉁이　between A and B A와 B 사이에　library 도서관　flower shop 꽃 가게　miss 놓치다

15　⑤

M　My class will <u>have</u> <u>a</u> <u>drink</u> <u>stand</u> at the school festival.

W That sounds fun.

M We're planning to sell lemonade, orange juice, and strawberry juice.

W Good. Why don't you sell hotdogs with the drinks, too?

M That's a great idea.

남 우리 반이 학교 축제에서 음료 판매대를 열 거야.

여 재미있겠다.

남 우리는 레모네이드, 오렌지 주스, 그리고 딸기 주스를 팔 계획이야.

여 좋네. 음료와 함께 핫도그도 파는 게 어때?

남 그거 좋은 생각이다.

해설 학교 축제에서 음료 판매대를 운영할 남자에게 여자는 핫도그도 함께 팔 것을 제안했다.

어휘 drink stand 음료 판매대   festival 축제   be planning to ~할 계획이다   sell 팔다   lemonade 레모네이드
strawberry 딸기   hotdog 핫도그

16 ③

W Why the long face? What's wrong?

M I lost my phone.

W Where did you use it last?

M On the bus. I think I left it on the bus this morning.

W Why don't you call lost and found?

M Okay. Can I use your phone to call?

W Sure. Here you are.

여 왜 그렇게 우울한 얼굴이니? 무슨 일이야?

남 내 휴대 전화를 잃어버렸어.

여 어디서 그것을 마지막으로 사용했는데?

남 버스에서. 오늘 아침에 버스에 두고 내린 것 같아.

여 분실물 보관소에 전화해 보는 게 어때?

남 알았어. 전화 거는 데 네 휴대 전화를 써도 될까?

여 물론이지. 여기 있어.

해설 남자는 분실물 보관소에 전화하기 위해 여자의 휴대 전화를 빌려달라고 했다.

어휘 long face 우울한 얼굴   lose(-lost-lost) 잃어버리다
use 사용하다   last 마지막으로   leave(-left-left) 두고 오다
lost and found 분실물 보관소   call 전화하다

17 ②

M Mom, what are you doing?

W I'm doing online shopping.

M Oh, I need a pair of gloves and socks.

W Really? Then come and choose them yourself.

M Okay. (*Pause*) I like these gloves. I'll buy socks later.

W Oh, this muffler looks nice. Do you like it?

M No, I don't like it.

남 엄마, 뭐 하세요?

여 온라인 쇼핑하고 있어.

남 아, 저 장갑 한 켤레와 양말 한 켤레가 필요해요.

여 정말? 그럼 와서 직접 골라 보렴.

남 네. (*잠시 후*) 저는 이 장갑이 마음에 들어요. 양말은 나중에 살게요.

여 아, 이 머플러도 좋아 보인다. 마음에 드니?

남 아니요, 그건 마음에 안 들어요.

해설 처음에 남자는 장갑과 양말이 필요하다고 했지만, 장갑만 사고 양말은 나중에 사겠다고 했으므로 여자는 남자의 장갑만 구입할 것이다.

어휘 do online shopping 온라인 쇼핑을 하다   a pair of
~ 한 켤레   gloves 장갑   socks 양말   choose 고르다,
선택하다   later 나중에   muffler 머플러, 목도리

18 ⑤

W What's the purpose of your visit?

M Traveling.

W How long will you stay here?

M For two weeks.

W Where are you staying? Do you have the address of the hotel?

M Yes. Here you are.

W Thank you. Enjoy your trip.

여 방문 목적이 무엇인가요?

남 여행입니다.

여 여기에 얼마 동안 머무르실 건가요?

남 2주요.

여 어디서 머무르실 건가요? 호텔 주소를 가지고 계신가요?

남 네. 여기 있습니다.

여 고맙습니다. 즐거운 여행하세요.

해설 방문 목적과 체류 기간, 묵을 곳을 묻는 것으로 보아 여자는 출입국 관리소에서 일하는 직원임을 알 수 있다.

어휘 purpose 목적   visit 방문   travel 여행하다   stay
머무르다   for ~ 동안   address 주소   trip 여행

19 ②

M Tina, do you have any plans for this weekend?

W Nothing special. Why?

M I have two tickets to a popular musical this Saturday.

W Wow! I love musicals.

M Great. Do you want to go to the musical with me?

W Sure. Sounds good.

남 Tina, 이번 주말에 무슨 계획 있니?

여 특별한 건 없어. 왜?

남 나한테 이번 토요일에 인기 있는 뮤지컬 입장권이 두 장 있어.

여 우와! 나 뮤지컬 정말 좋아해.

남 잘됐다. 나랑 뮤지컬 보러 갈래?

여 물론이지. 좋아.

해설 남자가 자기와 함께 뮤지컬을 보러 가고 싶은지 물었으므로 이에 대한 긍정 또는 부정의 응답이 와야 한다.

① 넌 정말 운이 좋구나.

③ 난 네가 틀렸다고 생각해.

④ 우리 늦었어. 서두르자.
⑤ 응. 나는 공포 영화를 아주 좋아해.

어휘 plan 계획 special 특별한 ticket 표, 입장권 popular
인기 있는 musical 뮤지컬 horror movie 공포 영화

20 ①

M Can I help you?
W Sure. I'm looking for white sneakers.
M How about these? They're our most popular sneakers.
W Can I try these on?
M Of course. What size do you wear?
W I wear a size 7.

남 도와드릴까요?
여 네. 하얀색 운동화를 찾고 있어요.
남 이거 어떠세요? 저희 가게에서 가장 인기 있는 겁니다.
여 이거 신어 봐도 되나요?
남 물론이죠. 사이즈가 어떻게 되시죠?
여 전 사이즈 7을 신어요.

해설 남자가 여자의 신발 사이즈를 물었으므로 사이즈를 답해야 한다.
② 좋아요. 그걸로 할게요.
③ 그건 너무 작아요.
④ 전 운동화를 좋아하지 않아요.
⑤ 그건 너무 비싸요.

어휘 look for ~을 찾다 sneakers 운동화 popular 인기 있는 try on 입어 보다, 신어 보다

Review Test

pp.132~133

Word Check 11회

01 문지르다	02 역사적인
03 떨어뜨리다	04 마을
05 어딘가에	06 소식지
07 운동선수	08 솜사탕
09 요즘	10 현장 학습
11 지금 당장	12 공립 도서관
13 remote control	14 broken
15 guest	16 later
17 pleased	18 situation
19 bubble	20 impressive
21 cultural	22 during
23 smell	24 pleasure

Expression Check

25 show up	26 not, at all
27 in an hour	28 took a trip
29 on both sides	30 take care of

Word Check 12회

01 편의점	02 줄무늬의
03 부분적으로	04 스키 타러 가다
05 적어도, 최소한	06 여행하다
07 냉장고	08 진로, 경력
09 기자	10 성인, 어른
11 복지관, 주민 센터	12 우울한 얼굴
13 sneakers	14 pack
15 contest	16 lost and found
17 speech	18 suddenly
19 classical music	20 practice
21 instead	22 drink stand
23 address	24 purpose

Expression Check

25 look good on	26 is located
27 don't, any more	28 popular with
29 come over	30 take a look

01 ④	02 ④	03 ②	04 ①	05 ③
06 ⑤	07 ④	08 ②	09 ⑤	10 ①
11 ⑤	12 ⑤	13 ⑤	14 ①	15 ②
16 ④	17 ⑤	18 ④	19 ⑤	20 ⑤

01 ④

W This is the weather report for this weekend. On Saturday, we will see a lot of clouds in the sky. From late night on Saturday, it will be rainy. The rain will continue until the next morning. On Sunday afternoon, we can enjoy a cool and clear day.

여 이번 주말 일기 예보입니다. 토요일에는 하늘에 구름을 많이 볼 수 있겠습니다. 토요일 늦은 밤부터는 비가 내리겠습니다. 비는 다음날 오전까지 계속되겠습니다. 일요일 오후에는 시원하고 맑은 날을 즐길 수 있습니다.

해설 토요일 늦은 밤에 시작된 비가 다음날 오전까지 계속된다고 했으므로 일요일 오전에는 비가 내릴 것이다.

어휘 weather report 일기 예보   a lot of 많은   cloud 구름   rainy 비가 내리는   continue 계속되다   until ~까지

02 ④

M What a nice beach!
W Yes, Dad. Can I swim here?
M No. You must not swim here.
W Why not?
M Look at the sign over there. The waves are too high here.
W I see. Let's take some pictures instead.

남 정말 멋진 해변이구나!
여 네, 아빠. 여기서 수영해도 되나요?
남 아니. 여기서 수영하면 안 돼.
여 왜요?
남 저쪽에 있는 표지판을 봐. 여기는 파도가 너무 높아.
여 알겠어요. 대신 사진을 좀 찍어요.

해설 남자는 해변에서 수영 금지 표지판을 보면서 말하고 있다.

어휘 beach 해변, 바닷가   swim 수영하다   must not ~하면 안 된다   sign 표지판   wave 파도   high 높은   take a picture 사진을 찍다   instead 대신

03 ②

M This has a lot of words. When we find a difficult word, we use this. This shows us the meanings of words and sample sentences. These days, people often use a smartphone instead of this because this is thick and heavy. What is this?

남 이것은 단어를 많이 가지고 있습니다. 우리는 어려운 단어를 찾을 때, 이것을 사용합니다. 이것은 우리에게 단어의 의미와 예문들을 보여 줍니다. 요즘 사람들은 이것이 두껍고 무겁기 때문에 이것 대신에 스마트폰을 자주 사용합니다. 이것은 무엇일까요?

해설 단어의 의미와 예문을 보여 주며, 두껍고 무거워서 요즘에는 스마트폰으로 대체되고 있는 것은 사전이다.

어휘 a lot of 많은   word 단어   difficult 어려운   show 보여 주다   meaning 의미   sample 견본의   sentence 문장   these days 요즘   people 사람들   often 자주, 종종   instead of ~ 대신에   thick 두꺼운   heavy 무거운

04 ①

(Doorbell rings.)
W Who is it?
M Hello. It's Tom from upstairs.
W Hello, Tom. What's up?
M Your dog barked so much last night that I couldn't sleep.
W I'm sorry. I'll be more careful.
M You said the same thing last week. But nothing has changed at all. I still can't sleep because of that noise.

(초인종이 울린다.)
여 누구세요?
남 안녕하세요. 저는 위층에 사는 Tom입니다.
여 안녕하세요, Tom. 무슨 일이신가요?
남 당신의 개가 어젯밤에 너무 많이 짖어서 잠을 잘 수 없었어요.
여 죄송합니다. 더 주의하겠습니다.
남 지난주에도 똑같은 말씀을 하셨어요. 그런데 전혀 바뀐 게 없고요. 저는 그 소음 때문에 여전히 잠을 잘 수가 없어요.

해설 위층 집 개가 너무 짖어서 잠을 잘 수가 없다는 불평의 말이다.

어휘 upstairs 위층   bark 짖다   sleep 잠자다   careful 조심하는   nothing 아무것도   still 여전히, 아직도   because of ~ 때문에   noise 소음

05 ③

M Let me tell you about my cooking club. There are 20 members in my club. We get together every Wednesday afternoon. We study recipes and cook together. At the school festival, we are planning to run a snack bar.

남 우리 요리 동아리에 대해 말씀드리겠습니다. 우리 동아리는 회원이 20명 있습니다. 우리는 매주 수요일 오후에 모입니다. 우리는 조리법을 연구하고 함께 요리를 합니다. 학교 축제에서 우리는 스낵바를 열 계획입니다.

해설 남자는 동아리의 정기 모임 장소는 언급하지 않았다.

어휘 cooking 요리   member 회원   get together 모이다   study 연구하다   recipe 조리법   festival 축제   be planning to ~할 계획이다   run 운영하다   snack bar 스낵바, 간이식당

06 ⑤

W Thanks for giving me a ride to the train station.
M No problem. Please call me as soon as you get to Busan.
W Okay, I will.
M What time will your train get there?
W It will take about two hours to get there.
M It's 4:30 now, so you will get there around 6:30.

여 기차역까지 태워다 주셔서 고마워요.
남 천만에요. 부산에 도착하자마자 저에게 전화하세요.
여 네, 그럴게요.
남 당신이 탄 기차가 거기에 몇 시에 도착할까요?
여 거기에 도착하는 데 두 시간 정도 걸릴 거예요.
남 지금 4시 30분이니까 6시 30분쯤 도착하겠네요.

해설 현재 시각은 4시 30분이고 부산에 도착하는 데 약 두 시간이 걸린다고 했으므로, 여자가 부산에 도착할 예상 시각은 6시 30분이다.

어휘 give ~ a ride ~을 태워 주다   train station 기차역   as soon as ~하자마자   get to ~에 도착하다   around 약, ~쯤

07 ④

W Alex, what are you doing?
M I'm reading a baseball magazine.
W Oh, are you interested in baseball?
M Yes, I am. I play it almost every weekend.
W Do you want to be a baseball player?
M Not really. I'm not good at it. I want to be a sports reporter.

여 Alex, 너 뭐 하고 있어?
남 야구 잡지를 읽고 있어.
여 아, 너 야구에 관심이 있어?
남 응. 나는 거의 주말마다 야구를 해.
여 넌 야구 선수가 되고 싶어?
남 그렇지는 않아. 난 야구를 잘 못해. 난 스포츠 기자가 되고 싶어.

해설 남자는 스포츠 기자가 되고 싶다고 했다.

어휘 magazine 잡지   be interested in ~에 관심이 있다   almost 거의   every weekend 주말마다   baseball player 야구 선수   be good at ~을 잘하다   reporter 기자

08 ②

W Seho, what's the matter?
M I'm sad. I didn't do well in the English speaking contest.
W What happened?
M I forgot my lines in the middle of it.
W I'm sorry to hear that.
M You know, I practiced a lot. I wanted to do well, but I didn't.

여 세호야, 무슨 일이니?
남 나 슬퍼. 영어 말하기 대회에서 잘하지 못했어.

여 무슨 일이 있었어?
남 도중에 대사를 잊어버렸어.
여 안됐구나.
남 너도 알다시피, 내가 연습을 많이 했잖아. 잘하고 싶었는데, 그러지 못했어.

해설 남자는 영어 말하기 대회를 위해 열심히 연습했지만 대사를 잊어버려 잘하지 못해서 속상한 심정이다.

어휘 contest 경연 대회   forget(-forgot-forgotten) 잊어버리다   line 대사   in the middle of ~의 중간에   practice 연습하다   a lot 많이

09 ⑤

M Let's go shopping around 4 this afternoon.
W Sorry, but I can't. I have a guitar class right after school.
M Then how about going after the guitar class?
W I'm really sorry, but I still can't.
M Why not?
W I haven't finished my history project. I have to hand it in tomorrow morning.

남 오늘 오후 4시쯤에 쇼핑하러 가자.
여 미안하지만, 안 돼. 학교 끝나자마자 기타 수업이 있어.
남 그럼 기타 수업 후에 가는 건 어때?
여 정말 미안하지만, 그래도 안 돼.
남 왜?
여 난 역사 과제를 끝내지 못했어. 내일 아침에 그것을 제출해야 해.

해설 여자는 역사 과제를 끝내지 못해서 쇼핑하러 갈 수 없다고 했으므로, 기타 수업 후에 역사 과제를 마무리할 것이다.

어휘 around 약, ~쯤   right 바로   after school 방과 후   still 여전히   history 역사   project 과제, 프로젝트   have to ~해야 한다   hand in 제출하다

10 ①

M Did you like the video about robots?
W Yes. I think robots will do many things for people in the future.
M I think so, too. Which robot did you like the most?
W I liked the cooking robot. How about you?
M I liked the cleaning robot. It can clean my room instead of me.
W That would be nice. Home robots will be very helpful.

남 너 로봇에 관한 그 동영상 좋았니?
여 응. 미래에는 로봇이 사람들을 위해 많은 일을 할 거라고 생각해.
남 나도 그렇게 생각해. 넌 어떤 로봇이 가장 마음에 들었니?
여 난 요리 로봇이 좋았어. 너는?
남 난 청소 로봇이 좋았어. 로봇이 나 대신 방 청소를 해 줄 수 있잖아.
여 그거 좋겠다. 가정용 로봇들은 매우 유용할 거야.

해설 두 사람은 동영상으로 본 가정용 로봇에 관해 이야기하고 있다.

어휘 video 동영상 robot 로봇 people 사람들 in the future 미래에 instead of ~ 대신에 home 가정의 helpful 유용한, 도움이 되는

11 ⑤

M A new Mexican restaurant opened last Friday.
W Great. I love tacos.
M My mom says the tacos there are great.
W Really? Let's go there this Thursday.
M Can we go on Saturday? I have a piano lesson on Thursday.
W All right. Saturday afternoon is fine with me. I can't wait.

남 새 멕시코 식당이 지난 금요일에 문을 열었어.
여 좋다. 난 타코를 아주 좋아해.
남 우리 엄마가 그러시는데 거기 타코가 훌륭하대.
여 정말? 이번 주 목요일에 거기 가자.
남 토요일에 가도 될까? 나 목요일에 피아노 수업이 있어.
여 좋아. 나는 토요일 오후 괜찮아. 너무 기대돼.

해설 여자는 목요일에 가자고 제안했으나 남자가 목요일에 피아노 수업이 있어서 두 사람은 토요일에 가기로 했다.

어휘 Mexican 멕시코의 open 개점하다 taco 타코 lesson 수업 can't wait 너무 기대되다

12 ⑤

M Can you help me, Sarah?
W Sure. What is it?
M I want to speak English well like you. What should I do?
W You can use pop songs because you like singing them so much.
M What do you mean?
W Study the expressions in pop songs every day.

남 Sarah, 나 좀 도와줄 수 있니?
여 물론이지. 뭔데?
남 나도 너처럼 영어를 잘 말하고 싶어. 어떻게 해야 할까?
여 넌 팝송 부르는 것을 아주 좋아하니까 그것들을 활용할 수 있어.
남 무슨 뜻이야?
여 팝송에 나오는 표현들을 매일 공부해 봐.

해설 여자는 남자에게 팝송에 나오는 표현을 공부하라고 제안했다.

어휘 like ~처럼 use 활용하다 pop song 팝송 mean 의미하다 expression 표현

13 ⑤

M Becky, long time, no see.
W Hi, Mr. Brown. How are you?
M Great, thanks. Did you find any interesting books?
W Yes. I'd like to check out these books. How long can I keep them?

M For two weeks. Have a nice day.
남 Becky, 오랜만이구나.
여 안녕하세요, Brown 선생님. 어떻게 지내세요?
남 아주 잘 지내, 고맙다. 재미있는 책들을 찾았니?
여 네. 저는 이 책들을 대출하고 싶어요. 얼마 동안 대출할 수 있나요?
남 2주 동안이란다. 좋은 하루 보내렴.

해설 도서를 대출하며 대출 기간에 대해 대화하고 있으므로 두 사람은 도서관 사서와 도서 대출자의 관계이다.

어휘 find 찾다, 발견하다 interesting 재미있는, 흥미로운 check out (도서관 등에서) 대출하다 keep 가지고 있다

14 ①

M Excuse me. Is there a bank around here?
W Yes. There's one on Main Street.
M How can I get there?
W Let me see. Go straight one block and turn left.
M Go straight one block and turn left?
W Yes. Then, walk straight a little farther. It'll be on your right next to the hospital.
M Oh, I see. Thank you very much.

남 실례합니다. 이 근처에 은행이 있나요?
여 네. Main Street에 하나 있어요.
남 거기에 어떻게 가나요?
여 어디 보자. 한 블록 직진하다가 왼쪽으로 도세요.
남 한 블록 직진하다가 왼쪽으로 돌라고요?
여 네. 그리고 나서, 좀 더 곧장 걸어가세요. 그것은 당신 오른편 병원 옆에 있을 거예요.
남 아, 알겠습니다. 정말 고맙습니다.

해설 은행은 한 블록 직진하다가 왼쪽으로 돈 뒤 좀 더 걸어가면 오른편 병원 옆에 있다.

어휘 go straight 직진하다 turn left 왼쪽으로 돌다 farther 더 멀리(far의 비교급) on one's right ~의 오른편에 next to ~ 옆에 hospital 병원

15 ②

W The movie will start at 4:20. We have forty minutes.
M I'd like to walk around this mall. Will you go with me?
W No. I'll just sit here and wait.
M Okay. I'll be back around 4 o'clock.
W All right. Oh, can you get me a cup of coffee?
M Sure. Where is the coffee shop?
W It's on the second floor next to the bookstore.

여 영화가 4시 20분에 시작할 거야. 40분 남았어.
남 나는 이 쇼핑몰을 돌아다니고 싶어. 나랑 같이 갈래?
여 아니. 난 그냥 여기 앉아서 기다릴게.
남 알았어. 4시쯤에 돌아올게.
여 좋아. 아, 커피 한 잔 사다 줄 수 있니?
남 그래. 커피숍이 어디에 있어?
여 그것은 서점 옆 2층에 있어.

어휘 walk around ~ 주변을 돌아다니다   mall 쇼핑몰   wait 기다리다   be back 돌아오다   a cup of coffee 커피 한 잔   on the second floor 2층에   next to ~ 옆에   bookstore 서점

16 ④

W Jim, I didn't see you at the club meeting yesterday.
M I couldn't go.
W Why? Were you sick in bed?
M No. My family and I went to see my brother's final tennis match.
W That's great. Did he win?
M Yes, he did. He won the gold medal.
W I'm glad to hear that.

여 Jim, 나 어제 동아리 모임에서 너를 못 봤어.
남 갈 수가 없었어.
여 왜? 앓아누워 있었니?
남 아니. 우리 가족과 나는 남동생의 테니스 결승전을 보러 갔었어.
여 대단하다. 동생이 이겼니?
남 응, 이겼어. 동생이 금메달을 땄어.
여 그 말을 들으니 기뻐.

해설 남자는 가족과 함께 남동생의 테니스 결승전을 보러 가느라 동아리 모임에 참석하지 못했다고 했다.

어휘 meeting 모임   sick in bed 앓아누워 있는   final 마지막의   match 경기   win a gold medal 금메달을 따다

17 ⑤

W Jerry, you came so early today.
M I flew! I just parked my airplane across the street.
W Stop kidding me! How did you get here?
M I took the subway instead of the bus.
W Do you mean the new subway line?
M Yes. How did you come?
W I rode my bike.

여 Jerry, 너 오늘 아주 일찍 왔구나.
남 날아왔어! 방금 길 건너편에 비행기를 세워 두었지.
여 농담 그만해! 여기 어떻게 왔어?
남 버스 대신 지하철을 탔어.
여 새로운 지하철 노선을 말하는 거야?
남 응. 넌 어떻게 왔어?
여 난 자전거를 타고 왔어.

해설 남자는 지하철을, 여자는 자전거를 타고 왔다.

어휘 early 일찍   fly(-flew-flown) 날다   park 주차하다   airplane 비행기   across the street 길 건너편에   stop ~ing ~하는 것을 그만두다   kid 농담을 하다   instead of ~ 대신에   subway line 지하철 노선   ride one's bike 자전거를 타다

18 ④

W I left my bag on the train on subway line 2.

M What does your bag look like?
W It is big and black.
M We have many big black bags here. Can you tell me more about your bag?
W Oh, it has a name tag on it. The name on it is Alice Park.
M Okay. (Pause) You're lucky. Here is your bag.
W Thank you very much.

여 지하철 2호선 열차에 제 가방을 두고 내렸어요.
남 가방이 어떻게 생겼나요?
여 크고 검은색이에요.
남 여기에는 큰 검은색 가방이 많아요. 당신의 가방에 대해 더 말해 주시겠어요?
여 아, 가방에 이름표가 붙어 있어요. 이름표에 적힌 이름은 Alice Park이고요.
남 알겠습니다. (잠시 후) 운이 좋으시군요. 여기 당신의 가방이 있습니다.
여 정말 감사합니다.

해설 지하철에 두고 내린 가방을 찾는 상황이므로 대화가 이루어지는 장소는 분실물 보관소이다.

어휘 leave(-left-left) 두고 가다(오다)   look like ~처럼 생기다   name tag 이름표   lucky 운이 좋은

19 ⑤

W The cats in the picture are so cute. Did you take the picture?
M Yes. Taking pictures is my hobby.
W Do you usually take pictures of animals?
M Yes. I like to take pictures of cats in the street.
W Cats must be your favorite animal.
M That's right. How about you?
W I love dogs. I have two dogs at home.

여 사진 속 고양이들이 정말 귀여워. 네가 그 사진을 찍었니?
남 응. 사진 찍는 게 내 취미야.
여 넌 보통 동물 사진을 찍니?
남 응. 나는 길거리 고양이들의 사진을 찍는 걸 좋아해.
여 틀림없이 고양이가 네가 가장 좋아하는 동물이겠구나.
남 맞아. 너는?
여 난 개를 아주 좋아해. 집에 개가 두 마리 있어.

해설 대화의 흐름상 How about you?는 What's your favorite animal?의 의미이므로 좋아하는 동물을 말하는 응답이 와야 한다.
① 물론이지. 여기 있어.
② 난 애완동물이 없어.
③ 유감스럽지만 네가 틀렸어.
④ 난 수의사가 되고 싶어.

어휘 cute 귀여운   take a picture 사진을 찍다   hobby 취미   usually 보통, 대개   animal 동물   street 거리, 도로   favorite 가장 좋아하는   pet 애완동물   afraid 유감스러운   wrong 틀린   animal doctor 수의사

20 ⑤

W Can I take this plastic bottle?
M Sure, but what are you going to do with it?
W I'm trying to change plastic bottles into useful things.
M Sounds interesting. What are you going to make with this plastic bottle?
W I'm going to make a pencil case.

여 제가 이 플라스틱병을 가져가도 되나요?
남 그럼, 그런데 그것으로 무엇을 하려고 하니?
여 플라스틱병들을 유용한 물건들로 바꾸어 보려고요.
남 흥미롭구나. 이 플라스틱병으로 무엇을 만들 건데?
여 필통을 만들려고 해요.

해설 남자가 플라스틱병으로 무엇을 만들 것인지 물었으므로 무엇을 만들지 구체적으로 말하는 응답이 와야 한다.
① 그것은 재활용을 뜻해요.
② 저는 그것을 만들 필요가 없어요.
③ 저는 지구를 구하고 싶어요.
④ 저는 병 세 개만 필요해요.

어휘 plastic 플라스틱으로 된 bottle 병 try to ~하려고 노력하다 change *A* into *B* A를 B로 바꾸다 useful 유용한 thing 것, 물건 recycling 재활용 pencil case 필통 don't have to ~할 필요가 없다 save 살리다, 구하다 Earth 지구

01 ②	02 ⑤	03 ②	04 ①	05 ③
06 ⑤	07 ③	08 ②	09 ⑤	10 ④
11 ⑤	12 ②	13 ④	14 ①	15 ⑤
16 ④	17 ①	18 ④	19 ⑤	20 ②

01 ②

W You can see this in tall buildings. People use this to move up and down floors in a building. You must press buttons to use this. There are buttons inside this. The buttons have numbers on them. When you press a button, this moves up or down. What is this?

여 당신은 높은 건물에서 이것을 볼 수 있습니다. 사람들은 건물 안에서 층을 오르내리기 위해 이것을 사용합니다. 이것을 이용하려면 버튼을 눌러야 합니다. 이것 내부에 버튼들이 있습니다. 버튼에는 숫자가 있습니다. 당신이 버튼을 누르면 이것은 위나 아래로 움직입니다. 이것은 무엇일까요?

해설 건물에서 층을 이동할 때 이용하는 것은 엘리베이터이다.

어휘 building 건물 use 사용하다 move up and down 위아래로 움직이다 floor 층 press 누르다 button 버튼 inside 안쪽에 number 숫자

02 ⑤

M Sarah, what are you doing?
W Hi, Tony. I'm making a gift box.
M Oh, you drew a big heart on the box. I like it.
W Thanks. And I will tie a ribbon on it.
M Wow, that will look very nice.

남 Sarah, 너 뭐 하고 있니?
여 안녕, Tony. 선물 상자를 만들고 있어.
남 오, 너 상자 위에 큰 하트를 그렸구나. 마음에 들어.
여 고마워. 그리고 난 상자에 리본을 묶을 거야.
남 우와, 그거 아주 멋지겠다.

해설 여자는 선물 상자 위에 하트를 그렸고, 상자에 리본을 묶을 것이라고 했다.

어휘 gift box 선물 상자 draw(-drew-drawn) 그리다 heart 하트 tie 묶다 ribbon 리본

03 ②

W Hello. This is the weekly weather report. The weather will change a lot during this week. It will be partly cloudy on Monday. Strong winds will blow in most areas from Tuesday through Friday. On Saturday, we are expecting rain. On Sunday, it'll be clear and sunny.

여 안녕하세요. 주간 일기 예보입니다. 이번 주 동안에는 날씨가 많이 변하겠습니다. 월요일에는 부분적으로 흐리겠습니다. 화요일부터 금요일까지는 대부분 지역에 강풍이 불겠습니다. 토요일에는 비가 예상됩니다. 일요일은 맑고 화창하겠습니다.

해설 화요일부터 금요일까지는 강풍이 불 것이라고 했다.

어휘 weekly 주간의   weather report 일기 예보   change 변하다   a lot 많이   during ~ 동안   partly 부분적으로 cloudy 구름 낀, 흐린   strong 강한   blow (바람이) 불다 most 대부분의   area 지역   expect 예상하다

04 ①

W I'm thinking of joining a sports club.
M Oh, really? What sport do you like the most?
W I like all kinds of sports.
M Which do you prefer, indoor sports or outdoor sports?
W I prefer indoor sports.
M Then why don't you join the table tennis club?

여 나 스포츠 동아리에 가입할까 생각하고 있어.
남 아, 정말? 넌 무슨 운동을 가장 좋아해?
여 난 모든 종류의 운동을 좋아해.
남 실내 운동과 야외 운동 중 어떤 걸 더 좋아해?
여 난 실내 운동을 더 좋아해.
남 그럼 탁구 동아리에 가입하는 게 어때?

해설 남자는 여자에게 탁구 동아리에 가입할 것을 제안했다.

어휘 think of ~에 대해 생각하다   join 가입하다   all kinds of 모든 종류의   prefer ~을 더 좋아하다   indoor 실내의 outdoor 야외의   table tennis 탁구

05 ③

W How much are the potatoes?
M They're 3,000 won per kilo.
W Okay. Give me one kilo, please.
M Here you are.
W I also need two carrots. How much are they?
M They're 1,000 won for two.
W Okay. Give me two carrots, please.

여 감자는 얼마인가요?
남 킬로당 3,000원입니다.
여 네. 1킬로 주세요.
남 여기 있습니다.
여 당근도 두 개 필요해요. 당근은 얼마예요?
남 두 개에 1,000원입니다.
여 네. 당근 두 개 주세요.

해설 감자는 1킬로에 3,000원이고, 당근은 두 개에 1,000원이므로 여자가 지불할 금액은 4,000원이다.

어휘 potato 감자   per ~당   kilo 킬로   also 또한   carrot 당근

06 ⑤

W How was your blind date, Aiden?
M Great. Lisa is the girl of my dreams.
W Oh, that's good. What is she like?
M She is pretty, kind, and smart.
W Ha-ha. Congratulations!
M Thank you. I'm going to meet her this weekend. I can't wait.

여 Aiden, 소개팅 어땠어?
남 좋았어. Lisa는 내 이상형이야.
여 아, 잘됐네. 그녀는 어떤 사람이니?
남 그녀는 예쁘고, 친절하고, 똑똑해.
여 하하. 축하해!
남 고마워. 난 이번 주말에 그녀를 만날 거야. 너무 기대돼.

해설 남자는 이상형인 여자 친구를 만나서 행복한 심정이다.

어휘 blind date 소개팅   dream 꿈   smart 똑똑한 Congratulations! 축하해!   can't wait 너무 기대되다   angry 화난   lonely 외로운   bored 지루해하는

07 ③

W Excuse me. I'm looking for an Italian cookbook.
M They are over here. Have you ever cooked Italian food?
W No, I haven't. But I want to try.
M Then how about this one for beginners?
W Good! Thank you. I'll take it.

여 실례합니다. 저는 이탈리아 요리책을 찾고 있어요.
남 그것들은 이쪽에 있습니다. 이탈리아 음식을 요리해 보신 적이 있나요?
여 아니요. 하지만 해 보고 싶어요.
남 그럼 초보자용으로 나온 이건 어떠세요?
여 좋아요! 고맙습니다. 그걸 살게요.

해설 요리책을 구입하는 상황이므로 대화가 이루어지는 장소는 서점이다.

어휘 look for ~을 찾다   Italian 이탈리아의   cookbook 요리책   try 시도하다   beginner 초보자

08 ②

W Is there a problem?
M I'm afraid there is. You were speeding.
W I'm sorry. I didn't realize I was going so fast.
M You need to be more careful. Can I see your driver's license?
W Sure. Here you are. I'll drive more slowly from now on.
M That's good.

여 무슨 문제가 있나요?
남 유감스럽게도 그렇습니다. 속도위반하셨습니다.
여 죄송합니다. 제가 그렇게 빨리 가고 있었는지 알지 못했어요.
남 좀 더 조심하셔야 합니다. 운전면허증 좀 볼 수 있을까요?

여 네. 여기 있습니다. 이제부터는 더 천천히 운전할게요.
남 좋습니다.

09 ⑤

(Telephone rings.)
W Hello. Beauty Hair Shop.
M Hello. Can I make an appointment for tomorrow
  morning?
W Sorry, but you can't. How about tomorrow
  afternoon at 4:00 or 4:30?
M Hmm... 4:30 would be good.
W Okay. Can I have your name, please?
M My name is Andrew Kim.
W All right. See you then.

(전화벨이 울린다.)
여 안녕하세요. Beauty Hair Shop입니다.
남 안녕하세요. 내일 오전으로 예약할 수 있을까요?
여 죄송하지만, 안 됩니다. 내일 오후 4시나 4시 30분은 어떠세요?
남 음… 4시 30분이 좋겠네요.
여 알겠습니다. 이름을 말씀해 주시겠어요?
남 제 이름은 Andrew Kim입니다.
여 알겠습니다. 그때 뵐게요.

10 ④

W Are you enjoying your stay in Seoul?
M Yes. I visited many famous places with my friends.
W What are you planning to do today?
M I'm going to visit some old palaces.
W Oh, really? Can I guide you?
M Sure. Thank you.

여 서울에서 즐겁게 지내고 계신가요?
남 네. 친구들과 함께 유명한 곳들을 많이 방문했어요.
여 오늘은 뭐 하실 계획인가요?
남 고궁을 몇 군데 방문하려고 해요.
여 아, 정말요? 제가 안내를 해 드려도 될까요?
남 그럼요. 고마워요.

11 ⑤

M What did you do last Saturday, Rachel?
W I went to the market to go shopping. How about
  you?
M I did volunteer work at the library.
W Good for you!
M I'll do volunteer work at a nursing home next week.
W Can I go with you next week?
M Sure.

남 Rachel, 지난 토요일에 뭐 했니?
여 쇼핑하러 시장에 갔었어. 너는?
남 난 도서관에서 자원봉사를 했어.
여 잘했구나!
남 다음 주에는 양로원에서 자원봉사를 할 거야.
여 다음 주에 내가 함께 가도 될까?
남 물론이지.

12 ②

① M Can I speak to Mr. Sanders?
   W I'm sorry, but he's out.
② M How often do you go to the zoo?
   W I go to the zoo by bike.
③ M I'm so sorry for being late.
   W That's okay.
④ M What do you want for lunch?
   W Let's have sandwiches.
⑤ M May I use your phone?
   W Sure. Here it is.

① 남 Sanders 씨 좀 바꿔 주시겠어요?
   여 죄송하지만, 그는 외출하셨습니다.
② 남 넌 동물원에 얼마나 자주 가니?
   여 난 자전거를 타고 동물원에 가.
③ 남 늦어서 정말 미안해.
   여 괜찮아.
④ 남 점심으로 뭐 먹고 싶니?
   여 샌드위치 먹자.
⑤ 남 당신의 전화기 좀 써도 될까요?
   여 물론이죠. 여기 있어요.

13 ④

M Mom, I have a terrible headache. I can't go to
  school today.

W Do you have a fever, too?
M Yes. I also have a runny nose, and my throat hurts.
W You should see a doctor right now. I'll go with you.
M Thanks, Mom.

남 엄마, 저 머리가 너무 아파요. 오늘 학교 못 가겠어요.
여 열도 나니?
남 네. 콧물도 나고 목도 아파요.
여 지금 바로 병원에 가야겠네. 내가 같이 갈게.
남 고마워요, 엄마.

해설 남자는 배가 아프다는 증상은 언급하지 않았다.

어휘 have a headache 머리가 아프다   terrible 심한, 지독한
have a fever 열이 나다   have a runny nose 콧물이 흐르다
throat 목구멍   hurt 아프다   see a doctor 병원에 가다

14 ①

W Excuse me. Is there a Japanese restaurant around here?
M Yes. Go straight this way and turn left at the convenience store.
W Go straight and turn left?
M That's right. It's on your right.
W Is it near the Indian restaurant?
M Yes. It's next to the Indian restaurant.

여 실례합니다. 이 근처에 일식집이 있나요?
남 네. 이 길로 직진하시다가 편의점에서 왼쪽으로 도세요.
여 직진하다가 왼쪽으로 돌라고요?
남 맞아요. 그것은 오른편에 있어요.
여 인도 음식점 근처인가요?
남 네. 인도 음식점 옆이에요.

해설 일식집은 직진하다가 편의점에서 왼쪽으로 돌면 오른편 인도 음식점 옆에 있다고 했다.

어휘 Japanese restaurant 일식집   go straight 직진하다
turn left 왼쪽으로 돌다   convenience store 편의점
on one's right ~의 오른편에   next to ~ 옆에   Indian
restaurant 인도 음식점

15 ⑤

W Jinho, did you pack for the trip to Taiwan?
M Not yet. I need a big suitcase for this trip.
W Do you want to buy a suitcase?
M Yes. Can you go shopping with me this Saturday?
W Sorry, but I can't. I have my grandfather's birthday party this Saturday.
M Oh, I see.

여 진호야, 대만 여행을 위한 짐은 쌌니?
남 아직 못 쌌어. 나는 이번 여행을 위한 큰 가방이 필요해.
여 여행 가방을 사고 싶어?
남 응. 이번 토요일에 나랑 쇼핑하러 갈 수 있니?
여 미안하지만, 안 돼. 이번 토요일은 우리 할아버지의 생신 파티가 있어.
남 아, 알았어.

해설 여자는 토요일에 할아버지의 생신 파티가 있어서 쇼핑을 갈 수 없다고 했다.

어휘 pack (짐을) 싸다   trip 여행   yet (부정문·의문문에서) 아직   suitcase 여행 가방   go shopping 쇼핑하러 가다
grandfather 할아버지

16 ④

M Good morning. This is your school president. Parents' Day is coming soon. So we prepared a special event. Make short videos for your parents and post them on our school homepage. We will pick three best videos and give prizes to the makers.

남 안녕하세요. 전교 회장입니다. 어버이날이 곧 다가옵니다. 그래서 우리는 특별한 행사를 준비했습니다. 여러분의 부모님을 위한 짧은 동영상을 만들어서 학교 홈페이지에 올려 주세요. 가장 잘된 동영상 세 편을 뽑아서 만든 사람들에게 상품을 줄 것입니다.

해설 전교 회장이 어버이날을 맞아 마련한 특별 행사를 알리는 내용이다.

어휘 school president 전교 회장   parents 부모   prepare
준비하다   special 특별한   event 행사   video 동영상   post
게시하다   pick 뽑다   prize 상, 상품

17 ①

W Wow! What a nice restaurant!
M The dishes are all delicious, too. What will you have?
W I'll have a steak. How about you?
M I think I'll have pizza.
W Didn't you have pizza for dinner yesterday?
M No. I had spaghetti.

여 우와! 정말 멋진 식당이야!
남 음식도 다 맛있어. 넌 뭐 먹을래?
여 난 스테이크를 먹을래. 너는?
남 난 피자를 먹을 생각이야.
여 너 어제 저녁으로 피자 먹지 않았니?
남 아니. 스파게티 먹었어.

해설 남자는 피자를 먹을 생각이라고 했다.

어휘 restaurant 식당   dish 요리   delicious 맛있는   steak
스테이크   dinner 저녁 식사   spaghetti 스파게티

18 ④

M Hi, Luna. The weather is really nice. Let's go for a walk in the park.
W I'd love to, but I can't. I have so many things to do today.
M Is there anything I can do for you?
W Thanks, but I don't know what I should do first.
M Make a list of the things you need to do. That'll

help.

W That's a good idea. Thank you.

남 안녕, Luna. 날씨가 정말 좋아. 공원에 산책하러 가자.
여 나도 그러고 싶은데, 안 돼. 오늘 할 일이 너무 많아.
남 내가 뭐 도와줄 일이 있니?
여 고마워. 그런데 뭘 먼저 해야 할지 모르겠어.
남 네가 해야 할 일 목록을 만들어 봐. 그게 도움이 될 거야.
여 그거 좋은 생각이다. 고마워.

해설 할 일은 많은데 무슨 일을 먼저 해야 할지 모르겠다고 말하는 여자에게 남자는 할 일 목록을 만들어 보라고 제안했다.

어휘 go for a walk 산책하러 가다 first 먼저, 우선 list 목록 help 도움이 되다

19 ⑤

M How about going skateboarding this weekend?
W Sorry, but I can't.
M Why not?
W As you know, I'm entering the T-shirt design contest. I need to finish the T-shirt design by next Monday.
M Don't worry. You will design a great one.
W I hope so.
M I'll keep my fingers crossed for you.

남 이번 주말에 스케이트보드 타러 가는 게 어때?
여 미안하지만, 못 가.
남 왜?
여 너도 알다시피 내가 티셔츠 디자인 경연 대회에 나가잖아. 다음 주 월요일까지 티셔츠 디자인을 끝내야 해.
남 걱정하지 마. 넌 멋진 티셔츠를 디자인할 거야.
여 나도 그러길 바라.
남 행운을 빌게.

해설 경연 대회에 참가하는 여자에게 행운을 빌어 주는 응답이 가장 적절하다.
① 나에게 행운을 빌어 줘.
② 내가 너의 디자인을 좋아하기 때문이야.
③ 기운 내! 넌 스케이트보드를 탈 수 있어.
④ 티셔츠를 디자인하는 것은 아주 어려워.

어휘 skateboard 스케이트보드를 타다 as you know 너도 알다시피 enter 출전하다, 참가하다 finish 끝내다 design 디자인; 디자인하다 keep one's fingers crossed 좋은 결과(행운)를 빌다 difficult 어려운 wish 기원하다, 빌다 good luck 행운 cheer up 기운을 내다

20 ②

W That photo looks great! Did you take it yourself?
M Yes. I took it last summer.
W You should hang the photo in the living room, so everyone can see it.
M My family photo is already on the living room wall.
W Then how about the wall in the kitchen?
M That's a good idea.

여 저 사진 멋져 보여! 네가 직접 찍었어?
남 응. 내가 작년 여름에 찍었어.
여 모두가 볼 수 있게 거실에 그 사진을 걸어 둬.
남 거실 벽에는 이미 가족사진이 있어.
여 그럼 부엌 벽은 어때?
남 그거 좋은 생각이야.

해설 여자가 부엌 벽에 사진을 거는 것을 제안했으므로 이에 대한 수락 또는 거절의 응답이 와야 한다.
① 그것 참 안됐구나.
③ 난 멋진 사진이 필요해.
④ 난 이 사진을 갖고 싶어.
⑤ 거실에 그것을 걸어.

어휘 photo 사진 hang 걸다 living room 거실 everyone 모든 사람 already 이미, 벌써 wall 벽 kitchen 부엌

Word Check 13회

01 많은	02 파도
03 지구	04 의미
05 두꺼운	06 위층
07 짖다	08 조리법
09 소음	10 미래에
11 더 멀리	12 제출하다
13 run	14 pencil case
15 after school	16 park
17 a cup of coffee	18 lucky
19 magazine	20 save
21 match	22 name tag
23 sentence	24 recycling

Expression Check

25 look like	26 as soon as
27 walk around	28 trying to
29 in the middle of	30 giving, a ride

Word Check 14회

01 안내하다	02 안쪽에
03 묶다	04 주간의
05 알아차리다	06 (바람이) 불다
07 예상하다	08 걸다
09 야외의	10 탁구
11 ~당	12 산책하러 가다
13 lonely	14 beginner
15 careful	16 driver's license
17 palace	18 ribbon
19 parents	20 stay
21 school president	22 post
23 press	24 suitcase

Expression Check

25 keep, fingers crossed	26 make an appointment
27 from now on	28 As you know
29 move up and down	30 have a runny nose

실전 모의고사 15회 pp.152~159

01 ②	02 ③	03 ②	04 ④	05 ⑤
06 ②	07 ④	08 ⑤	09 ③	10 ④
11 ③	12 ②	13 ⑤	14 ⑤	15 ④
16 ②	17 ④	18 ③	19 ①	20 ③

01 ②

M I'm the largest bird in the world. I am a bird, but I can't fly. I weigh a lot. I have a long neck and a small head. My eyes are big, and my legs are long. I can run very fast. What am I?

남 나는 세상에서 가장 큰 새입니다. 나는 새인데 날지 못합니다. 나는 무게가 많이 나갑니다. 나는 목이 길고 머리가 작습니다. 내 눈은 크고 다리는 깁니다. 나는 매우 빨리 달릴 수 있습니다. 나는 무엇일까요?

해설 긴 목과 작은 머리, 큰 눈과 긴 다리를 가졌으며 아주 빨리 달릴 수 있고, 세상에서 가장 큰 새는 타조이다.

어휘 large 큰 bird 새 in the world 세상에서 fly 날다 weigh 무게가 ~이다 a lot 많이 fast 빨리

02 ③

W May I help you?
M Yes. I'd like to buy a sweater for my sister.
W Okay. How about this one with the star in the middle?
M Not bad. But do you have a sweater with a round neck?
W Hmm... we have a round-neck sweater with a heart.
M The one with the heart is good. I'll take it.

여 도와드릴까요?
남 네. 여동생에게 줄 스웨터를 사고 싶어요.
여 알겠습니다. 가운데에 별이 있는 이건 어떠세요?
남 나쁘지 않네요. 그런데 라운드 넥 스웨터도 있나요?
여 음… 하트가 하나 있고 라운드 넥 스웨터가 있어요.
남 하트가 그려진 것 좋아요. 그것을 살게요.

해설 남자는 하트가 하나 있는 라운드 넥 스웨터를 사겠다고 했다.

어휘 sweater 스웨터 in the middle 가운데에 round neck 라운드 넥(둥글게 파인 목둘레) heart 하트

03 ②

W Good morning. Here is the weather report for this week. It's going to rain this afternoon, so don't forget to take your umbrellas with you. Tomorrow, it will be clear and warm. But it will be windy and cold from Friday through the weekend.

여 안녕하세요. 이번 주 일기 예보입니다. 오늘 오후에는 비가 올

것이므로 우산 가져가시는 것을 잊지 마세요. 내일은 맑고 따뜻하겠습니다. 하지만 금요일부터 주말 내내 바람이 불고 춥겠습니다.

해설 금요일부터 주말 내내 바람이 불고 추울 것이라고 했다.

어휘 weather report 일기 예보   forget to ~하는 것을 잊다   umbrella 우산   clear 맑은   warm 따뜻한   windy 바람이 부는   through the weekend 주말 내내

04 ④

W What do you usually do in your free time?
M I enjoy riding my bike along the river.
W Wow, that would be so refreshing.
M It is. You can forget your worries.
W Why don't we ride our bikes together this Saturday?
M Good! Let's meet on Saturday.

여 넌 여가 시간에 보통 뭐 해?
남 난 강을 따라 자전거 타는 것을 좋아해.
여 우와, 정말 상쾌하겠구나.
남 그래. 걱정거리도 잊을 수 있어.
여 이번 토요일에 함께 자전거를 타는 게 어때?
남 좋아! 토요일에 만나자.

해설 남자는 토요일에 함께 자전거를 타자는 여자의 제안을 승낙했다.

어휘 enjoy 즐기다   ride one's bike 자전거를 타다   along ~을 따라   river 강   refreshing 상쾌한   forget 잊다   worry 걱정   together 함께, 같이

05 ⑤

M Sora, don't throw the plastic bottle away.
W It's just trash. I don't need it.
M You never know. We can make new things with plastic bottles.
W Like what?
M Look at this flowerpot. I made it with a plastic bottle.
W That's great!

남 소라야, 그 플라스틱병 버리지 마.
여 그냥 쓰레기야. 난 필요 없어.
남 모르는 소리야. 우리는 플라스틱병으로 새로운 물건들을 만들 수 있어.
여 예를 들면?
남 이 화분을 봐. 내가 플라스틱병으로 이걸 만들었어.
여 멋지다!

해설 두 사람은 플라스틱병을 재활용하여 새로운 물건을 만드는 것에 관해 이야기하고 있다.

어휘 throw away 버리다   plastic 플라스틱으로 된   bottle 병   trash 쓰레기   flowerpot 화분

06 ②

W Jake, do you want to see the movie *Toy Land* with me tomorrow?
M Of course. What time does the movie start?
W It starts at 5:00 p.m. What time should we meet?
M Let's meet at 4:30.
W How about meeting at 4:00 and eating some snacks?
M Okay. See you then in front of the movie theater.

여 Jake, 나랑 내일 영화 〈Toy Land〉 볼래?
남 그래. 영화가 몇 시에 시작되니?
여 오후 5시에 시작돼. 몇 시에 만날까?
남 4시 30분에 만나자.
여 4시에 만나서 간식을 좀 먹는 건 어때?
남 좋아. 그때 영화관 앞에서 만나자.

해설 두 사람은 4시에 영화관 앞에서 만나서 간식을 먹기로 했다.

어휘 start 시작되다   meet 만나다   snack 간식   in front of ~ 앞에   movie theater 영화관

07 ④

W How was your summer vacation?
M It was great. I visited my grandparents in Jeju-do.
W What did you do there?
M I swam in the sea and learned to ride a horse.
W Wow, that sounds fun.
M Yeah. I also went fishing with my uncle.

여 여름 방학 어땠어?
남 아주 좋았어. 난 제주도에 계신 조부모님을 방문했었어.
여 거기서 뭐 했니?
남 바다에서 수영하고 말 타는 것을 배웠어.
여 우와, 재미있었겠다.
남 응. 삼촌이랑 낚시도 하러 갔었어.

해설 남자는 사촌들과 등산을 했다는 내용은 언급하지 않았다.

어휘 summer vacation 여름 방학   grandparents 조부모   swim(-swam-swum) 수영하다   learn 배우다   ride 타다   horse 말   go fishing 낚시하러 가다   uncle 삼촌

08 ⑤

W Jack, are you ready for your school field trip?
M Of course, Mom. I already finished packing my bag.
W It may get cold, so take some warm clothes.
M Don't worry. It'll be warm this week. I checked the weather forecast.
W I see. You should listen to your teacher.
M Yes, I will. Oh, I can't wait for the trip.

여 Jack, 너 학교 현장 학습 준비 다 했니?
남 물론이죠, 엄마. 이미 가방 다 쌌어요.
여 날씨가 추워질지도 모르니까 따뜻한 옷도 챙기렴.
남 걱정하지 마세요. 이번 주는 따뜻할 거예요. 제가 일기 예보를 확인했어요.

여 그렇구나. 선생님 말씀 잘 들어야 해.
남 네, 그럴게요. 아, 현장 학습이 정말 기다려져요.

해설 남자는 현장 학습을 앞두고 기분이 들뜬 상태이다.

어휘 field trip 현장 학습   pack (짐을) 싸다   warm 따뜻한
clothes 옷   weather forecast 일기 예보   listen to ~에게
귀를 기울이다

09 ③

W Wow, the line is so long.
M This restaurant is well-known for its pork cutlets.
W Really? Are they that delicious?
M Yeah. This is a very hot place with people on social media.
W I didn't know that.
M The food pictures from here are always trending.
W I see why this place is so popular.

여 우와, 줄이 엄청 길어.
남 이 식당은 돈가스로 유명해.
여 진짜? 돈가스가 그렇게 맛있어?
남 응. 이곳은 소셜 미디어 상에서 사람들에게 아주 인기 있는 장소야.
여 몰랐어.
남 여기서 찍은 음식 사진들은 항상 유행이야.
여 이곳이 왜 그렇게 인기가 있는지 알겠다.

해설 돈가스를 먹으려는 사람들이 길게 줄을 선 식당 앞에서 이루어지는 대화이다.

어휘 be well-known for ~로 유명하다   pork cutlet 돈가스
delicious 맛있는   hot 인기 있는   social media 소셜 미디어
trending 유행하는   popular 인기 있는

10 ④

M We have a soccer game tomorrow. Come to school by 10 o'clock. Don't be late, please. Bring cold water, soccer shoes, and a towel. And don't forget to bring your extra uniform. Go to bed early tonight. See you tomorrow.

남 우리는 내일 축구 시합이 있습니다. 10시 정각까지 학교로 오세요. 늦지 마세요. 차가운 물, 축구화, 그리고 수건을 가져오세요. 그리고 여분의 유니폼을 가져오는 것도 잊지 마세요. 오늘 밤에는 일찍 잠자리에 드세요. 내일 만납시다.

해설 축구공을 준비하라는 말은 없다.

어휘 late 늦은   bring 가져오다   soccer shoes 축구화
towel 수건   forget to ~하는 것을 잊다   extra 여분의
uniform 유니폼   go to bed 잠자리에 들다   early 일찍
tonight 오늘 밤

11 ③

W We'll be late for the concert. Let's hurry up!
M Look. The bus is coming. Run!

W Wait, Kevin! Don't get on the bus.
M Why not?
W We'd better take a taxi.
M Hmm... why don't we take the subway? There may be a traffic jam.
W All right.

여 우리 콘서트에 늦겠어. 서두르자!
남 봐. 버스가 오고 있어. 달려!
여 기다려, Kevin! 그 버스 타지 마.
남 왜?
여 택시를 타는 게 좋겠어.
남 음… 우리 지하철을 타는 게 어때? 차가 막힐 수도 있잖아.
여 좋아.

해설 두 사람은 콘서트에 늦을 것 같아서 버스 대신 택시를 타려고 했으나 차가 막힐 수도 있어서 지하철을 타기로 했다.

어휘 be late for ~에 늦다   hurry up 서두르다   get on
~을 타다   had better ~하는 것이 좋겠다   subway 지하철
traffic jam 교통 체증

12 ②

M Hello. Can I help you?
W Yes, please. I'd like to exchange this T-shirt.
M Why? Is there a problem? Doesn't it fit well?
W I found a small hole in the sleeve.
M Oh, I'm sorry about that. I will exchange this for you right now.

남 안녕하세요. 도와드릴까요?
여 네. 이 티셔츠를 교환하고 싶어요.
남 왜요? 무슨 문제가 있나요? 사이즈가 잘 맞지 않나요?
여 소매에 작은 구멍이 있는 걸 발견했어요.
남 아, 죄송합니다. 지금 바로 교환해 드리겠습니다.

해설 여자는 티셔츠 소매에 구멍이 나 있어서 새것으로 교환하고 싶다고 했다.

어휘 exchange 교환하다   problem 문제   fit (몸에) 맞다
hole 구멍   sleeve 소매   right now 지금 바로, 당장

13 ⑤

M Jiyeon, what are you going to do this weekend?
W I'm going to visit the beauty shop.
M Are you going to get a perm?
W No. I'm just going to get a haircut. What are you going to do?
M I'm going to visit an art gallery. My favorite artist is having an exhibition.
W That sounds fun.

남 지연아, 너 이번 주말에 뭐 할 거니?
여 미용실에 갈 거야.
남 파마하려고?
여 아니. 그냥 머리만 자를 거야. 넌 뭐 할 거야?
남 난 미술관에 갈 거야. 내가 좋아하는 화가가 전시회를 해.
여 재미있겠다.

어휘 beauty shop 미용실   get a perm 파마하다   get a haircut 머리를 자르다   art gallery 미술관   artist 화가, 예술가   exhibition 전시회

14 ⑤

M Mom, have you seen my phone?
W Your phone? No, I haven't.
M I left it on the desk, but it isn't there.
W Could it be under the chair?
M No. I already checked, but it wasn't there.
W How about on the bookshelf?
M Um... (*Pause*) oh, I found it. It was on my bed.

남 엄마, 제 전화기 보셨어요?
여 네 전화기? 아니, 못 봤어.
남 책상 위에 두었는데, 거기에 없어요.
여 의자 밑에 있을까?
남 아니요. 이미 확인해 봤는데 거기 없었어요.
여 책꽂이 위에는?
남 음… (*잠시 후*) 아, 찾았어요. 침대 위에 있었어요.

해설 책꽂이 위를 찾아봤는지 묻는 여자의 말에 남자는 잠시 찾아 보다가 침대 위에서 찾았다고 했다.

어휘 phone 전화기   leave(-left-left) 두다, 놓다   desk 책상   under ~ 아래   chair 의자   already 이미, 벌써   check 확인하다   bookshelf 책꽂이

15 ④

M We're making a school newsletter. Can you help us, Emma?
W Sure. What can I do for you?
M We need a story and cartoons. Are you good at writing stories?
W No, I'm not good at writing. But I enjoy drawing cartoons.
M Great. Then can you draw cartoons for us?
W Okay. I'll give it a try.

남 우리는 학교 소식지를 만들고 있어. 우리 좀 도와줄 수 있니, Emma?
여 물론이지. 뭘 도와줄까?
남 우리는 이야기와 만화가 필요해. 너 글 쓰는 거 잘해?
여 아니, 난 글쓰기는 잘 못해. 하지만 만화 그리는 건 좋아해.
남 잘됐다. 그럼 만화 좀 그려 줄 수 있니?
여 좋아. 한번 해 볼게.

해설 여자가 글쓰기는 잘 못하지만 만화 그리기를 좋아한다고 하자, 남자는 여자에게 만화를 그려 달라고 부탁했다.

어휘 newsletter 소식지   story 이야기   cartoon 만화   be good at ~을 잘하다   draw 그리다   give it a try 시도하다, 한번 해 보다

16 ②

M Excuse me. Can you help me?
W Sure. What is it?
M Today is my first day at this school. I'm looking for the computer lab and the gym.
W The computer lab is on the third floor, and the gym is on the fourth floor.
M Okay, and where is the science lab?
W It is on the second floor. Do you need more help?
M That's okay. Thanks a lot.

남 실례합니다. 저 좀 도와주시겠어요?
여 네. 뭔데요?
남 오늘이 제가 이 학교에 온 첫날인데요. 컴퓨터실과 체육관을 찾고 있어요.
여 컴퓨터실은 3층에 있고, 체육관은 4층에 있어요.
남 알겠어요, 그리고 과학 실험실은 어디에 있나요?
여 그건 2층에 있어요. 도움이 더 필요하신가요?
남 괜찮아요. 정말 고맙습니다.

해설 과학 실험실은 2층에 있다고 했다.

어휘 look for ~을 찾다   computer lab 컴퓨터실   gym 체육관   floor 층   science lab 과학실

17 ④

M Good morning. Where to ma'am?
W I need to go to City Hotel.
M Okay. It will take about twenty minutes to get there.
W Oh, it's 9:45 now. Can you go a little faster?
M No problem. Traffic is not too heavy.
W Thank you. I need to be there by 10:00.

남 안녕하세요. 어디로 모실까요, 부인?
여 City Hotel로 가 주세요.
남 알겠습니다. 거기까지 가는 데 20분 정도 걸릴 거예요.
여 아, 지금 9시 45분인데요. 조금만 더 빨리 갈 수 있을까요?
남 알겠습니다. 교통 체증이 아주 심하지는 않아요.
여 고맙습니다. 제가 10시까지 그곳에 도착해야 해서요.

해설 여자에게 목적지를 묻고 목적지까지 가는 소요 시간을 말하는 것으로 보아 남자는 택시 기사이다.

어휘 ma'am (여성을 정중히 부르는 말) 부인   need to ~해야 한다   about 약, ~쯤   minute 분   a little 약간   traffic 교통(량)   heavy (교통이) 혼잡한   by ~까지

18 ③

W Brian, you look unhappy. What's the matter?
M I had an argument with Tim yesterday.
W What did you fight about?
M We fought about our team project. He got very upset.
W Oh, no. Why don't you apologize to him?
M Okay. I'll give him a call right now.

여 Brian, 너 기분이 안 좋아 보여. 무슨 일이니?

남 나 어제 Tim과 말다툼을 했어.
여 어떤 일로 싸웠는데?
남 팀 과제 때문에 싸웠어. 그가 화가 많이 났어.
여 아, 저런. 그에게 사과하는 게 어때?
남 알았어. 지금 바로 그에게 전화해야겠다.

해설 여자는 남자에게 싸운 친구에게 사과할 것을 제안했다.

어휘 unhappy 불행한, 기분이 나쁜   matter 문제   have an argument 말다툼하다   fight about ~에 대해 싸우다   get upset 화가 나다   apologize 사과하다   give ~ a call ~에게 전화를 걸다   right now 지금 바로

남 동감이야.

해설 흐름상 상대방이 한 말에 동의하는 응답이 오는 것이 가장 자연스럽다.
① 그녀는 수학을 가르쳐.
② 나는 네가 매우 자랑스러워.
④ 나는 퍼즐을 아주 좋아해.
⑤ 나는 그것을 어떻게 푸는지 몰라.

어휘 solve 풀다   question (시험) 문제   difficult 어려운   think of ~을 생각하다(머리에 떠올리다)   how to ~하는 방법   try 해 보다   this way 이런 식으로   Two heads are better than one. 백짓장도 맞들면 낫다.   be proud of ~을 자랑스러워 하다   puzzle 퍼즐, 알아맞히기 놀이

19 ①

W What do you usually do on the weekend?
M I usually play sports. I like all kinds of sports.
W What's your favorite sport?
M My favorite sport is baseball. Baseball is very exciting.
W Oh, that's my favorite sport, too. Why don't we go to the ballpark this weekend?
M That sounds great.

여 넌 보통 주말에 뭐 해?
남 난 보통 운동을 해. 난 모든 종류의 운동을 좋아해.
여 네가 가장 좋아하는 운동은 뭔데?
남 내가 가장 좋아하는 운동은 야구야. 야구는 정말 재미있어.
여 아, 그건 내가 가장 좋아하는 운동이기도 해. 이번 주말에 야구장에 가는 거 어때?
남 좋아.

해설 여자가 야구장에 같이 가자고 제안했으므로 이에 대한 수락 또는 거절의 응답이 와야 한다.
② 일주일에 세 번.
③ 나는 아주 즐거운 시간을 보냈어.
④ 너를 만나서 기뻐.
⑤ 가끔 나는 쉬운 공을 놓쳐.

어휘 usually 보통, 대개   weekend 주말   all kinds of 모든 종류의   favorite 가장 좋아하는   exciting 신나는, 흥미진진한   ballpark 야구장   miss 놓치다   easy 쉬운

20 ③

W I can't solve this question.
M Do you want my help?
W Sure. It shouldn't be too difficult, but I can't think of how to do it.
M Let me see. (*Pause*) I think you can try it this way.
W Oh, I see. I didn't think of that. Two heads are better than one.
M You can say that again.

여 이 문제를 못 풀겠어.
남 내가 도와줄까?
여 그래. 그리 어렵지는 않을텐데, 방법이 생각 안 나.
남 어디 보자. (잠시 후) 이런 식으로 할 수 있을 것 같아.
여 아, 알겠다. 그건 생각 못했어. 백짓장도 맞들면 낫네.

01 ③	02 ①	03 ②	04 ④	05 ⑤
06 ③	07 ④	08 ④	09 ②	10 ③
11 ①	12 ①	13 ④	14 ①	15 ②
16 ④	17 ③	18 ⑤	19 ④	20 ②

01 ③

W Good evening, everyone. Here is tomorrow's weather forecast. <u>There will be sunny skies</u> in Busan. It's going to rain in Daegu while it's going to get very cloudy in Daejeon. In Jeonju, you will see clear skies <u>after the rain</u>.

여 안녕하세요, 여러분. 내일의 일기 예보입니다. 부산은 화창한 하늘이 펼쳐지겠습니다. 대구에는 비가 오겠고, 대전은 매우 흐리겠습니다. 전주는 비 온 뒤에 맑은 하늘을 볼 수 있겠습니다.

해설 대전은 매우 흐릴 것이라고 했다.

어휘 weather forecast 일기 예보　while ~하는 동안에 cloudy 구름 낀, 흐린　clear 맑은　after ~ 후에

02 ①

W What are you going to wear on Halloween?
M <u>I'll be dressing up</u> as a wizard this year.
W A wizard? You <u>should wear a big hat</u>.
M Of course. I'll wear a big hat with small dots on it.
W <u>That's so simple</u>. How about small stars on it?
M That's a good idea.

여 너 할로윈 때 뭐 입을 거야?
남 올해는 마법사 의상을 입을 거야.
여 마법사? 큰 모자를 써야겠구나.
남 당연하지. 난 작은 점들이 그려진 큰 모자를 쓸 거야.
여 그건 너무 단순해. 작은 별들이 있는 건 어때?
남 그거 좋은 생각이야.

해설 남자는 여자의 제안대로 작은 별들이 그려진 큰 마법사 모자를 쓸 것이다.

어휘 wear 입다　Halloween 할로윈　dress up 변장을 하다 wizard 마법사　dot 점　simple 단순한

03 ②

W This comes in <u>various shapes and sizes</u>. This is usually very soft and <u>filled with cotton</u> or duck down. You can use this when you are sitting on the sofa or in a chair. When you can lean on this, this will <u>make you feel comfortable</u>. What is this?

여 이것은 모양과 크기가 다양하게 나옵니다. 이것은 보통 아주 부드럽고 솜이나 오리털로 가득 차 있습니다. 당신은 소파나 의자에 앉을 때 이것을 사용할 수 있습니다. 이것에 기대면, 이것

은 당신을 편안하게 느끼도록 해 줄 것입니다. 이것은 무엇일까요?

해설 부드럽고 솜이나 오리털로 속이 채워져 있으며 기댔을 때 편안한 것은 쿠션이다.

어휘 various 다양한　shape 모양　size 크기　usually 보통, 대개　soft 부드러운, 푹신한　be filled with ~로 가득 차다　cotton 솜　duck down 오리털　lean on ~에 기대다 comfortable 편안한

04 ④

M Susan, I <u>scored two goals</u> in the final game yesterday.
W Really? Great!
M Thanks. I <u>like soccer very much</u>.
W Do you want to be a soccer player?
M No. I play soccer <u>just for fun</u>. I'd like to be a pilot. What about you?
W I'm <u>interested in math</u>. I want to be a math teacher.

남 Susan, 나 어제 결승전에서 두 골을 넣었어.
여 정말? 대단하다!
남 고마워. 난 정말 축구가 좋아.
여 넌 축구 선수가 되고 싶어?
남 아니. 축구는 그냥 재미로 하는 거야. 난 파일럿이 되고 싶어. 너는?
여 난 수학에 관심이 있어. 난 수학 선생님이 되고 싶어.

해설 축구 선수, 파일럿, 수학 선생님이 언급되었지만, 남자의 장래 희망은 파일럿이다.

어휘 score a goal 득점하다, 골을 넣다　final game 결승전 for fun 재미로　pilot 파일럿　be interested in ~에 관심이 있다　math 수학

05 ⑤

W What a nice bike!
M I <u>bought it at a market</u> in my town.
W At a market in your town?
M Yes. There are so many <u>cheap and nice things</u> there.
W I want to go there. Can you come with me this Saturday?
M I'm sorry, but I can't. I have to <u>visit my grandparents this Saturday</u>.

여 자전거 멋지다!
남 우리 동네에 있는 시장에서 샀어.
여 너희 동네 시장에서?
남 응. 그곳에는 싸고 좋은 것들이 아주 많이 있어.
여 나 거기 가고 싶어. 이번 토요일에 나와 함께 갈 수 있니?
남 미안하지만, 안 돼. 나는 이번 토요일에 할아버지 할머니 댁에 가야 해.

해설 여자가 함께 시장에 갈 수 있는지 물었으나 남자는 할아버지 할머니 댁에 가야 해서 안 된다고 했다.

06 ③

M What's the most important thing in life? Some people say money is the most important thing. Of course, money is important, but I think health is the most important. If you lose your health, you can lose both money and happiness.

남 인생에서 가장 중요한 것은 무엇일까요? 어떤 사람들은 돈이 가장 중요한 것이라고 말합니다. 물론, 돈도 중요하지만, 저는 건강이 가장 중요하다고 생각합니다. 만약 당신이 건강을 잃는다면, 당신은 돈과 행복을 모두 잃을 수 있습니다.

해설 인생에서 가장 중요한 것은 건강이라고 하며 건강의 중요성에 대해 말하고 있다.

어휘 important 중요한   life 인생   money 돈   health 건강   lose 잃다   both A and B A와 B 둘 다   happiness 행복

07 ④

M Hello. I'd like to make an appointment with Dr. Johnson.
W He can see you on Thursday morning.
M That's fine with me.
W Then how about 10 o'clock?
M Hmm, can we make it at 11 o'clock?
W All right. Can I have your name, please?
M My name is James Park. Thank you.

남 안녕하세요. Johnson 박사님과 예약하고 싶은데요.
여 박사님은 목요일 오전에 보실 수 있습니다.
남 저도 괜찮습니다.
여 그럼 10시 어떠신가요?
남 음, 11시도 가능한가요?
여 괜찮습니다. 성함을 말씀해 주시겠어요?
남 제 이름은 James Park입니다. 고맙습니다.

해설 여자가 처음에 10시를 제안했으나 남자는 11시로 예약했다.

어휘 make an appointment with ~와 만날 약속을 하다, (진료 등을) 예약하다

08 ④

W Good afternoon. How may I help you?
M Today is my girlfriend's birthday, so I'd like to buy some flowers for her.
W What kind of flowers would you like?
M Hmm, she likes roses. Can you make a basket of flowers with red roses?
W Sure. Your girlfriend will love them.

여 안녕하세요. 무엇을 도와드릴까요?
남 오늘이 제 여자 친구 생일이라서 그녀에게 꽃을 좀 사 주려고요.
여 어떤 종류의 꽃을 원하세요?

남 음, 여자 친구가 장미를 좋아해요. 빨간 장미로 꽃바구니를 만들어 주시겠어요?
여 알겠습니다. 여자 친구가 아주 좋아할 거예요.

해설 남자가 여자 친구에게 줄 꽃바구니를 사고 있으므로 대화가 이루어지는 장소는 꽃 가게이다.

어휘 girlfriend 여자 친구   birthday 생일   flower 꽃   kind 종류   rose 장미   basket 바구니

09 ②

W My dog is sick, so he is in the animal hospital now.
M Really? What's wrong with him?
W He had a fever yesterday. The doctor said he had a cold.
M I'm sorry to hear that.
W I hope he gets better soon.
M Cheer up! I'm sure he'll be okay in no time.

여 우리 개가 아파서 지금 동물 병원에 있어.
남 정말? 어디가 안 좋은데?
여 어제 열이 났었어. 의사 선생님이 감기라고 하셨어.
남 안됐구나.
여 빨리 건강해졌으면 좋겠어.
남 힘내! 틀림없이 곧 괜찮아질 거야.

해설 남자는 여자의 애완견이 아파서 병원에 입원했다는 소식을 듣고 여자의 애완견을 걱정하고 있다.

어휘 animal hospital 동물 병원   have a fever 열이 나다   have a cold 감기에 걸리다   get better 좋아지다   sure 확신하는   in no time 곧

10 ③

W Can I help you?
M Yes, please. How much is this baseball cap?
W It's $35.
M Oh, it's too expensive. Then how much is the white one over there?
W It was $30, but it's on sale. So you can get it for $27.
M Okay. I'll take it. Here's $30.

여 도와드릴까요?
남 네. 이 야구 모자는 얼마예요?
여 35달러예요.
남 아, 너무 비싸네요. 그럼 저쪽에 있는 하얀색 모자는 얼마예요?
여 그것은 30달러였는데, 할인 중입니다. 27달러에 사실 수 있어요.
남 좋아요. 그것을 살게요. 여기 30달러 있습니다.

해설 구입하기로 한 야구 모자는 27달러이고 남자는 30달러를 냈으므로 거스름돈으로 3달러를 받을 것이다.

어휘 expensive 비싼   on sale 할인 중인

11 ①

M What do you want to do this weekend?

W How about going to the ballpark?
M I tried to book tickets, but they were sold out.
W Then why don't we play VR games?
M VR games? Do you mean virtual reality games?
W Yes. We'll have a lot of fun.

남 이번 주말에 뭐 하고 싶어?
여 야구장에 가는 게 어때?
남 내가 표를 예매하려고 했는데, 다 매진이었어.
여 그럼 VR 게임을 해볼까?
남 VR 게임? 가상 현실 게임 말하는거야?
여 응. 정말 재미있을 거야.

해설 여자는 야구장에 가자고 했지만 표가 매진되었다고 하자 가상 현실(VR) 게임을 하자고 제안했다.

어휘 ballpark 야구장   try to ~하려고 노력하다   book 예매하다, 예약하다   ticket 표   sold out 매진된, 다 팔린   VR(=virtual reality) 가상 현실   have fun 재미있게 놀다

12 ①

(Telephone rings.)
W Thanks for calling SG Shop. How can I help you?
M Hello. I ordered a computer last week, but I haven't received it yet.
W Oh, really? Please tell me your name and address.
M Tom Hunt. My address is 123 High Street.
W Oh, I'm really sorry. We sent your computer to a different address.
M Please send it to me as soon as possible.

(전화벨이 울린다.)
여 SG Shop에 전화해 주셔서 감사합니다. 무엇을 도와드릴까요?
남 안녕하세요. 제가 지난주에 컴퓨터를 주문했는데 아직 못 받았어요.
여 아, 정말요? 성함과 주소를 말씀해 주세요.
남 Tom Hunt입니다. 주소는 High Street 123번지입니다.
여 아, 정말 죄송합니다. 저희가 고객님의 컴퓨터를 다른 주소로 보냈네요.
남 저에게 가능한 한 빨리 보내 주세요.

해설 남자는 지난주에 주문한 컴퓨터를 아직 받지 못해서 전화했다.

어휘 order 주문하다   receive 받다   yet (부정문·의문문에서) 아직   address 주소   send 보내다   different 다른   as soon as possible 가능한 한 빨리

13 ④

M Can I help you?
W Yes. I think there is something wrong with my watch.
M Okay. Let me check it.
W What seems to be the problem?
M I think the battery is almost dead. You need to change the battery.
W Okay. How long will it take to change the battery?
M It'll take about 10 minutes.

남 도와드릴까요?
여 네. 제 손목시계에 뭔가 문제가 있는 것 같아요.
남 알겠습니다. 제가 그것을 살펴보겠습니다.
여 뭐가 문제인가요?
남 건전지가 거의 다 된 것 같아요. 건전지를 갈아야 합니다.
여 알겠어요. 건전지를 가는 데 시간이 얼마나 걸릴까요?
남 10분 정도 걸릴 겁니다.

해설 남자가 여자의 손목시계를 점검하고 건전지를 갈아야 한다고 했으므로, 두 사람은 시계 수리공과 고객의 관계이다.

어휘 wrong 잘못된   check 점검하다   seem ~인 것 같다   battery 건전지   almost 거의   dead (건전지가) 방전된   need to ~해야 한다   change 바꾸다, 교체하다

14 ①

W Excuse me. How can I get to Hana Middle School from here?
M Are you going to walk? It's a little far from here.
W Yes, I'm going on foot.
M Go straight two blocks and turn left. Then, you'll see it on your right.
W I see. How long will it take?
M If you walk fast, it will take about 10 minutes.

여 실례합니다. 여기서 하나중학교에 어떻게 가면 되나요?
남 걸어가실 건가요? 여기서 약간 멀어요.
여 네, 걸어서 가려고요.
남 두 블록 직진하다가 왼쪽으로 도세요. 그러면, 오른편에 학교가 보일 거예요.
여 알겠습니다. 얼마나 걸릴까요?
남 빨리 걸으시면, 10분 정도 걸릴 거예요.

해설 하나중학교는 두 블록 직진하다가 왼쪽으로 돌면 오른편에 있다고 했다.

어휘 get to ~에 도착하다   middle school 중학교   walk 걷다   a little 약간   far from ~로부터 먼   on foot 걸어서   go straight 직진하다   turn left 왼쪽으로 돌다   on one's right ~의 오른편에   fast 빨리   about 약, ~쯤

15 ②

W Mark, you have dark circles under your eyes.
M Yes. Do you know how to remove them?
W Sure. You just have to get plenty of sleep. Drink a lot of water, too.
M Okay. What else?
W Put warm teabags under your eyes. Taking vitamin C might be good, too.
M I see. Thanks.

여 Mark, 너 눈 밑에 다크서클이 있구나.
남 맞아. 너 다크서클을 없애는 방법 알아?
여 응. 잠을 충분히 자야 해. 물도 많이 마셔.
남 알겠어. 또?
여 눈 밑에 따뜻한 티백을 올려 둬. 비타민 C를 섭취하는 것도 좋을 거야.

남 그렇구나. 고마워.

해설 여자는 운동과 관련된 내용은 언급하지 않았다.

어휘 dark circle 다크서클   under ~ 아래에   how to
~하는 방법   remove 없애다, 제거하다   have to ~해야 한다
plenty of 많은   put 놓다   warm 따뜻한   teabag 티백
vitamin 비타민   might ~일지도 모른다

16 ④

W Mom looks very tired these days.
M You're right.
W Let's do something nice for her this evening.
M Okay. How about baking cookies for her?
W Sounds good. What else can we do?
M We can write her a card.
W Great idea! She will like our surprise event.

여 엄마가 요즘 매우 피곤해 보이셔.
남 맞아.
여 오늘 저녁에 엄마를 위해 뭔가 멋진 일을 하자.
남 좋아. 엄마를 위해 쿠키를 굽는 것은 어때?
여 좋아. 우리가 또 뭘 할 수 있을까?
남 엄마께 카드를 쓸 수 있어.
여 좋은 생각이야! 엄마가 우리의 깜짝 이벤트를 좋아하실 거야.

해설 두 사람은 엄마를 위해 쿠키를 만들고 카드를 쓸 것이라고 했다.

어휘 tired 피곤한   these days 요즘   bake 굽다   else 또
다른, 그 밖의   event 행사

17 ③

W I'm going on a camping trip with my family this
   weekend.
M Sounds like fun! How will you go there?
W We had planned to drive there, but we changed our
   minds.
M Then will you go there by bus?
W No. We are planning to go there by train.
M Good! I think that will be more convenient.

여 난 이번 주말에 가족들과 캠핑 여행을 갈 거야.
남 재미있겠다! 거기에 어떻게 갈 거니?
여 우리는 운전해서 가려고 했었는데, 마음을 바꿨어.
남 그럼 버스로 갈 거야?
여 아니. 우리는 거기에 기차를 타고 갈 계획이야.
남 좋다! 내 생각에 그것이 더 편리할 것 같아.

해설 여자는 캠핑지에 운전을 해서 가려고 했었지만 기차를 타고
가는 것으로 계획을 바꿨다고 했다.

어휘 go on a camping trip 캠핑 여행을 가다   change
one's mind 마음을 바꾸다   convenient 편리한

18 ⑤

① W Where is the bookstore?
   M It's next to the shopping mall.

② W What do you want to be in the future?
   M I want to be a movie star.
③ W Would you like to join us?
   M Sorry, but I can't. I have to see the dentist at that
      time.
④ W How are you doing?
   M Pretty good. I made a lot of friends in my new
      school.
⑤ W I'm always tired. What should I do?
   M I have a cold, too.

① 여 서점이 어디에 있나요?
   남 쇼핑몰 옆에 있어요.
② 여 넌 장래 희망이 뭐니?
   남 난 영화배우가 되고 싶어.
③ 여 우리랑 함께할래?
   남 미안하지만, 안 돼. 난 그때 치과에 가야 해.
④ 여 어떻게 지내니?
   남 잘 지내. 난 새 학교에서 친구들을 많이 사귀었어.
⑤ 여 난 항상 피곤해. 어떻게 해야 하지?
   남 나도 감기에 걸렸어.

해설 ⑤ 항상 피곤한 것에 대해 조언을 구하는 말에 나도 감기에
걸렸다고 답하는 것은 어색하다.

어휘 bookstore 서점   next to ~ 옆에   shopping mall
쇼핑몰   in the future 미래에   movie star 영화배우   see
the dentist 치과에 가다   pretty 꽤   make a friend 친구를
사귀다   always 항상   tired 피곤한   have a cold 감기에
걸리다

19 ④

W Welcome to Wilson's Department Store. May I help
   you?
M Yes. I'm looking for men's clothes. Where can I find
   them?
W They're on the fourth floor.
M Thanks. Where is the elevator?
W Go straight this way and turn left.

여 Wilson's Department Store에 오신 것을 환영합니다. 도와
   드릴까요?
남 네. 저는 남성복을 찾고 있어요. 어디에서 찾을 수 있나요?
여 4층에 있습니다.
남 고맙습니다. 엘리베이터는 어디에 있죠?
여 이쪽으로 쭉 가셔서 왼쪽으로 도세요.

해설 남자가 엘리베이터가 어디에 있는지 물었으므로 엘리베이터
의 위치나 엘리베이터까지 가는 방법을 답해야 한다.
① 그것은 당신에게 잘 어울려요.
② 당신은 항상 그것을 이용할 수 있어요.
③ 그것은 당신에게 좋은 선택이라고 생각해요.
⑤ 저는 아버지께 드릴 선물을 사고 싶어요.

어휘 department store 백화점   look for ~을 찾다   men's
clothes 남성복   on the fourth floor 4층에   look great
on ~에게 잘 어울리다   all the time 항상   present 선물
choice 선택

20 ②

M What are you doing?
W I'm doing my homework, but <u>there</u> <u>is</u> <u>a</u> <u>problem</u>.
M What is it? Can I help you with it?
W <u>That</u> <u>would</u> <u>be</u> <u>great</u>, but aren't you busy?
M I'm free after 2 o'clock. <u>How</u> <u>about</u> <u>meeting</u> in the library at 3?
W Okay. See you then.

남 너 뭐 하고 있어?
여 숙제하고 있는데, 문제가 있어.
남 뭔데? 내가 도와줄까?
여 그럼 좋겠지만, 너 바쁘지 않아?
남 2시 이후에는 괜찮아. 3시에 도서관에서 만나는 게 어때?
여 좋아. 그때 보자.

해설 남자가 약속 시간을 제안했으므로 이에 대한 수락 또는 거절의 응답이 와야 한다.
① 물론이지. 여기 있어.
③ 아니. 나는 독서를 좋아하지 않아.
④ 정말 멋진 도서관이다!
⑤ 그곳은 오전 9시부터 오후 8시까지 열어.

어휘 do one's homework 숙제하다 problem 문제 busy 바쁜 free 다른 계획이 없는, 한가한 library 도서관

Review Test

pp.168~169

Word Check   15회

01 교통 체증   02 과학실
03 책꽂이   04 ~을 따라
05 상쾌한   06 머리를 자르다
07 무게가 ~이다   08 영화관
09 조부모   10 유행하는
11 사과하다   12 인기 있는
13 fit   14 soccer shoes
15 extra   16 hole
17 field trip   18 gym
19 sleeve   20 flowerpot
21 exhibition   22 exchange
23 this way   24 solve

Expression Check

25 listen to   26 be late for
27 give, a try   28 all kinds of
29 had an argument   30 is well-known for

Word Check   16회

01 ~하는 동안   02 마법사
03 매진된, 다 팔린   04 다양한
05 ~에 기대다   06 단순한
07 재미로   08 비싼
09 많은   10 열이 나다
11 좋아지다   12 변장을 하다
13 convenient   14 comfortable
15 on sale   16 on foot
17 important   18 shape
19 receive   20 present
21 choice   22 different
23 department store 24 dead

Expression Check

25 is filled with   26 how to remove
27 in no time   28 as soon as possible
29 scored, goals   30 both, and

ANSWERS **75**

01 ④	02 ③	03 ④	04 ②	05 ②
06 ④	07 ①	08 ④	09 ①	10 ③
11 ③	12 ④	13 ②	14 ④	15 ①
16 ⑤	17 ④	18 ⑤	19 ⑤	20 ④

01 ④

M This is a useful tool that we use in our daily lives. People use this when they need to cut paper or cloth. People also use this to cut meat or vegetables at restaurants. Hairdressers use this when they cut their customers' hair. What is this?

남 이것은 우리가 일상생활에서 사용하는 유용한 도구입니다. 사람들은 종이나 천을 잘라야 할 때 이것을 사용합니다. 사람들은 식당에서 고기나 채소를 자를 때도 이것을 사용합니다. 미용사들은 고객의 머리를 자를 때 이것을 사용합니다. 이것은 무엇일까요?

해설 종이나 천, 고기나 채소를 자르고, 머리를 자를 때 사용하는 것은 가위이다.

어휘 useful 유용한　tool 도구　daily life 일상생활　need to ~해야 한다　cut 자르다　paper 종이　cloth 천　meat 고기 vegetable 채소　hairdresser 미용사　customer 고객

02 ③

W What should I buy for Hayeon?
M Hayeon likes heart shapes. She'll like a heart-shaped balloon.
W Then how about that heart-shaped balloon with the bear on it?
M That's cute. But how about the balloon with the rabbit?
W That heart-shaped balloon with the rabbit?
M Yes. I'm sure she'll love it.

여 하연이에게 어떤 것을 사 줘야 할까?
남 하연이는 하트 모양을 좋아해. 그녀는 하트 모양 풍선을 좋아할 거야.
여 그럼 곰이 그려진 저 하트 모양 풍선 어때?
남 귀엽네. 그런데 토끼가 그려진 풍선은 어때?
여 토끼가 그려진 하트 모양 풍선?
여 응. 그녀가 그걸 아주 좋아할 거라고 확신해.

해설 두 사람은 하트 모양의 풍선 중에서 토끼가 그려진 것을 구입할 것이다.

어휘 heart-shaped 하트 모양의　balloon 풍선　bear 곰 rabbit 토끼　sure 확신하는

03 ④

W This is today's weather report for Asia. In Beijing, it is going to rain. Don't forget to carry your umbrella all day. It will be cloudy in Seoul. In Hong Kong and Taipei, you will enjoy sunlight with clear skies. Lastly, it will be cold and windy in Tokyo.

여 오늘의 아시아 일기 예보입니다. 베이징에는 비가 오겠습니다. 하루 종일 우산 챙기시는 것을 잊지 마시기 바랍니다. 서울은 흐리겠습니다. 홍콩과 타이베이에서는 맑은 하늘과 함께 햇빛을 즐기실 수 있겠습니다. 마지막으로, 도쿄는 춥고 바람이 불겠습니다.

해설 도쿄는 춥고 바람이 불 것이라고 했다.

어휘 forget to ~하는 것을 잊다　carry 가지고 다니다 umbrella 우산　all day 하루 종일　cloudy 구름 낀, 흐린 sunlight 햇빛　clear 맑은　lastly 마지막으로　windy 바람이 (많이) 부는

04 ②

M Did you finish your science homework?
W Yes. I finished it this morning.
M Really? Did you get up early?
W Yeah. I got up two hours earlier than usual.
M What time do you usually get up?
W I usually get up at 7:30.
M Oh, you must be so tired.

남 너 과학 숙제 끝냈어?
여 응. 오늘 아침에 끝냈어.
남 정말? 일찍 일어났니?
여 응. 평소보다 두 시간 더 일찍 일어났어.
남 넌 보통 몇 시에 일어나?
여 난 보통 7시 30분에 일어나.
남 아, 너 아주 피곤하겠구나.

해설 여자는 보통 7시 30분에 일어나는데 오늘은 평소보다 두 시간 일찍 일어났다고 했다.

어휘 finish 끝내다　science 과학　homework 숙제　get up 일어나다　early 일찍　than usual 평소보다　usually 보통, 대개　must be ~임에 틀림없다　tired 피곤한

05 ②

W My name is Jina. I write in my diary every day. I usually write about the weather or my daily activities. I like to write down my thoughts, too. Sometimes I write about my plans for the future. Keeping a diary is helpful to me.

여 내 이름은 지나야. 나는 매일 일기를 써. 나는 보통 날씨나 내 일상적인 활동들에 대해 기록해. 내 생각을 적는 것도 좋아해. 가끔 나는 미래를 위한 내 계획을 적기도 해. 일기를 쓰는 것은 나에게 도움이 돼.

해설 여자는 일기에 적는 내용으로 식단은 언급하지 않았다.

write in one's diary 일기를 쓰다   every day 매일
weather 날씨   daily 매일 일어나는   activity 활동   thought
생각   sometimes 가끔, 때때로   plan 계획   future 미래
keep a diary 일기를 쓰다   helpful 도움이 되는

06 ④

W Please <u>don't change the channel</u> now.
M Why not? I really want to watch the soccer game live.
W But the last episode of *Sky Land* is starting now. I <u>can't miss it</u>.
M Don't you know? It's not going to be on TV this week.
W Oh, no. <u>I've been waiting</u> to see it all week.

여 지금 채널 바꾸지 말아요.
남 왜요? 난 축구 경기를 꼭 생방송으로 보고 싶어요.
여 하지만 〈Sky Land〉의 마지막 회가 이제 시작할 거예요. 난 그걸 꼭 봐야 해요.
남 몰랐어요? 그거 이번 주에 결방이에요.
여 아, 이런. 그걸 보려고 일주일 내내 기다렸는데.

해설 여자는 일주일 내내 기다려 왔던 프로그램의 마지막 회가 결방되어 실망했다.

어휘 change 바꾸다   channel (TV·라디오의) 채널   live 생방송으로   last 마지막의   episode 1회 방송분   miss 놓치다   wait 기다리다   all week 일주일 내내

07 ①

M Do you want to be a math teacher <u>like your mother</u>?
W No, I don't. I want to be a science teacher.
M Oh, really? <u>Do you like science</u>?
W Yes. I'm very interested in science. What do you want <u>to be in the future</u>?
M I want to be a famous writer.
W Wow! That's cool.

남 너도 너희 어머니처럼 수학 선생님이 되고 싶니?
여 아니. 난 과학 선생님이 되고 싶어.
남 아, 정말? 넌 과학을 좋아해?
여 응. 난 과학에 아주 관심이 많아. 너는 장래 희망이 뭐니?
남 난 유명한 작가가 되고 싶어.
여 우와! 멋지다.

해설 여자의 장래 희망은 과학 선생님이고, 남자의 장래 희망은 작가이다.

어휘 math 수학   science 과학   be interested in ~에 관심이 있다   in the future 미래에   famous 유명한   writer 작가   cool 멋진

08 ④

M Sandra, your singing and dancing are excellent.
W Oh, thanks. I'm <u>practicing for the musical</u>.
M You will perform in a musical? When is the performance?
W It will be <u>the day after tomorrow</u>.
M How about the rehearsal?
W The rehearsal is tomorrow. I'm so nervous.
M Don't worry. You always <u>do well on the stage</u>.

남 Sandra, 너의 노래와 춤은 훌륭해.
여 아, 고마워. 뮤지컬을 위해 연습하고 있어.
남 네가 뮤지컬 공연을 할 거라고? 공연이 언젠데?
여 내일모레야.
남 리허설은?
여 리허설은 내일이야. 나 너무 긴장돼.
남 걱정하지 마. 넌 항상 무대에서 잘하잖아.

해설 남자는 뮤지컬 공연을 앞두고 긴장한 여자를 격려하고 있다.

어휘 excellent 훌륭한, 뛰어난   practice 연습하다   perform 공연하다   performance 공연   the day after tomorrow 내일모레   rehearsal 리허설, 예행연습   nervous 긴장한, 초조해하는   always 항상   stage 무대

09 ①

(Telephone rings.)
M Hello. This is Jessica's Restaurant.
W Hello. I'd like to make a reservation for this Saturday.
M What time and <u>how many are in your party</u>?
W Six o'clock in the evening for four people.
M Okay. <u>Can I have your name</u> and phone number?
W My name is Kim Yumi, and <u>my phone number is</u> 010-234-5678.
M <u>You're booked</u>. We'll see you then.

(전화벨이 울린다.)
남 안녕하세요. Jessica's Restaurant입니다.
여 안녕하세요. 이번 토요일로 예약을 하고 싶은데요.
남 몇 시에 몇 분이신가요?
여 저녁 6시에 네 명입니다.
남 알겠습니다. 성함과 전화번호를 말씀해 주시겠어요?
여 제 이름은 김유미이고요, 전화번호는 010-234-5678입니다.
남 예약되셨습니다. 그때 뵙겠습니다.

해설 Jessica's Restaurant라는 식당에 네 명을 예약하는 상황이다.

어휘 make a reservation 예약하다   party 일행   phone number 전화번호   book 예약하다

10 ③

① **M** How often do you go to the library?
   W I go there <u>twice a month</u>.
② **M** How may I help you?
   W <u>I'm looking for</u> a backpack.
③ **M** Would you like to eat more pizza?
   W Yes, please. <u>I'm full</u>.
④ **M** May I speak to Jenny, please?
   W Yes, this is she.

⑤ **M** What do you think of your new school?
　W I love it. I have many friends there.

① **남** 너는 얼마나 자주 도서관에 가니?
　여 한 달에 두 번 가.
② **남** 무엇을 도와드릴까요?
　여 가방을 찾고 있어요.
③ **남** 피자를 더 드시겠어요?
　여 네, 주세요. 배불러요.
④ **남** Jenny 좀 바꿔 주시겠어요?
　여 네, 전데요.
⑤ **남** 넌 새 학교에 대해 어떻게 생각하니?
　여 아주 좋아. 학교에 친구가 많아.

해설 ③ 피자를 더 먹을 것인지 묻는 말에 그러겠다고 답한 후 배가 부르다고 말하는 것은 어색하다.

어휘 library 도서관　twice 두 번　month 달, 월　look for ~을 찾다　backpack 가방, 배낭　speak to ~와 말하다　think of ~을 생각하다

11 ③

W Can I help you?
M Yes. I'm looking for science magazines.
W They're on the first floor.
M Thanks. Where can I find books about Korean history?
W You can find them on the second floor.
M Do you have the book *Kings of Joseon Dynasty*?
W Yes, we do. It's a bestseller. This way, please.

여 도와드릴까요?
남 네. 저는 과학 잡지들을 찾고 있어요.
여 그것들은 1층에 있습니다.
남 고맙습니다. 한국사에 관한 책들은 어디서 찾을 수 있나요?
여 2층에서 찾으실 수 있습니다.
남 〈Kings of Joseon Dynasty〉란 책이 있나요?
여 네, 있습니다. 그건 베스트셀러예요. 이쪽으로 오세요.

해설 책의 위치에 대해 묻고 답하고 있으므로 두 사람은 서점 직원과 고객 사이의 관계이다.

어휘 magazine 잡지　floor 층　history 역사　dynasty 왕조　bestseller 베스트셀러

12 ④

(*Cellphone rings.*)
M Hello, Ms. Evans. This is Oliver.
W Hi, Oliver. What's up?
M I'm calling about my piano lesson. Can I change today's lesson to tomorrow?
W What time are you thinking?
M Sometime between 4 p.m. and 6 p.m.
W Then let's make it at 5 p.m. Is that okay?
M That sounds good. Thank you.

(휴대 전화가 울린다.)
남 안녕하세요, Evans 선생님. 저 Oliver예요.

여 안녕, Oliver. 무슨 일이니?
남 제 피아노 수업 때문에 전화했어요. 오늘 수업을 내일로 바꿔도 될까요?
여 몇 시를 생각하고 있니?
남 오후 4시와 6시 사이에 아무 때나요.
여 그럼 오후 5시로 하자. 괜찮니?
남 좋아요. 고맙습니다.

해설 남자는 피아노 수업 시간을 변경하기 위해서 전화했다.

어휘 call about ~ 일로 전화하다　lesson 수업　sometime 언젠가　between A and B A와 B 사이　make it at (약속 시간을) ~로 정하다

13 ②

W Excuse me. Are you the owner of this car?
M Yes, I am. Is there a problem?
W I can't park because of your car.
M I think you can park here.
W Look here! You parked your car across the line.
M Oh, I'm sorry. I didn't see that.

여 실례합니다. 당신이 이 차의 주인이신가요?
남 네. 무슨 문제가 있나요?
여 당신 차 때문에 제가 주차를 할 수가 없어요.
남 여기에 주차하시면 될 것 같은데요.
여 여기를 보세요! 당신이 주차선을 넘어서 주차하셨어요.
남 아, 미안합니다. 그걸 못 봤어요.

해설 남자가 주차를 제대로 하지 못한 상황이므로 대화 직후에 남자가 할 일은 주차를 다시 하는 것이다.

어휘 owner 주인　problem 문제　park 주차하다　because of ~ 때문에　across ~을 가로질러

14 ④

(*Cellphone rings.*)
M Honey, I'm in the garage. But I forgot my car key.
W Where did you put it?
M I think I left it on the bedside table.
W Let me check. (*Pause*) I can't find it on the bedside table.
M How about on the tea table?
W I don't see it on the tea table. Oh, I found it. It was under the chair.

(휴대 전화가 울린다.)
남 여보, 나 차고에 있어요. 그런데 자동차 열쇠를 깜빡했어요.
여 그것을 어디에 두었는데요?
남 침대 옆 탁자에 둔 것 같아요.
여 확인해 볼게요. (잠시 후) 침대 옆 탁자 위에는 없는데요.
남 티 테이블 위에는요?
여 티 테이블 위에도 없어요. 아, 찾았어요. 의자 밑에 있었어요.

해설 자동차 열쇠는 침대 옆 탁자나 티 테이블 위가 아니라 의자 밑에 있었다.

어휘 garage 차고, 주차장　forget 잊다　leave(-left-left)

두다, 놓다   bedside 침대 옆   table 탁자   tea 차   under ~
아래   chair 의자

15 ①

W Jacob, there is a small hole in your pants.
M Oh, no! What should I do?
W You'd better go home and change your pants. We
   have enough time.
M I'm so sad. These are my favorite pants.
W Why don't you go to the dry cleaner's next to the
   bank? The workers there are good at repairing
   clothes.
M That's a good idea. Okay, I should go home and
   change first.

여 Jacob, 네 바지에 작은 구멍이 났어.
남 아, 이런! 어떡하지?
여 집에 가서 바지를 갈아입는 게 좋겠어. 우리는 시간이 충분해.
남 너무 슬프다. 이거 내가 제일 좋아하는 바지인데.
여 은행 옆에 있는 세탁소에 가 보는 건 어때? 거기서 일하시는
   분들이 옷 수선을 잘하셔.
남 좋은 생각이야. 알았어, 먼저 집에 가서 갈아입을게.

[해설] 남자는 우선 집에 가서 바지를 갈아입겠다고 했다.

[어휘] hole 구멍   pants 바지   had better ~하는 것이 좋겠다
enough 충분한   dry cleaner's 세탁소   repair 수선하다
clothes 옷   first 먼저, 우선

16 ⑤

W Andy, I'm going to the market. Do you want to join
   me?
M I'd like to, but I can't. I have a lot of homework to
   do.
W All right. What do you want to eat for dinner?
M Can you cook chicken for me?
W Okay. Anything else?
M No. That's all I need.

여 Andy, 나 시장에 갈 거야. 나랑 함께 갈래?
남 그러고 싶지만, 안 돼요. 해야 할 숙제가 많아요.
여 알았어. 저녁으로 뭐 먹고 싶니?
남 닭고기 요리를 해 주시겠어요?
여 좋아. 또 다른 건?
남 없어요. 그거면 돼요.

[해설] 여자가 저녁으로 뭘 먹고 싶은지 묻자 남자는 닭고기 요리를
해 달라고 요청했다.

[어휘] market 시장   join 함께 하다   a lot of 많은
homework 숙제   cook 요리하다   else 또 다른, 그 밖의

17 ④

M Excuse me. I need two tickets to Busan.
W Just a moment, please. (*Pause*) There is a train at
   10:00 a.m. and at 10:30 a.m.

M Two tickets for the 1:00 a.m. train, please.
W Okay. Two tickets for the 10:00 a.m. train, right?
M That's right.
W The total comes to 40,000 won. Here you are.

남 실례합니다. 부산행 표 두 장 주세요.
여 잠시만 기다려 주세요. (잠시 후) 오전 10시와 오전 10시 30
   분에 기차가 있습니다.
남 오전 10시 기차로 두 장 주세요.
여 알겠습니다. 오전 10시로 두 장 맞나요?
남 맞습니다.
여 총 요금은 4만 원입니다. 여기 있습니다.

[해설] 부산행 기차표를 구입하는 상황이므로 대화가 이루어지는 장
소는 기차역 매표소이다.

[어휘] ticket 표   moment 잠깐, 잠시   total 총액, 합계
come to (총계가) ~이 되다

18 ⑤

W Andy, how was your weekend?
M Very nice. I went camping with my family.
W Wow! Did you have a good time?
M Yes. I cooked curry and rice for my parents. What
   did you do, Mina?
W I went to the National Museum of Korea.
M How was it?
W Great. It gave me a chance to understand our
   culture more.

여 Andy, 주말 잘 보냈어?
남 아주 좋았어. 난 가족들과 캠핑을 갔었어.
여 우와! 재미있었니?
남 응. 난 부모님을 위해 카레라이스를 만들었어. 넌 뭐 했어, 미나
   야?
여 난 국립중앙박물관에 갔었어.
남 어땠어?
여 좋았어. 내가 우리 문화를 더 많이 이해할 수 있는 기회가 됐어.

[해설] 주말에 남자는 가족과 캠핑을 갔고, 여자는 국립중앙박물관에
갔다고 했다.

[어휘] go camping 캠핑을 가다   have a good time 즐거운
시간을 보내다   curry and rice 카레라이스   parents 부모
National Museum of Korea 국립중앙박물관   chance 기회
understand 이해하다   culture 문화

19 ⑤

M Minji, did you hear the news about Jake?
W No, I didn't. What happened?
M He had a car accident yesterday.
W No way! I met him yesterday.
M The accident happened on his way back home.
W Really? How is he?
M He is in the hospital now.
W I'm sorry to hear that.

남 민지야, 너 Jake에 관한 소식 들었니?

여 아니. 무슨 일 있어?
남 그가 어제 교통사고가 났어.
여 말도 안 돼! 난 어제 그를 만났어.
남 그가 집에 돌아가는 길에 사고가 났어.
여 정말? 그는 지금 어때?
남 지금 병원에 입원해 있어.
여 유감이구나.

해설 친구가 교통사고가 나서 병원에 입원했다는 말에 대한 응답이 와야 한다.
① 물론이지. 재미있을 거야.
② 그거 좋은 생각이야!
③ 그는 나에게 그것에 대해 말했어.
④ 좋아. 잊지 않을게.

어휘 hear 듣다   news 소식   happen 일어나다, 발생하다
car accident 교통사고   No way! 말도 안 돼!   on one's
way back home ～가 집에 돌아가는 길에   in (the) hospital
입원 중인   forget 잊다

20 ④

W What are you doing, Suho?
M Oh, Lindy. I'm making *tteokbokki*.
W Really? I heard it's a popular street food in Korea.
M That's right. Many Koreans love it.
W It looks very hot.
M Yeah. It's hot but very delicious. Would you like some?
W Yes, I'd love some. Thanks.

여 수호야, 너 뭐 하고 있어?
남 아, Lindy. 나 떡볶이를 만들고 있어.
여 정말? 그게 한국에서 인기 있는 길거리 음식이라고 들었어.
남 맞아. 많은 한국인들이 아주 좋아해.
여 아주 매워 보여.
남 맞아. 맵지만 아주 맛있어. 좀 먹을래?
여 응. 먹고 싶어. 고마워.

해설 음식을 권하는 표현에 대한 응답이 와야 한다.
① 물론이지. 여기 있어.
② 잘했어!
③ 아니, 나는 그렇게 생각하지 않아.
⑤ 좋아. 함께 만들자.

어휘 popular 인기 있는   street food 길거리 음식   hot 매운
delicious 맛있는   do a good job 잘하다   together 함께

실전 모의고사 **18**회   pp.178~185

01 ④	02 ④	03 ②	04 ③	05 ⑤
06 ⑤	07 ②	08 ⑤	09 ③	10 ⑤
11 ③	12 ⑤	13 ④	14 ②	15 ⑤
16 ④	17 ⑤	18 ②	19 ⑤	20 ④

01 ④

M This is covered with paper or cloth. This has a long string at the end of it. You can hold the string and fly this in the air. Some of these are very simple, but some are very colorful. To fly this, you have to use the wind wisely. What is this?

남 이것은 종이나 천으로 덮여 있습니다. 이것은 끝에 긴 줄이 달려 있습니다. 당신은 그 줄을 잡고 이것을 공중에서 날릴 수 있습니다. 이것들 중 어떤 것은 아주 단순하지만, 어떤 것은 아주 화려합니다. 이것을 날리기 위해서, 당신은 바람을 현명하게 이용해야 합니다. 이것은 무엇일까요?

해설 끝에 긴 줄이 있고 바람을 이용해서 공중에 날릴 수 있는 것은 연이다.

어휘 be covered with ～로 덮여 있다   paper 종이   cloth
천   string 끈, 줄, 실   hold 잡다   fly 날리다   air 공중, 허공
simple 단순한   colorful 화려한   have to ～해야 한다   use
이용하다   wisely 현명하게

02 ④

W Dad, this is a card for you. I made it.
M What a pretty card! Thank you.
W I drew two stars in the middle.
M Why did you draw two stars?
W One is for you, and the other is for Mom.
M Oh, interesting! And you drew many hearts around the stars.
W Yes. They're to show my love for you and Mom.

여 아빠, 이거 아빠께 드리는 카드예요. 제가 만들었어요.
남 정말 예쁜 카드구나! 고맙다.
여 제가 가운데에 별 두 개를 그렸어요.
남 왜 별 두 개를 그렸니?
여 하나는 아빠를 위한 것이고, 다른 하나는 엄마를 위한 것이에요.
남 아, 흥미롭구나! 그리고 별들 주변에 하트를 많이 그렸구나.
여 네. 그것들은 아빠와 엄마를 향한 제 사랑을 보여 드리기 위한 것이에요.

해설 가운데에 별이 두 개 있고 별 주변에 하트가 많이 그려진 카드이다.

어휘 draw(-drew-drawn) 그리다   in the middle 가운데에
one ~, the other ... 하나는 ～, 다른 하나는 …   interesting
흥미로운   around 주위에   show 보여 주다

03 ②

M Hello. This is the weather forecast. Today, it will be cloudy and a little windy. And tonight, we'll have snow throughout the country. The snow will stop around midnight. Tomorrow will begin with some fog in the morning, but it will be clear in the afternoon.

남 안녕하세요. 일기 예보입니다. 오늘은 흐리고 바람이 약간 불겠습니다. 그리고 오늘 밤에는 전국에 걸쳐 눈이 오겠습니다. 눈은 자정쯤에 그치겠습니다. 내일은 오전에는 안개가 약간 끼겠지만, 오후에는 맑겠습니다.

해설 내일 오전에는 안개가 약간 끼겠지만 오후에는 맑겠다고 했다.

어휘 weather forecast 일기 예보 a little 약간, 조금 throughout 도처에, 전체에 걸쳐 country 나라 around ~쯤 midnight 자정, 한밤중 fog 안개

04 ③

W What did you do last weekend?
M I stayed home all day long and watched TV.
W Did you watch the *Comedy Concert*?
M Yes! It's my favorite TV show.
W Isn't it so funny when they tell jokes?
M You can say that again.

여 넌 지난 주말에 뭐 했니?
남 하루 종일 집에서 TV 봤어.
여 너 〈Comedy Concert〉 봤어?
남 그럼! 내가 가장 좋아하는 TV 프로그램이야.
여 그들이 농담할 때 정말 웃기지 않니?
남 맞아.

해설 You can say that again.은 상대방의 말에 동의할 때 사용하는 표현이다.

어휘 stay home 집에 머물다 all day long 하루 종일 watch TV TV를 보다 funny 재미있는 tell a joke 농담을 하다

05 ⑤

M Can I help you?
W Yes. I'd like to exchange this book for a new one.
M What's the problem with it?
W Some pages are missing.
M Can I take a look? (*Pause*) Oh, I'm sorry. Do you have the receipt?
W Yes. Here you are.

남 도와드릴까요?
여 네. 이 책을 새것으로 바꾸고 싶어요.
남 책에 무슨 문제가 있나요?
여 몇 페이지가 없어요.
남 제가 한번 봐도 될까요? (잠시 후) 아, 죄송합니다. 영수증 가지고 계신가요?
여 네. 여기 있어요.

해설 불량인 책을 교환하는 상황이므로 대화가 이루어지는 장소는 서점이다.

어휘 exchange *A* for *B* A를 B로 교환하다 page 페이지, 쪽 missing 없어진 take a look 보다 receipt 영수증

06 ⑤

W Everybody, please get on the bus. Now, we're going to start today's tour. We're going to ride the London Eye first. Next, we're going to have some sandwiches for lunch. We're going to take some pictures after lunch, and then we're going to visit the museum.

여 여러분, 버스에 탑승해 주세요. 이제 오늘의 관광을 시작할 거예요. 우리는 먼저 런던 아이를 탈 거예요. 그 다음에 점심으로 샌드위치를 먹을 거예요. 점심 식사 후에는 사진을 찍고, 그러고 나서 박물관을 방문할 거예요.

해설 여자는 저녁 식사 장소는 언급하지 않았다.

어휘 get on 타다 tour 관광, 여행 ride 타다 London Eye 런던 아이(세계에서 가장 큰 관람차) first 먼저, 우선 sandwich 샌드위치 for lunch 점심 식사로 take a picture 사진을 찍다 visit 방문하다 museum 박물관

07 ②

M What's your favorite class, Jimin?
W It's music. I like playing the piano. How about you?
M I like science. I want to be a scientist in the future.
W That's great.
M How about you? Do you want to be a pianist?
W No. Playing the piano is just my hobby. I want to be a singer.

남 지민아, 네가 가장 좋아하는 수업은 뭐니?
여 음악이야. 나는 피아노 치는 걸 좋아해. 너는 어때?
남 난 과학을 좋아해. 난 미래에 과학자가 되고 싶어.
여 좋네.
남 너는? 넌 피아니스트가 되고 싶어?
여 아니. 피아노 치는 건 그냥 취미야. 난 가수가 되고 싶어.

해설 장래 희망이 피아니스트인지 묻는 남자의 말에 여자는 가수가 되고 싶다고 했다.

어휘 music 음악 play the piano 피아노를 연주하다 science 과학 scientist 과학자 in the future 미래에 pianist 피아니스트 hobby 취미 singer 가수

08 ⑤

W Eric, you don't look well. How was your weekend?
M Not so good. I was sick in bed the whole weekend.
W Did you see a doctor?
M Yes. I took some medicine this morning.
W How are you feeling now?
M I'm still not better.
W You'd better get some more rest.

여 Eric, 너 안 좋아 보여. 주말은 어땠니?
남 별로 좋지 않았어. 난 주말 내내 앓아누워 있었어.
여 병원에 갔었어?
남 응. 오늘 아침에 약을 좀 먹었어.
여 그럼 지금은 좀 괜찮아?
남 아직 더 나아지진 않았어.
여 좀 더 쉬는 게 좋겠다.

해설 여자는 주말 내내 아팠던 남자를 걱정하고 있다.

어휘 sick in bed 앓아누워 있는   whole weekend 주말 내내   see a doctor 병원에 가다   take medicine 약을 먹다   still 아직도   had better ~하는 것이 좋겠다   get rest 휴식을 취하다   more 더

09 ③

M I have just finished making plans for my trip.
W Tell me about them. What will you do?
M On the first day, I'm going to climb a mountain. The next day, I'm going to go fishing.
W Is that all?
M No. On the last day, I'm going to go swimming. After swimming, I will ride my bike.
W Wow. It's going to be a great trip.

남 나 방금 여행 계획 다 짰어.
여 여행 계획에 대해 나한테 말해 줘. 너 뭐 할 거야?
남 첫째 날에는 등산을 할 거야. 그 다음 날엔 낚시를 하러 갈 거야.
여 그게 다야?
남 아니. 마지막 날에는 수영을 하러 갈 거야. 수영을 하고 나서는 자전거를 탈 거야.
여 우와. 아주 멋진 여행이 되겠구나.

해설 남자는 여행 마지막 날에 수영을 한 후에 자전거를 탈 것이라고 했다.

어휘 make a plan 계획을 짜다   trip 여행   climb 오르다   mountain 산   go fishing 낚시하러 가다   go swimming 수영하러 가다   ride one's bike 자전거를 타다

10 ⑤

M I'm planning to go mountain climbing this Sunday.
W Wow, do you like mountain climbing?
M Not really.
W Then why are you going to climb the mountain?
M I have to do my science project.
W Science project?
M Yeah, I'll be taking some pictures of wildflowers there.

남 난 이번 일요일에 등산을 갈 계획이야.
여 우와, 너 등산 좋아해?
남 그렇지는 않아.
여 그럼 왜 등산을 가려고 하는 거야?
남 과학 프로젝트를 해야 하거든.
여 과학 프로젝트?
남 응, 난 거기서 야생화 사진을 찍을 거야.

해설 남자는 야생화 사진을 찍는 과학 프로젝트를 위해 등산을 갈 것이라고 했다.

어휘 be planning to ~할 계획이다   mountain climbing 등산   mountain 산   climb 오르다   have to ~해야 한다   take a picture 사진을 찍다   wildflower 야생화, 들꽃

11 ③

M Here comes bus number 5. Let's get on the bus.
W Just a minute. How about taking the subway?
M Why?
W Traffic is heavy at this time of day.
M We have to walk for about ten minutes to the subway station.
W I know, but I think the subway will be faster.
M All right. Let's take the subway.

남 5번 버스가 온다. 버스 타자.
여 잠깐만. 지하철을 타는 것이 어때?
남 왜?
여 이 시간에는 교통이 혼잡해.
남 지하철역까지는 10분 정도 걸어야 하잖아.
여 나도 알아, 하지만 지하철이 더 빠를 것 같아.
남 알았어. 지하철을 타자.

해설 이 시간에는 교통이 혼잡하므로 두 사람은 지하철을 타기로 했다.

어휘 get on 타다   subway 지하철   traffic 교통(량)   heavy (교통이) 혼잡한   walk 걷다   for ~ 동안   about 약, ~쯤   subway station 지하철역

12 ⑤

M Excuse me.
W Yes. What can I do for you?
M There is a problem with my meal.
W Don't you like your meal, sir?
M No. When I booked this flight, I ordered a vegetarian meal.
W Oh, I'm sorry. I'll bring you a vegetarian meal right away.
M Okay.

남 실례합니다.
여 네. 무엇을 도와드릴까요?
남 제 식사에 문제가 있어요.
여 식사가 마음에 안 드시나요, 손님?
남 네. 저는 이번 항공편을 예약할 때, 채식주의자용 식사를 주문했어요.
여 아, 죄송합니다. 지금 바로 채식주의자용 식사를 가져다드릴게요.
남 네.

해설 비행기에서 기내식을 바꿔 주는 상황이므로 두 사람은 비행기 승무원과 탑승객의 관계이다.

어휘 problem 문제   meal 식사   book 예약하다   flight 항공편   order 주문하다   vegetarian 채식주의자   bring 가져오다   right away 곧바로, 즉시

13 ④

W What does your daughter like?
M She likes dolls and blocks.
W Then can you bring them with you tomorrow?
M Okay. Are you going to take pictures of her with the toys?
W Yes. She'll feel comfortable with the toys.
M I hope she enjoys having her picture taken.
W Don't worry.

여 따님이 무엇을 좋아하나요?
남 인형과 블록을 좋아해요.
여 그럼 내일 그것들을 가져오실 수 있나요?
남 그러죠. 그 장난감들과 함께 딸아이의 사진을 찍으실 건가요?
여 네. 장난감들과 함께 있으면 따님이 편안하게 느낄 거예요.
남 딸아이가 사진 찍는 것을 즐기면 좋겠네요.
여 걱정하지 마세요.

해설 장난감들과 함께 딸아이의 사진을 찍을 것인지 묻는 남자의 말에서 여자가 사진사임을 알 수 있다.

어휘 daughter 딸   doll (사람) 인형   block 블록   bring 가져오다   take pictures of ~의 사진을 찍다   toy 장난감   comfortable 편안한   worry 걱정하다

14 ②

M Excuse me. Is there a post office near here?
W Yes. There's one on Central Street.
M How do I get there?
W Go straight two blocks and turn right. It's next to the museum.
M Go straight and turn right?
W Yes. You'll see it on your left.
M Thanks a lot.

남 실례합니다. 이 근처에 우체국이 있나요?
여 네. Central Street에 하나 있어요.
남 거기에 어떻게 가나요?
여 두 블록 직진해서 오른쪽으로 도세요. 그것은 박물관 옆에 있어요.
남 직진하다가 오른쪽으로 돌라고요?
여 네. 왼편에 보일 거예요.
남 정말 고맙습니다.

해설 우체국은 두 블록 직진하다가 오른쪽으로 돌면 박물관 옆에 있다고 했다.

어휘 post office 우체국   go straight 직진하다   turn right 오른쪽으로 돌다   next to ~ 옆에   museum 박물관   on one's left ~의 왼편에

15 ⑤

M This Saturday is Mia's birthday. You're going to her birthday party, aren't you?
W I'd like to, but I can't. I'll be visiting my uncle.
M Really? Mia thinks you're going.
W Then what should I do?

M Why don't you call and tell her you can't go to her birthday party?
W Okay, I will.

남 이번 토요일이 Mia의 생일이야. 너는 그녀의 생일 파티에 올 거지, 그렇지?
여 가고 싶지만, 못 가. 나는 삼촌 댁을 방문할 거야.
남 정말? Mia는 네가 오는 걸로 생각하고 있어.
여 그럼 어떡하지?
남 그녀에게 전화해서 생일 파티에 못 간다고 말하는 게 어때?
여 알았어, 그렇게.

해설 남자는 Mia에게 전화해서 생일 파티에 못 간다고 말할 것을 제안했다.

어휘 birthday 생일   visit 방문하다   uncle 삼촌   call 전화하다

16 ④

W Can I help you?
M Yes. I'm looking for a present for my son.
W How about this bat and glove? They are very popular with boys.
M How much are they?
W The bat is $20, and the glove is $30. But I can give you a 10% discount today.
M Okay. I'll take both of them.

여 도와드릴까요?
남 네. 아들에게 줄 선물을 찾고 있어요.
여 이 배트와 글러브는 어떠세요? 남자애들 사이에서 아주 인기 있어요.
남 얼마인가요?
여 배트는 20달러이고, 글러브는 30달러예요. 그런데 오늘은 10 퍼센트를 할인해 드릴 수 있어요.
남 좋아요. 둘 다 살게요.

해설 배트는 20달러이고 글러브는 30달러인데 10퍼센트 할인을 해 준다고 했으므로, 남자가 지불할 금액은 45달러이다.

어휘 look for ~을 찾다   present 선물   son 아들   bat 방망이, 배트   glove 글러브   be popular with ~에게 인기 있다   discount 할인   both 둘 다

17 ⑤

W Are you going home, Martin?
M No. I'm going to the library to do my homework.
W Then can you return this book for me?
M Of course. Are there any books I can check out for you?
W Thanks, but I'll do that myself later. I really appreciate it.
M No problem.

여 너 집에 갈 거니, Martin?
남 아니. 난 숙제하러 도서관에 갈 거야.
여 그럼 나를 위해 이 책 좀 반납해 줄 수 있니?
남 물론이지. 너를 위해 내가 대출해 줄 책도 있니?

여 고맙지만, 그건 내가 나중에 직접 할게. 정말 고마워.
남 천만에.

해설 여자는 책을 대출하는 것은 나중에 자신이 직접 한다고 말하며 남자에게 책만 반납해 달라고 요청했다.

어휘 library 도서관   do one's homework 숙제하다   return 반납하다   check out (도서관 등에서) 대출하다   later 나중에   appreciate 고마워하다

18 ②

M I have some seeds. Let's plant them together.
W Do you know how to plant them?
M Sure. First, make a garden bed. Then, make holes with your fingers like this.
W Yes. And then?
M After that, put two or three seeds in each hole. Finally, cover the seeds with soil.
W Wow, great!

남 나한테 씨가 좀 있어. 함께 그것들을 심자.
여 너 그것들을 심는 방법을 알아?
남 물론이지. 먼저, 화단을 만들어. 그러고 나서, 이렇게 손가락으로 구멍을 만들어.
여 그래. 그 다음엔?
남 그 다음에는, 씨 두세 개를 각각의 구멍에 넣어. 마지막으로, 흙으로 씨들을 덮어.
여 우와, 대단하다!

해설 두 사람은 씨를 심는 방법에 대해 이야기하고 있다.

어휘 seed 씨, 씨앗   plant 심다   garden bed 화단   hole 구멍   finger 손가락   each 각각의   cover A with B A를 B로 덮다   soil 흙

19 ⑤

M I'm going snowboarding tomorrow. Do you want to go with me?
W I'm not sure. I can ski, but I can't snowboard.
M No problem. I'll teach you.
W Thanks. But snowboarding is more dangerous than skiing, isn't it?
M No, it isn't. I'm sure you'll love it.

남 나 내일 스노보드 타러 갈 거야. 나랑 같이 갈래?
여 잘 모르겠어. 난 스키는 탈 수 있는데, 스노보드는 못 타.
남 문제없어. 내가 가르쳐 줄게.
여 고마워. 하지만 스노보드가 스키보다 더 위험하지, 그렇지?
남 아니야. 너는 틀림없이 그것을 좋아할 거야.

해설 여자가 스노보드가 스키보다 위험한지 물었으므로 이에 대한 긍정 또는 부정의 응답이 와야 한다.
① 난 괜찮아.
② 내가 할 수 있을지 모르겠어.
③ 미안하지만, 난 다른 계획이 있어.
④ 정말? 도와줘서 고마워.

어휘 snowboard 스노보드를 타다   ski 스키를 타다   teach

가르쳐 주다   dangerous 위험한   other 다른   plan 계획

20 ④

M What club are you going to join?
W I'm going to join the *Samullori* club.
M I like *Samullori*, too. Let's join the club together.
W Okay, then can you play the *janggu* or anything?
M Not really, but I can learn it soon.

남 넌 어떤 동아리에 가입할 거니?
여 난 사물놀이 동아리에 가입할 거야.
남 나도 사물놀이를 좋아해. 그 동아리에 함께 가입하자.
여 좋아, 그런데 넌 장구 같은 것을 연주할 수 있어?
남 아니, 하지만 나는 금세 배울 수 있어.

해설 여자가 장구 같은 악기를 연주할 수 있는지 물었으므로 이에 대한 긍정 또는 부정의 응답이 와야 한다.
① 물론이지. 여기 있어.
② 좋은 생각인 것 같아.
③ 나도 그 동아리에 가입하고 싶어.
⑤ 나는 노력했지만, 피아노를 칠 수 없었어.

어휘 club 동아리   join 가입하다   together 함께   play 연주하다   learn 배우다   soon 금세, 곧

Word Check   17회

01 유용한	02 일상생활
03 천	04 미용사
05 공연	06 하트 모양의
07 마지막으로	08 왕조
09 햇빛	10 생각
11 1회 방송분	12 세탁소
13 excellent	14 the day after tomorrow
15 rehearsal	16 magazine
17 famous	18 party
19 owner	20 across
21 repair	22 chance
23 curry and rice	24 street food

Expression Check

25 make it at	26 have a good time
27 calling about	28 Keeping a diary
29 than usual	30 on his way back home

Word Check   18회

01 고마워하다	02 화려한
03 현명하게	04 도처에, 전체에 걸쳐
05 집에 머물다	06 없어진
07 식사	08 영수증
09 화단	10 계획을 짜다
11 씨, 씨앗	12 채식주의자
13 midnight	14 daughter
15 tour	16 comfortable
17 climb	18 present
19 flight	20 string
21 plant	22 take medicine
23 tell a joke	24 dangerous

Expression Check

25 is covered with	26 get, rest
27 get on	28 sick in bed
29 do my homework	30 One, the other

고난도 모의고사 19회   pp.190~197

01 ②	02 ③	03 ②	04 ③	05 ⑤
06 ④	07 ②	08 ①	09 ③	10 ④
11 ①	12 ②	13 ③	14 ②	15 ⑤
16 ③	17 ④	18 ③	19 ①	20 ④

01 ②

M This is used for a traditional Korean dance. Dancers wear this on their faces. We can't see the dancers' faces because of this. This has its own unique facial expression. This looks very funny, so many people love this. What is this?

남 이것은 한국의 전통 춤에 사용됩니다. 춤추는 사람들은 이것을 얼굴에 씁니다. 우리는 이것 때문에 춤추는 사람들의 얼굴을 볼 수 없습니다. 이것은 고유의 얼굴 표정을 가지고 있습니다. 이것은 아주 우스꽝스러워 보여서 많은 사람들은 이것을 아주 좋아합니다. 이것은 무엇일까요?

해설 한국의 전통춤을 출 때 춤추는 사람들이 얼굴에 쓰는 것은 탈이다.

어휘 be used for ~에 사용되다   traditional 전통적인 dancer 춤추는 사람, 무용수   wear 쓰다, 착용하다   because of ~ 때문에   own ~ 자신의   unique 고유의, 독특한   facial expression 얼굴 표정   funny 재미있는

02 ③

M What's the problem?
W My suitcase hasn't come out yet. I've been waiting for it for about 20 minutes.
M Okay. What does it look like?
W It's a white suitcase.
M Oh, look over there. The white suitcase with small stars on it is coming out now.
W That's not mine. My suitcase has flower patterns on it.
M Oh, I see.

남 무엇이 문제인가요?
여 제 여행 가방이 아직 나오지 않았어요. 20분 동안이나 기다리고 있어요.
남 알겠습니다. 가방이 어떻게 생겼나요?
여 하얀색 여행 가방이에요.
남 아, 저쪽을 보세요. 작은 별들이 그려진 하얀색 가방이 지금 나오고 있어요.
여 저건 제 것이 아니에요. 제 여행 가방은 꽃무늬가 있어요.
남 아, 그렇군요.

해설 여자의 여행 가방은 하얀색 바탕에 꽃무늬가 있는 것이다.

어휘 suitcase 여행 가방   yet (부정문·의문문에서) 아직   wait for ~을 기다리다   about 약, ~쯤   flower pattern 꽃무늬

03 ②

W Good evening. Here's the weather report for tomorrow. It's <u>raining</u> <u>across</u> the country now, but it will stop tonight. Tomorrow, it will be sunny <u>throughout</u> <u>most</u> <u>of</u> <u>the</u> <u>country</u>, but there will be strong winds in Daegu. And in Busan, it will rain <u>in</u> <u>the</u> <u>afternoon</u>.

여 안녕하세요. 내일의 일기 예보입니다. 지금 전국적으로 비가 내리고 있지만, 오늘 밤에는 그치겠습니다. 내일은 전국 대부분의 지역이 화창하겠지만, 대구는 바람이 강하게 불겠습니다. 그리고 부산은 오후에 비가 오겠습니다.

[해설] 부산은 내일 오후에 비가 온다고 했다.

[어휘] weather report 일기 예보　across(throughout) the country 전국적으로　most of ~의 대부분　strong 강한

04 ③

M Cindy, I can't find my planner. Can you help me?
W Sure. Do you remember <u>where</u> <u>you</u> <u>put</u> <u>it</u>?
M I think I put it on the desk. (*Pause*) Oh, here it is.
W <u>Did</u> <u>you</u> <u>find</u> <u>it</u>? Good for you.
M Whew! I wrote all the important things on this.
W Why don't you <u>make</u> <u>notes</u> <u>on</u> <u>your</u> <u>smartphone</u> from now on?

남 Cindy, 내 수첩을 못 찾겠어. 나 좀 도와줄래?
여 그래. 그것을 어디에 두었는지 기억해?
남 책상 위에 뒀던 것 같아. (잠시 후) 아, 여기 있다.
여 찾았어? 잘됐다.
남 휴! 난 여기에 중요한 것을 다 적어 두었거든.
여 지금부터는 스마트폰에 메모를 하는 게 어때?

[해설] 여자는 수첩 대신 스마트폰에 메모를 하는 것을 제안했다.

[어휘] planner 수첩, 일정 계획표　remember 기억하다　put 놓다, 두다　important 중요한　make a note 메모하다　from now on 이제부터

05 ⑤

W Let me tell you about our school club festival. It <u>will</u> <u>be</u> <u>held</u> from this Wednesday to Friday. We will <u>have</u> <u>activity</u> <u>booths</u> in the gym and the library. After the activities, <u>you</u> <u>can</u> <u>win</u> <u>prizes</u> like candies or chocolate. Just come and enjoy the activities.

여 우리 학교 동아리 축제에 대해 말씀드리겠습니다. 축제는 이번 주 수요일부터 금요일까지 열릴 것입니다. 우리는 체육관과 도서관에 체험 활동 부스를 열 것입니다. 체험 활동을 한 뒤에 여러분은 사탕이나 초콜릿 같은 상품을 받을 수 있습니다. 그냥 와서 활동들을 즐기세요.

[해설] 체험 활동은 동아리 가입 여부와 관계없이 할 수 있다.

[어휘] festival 축제　be held 열리다　activity 활동　booth (전시장 등의) 부스　gym 체육관　library 도서관　win a prize 상을 타다　like ~와 같은

06 ④

(*Cellphone rings.*)
M Hello, Yuna. I think <u>I'll</u> <u>be</u> <u>late</u>.
W Where are you now?
M <u>I'm</u> <u>on</u> <u>the</u> <u>subway</u>. When does the movie start?
W The movie starts at 5:10 p.m. We have 30 minutes.
M I'll be there in 20 minutes. I'm sorry.
W That's okay. I'm <u>reading</u> <u>some</u> <u>books</u> at the bookstore.

(휴대 전화가 울린다.)
남 여보세요, 유나야. 나 늦을 거 같아.
여 너 지금 어디야?
남 지하철이야. 영화가 몇 시에 시작되지?
여 영화는 오후 5시 10분에 시작돼. 30분 남았어.
남 난 20분 후에 도착할 것 같아. 미안해.
여 괜찮아. 난 서점에서 책을 읽고 있어.

[해설] 영화는 5시 10분에 시작하는데 30분 남았다고 했으므로 현재 시각은 4시 40분이다. 남자가 20분 뒤에 도착한다고 했으므로 두 사람이 만날 시각은 5시이다.

[어휘] late 늦은　subway 지하철　movie 영화　start 시작되다　in ~ 후에　bookstore 서점

07 ②

W Tomorrow is Job Experience Day. Which job did you choose?
M I'm going to <u>experience</u> <u>the</u> <u>job</u> of a pilot.
W Great. Do you want to be a pilot?
M Yes, I do. <u>What</u> <u>did</u> <u>you</u> <u>choose</u>?
W I want to become a hairdresser, so I'll experience the job of a hairdresser tomorrow.
M <u>I'm</u> <u>sure</u> <u>you'll</u> <u>become</u> a great hairdresser.

여 내일은 직업 체험의 날이야. 넌 어떤 직업을 선택했니?
남 난 파일럿 직업을 체험할 거야.
여 멋지다. 넌 파일럿이 되고 싶어?
남 응. 넌 뭘 선택했어?
여 난 미용사가 되고 싶어서 내일 미용사 직업을 체험할 거야.
남 난 네가 훌륭한 미용사가 될 거라고 확신해.

[해설] 남자의 장래 희망은 파일럿이고, 여자의 장래 희망은 미용사이다.

[어휘] job 직업　experience 체험; 체험하다　choose 선택하다, 고르다　pilot 파일럿　become ~이 되다　hairdresser 미용사

08 ①

W Lucas, what's wrong? <u>You</u> <u>look</u> <u>worried</u>.
M The school musical is this Thursday.
W Right. You are <u>playing</u> <u>the</u> <u>main</u> <u>character</u>, aren't you?
M Yeah, I'm going to act in front of a big audience <u>for</u> <u>the</u> <u>first</u> <u>time</u>.
W Don't worry. You will do well.

M Thank you for cheering me up.

여 Lucas. 무슨 일이니? 너 걱정 있는 것 같아.

남 학교 뮤지컬이 이번 목요일이야.

여 맞아. 네가 주인공 역할을 할 거지, 그렇지?

남 응, 난 처음으로 많은 관객 앞에서 연기를 할 거야.

여 걱정하지 마. 넌 잘할 거야.

남 격려해 줘서 고마워.

해설 남자는 많은 관객 앞에서 처음으로 연기를 해야 해서 긴장할 것이다.

어휘 play 연기하다   main character 주인공   act 연기하다 in front of ~ 앞에   audience 관객   for the first time 처음으로   cheer up ~을 격려하다

09 ③

M What are you going to do this Saturday?

W Nothing special. How about you, Jake?

M I'm going to watch a basketball game with my friends.

W That'll be fun. Do you have tickets?

M No. I have to buy them.

W Why don't you buy them online? That'll be easier.

M Okay. I'll do that right now.

남 너 이번 토요일에 뭐 할 거니?

여 특별한 일 없어. 넌 어때, Jake?

남 난 친구들과 농구 경기를 보러 갈 거야.

여 재미있겠다. 표는 있어?

남 아니. 사야 돼.

여 온라인으로 사는 건 어때? 그게 더 쉬울 거야.

남 알았어. 지금 당장 해야겠다.

해설 여자가 온라인으로 농구 경기 입장권을 사는 것을 제안하자 남자는 지금 당장 하겠다고 말했다.

어휘 special 특별한   watch 보다   basketball 농구   ticket 표, 입장권   online 온라인으로   easy 쉬운   right now 지금 당장

10 ④

W There's a new poster on the board.

M What is it about?

W It's about safety rules. The first is "Don't look at your phones while walking."

M Good point. That's not very safe.

W The second is "Don't run indoors."

M A few days ago, I was running to the cafeteria, and I almost knocked my friend over.

W It can be so dangerous to run indoors. We should always follow the safety rules.

여 게시판에 새로운 포스터가 있어.

남 무엇에 관한 거야?

여 안전 규칙에 관한 거야. 첫째는 "걸으면서 휴대 전화를 보지 마세요."

남 좋은 지적이야. 그건 아주 안전하지 않아.

여 둘째는 "실내에서 뛰지 마세요."

남 며칠 전에 나는 식당으로 달려가다가 친구를 넘어뜨릴 뻔했어.

여 실내에서 뛰는 것은 아주 위험할 수 있어. 우리는 항상 안전 규칙을 지켜야 해.

해설 두 사람은 게시판에 붙은 안전 규칙 포스터를 보며 대화하고 있다.

어휘 poster 포스터   board 게시판   safety 안전   rule 규칙 while ~하는 동안에   safe 안전한   indoors 실내에서   a few days 며칠   ago ~ 전에   knock over 넘어뜨리다 dangerous 위험한   always 항상   follow (충고·지시 등을) 따르다

11 ①

M Is there an art gallery around here?

W No, there isn't. It's far from here.

M How long will it take to walk there?

W It will take about 30 minutes. It would be better to take the bus or the subway.

M Thanks. Where is the subway station?

W It's a 10-minute walk from here, but the bus stop is right over there.

M Oh, I see. Then I'll take the bus.

남 이 근처에 미술관이 있나요?

여 아니요, 없어요. 미술관은 여기서 멀어요.

남 거기까지 걸어가는 데 얼마나 걸릴까요?

여 30분 정도 걸릴 거예요. 버스나 지하철을 타는 게 더 좋을 거예요.

남 고맙습니다. 지하철역은 어디에 있나요?

여 여기서 걸어서 10분 거리인데. 버스 정류장은 바로 저쪽에 있어요.

남 아, 그렇군요. 그럼 버스를 탈게요.

해설 미술관까지 버스나 지하철로 갈 수 있지만, 지하철역은 멀고 버스 정류장은 가까워서 남자는 버스를 타겠다고 했다.

어휘 art gallery 미술관   far from ~에서 먼   about 약, ~쯤 subway station 지하철역   10-minute walk 걸어서 10분 bus stop 버스 정류장

12 ②

(Telephone rings.)

W Thank you for calling Greenville Farm. How may I help you?

M I ordered two boxes of apples this morning, but I'd like to make a change.

W Sure. Can I have your name, please?

M My name is Paul Kim.

W I found your order. What would you like to change?

M I'd like to add two more boxes of apples to my order.

W So you'd like to order four boxes in total, right?

M Yes. Thank you.

(전화벨이 울린다.)

여 Greenville Farm에 전화해 주셔서 감사합니다. 무엇을 도와
드릴까요?

남 제가 오늘 아침에 사과 두 상자를 주문했는데요, 주문을 좀 바
꾸고 싶어서요.

여 네. 성함을 말씀해 주시겠어요?

남 제 이름은 Paul Kim입니다.

여 고객님의 주문을 찾았습니다. 무엇을 바꾸고 싶으신가요?

남 제가 주문한 것에 사과 두 상자를 더 추가하고 싶어요.

여 그러면 총 네 상자를 주문하고 싶으신 거죠, 맞나요?

남 네. 고맙습니다.

해설 남자는 사과 두 상자를 추가로 주문하기 위해 전화했다.

어휘 order 주문하다; 주문   make a change 변경하다   add
추가하다   in total 모두 합해서, 통틀어

13 ③

① W Do you have any brothers or sisters?
  M Yes. I have a younger sister.
② W Why didn't you go to school today?
  M I had a bad headache.
③ W You look happy. What's up?
  M I got a bad grade on the math test.
④ W Can you give me some help, please?
  M Sure. What can I do for you?
⑤ W What would you like to eat for lunch?
  M I'd like to eat something spicy.

① 여 너는 형제나 자매가 있니?
  남 응. 나는 여동생이 한 명 있어.
② 여 너는 오늘 왜 학교에 가지 않았니?
  남 두통이 심했어.
③ 여 너 행복해 보인다. 무슨 일이니?
  남 나는 수학 시험에서 안 좋은 점수를 받았어.
④ 여 저 좀 도와주실 수 있나요?
  남 물론이죠. 무엇을 도와드릴까요?
⑤ 여 넌 점심으로 뭘 먹고 싶니?
  남 매운 걸 먹고 싶어.

해설 ③ 행복해 보인다고 말하며 무슨 일인지 물었는데 좋지 않은
소식을 답하는 것은 어색하다.

어휘 have a headache 머리가 아프다   get a bad grade 안
좋은 점수를 받다   math 수학   test 시험   spicy 매운

14 ②

W The museum is much farther than I thought.
M Right. I think we should take a bus.
W Do you know where the bus stop is?
M No, but I have a map app. Let's see. We need to go
  straight and turn right at Second Street. Then, we
  will see it on the left.
W Okay. Let's go.

여 박물관이 내가 생각했던 것보다 훨씬 머네.
남 맞아. 우리는 버스를 타야 할 것 같아.
여 너 버스 정류장이 어디 있는지 알아?

남 아니, 하지만 나한테 지도 앱이 있어. 어디 보자. 직진하다가
Second Street에서 오른쪽으로 돌아야 해. 그러면, 왼편에서
그것을 볼 수 있어.

여 좋아. 가자.

해설 버스 정류장은 직진하다가 Second Street에서 오른쪽으로
돌면 왼편에 있다고 했다.

어휘 museum 박물관   farther 더 먼(far의 비교급)   bus
stop 버스 정류장   map 지도   app 앱, 애플리케이션

15 ⑤

W I'm going on a family trip next week.
M Oh, you must be excited.
W Yes, but I'm worried about my dog because I can't
  take him with me.
M Don't worry. You can leave your dog at an animal
  hotel.
W Good idea. Do you know a good one?
M Yes, I do.
W Can you give me the phone number?
M Of course.

여 나 다음 주에 가족 여행을 가.
남 오, 너 정말 신나겠다.
여 응, 그런데 우리 개를 데려갈 수 없어서 걱정이야.
남 걱정하지 마. 너희 개를 동물 호텔에 맡길 수 있어.
여 좋은 생각이네. 너 괜찮은 곳 알고 있어?
남 응.
여 전화번호 좀 알려 줄래?
남 물론이지.

해설 여자는 여행을 가 있을 동안 개를 맡길 수 있는 동물 호텔 전
화번호를 알려 달라고 요청했다.

어휘 go on a trip 여행을 가다   must be ~임에 틀림없다
excited 신난, 들뜬   be worried about ~에 대해 걱정하다
leave 맡기다   phone number 전화번호

16 ③

W Take your medicine after breakfast.
M Okay, Mom.
W How's your ankle? Does it still hurt?
M Yes, but it's okay.
W Don't walk too much for about a week. I'll drive you
  to school today.
M Thanks, Mom, but I can walk to school.
W I think you'd better not.

여 아침 먹고 약 먹으럼.
남 네, 엄마.
여 발목은 어떠니? 아직도 아프니?
남 네, 하지만 괜찮아요.
여 약 일주일 동안은 너무 많이 걷지 마라. 오늘은 내가 학교에 차
로 태워다 줄게.
남 고마워요, 엄마, 하지만 학교에 걸어갈 수 있어요.
여 그러지 않는 게 좋겠어.

해설 남자의 발목이 다 낫지 않아서 여자는 남자에게 약 일주일 동안은 너무 많이 걷지 말라고 했다.

어휘 take medicine 약을 먹다   ankle 발목   still 아직도, 여전히   hurt 아프다   for ~ 동안   about 약, ~쯤   drive 태워다 주다   had better not ~하지 않는 것이 좋겠다

17 ④

W The seafood spaghetti is done. Give it a try.
M Mmm, it smells good. (*Pause*) Wow, it's very delicious.
W It's easy to make it.
M That's right. Ms. Kim and I made Italian food today.
W Please check the recipe on the website.
M Our program *Easy Cooking* is on Channel 17 on Saturday.

여 해산물 스파게티가 완성되었습니다. 드셔 보세요.
남 음, 냄새가 좋아요. (*잠시 후*) 우와, 정말 맛있네요.
여 만들기 쉬워요.
남 맞아요. 오늘은 김 선생님과 제가 이탈리아 요리를 만들어 보았습니다.
여 조리법은 웹 사이트에서 확인해 주세요.
남 저희 프로그램 〈Easy Cooking〉은 토요일에 채널 17에서 방송됩니다.

해설 프로그램이 언제, 어느 채널에서 방송된다는 말을 하는 것으로 보아 남자는 요리 프로그램 진행자임을 알 수 있다.

어휘 seafood 해산물   give it a try 시도하다, 한번 해 보다   smell 냄새가 나다   delicious 맛있는   easy 쉬운   check 확인하다   recipe 조리법   website 웹 사이트   channel 채널

18 ③

M What are you going to get Mom for her birthday?
W I'm thinking of buying her a muffler.
M Well, Mom has a lot of mufflers. How about a pair of gloves?
W She just bought a new pair last week.
M Did she? Then let's buy her a bag together. What do you think?
W Good idea! Her bag is very old.

남 넌 엄마 생신 선물로 무엇을 살 거니?
여 난 머플러를 사 드릴까 생각 중이야.
남 음, 엄마는 머플러가 많아. 장갑은 어때?
여 엄마는 지난주에 새 장갑 한 켤레를 사셨어.
남 그래? 그럼 우리 같이 엄마께 가방을 사 드리자. 어떻게 생각해?
여 좋은 생각이야! 엄마 가방이 많이 낡았어.

해설 두 사람은 엄마 생신 선물로 가방을 사 드리기로 했다.

어휘 muffler 머플러, 목도리   a lot of 많은   a pair of ~ 한 켤레   gloves 장갑   old 낡은, 오래된

19 ①

M Do you know what? I'm going on a date with Tina

this Saturday. I'm so happy.
W What? This Saturday?
M Yes. What's wrong?
W We planned to go to the amusement park with Jim this Saturday. Don't you remember?
M Oh, I totally forgot.

남 너 그거 알아? 나 이번 토요일에 Tina와 데이트할 거야. 너무 행복해.
여 뭐? 이번 주 토요일?
남 응. 뭐 잘못 됐어?
여 우리 이번 토요일에 Jim과 함께 놀이공원에 가기로 했잖아. 기억 안 나?
남 아, 완전히 잊고 있었어.

해설 주말에 함께하기로 했던 계획을 상기시키며 기억나지 않는지 물었으므로 그와 관련된 응답이 와야 한다.
② 그거 멋진 계획이다.
③ 왜 나한테 전화 안 했어?
④ 난 네가 할 수 있을 거라고 확신해.
⑤ 나는 놀이공원에 가고 싶어.

어휘 go on a date 데이트하러 가다   plan to ~할 계획이다   amusement park 놀이공원   remember 기억하다   totally 완전히   forget(-forgot-forgotten) 잊다   call 전화하다

20 ④

W Hi, James. Long time, no see.
M Hi, Minji. How was your summer vacation?
W It was great. I went to Haeundae Beach with my family.
M Really? I visited my uncle in Busan, too. When did you go?
W I went there at the end of July. How about you?
M Oh, I visited in August.

여 안녕, James. 오랜만이야.
남 안녕, 민지야. 여름 방학은 어땠니?
여 아주 좋았어. 난 가족들과 함께 해운대에 갔었어.
남 정말? 나도 부산에 계신 삼촌을 방문했었어. 너는 언제 갔었어?
여 난 7월 말에 갔었어. 너는?
남 아, 난 8월에 갔었어.

해설 부산에 언제 갔었는지 물었으므로 방문 시기를 답해야 한다.
① 난 부산에 가지 않았어.
② 우리는 즐거운 시간을 보냈어.
③ 우리는 차를 타고 해변에 갔어.
⑤ 난 바다에 수영하러 갔어.

어휘 summer vacation 여름 방학   beach 해변, 바닷가   at the end of ~의 말에   July 7월   August 8월   drive(-drove-driven) 운전하다   go swimming 수영하러 가다   have a good time 즐거운 시간을 보내다

01 ④	02 ③	03 ②	04 ④	05 ②
06 ④	07 ①	08 ③	09 ②	10 ③
11 ④	12 ③	13 ③	14 ③	15 ⑤
16 ④	17 ③	18 ①	19 ⑤	20 ④

01 ④

W Here's the weather forecast <u>for the west coast</u>. It's sunny now, but it will start raining tonight. The rain <u>will continue until tomorrow morning</u>. There will be strong winds in the afternoon. If you are <u>planning a fishing trip</u> tomorrow, you should reschedule it.

여 서해안의 일기 예보입니다. 지금은 화창하지만, 오늘 밤에는 비가 내리기 시작하겠습니다. 비는 내일 오전까지 계속되겠습니다. 오후에는 강한 바람이 불겠습니다. 내일 낚시 여행을 계획하신다면, 일정을 변경하셔야 하겠습니다.

해설 내일 오전까지 비가 계속되다가 오후에는 강한 바람이 불 것이라고 했다.

어휘 west coast 서해안 tonight 오늘 밤 continue 계속되다 until ~까지 stong wind 강풍 fishing 낚시 trip 여행 plan 계획하다 reschedule 일정을 변경하다

02 ③

W Jackson, <u>take a look at</u> this T-shirt. It's for my little brother.
M Wow! It looks great. The dog on the T-shirt is very cute.
W My brother really likes dogs, so <u>I drew one for him</u>.
M Oh, you're a good sister. What does the "M.L.B." under the dog mean?
W Oh, <u>it means</u> "My Lovely Brother."
M I see. I'm sure your brother will love it.

여 Jackson, 이 티셔츠 좀 봐. 내 남동생한테 줄 거야.
남 우와! 멋져. 티셔츠에 있는 개가 아주 귀엽다.
여 동생이 개를 정말 좋아해서 그를 위해 그렸어.
남 오, 너는 좋은 누나구나. 개 밑에 있는 'M.L.B'는 무슨 뜻이야?
여 아, 그건 '나의 사랑스러운 남동생'이라는 뜻이야.
남 그렇구나. 네 동생이 분명히 마음에 들어 할 거야.

해설 여자는 티셔츠에 개를 그리고 그 밑에 'M.L.B.'라고 썼다.

어휘 take a look at ~을 보다 little brother 남동생 draw(-drew-drawn) 그리다 mean 의미하다

03 ②

M You can use this <u>to find your way</u>. This has a pointer that always points north. This is <u>a very important thing</u> for explorers and map makers because this helps them know <u>where they are going</u>. But now we use this <u>less than before</u> because of GPS. What is this?

남 당신은 길을 찾기 위해 이것을 사용할 수 있습니다. 이것은 항상 북쪽을 가리키는 바늘이 있습니다. 이것은 탐험가들과 지도를 만드는 사람들이 어디로 가고 있는지 알도록 도와주기 때문에 그들에게 매우 중요합니다. 그러나 지금 우리는 GPS 때문에 이전보다는 이것을 덜 사용합니다. 이것은 무엇일까요?

해설 길을 찾는 데 사용되고 항상 북쪽을 가리키는 바늘이 있는 것은 나침반이다.

어휘 use 사용하다 find 찾다 way 길 pointer (계기판의) 바늘 point 가리키다 north 북쪽 important 중요한 explorer 탐험가 map maker 지도 제작자 less than ~보다 덜 because of ~ 때문에 GPS(= Global Positioning System) 위성 위치 확인 시스템

04 ④

M Excuse me. I'm looking for a gift for my girlfriend.
W Do you have <u>anything particular in mind</u>?
M No, but I'd like to buy something very Korean.
W How about this fan?
M Oh, it's so beautiful. Do you <u>have any other items</u>?
W Of course. <u>Here is a mirror</u>. I think your girlfriend will like it.

남 실례합니다. 저는 여자 친구에게 줄 선물을 찾고 있어요.
여 특별히 생각해 두신 것이 있나요?
남 아니요, 하지만 아주 한국적인 것을 사고 싶어요.
여 이 부채는 어떠세요?
남 아, 정말 아름답네요. 다른 품목들도 있나요?
여 물론이죠. 여기 거울이 있습니다. 여자 친구가 좋아할 거예요.

해설 남자에게 한국 기념품을 보여 주며 남자를 응대하고 있으므로 여자는 기념품 매장 직원이다.

어휘 gift 선물 girlfriend 여자 친구 have ~ in mind ~을 염두에 두다(생각하다) particular 특별한, 특정한 fan 부채 beautiful 아름다운 other 다른 item 품목 mirror 거울

05 ②

M Lisa, what are you going to do this weekend?
W I'm going to visit my grandmother with my family this Saturday. <u>We're having dinner together</u>.
M <u>Will you be dining out</u>?
W No. My mom and I will be cooking *bulgogi* for her.
M That sounds great. Do you have any other plans?
W I'm going to go shopping. <u>Stores have big sales these days</u>.
M Don't forget that we have science homework. <u>Did you finish it</u>?
W No, I didn't. I'll do it on Sunday afternoon.

남 Lisa, 너 이번 주말에 뭐 할 거니?
여 난 이번 토요일에 가족과 함께 할머니를 방문할 거야. 우리는 함께 저녁을 먹을 거야.

남 외식할 거니?
여 아니. 엄마랑 내가 할머니를 위해 불고기를 요리할 거야.
남 좋네. 다른 계획도 있어?
여 쇼핑하러 갈 거야. 요즘 가게들이 할인을 많이 해.
남 과학 숙제가 있다는 거 잊어버리지 마. 너 숙제 끝냈어?
여 아니. 일요일 오후에 할 거야.

해설 여자는 주말 계획으로 외식을 하는 것은 언급하지 않았다.

어휘 have dinner 저녁 식사를 하다   dine out 외식하다
other 다른   plan 계획   store 가게   sale 세일, 할인 판매
these days 요즘   forget 잊다   finish 끝내다

06 ④

W Shh, please don't make noise here.
M Oh, I'm sorry. We're looking for some books on wild animals.
W You can use this computer to search some books.
M Oh, I think that would be easier. Can you tell me how to use the computer?
W First, type in the key word "wild animal" and then hit "Enter."

여 쉿, 여기서는 시끄럽게 하지 마세요.
남 아, 죄송해요. 저희는 야생 동물에 관한 책을 찾고 있어요.
여 책을 검색하려면 이 컴퓨터를 사용하실 수 있어요.
남 아, 그게 더 쉬울 것 같네요. 컴퓨터 사용하는 법을 알려 주시겠어요?
여 먼저, '야생 동물'이라는 주제어를 입력하고 나서 'Enter'를 치세요.

해설 조용히 해야 하며 컴퓨터로 책을 검색할 수 있는 곳은 도서관이다.

어휘 make noise 시끄럽게 하다   look for ~을 찾다   wild animal 야생 동물   use 사용하다   search 검색하다   how to ~하는 방법   type 타이핑을 하다   key word 주제어   hit 치다

07 ①

M Somi, what did you do during vacation?
W I did volunteer work at a hospital.
M What did you do there?
W I read books to children and played the guitar for them.
M Wow, you did a lot of good things for them.
W Yes, I felt proud of myself.
M Good for you. You're an angel.

남 소미야, 너 방학 동안에 뭐 했어?
여 난 병원에서 자원봉사를 했어.
남 거기서 뭐 했는데?
여 아이들에게 책을 읽어 주고 기타를 연주해 줬어.
남 우와, 넌 그들을 위해 좋은 일을 많이 했구나.
여 응, 난 스스로가 자랑스러웠어.
남 잘했어. 넌 천사야.

해설 여자가 자원봉사를 한 것에 대해 칭찬하는 말이다.

어휘 during ~ 동안   vacation 방학   volunteer work 자원봉사 활동   hospital 병원   read (소리 내어) 읽어 주다   children 아이들(child의 복수형)   a lot of 많은   feel proud of ~을 자랑스러워하다   angel 천사

08 ③

W Tony, what are you doing?
M I'm trying to solve this math problem, but I can't figure it out.
W Let me see. (Pause) Oh, it's very difficult. Why don't you ask your friends?
M I did, but they didn't know either.
W Then you should ask your teacher tomorrow.
M I think I should.

여 Tony, 너 뭐 하고 있니?
남 이 수학 문제를 풀려고 하는데, 도무지 모르겠어요.
여 어디 보자. (잠시 후) 아, 정말 어렵네. 친구들한테 물어보는 게 어떠니?
남 물어봤는데, 친구들도 모르겠대요.
여 그럼 내일 선생님께 여쭤봐야겠구나.
남 그래야 할 것 같아요.

해설 남자는 수학 문제가 어려워 풀지 못하고 있으므로 답답한 심정일 것이다.

어휘 try to ~하려고 노력하다   solve 풀다, 해결하다   math 수학   problem 문제   figure out 이해하다, 알아내다   difficult 어려운   either (부정문에서) ~도 또한

09 ②

W What time do you usually get up? Do you eat breakfast every day? Nowadays, a lot of teenagers skip breakfast. Breakfast is a main source of energy for our bodies. Breakfast is also very important for our brains. Don't skip breakfast!

여 여러분은 보통 몇 시에 일어납니까? 아침 식사는 매일 하나요? 요즘 많은 십 대들이 아침 식사를 거릅니다. 아침 식사는 우리 몸에 주요한 에너지원입니다. 아침 식사는 또한 우리의 두뇌에도 매우 중요합니다. 아침 식사를 거르지 마세요!

해설 우리 몸의 주요한 에너지원이며 두뇌에도 매우 중요한 아침 식사를 거르지 말아야 한다는 내용이다.

어휘 usually 보통, 대개   get up 일어나다   breakfast 아침 식사   every day 매일   nowadays 요즘   a lot of 많은   teenager 십 대   skip 거르다, 건너뛰다   main 주요한   source 원천, 근원   energy 에너지   body 몸   important 중요한   brain 두뇌

10 ③

M How can I help you?
W I need some milk and a dozen eggs.
M Here you are. That'll be $8.
W Thank you.

M Do you <u>need any fruit</u>? Our fruit is very fresh and <u>tastes good</u> today.

W How much are the lemons?

M They are three for a dollar.

W <u>Give me six lemons</u>, please.

남 무엇을 도와드릴까요?

여 우유랑 달걀 열두 개가 필요해요.

남 여기 있습니다. 8달러입니다.

여 고맙습니다.

남 과일이 필요하신가요? 오늘 저희 과일이 매우 싱싱하고 맛있습니다.

여 레몬은 얼마인가요?

남 레몬 세 개에 1달러입니다.

여 레몬 여섯 개 주세요.

해설 우유와 달걀 열두 개가 8달러이고, 세 개에 1달러인 레몬을 여섯 개 달라고 했으므로 여자가 지불할 금액은 10달러이다.

어휘 dozen 다스, 12개짜리 한 묶음 fruit 과일 fresh 신선한 taste 맛이 ~하다

---

11 ④

W I'm excited about the K-pop concert tomorrow.

M Me, too. <u>How will you go</u> to the concert, Bomi?

W I'm going to ride my bike. It's not far from my house.

M I also want to go there by bike, but <u>my bike is broken</u>.

W Then shall we go there by bus together?

M That sounds great. Let's <u>meet at the bus stop</u> tomorrow.

여 나는 내일 케이 팝 콘서트 때문에 너무 신나.

남 나도 그래. 보미야, 넌 콘서트에 어떻게 갈 거야?

여 난 자전거를 타고 갈 거야. 우리 집에서 멀지 않아.

남 나도 자전거를 타고 가고 싶은데, 내 자전거가 고장 났어.

여 그럼 같이 버스 타고 갈까?

남 좋아. 내일 버스 정류장에서 만나자.

해설 남자의 자전거가 고장 나서 두 사람은 함께 버스를 타고 가기로 했다.

어휘 be excited about ~에 대해 신나다, 들뜨다 concert 콘서트 ride one's bike 자전거를 타다 far from ~에서 먼 broken 고장 난 meet 만나다 bus stop 버스 정류장

---

12 ③

W Excuse me, Mr. White. Do you <u>have a minute</u>?

M Sure. How can I help you, Mina?

W I'd like to apply for the school broadcasting club.

M Okay. <u>Fill out this form</u> and come to the interview.

W <u>When is the interview</u>, sir?

M It will be next Wednesday at 3:30.

W Okay. I'll <u>come to the interview</u> that day. Thank you.

여 실례합니다. White 선생님. 잠시 시간 좀 내 주시겠어요?

남 물론이지. 뭘 도와줄까, 미나야?

여 저는 학교 방송 동아리에 지원하고 싶어요.

남 알겠어. 이 신청서를 작성하고 면접에 오면 돼.

여 면접은 언제인가요, 선생님?

남 다음 주 수요일 3시 30분에 있을 거야.

여 알겠습니다. 그날 면접에 올게요. 고맙습니다.

해설 여자는 학교 방송 동아리에 지원하기 위해서 남자를 찾아왔다.

어휘 minute 잠깐 apply for ~에 지원하다 broadcasting 방송 fill out 작성하다, 기입하다 form 양식, 서식 interview 면접

---

13 ③

W Who is the cute boy playing the violin in this picture?

M That's me. I <u>was six years old</u> at that time.

W Do you still play the violin?

M Yes. I <u>practice every day</u>.

W Great! Do you want to be a violinist?

M No. <u>Playing the violin is a hobby</u>.

W Then what do you want to be?

M I want to be a movie star.

여 이 사진 속에 바이올린을 연주하고 있는 귀여운 남자애는 누구니?

남 그건 나야. 나는 그때 6살이었어.

여 너 아직도 바이올린 연주를 하니?

남 응. 매일 연습해.

여 멋지다! 넌 바이올리니스트가 되고 싶어?

남 아니. 바이올린 연주는 취미야.

여 그럼 넌 뭐가 되고 싶어?

남 난 영화배우가 되고 싶어.

해설 남자는 바이올린 연주는 취미이고 영화배우가 되고 싶다고 했다.

어휘 play the violin 바이올린을 연주하다 picture 사진 still 여전히, 아직도 practice 연습하다 every day 매일 violinist 바이올리니스트 hobby 취미 movie star 영화배우

---

14 ③

M Excuse me. Do you know where Tom's Restaurant is?

W Sure. It's on Main Street. Go straight and turn left <u>at the second corner</u>.

M The second corner. Okay.

W <u>Walk along</u> Main Street, and you'll find it on your left.

M I'm not sure <u>if I can find it</u>. Is there a tall building around there?

W There is a post office next to the restaurant. And it's <u>across from the fire station</u>.

남 실례합니다. Tom's Restaurant가 어디에 있는지 아시나요?

여 네. 그것은 Main Street에 있어요. 직진하시다가 두 번째 모퉁이에서 왼쪽으로 도세요.

남 두 번째 모퉁이요. 알겠습니다.

여 Main Street를 따라 걸어가시면 오른편에 보일 거예요.

남 제가 찾을 수 있을지 모르겠네요. 그 근처에 높은 건물이 있나요?

여 그 식당 옆에 우체국이 있어요. 그리고 그것은 소방서 맞은편에 있어요.

해설 Tom's Restaurant는 우체국 옆, 소방서 맞은편에 있다고 했다.

어휘 corner 모퉁이   along ~을 따라   on one's right ~의 오른편에   sure 확신하는   if ~인지   building 건물   post office 우체국   next to ~ 옆에   across from ~의 맞은편에   fire station 소방서

15 ⑤

M What do we need for the family camping trip next week?

W First, we need a large tent for five people.

M Our tent is too small for five people. What should we do?

W Uncle Joe has a big one. Why don't we borrow it from him?

M That's a good idea.

W I'll call and ask him if he can lend us his tent.

남 다음 주 가족 캠핑 여행에 우리는 무엇이 필요할까?

여 먼저, 우리는 5인용 큰 텐트가 필요해.

남 우리 텐트는 5명이 쓰기에는 너무 작은데. 어떡하지?

여 Joe 삼촌한테 큰 텐트가 있어. 삼촌한테 텐트를 빌리는 게 어때?

남 그거 좋은 생각이야.

여 내가 삼촌한테 전화해서 빌려주실 수 있는지 여쭤볼게.

해설 여자는 삼촌에게 전화해서 큰 텐트를 빌려줄 수 있는지 물어보겠다고 했다.

어휘 camping trip 캠핑 여행   large 큰   tent 텐트   borrow 빌리다   if ~인지   lend 빌려주다

16 ④

W What a nice model airplane! Did you make it?

M Yes. I'm also preparing for the science contest next week.

W I didn't know you were interested in science.

M I have always been. I even joined the science club this year.

W Oh, did you? Do you know about the science exhibition at COEX?

M No. When is it?

W It's going on until next Friday. Would you like to go together this weekend?

여 정말 멋진 모형 비행기구나! 네가 만들었니?

남 응. 난 다음 주에 있을 과학 경시대회도 준비하고 있어.

여 난 네가 과학에 관심이 있는 줄 몰랐어.

남 난 항상 과학에 관심이 있었어. 올해에는 심지어 과학 동아리에도 가입했어.

여 아, 그랬어? 너 코엑스에서 과학 전시회가 있는 거 알아?

남 아니. 그게 언제야?

여 다음 주 금요일까지야. 이번 주말에 함께 갈래?

해설 여자는 과학에 관심이 있는 남자에게 과학 전시회에 함께 가자고 제안했다.

어휘 model airplane 모형 비행기   also 또한   prepare for ~을 준비하다   science 과학   contest 경연 대회   be interested in ~에 관심이 있다   always 항상   even 심지어   join 가입하다   exhibition 전시회   go on 계속되다   until ~까지

17 ③

W Tyler, I'm really looking forward to the school festival.

M When does the school festival start, on October fourteenth or fifteenth?

W It starts on October thirteenth.

M Really? Only five days from now? That's great.

W Yeah, I can't wait.

여 Tyler, 난 학교 축제를 정말로 기대하고 있어.

남 학교 축제가 언제 시작되지? 10월 14일인가, 15일인가?

여 10월 13일에 시작해.

남 정말? 지금으로부터 고작 5일 후라고? 정말 좋다.

여 응, 너무 기다려져.

해설 축제는 10월 13일에 시작된다고 했다.

어휘 look forward to ~을 기대하다   festival 축제   October 10월   only 겨우, 단지   can't wait 너무 기대된다

18 ①

W Oh, no! We missed our train.

M What should we do now?

W The next train is at 2 p.m. Let's take that.

M Then I'll get the train tickets.

W Okay. We still have 40 minutes left, so I'll get some snacks.

M Good. Let's meet back here in 10 minutes.

여 아, 이런! 우리가 탈 기차를 놓쳤어.

남 이제 어떡하지?

여 다음 기차가 오후 2시에 있어. 그걸 타자.

남 그럼 내가 기차표를 사 올게.

여 알았어. 아직 40분이 남았으니까, 나는 간식을 좀 사 올게.

남 좋아. 여기서 10분 후에 만나자.

해설 2시에 출발하는 기차가 있는데 40분 남았다고 했으므로 현재 시각은 1시 20분이다.

어휘 miss 놓치다   train ticket 기차표   still 아직   left 남아 있는(leave의 과거분사)   snack 간식   in ~ 후에

19 ⑤

W What's wrong?

M My teacher is very upset with me. I broke a window at my school.

W How did you do that?

M I was playing soccer, and I kicked the ball too hard.

W It sounds like an accident. Why is your teacher so upset?

M Well, when she first asked me about it, I told a lie. I said someone else had done it.

W You have to say sorry to your teacher.

여 무슨 일이니?

남 우리 선생님이 나한테 화가 많이 나셨어. 내가 학교에서 창문을 깼거든.

여 어쩌다 그랬어?

남 내가 축구를 하고 있었는데, 공을 너무 세게 찼어.

여 사고인 것 같은데. 선생님이 왜 그렇게 화가 나신 거야?

남 음, 선생님이 처음에 나한테 그것에 대해 물어보셨을 때, 내가 거짓말을 했어. 다른 사람이 그랬다고 말했어.

여 너는 선생님께 죄송하다고 말씀드려야겠다.

해설 거짓말을 해서 선생님이 화가 나셨다는 말에 대한 응답이 와야 한다.
① 아주 잘했어!
② 난 그와 함께 축구를 했어.
③ 창문을 깨뜨려서 미안해.
④ 넌 경찰서에 가야 해.

어휘 be upset with ~에(게) 화나다   break(-broke-broken) 깨다   window 창문   kick 차다   hard 세게   sound like ~처럼 들리다   accident 사고   tell a lie 거짓말하다   someone else 다른 누군가   police station 경찰서   say sorry to ~에게 미안하다고 말하다

20 ④

W What can I do with my old jeans?

M Why don't you make a bag?

W That's a great idea, but isn't it difficult?

M No, not at all. It's very simple.

W Can you tell me how to make it?

M Sure. First, draw a line on your jeans and then cut along the line.

W Okay. What should I do next?

여 내 낡은 청바지를 가지고 뭘 할 수 있을까?

남 가방을 만드는 게 어때?

여 좋은 생각이긴 하지만 어렵지 않니?

남 아니, 전혀. 아주 간단해.

여 어떻게 만드는지 나한테 말해 줄래?

남 그래. 먼저, 네 청바지에 선을 그리고 나서 선을 따라 잘라.

여 알겠어. 그 다음엔 뭘 해야 하니?

해설 남자가 가방을 만드는 방법을 설명하고 있으므로 그 다음 단계는 무엇인지 묻는 말이 이어지는 것이 가장 자연스럽다.
① 새치기하지 마세요.
② 난 그렇게 기억하고 있어.
③ 그것들을 입어 보는 게 어때?
⑤ 난 그 프로젝트가 기대돼.

어휘 jeans 청바지   difficult 어려운   simple 간단한   how to ~하는 방법   draw 그리다   line 선   cut 자르다   along ~을 따라   remember 기억하다   cut in line 새치기하다   try on 입어 보다, 신어 보다   next 그 다음에   look forward to ~을 기대하다

Review Test

pp.206~207

Word Check 19회

01 전통적인		**02** 여행 가방	
03 게시판		**04** 얼굴 표정	
05 규칙		**06** 꽃무늬	
07 전국적으로		**08** 모두 합해서, 통틀어	
09 메모하다		**10** 미술관	
11 (전시장 등의) 부스		**12** 안전	
13 experience		**14** main character	
15 add		**16** win a prize	
17 knock over		**18** unique	
19 delicious		**20** follow	
21 bus stop		**22** totally	
23 ankle		**24** recipe	

Expression Check

25 is used for	**26** a pair of
27 at the end of	**28** got a bad grade
29 going on a date	**30** for the first time

Word Check 20회

01 서해안	**02** 일정을 변경하다
03 두뇌	**04** 탐험가
05 ~을 따라	**06** 십 대
07 영화배우	**08** 외식하다
09 다스, 12개짜리 한 묶음	**10** 전시회
11 방송	**12** 요즘
13 skip	**14** break
15 particular	**16** search
17 broken	**18** form
19 source	**20** borrow
21 lend	**22** even
23 main	**24** cut in line

Expression Check

25 apply for	**26** Fill out
27 say sorry to	**28** make noise
29 less than	**30** preparing for

LISTENING CLEAR
중학영어듣기 모의고사 20회

1